학습과학, 교수체제, 수행공학에 대한 탐색

Sweller의 인지부하이론

Cognitive Load Theory

John Sweller, Paul Ayres, Slava Kalyuga 지음
이현정, 장상필, 심현애, 권숙진, 권선아 옮김

아카데미프레스

Cognitive Load Theory
by John Sweller, Paul Ayres, Slava Kalyuga

역자 서문

2012년도에 Jan Plass, Roxano Moreno와 Roland Brünken 편저의 『인지부하이론』을 번역한 후, John Sweller, Paul Ayres와 Slava Kalyuga에 의해 집필된 『인지부하이론』을 또 다시 번역하게 되어 인지부하연구를 수행하는 사람으로서 반갑고 기쁘다는 말씀을 먼저 드리고 싶다.

앞서 번역된 Plass 외의 『인지부하이론』은 그 동안의 인지부하이론과 인지부하이론에 근거한 인지부하 효과에 대한 연구 결과, 이론의 성과와 과제 등에 대한 내용을 처음으로 각 분야의 주요 연구자가 집필하여 한 권의 책으로 집대성하였다는 의미를 가진다. 그 책을 통해 최근까지 논의된 인지부하이론의 여러 연구 성과를 체계적이고 조직적으로 가르치고 학습하는 데 매우 도움이 되었다. 하지만, 인지부하이론 자체에 대한 설명이 부족하다는 평과 의견들이 있었고, 특히 최근 John Sweller가 새롭게 제시한 진화론과의 연계된 설명이 충분히 제시되지 못해 아쉬운 점이 있었다.

그런데, 2011년도에 출판되어 이번에 번역된 Sweller 외의 『인지부하이론』은 이러한 부분을 해소시켜주고 있다. 우선 인지부하이론을 최초를 주장한 Sweller 본인이 제1 저자로서 본 책을 책임 집필하였으며, 인지부하이론의 생성 초기부터 현재까지 함께 연구를 진행해온 동료 Ayres와 Kalyuga가 공동으로 집필하였기 때문에, 인지부하이론에 대한 내용이 체계적으로 제시되어 있고, 특히 이론의 궁극적인 문제의식인 교수설계에 대한 논의가 풍부하게 제시되었다. 생물학에서 출발한 진화론을 통해 인간의 인지구조를 설명하려는 시도는 아직 학계에서 많은 논란이 있지만, 인지 활동에 대한 탐색을 보다 보편적 이론의 범주 내에서 다루고자 한다는 측면에서 환영하고 싶다.

아직까지 국내에서는 인지부하이론이 교수설계이론으로서 생소한 느낌이 있지만, 이 책을 통해 교육현장이나 학계에서 교수활동의 설계, 교수전략의 수립과 관련된 활동을 할 때 도움이 되기를 바라는 바이다.

2013년 11월 11일

대표 역자 이현정

저자 서문

인간의 인지과정에 대한 지식이 없는 교수설계는 바람직하지 않다. 교수적 기법을 제안하는 적합한 이론적 틀이 없이는 교수절차가 제대로 작동하는지를 설명하기가 어렵기 때문이다. 인간 인지에 대한 지식이 부족하다는 것은 서로 다른 교수적 과정과 안내 절차를 연결해주는 가장 중요한 구조가 빠진 것이다. 인간의 인지적 구성요소가 조직된 방식인 '인지구조(cognitive architecture)' 없이는 교수절차에 대한 합리적인 정당화가 불가능할 것이다. 우리는 특정 절차가 효과적임을 입증하는 좁은 범위의 경험적 기반에 머물러 있었다. 교수절차 A가 B보다 효과적이라고 말할 수는 있지만, 왜 그러한지, 어떤 조건에서 그러한지, 또한 어떻게 하면 더 효과적일 수 있는지에 대한 대답을 할 수가 없다.

그러나, 인지구조—즉, 인간이 어떻게 학습하고, 생각하며, 문제를 해결하는지에 대한 지식—는 교수적 가설과 데이터를 생성하는 데 사용할 수 있도록 일관되고 통합된 기초를 제공할 수 있다. 그러한 기초는 왜 어떤 교수절차는 성공하였으며, 다른 교수절차는 실패하였는지에 대해 설명해줄 수 있다. 서로 이질적이거나, 심지어 모순적으로 보이는 자료도 설명이 될 수 있다. 가장 중요한 것은, 인간의 인지구조가 교수적 절차를 생성하는 데 사용될 수 있다는 것이다. 인간 인지구조의 틀을 구성하는 구조는 연구자와 전문교육가 모두에게 교수설계를 위한 본질적인 선수지식을 제공한다. 그러한 구조는 교수설계의 이슈를 이해할 수 있도록 해준다. 더 나아가서, 교수이론을 고안하는 데 인간 인지구조에 대한 지식을 활용할 수 있다.

바로 인지부하이론이 인간의 인지구조에 대한 지식을 기반으로 교수설계이론으로 발전해왔다. 인지부하이론은 교수활동과 관련된 인지구조에 대한 여러 측면으로 구성되어 있다. 이 책은 1부에서 지식의 범주에 대한 고민에서 시작하여, 2부에서는 인간 인지구조에 대한 설명을 하였고, 3부에서는 인지부하의 유형을 논의하였으며, 4부에서는 이론에 근거한 교수적 효과들을 다루고 있으며, 마지막으로 5부에서는 결론을 맺고 있다.

최근에 인지부하이론에서 논의하는 인지구조가 진화 생물학의 틀 내에서 재조명되었다. 자연 선택에 의한 진화론은 인지부하이론에서 두 가지 역할을 하고 있다. 첫째는 이 책 1부의 1장에서 언급한 대로, 정보가 두 가지 범주로 분류될 수 있다는 것이다. 첫 번째 범주는 생물학적 일차 지식으로, 우리가 진화를 통해서 꼭 습득하고 있어야만 하는 정보로 구성되어 있다. 반면, 두 번째 범주인 생물학적 이차 지식은 진화를 통해서 습득되지 않은 사회문화적인 필요에 의해서 요구되는 정보이다. 각종 교육기관은 생물학적 이차 지식을 습득할 수 있도록 만들어졌으며, 인지부하이론 또한 주로 생물학적 이차 지식의 정보 습득을 다룬다. 1장에서는 이러한 지식에 대한 범주화를 통해, 인지부하이론에서 사용되는 진화론의 기본 내용을 소개하고 있다.

자연 선택에 의한 진화는 인지부하이론에서 두 번째로, 그러나 여전히 중요한 역할을 하고 있다. 진화이론은 생명체의 전체 종의 진화를 포함하여 생물학적인 구조가 어떻게 발생하는지에 대하여 설명하는 생물학 이론으로 여겨져왔다. 물론, 그것은 진화이론의 가장 중요한 목적이다. 그럼에도 불구하고, 자연적인 정보처리 시스템이라는 완전히 다른 관점에서 고려될 수 있다. 정보가 처리되는 방식과 관련하여 진화론을 고려함으로써, 진화론의 개념을 인간 인지와 같은 정보처리 시스템으로 확장할 수 있다.

생물학적 진화는 일반적으로 정보처리가 이루어지는 조건에서 고려되는 것이 아니라, 생물학적 진화의 방식으로 정보처리 과정을 생각해볼 때 이점이 있다는 것이다. 생물학적 진화를 정보처리 시스템으로 고려할 때, 자연적인 정보처리이론(natural information processing theories)과 같은 특정 이론들에 대하여 설명해줄 수 있다. 정보가 자연 선택에 의해 자연계 내에서 어떻게 처리되는지에 대한 이론들은 자연적인 정보처리이론에 대해서 설명해준다. 자연적인 정보처리이론을 생물학적 진화의 관점에서 다룸으로써, 생물학적 진화에 관한 수많은 지식을 활용하여 정보처리 시스템의 특징을 조명할 수 있게 되었다.

생물학적 진화의 사례로서 자연적인 정보처리 시스템이 어떻게 기능하는지를 아는 것은 인간의 인지가 자연적인 정보처리 시스템의 한 가지 사례이기 때문에 특별히 중요하다. 자연적인 정보처리 시스템이 어떻게 생물학적 진화로 설명되는지를 안다면, 인간의 인지 역시 자연적인 정보처리 시스템에 해당하며, 자연 선택에 의한 진화에 비유될 수 있기 때문에 그러한 지식은 인간의 인지가 어떻게 기능하는지에 대한 정보를 제공할 것이다. 즉, 자연적인 정보처리 시스템의 특징을 알게 되면 인간 인지의 중요한 특징의 일부에 대해서 알게 될 것이다.

이렇게 우리가 생물학적 진화가 어떻게 이루어지는지를 이해하면, 인간의 인지가 어떻게 작용하는지에 대해서 알 수 있게 된다. 생물학적 진화와 인간의 인지 모두 자연적인 정보 시스템이기 때문이다. 만약 우리가 인류가 자연의 산물이기 때문에 학습, 생각, 문제 해결하는 방법을 자연의 일부라고 여긴다면, 우리는 자연이 어떻게 학습하고 문제를 해결하는지에 대해서 알 필요가 있다. 이것은 자연 선택에 의한 진화와 인간의 인지를 자연적인 정보처리 시스템으로 다룸으로써 성취될 수 있다. 이 책 2부의 2장부터 4장까지 자연 선택과 인간 인지의 진화 사이의 유사성을 제안하였다. 그러한 제안과 논의 속에서 인지부하이론의 핵심인 인지구조에 대한 내용이 제시된다.

인간의 인지구조와 그것의 진화에 대한 인지부하이론의 강조는 그 자체가 목적이 아니다. 인지부하이론의 궁극적인 목적은 교수설계 원리를 제공하기 위하여 인간 인지에 대한 지식을 사용하는 것이다. 2부에서 논의된 인지구조는 우리가 생물학적 이차 정보를 다룰 때, 그 정보가 새로운 내용일 경우 인간의 인지는 용량과 기간이 제한적인 작동기억을 사용하며, 장기기억에 저장되었던 익숙한 내용을 다룰 경우에는 그 용량과 기간에 제한이 없음을 설명해준다. 교수활동은 정보가 장기기억에 효과적으로 저장될 수 있도록 작동기억의 제한성을 잘 고려해야 한다. 일단 적절한 정보가 장기기억에 저장되면, 작동기억의 용량과 기간의 제한성은 변형되며, 또한 인간 역시 변화된다. 과거에는 불가능해 보였거나 엄두도 못 냈던 것들이 단순하거나 시시한 것들이 된다. 따라서, 교수설계의 목적은 장기기억 내의 지식이 변화할 때까지 제한된 용량의 작동기억을 사용하여 지식 습득을 촉진하는 것이다. 기억에 대한 이러한 특징들이 교수활동을 설계하는 데 적절한 지침을 제공할 수 있다. 교수설계 원리에 대한 자세한 과정은 이 책의 3부에 제시되어 있다.

다양한 교수절차에 의해 부과되는 작동기억의 인지부하는 교수자료 자체에서 나오는 내재적 부하와 교수자료가 제시되는 방식과 이로 인하여 학습자에게 요구되는 활동에 의해 부과되는 외재적 부하로 이루어져 있다. 이 책의 3부, 5장에서는 인지부하이론의 유형과 상호작용, 교수활동에 대한 의미를 개관함으로써 인지부하이론의 교수적 활용에 대해 소개하고자 한다. 6장에서는 인지부하를 측정하는 기법에 대하여 논의하고자 한다.

4부에서는 인지부하이론에 기반을 둔 다양한 교수적 효과에 대해 논의하고자 한다. 지난 25년 넘게 전 세계 연구자들은 인지부하이론을 사용하여 다양한 교수절차를 개발하였다. 그러한 교수절차들은 통제된 실험을 통하여 전통적 방법과 비교하여 그 우위성이 검증되었다. 그러한 비교의 결과, 새로운 절차가 통상적으로 사용되어온 절차보다 우수함을 보여줄 때, 인지부하의 효과성을 입증하는 것이다. 인지부하 효과는 인지부하이론의 궁극적인 목적인 교수활동의 지침을 새롭게 제공한다. 인지부하이론을 정당화하는 이러한 지침은 이 책의 7장부터 17장까지에서 논의된다. 각 장은 인지부하이론에 의해 고안된 한 가지 이상의 인지부하 효과를 설명한다. 각 효과는 교수활동의 절차를 제시하며, 효과성을 검증하였고 실제 사용을 위해 제안된 것들이다. 18장에서는 각각의 효과에 대한 종합적인 결론을 제시하고 있다.

인지부하이론이 교수설계이론으로서 사용되어온 지난 20, 30년간 많은 변화와 발전이 있었다. 인지부하이론의 변화와 발전은 피드백 루프의 사례처럼 인지부하이론에서 생성된 교수적 효과에 의해 촉진되었다. 예를 들면, 인지부하이론은 새로운 교수절차를 개발하고 그 절차는 특정 환경에서 특정 교육과정에서 효과를 입증하지만, 다른 영역에서 일반화에 실패할 수 있다. 그러한 실패는 실패에 대한 설명을 요구하고, 이러한 과정을 통해서 새로운 교수적 효과와 절차가 개발되며 이론의 발전에 기여한다. 이러한 방식을 통해 인지부하이론이 구성되어온 것이다.

마지막으로, 인지부하이론은 다른 모든 교수설계이론의 정당화 과정과 마찬가지로, 새롭고 유용한 교수 활동의 절차를 생성하는 능력에 의해 이론으로서 지지를 받을 수도 있고 그렇지 않을 수도 있다. 우리는 모두 인지부하이론이 이러한 시험을 통과하길 희망한다. 이 책에는 지난 수십 년 동안의 연구 성과와 함께 새롭게 제안된 내용을 담았다. 다음 장에서는 진화론을 사용하여 지식의 범주화를 설명하고자 한다.

John Sweller, Paul Ayres, Slava Kalyuga

차 례

제1부 도입_ 13

제1장 | 지식의 분류: 진화론적 접근_ 15

왜 교수설계는 생물학적 일차 지식과 이차 지식의 구별을 요구하는가? 16 | 생물학적 일차 지식 18 | 생물학적 이차 지식 20 | 교수활동의 의미 22 | 결론 30

제2부 인간의 인지구조_ 31

제2장 | 정보 축적: 정보 저장 원리_ 35

자연적 정보처리 시스템은 정보를 어떻게 저장하는가? 35 | 교수활동 시사점 44 | 결론 46

제3장 | 정보 획득: 차용과 재조직 원리 및 무작위적 생성 원리_ 47

차용과 재조직 원리 48 | 결론 52 | 무작위적 생성 원리 53 | 결론 59

제4장 | 외부 환경과의 상호작용: 변화의 제한성 원리 및 환경의 조직과 연결 원리_ 63

변화의 제한성 원리 64 | 결론 70 | 환경의 조직과 연결 원리 71 | 결론 77 | 인간의 인지구조의 체계 및 기능 요약 77

제3부 인지부하의 유형_ 81

제5장 ㅣ 내재적 인지부하와 외재적 인지부하_ 85

내재적 인지부하와 외재적 인지부하의 가산성 86 ㅣ 요소 상호작용성 87 ㅣ 요소 상호작용성과 내재적 인지부하 88 ㅣ 요소 상호작용성과 외재적 인지부하 99 ㅣ 교수활동 시사점 101 ㅣ 결론 102

제6장 ㅣ 인지부하 측정_ 103

인지부하의 간접 측정 103 ㅣ 인지부하의 주관적 측정 105 ㅣ 효율성 측정 108 ㅣ 이차 과제를 통한 인지부하 측정 111 ㅣ 인지부하의 생리학적 측정 115 ㅣ 인지부하 유형별 측정 117 ㅣ 요약 121

제4부 인지부하 효과_ 123

제7장 ㅣ 무목표 효과_ 125

무목표 효과에 대한 실증적 근거 127 ㅣ 무목표 효과에 대한 대안적 설명 131 ㅣ 적용 조건 136 ㅣ 교수활동 시사점 136 ㅣ 결론 137

제8장 ㅣ 해결된 예제 및 문제 완성 효과_ 139

해결된 예제에 대한 실증적 근거 140 ㅣ 문제 완성 효과 146 ㅣ 해결된 예제 사용에 대한 비판 149 ㅣ 적용 조건 150 ㅣ 교수활동 시사점 150 ㅣ 결론 151

제9장 ㅣ 주의분산 효과_ 153

주의분산 효과의 다양한 범주 156 ㅣ 주의분산 효과와 관련된 인지부하이론 효과 168 ㅣ 시간적 주의분산 170 ㅣ 주의분산을 극복하기 위한 대안 172 ㅣ 주의분산 효과의 메타분석 177 ㅣ 적용 조건 178 ㅣ 교수활동 시사점 178 ㅣ 결론 179

제10장 ㅣ 감각양식 효과_ 181

음성 텍스트로 문자 텍스트를 대체하는 것의 효과 182 ㅣ 상호작용적 학습 환경에서 감각양식 효과 186 ㅣ 감각양식 효과를 매개하는 요인 188 ㅣ 적용 조건 요약 193 ㅣ 교수활동 시사점 194 ㅣ 결론 195

제11장 ㅣ 중복 효과_ 197

중복 효과에 대한 실증적 근거 199 ㅣ 문자 텍스트와 음성 텍스트의 동시 제시 효과 201 ㅣ 외국어 학습에서의 중복 효과 203 ㅣ 인지부하이론 이전의 중복 효과에 대한 근거 205 ㅣ 중복 효과를 매개하는 요인 207 ㅣ 적용 조건 요약 211 ㅣ 교수활동 시사점 211 ㅣ 결론 212

제12장 | 전문성 역효과_ 215

전문성 역효과에 대한 실증적 근거 216 | 전문성 역효과와 적성-처치 상호작용 230 | 전문성 역효과의 적용 조건 230 | 교수활동 시사점 232 | 결론 233

제13장 | 도움의 점진적 소거 효과_ 235

도움의 점진적 소거에 대한 실증적 근거 237 | 도움소거 효과의 적용 조건 250 | 교수활동 시사점 251 | 결론 251

제14장 | 효과적인 정신적 처리과정 촉진: 상상 효과와 자기설명 효과_ 253

상상 효과 254 | 인지부하이론 연구 이전의 상상 효과 256 | 인지부하이론 맥락에서 상상 효과에 대한 실증적 근거 257 | 자기설명 효과 259 | 적용 조건 262 | 교수활동 시사점 264 | 결론 265

제15장 | 요소 상호작용성_ 267

요소 상호작용성에 대한 실증적 근거 268 | 적용 조건 275 | 교수활동 시사점 276 | 결론 277

제16장 | 요소 상호작용성과 내재적 인지부하_ 279

사전훈련 280 | 하위목표에 초점 맞추기 282 | 선언적 정보와 절차적 정보를 따로 제시하기 283 | 해결된 예제에서 내재적 인지부하 줄이기 283 | 고립된 요소 효과 286 | 복합적 학습에서 4C/ID 모형 289 | 다양성 효과 291 | 다양성과 내재적 인지부하의 증가 294 | 적용 조건 295 | 교수활동 시사점 296 | 결론 297

제17장 | 인지부하이론에서 새로운 주제: 일시적 정보 효과와 집합적 작동기억 효과_ 299

일시적 정보 효과 299 | 집합적 작동기억 효과 313

제5부 결론_ 319

제18장 | 인지부하이론의 전망_ 321

참고문헌_ 329

찾아보기_ 347

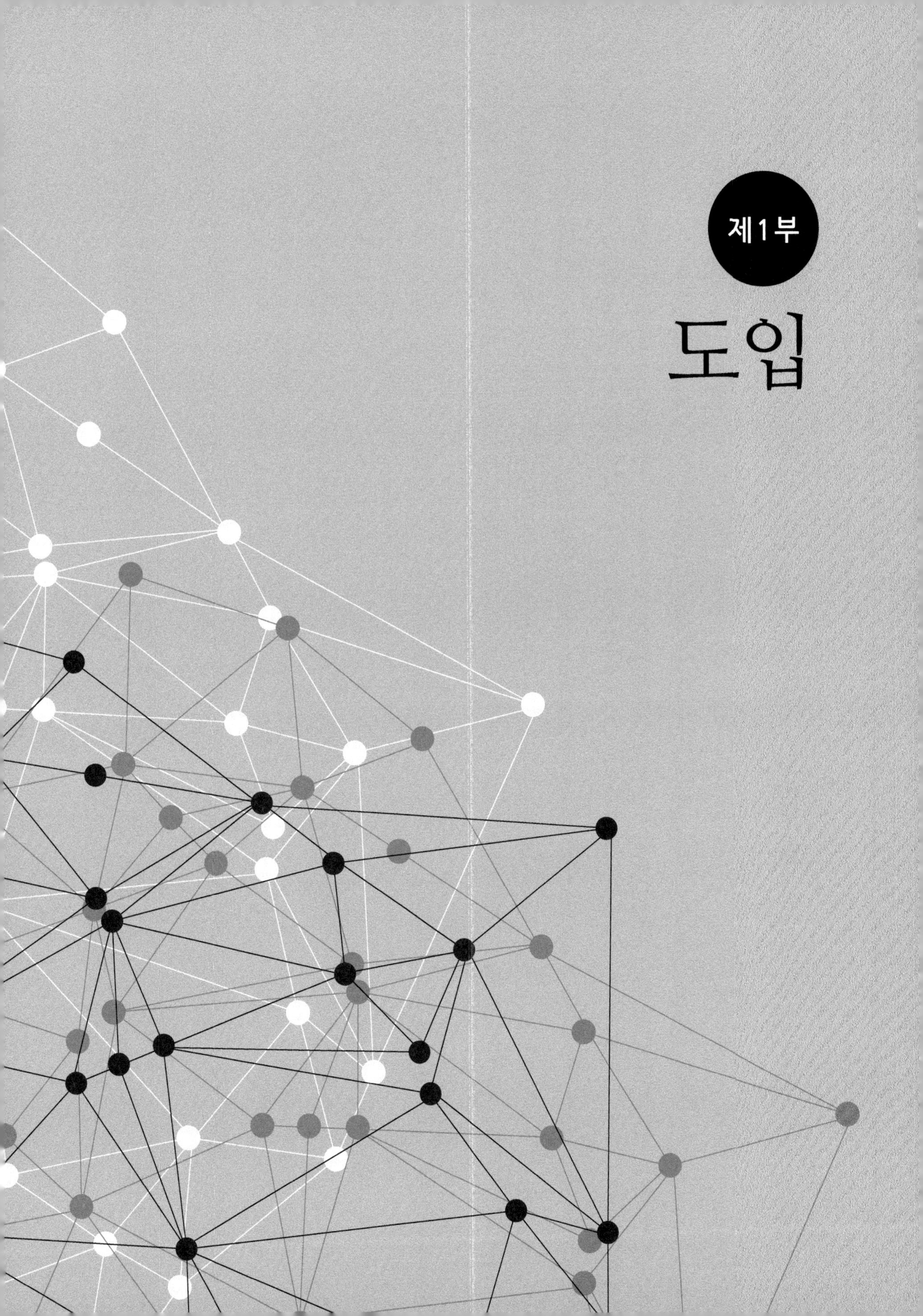

제1부

도입

지식의 분류: 진화론적 접근

인간의 인지활동을 고찰할 때, 가장 먼저 고려해야 할 점은 지식을 범주화하는 것이다. 서로 다른 범주에 속한 지식들은, 각각 다른 방식으로, 획득되고, 조직화되고, 저장되며, 또한 다른 교수방법을 요구한다. 서로 다른 범주의 지식들을 어떻게 다르게 다루는지를 이해하는 것은 교수설계적 관점에 의거하여 인간 인지작용의 중요한 측면을 판단할 때 필수적이다.

지식을 범주화하는 수많은 방법들이 있지만, 대부분의 지식범주의 구분들은 교수적 관점과는 무관하다. 대부분의 지식범주의 구분들은, 교수적 함의 측면에서, 그 구분의 이유를 제공하지 않는다. 여러 가지 지식범주화의 방법들 중에서 한 가지 방법은 인간의 진화 과정과 관련된 지식(생물학적 일차 지식)인지, 혹은 보다 최근에 사회문화적 이유로 중요해진 지식(생물학적 이차 지식)인지로 구분하는 것이다. 본 장(1장)은 생물학적 일차 지식과 이차 지식, 그리고 이러한 방식으로 구분된 지식들이 교수활동에 미치는 함의에 대하여 논의할 것이다.

'생물학적 일차 지식'과 '생물학적 이차 지식'은 서로 다른 방식으로 다루어진다. '사람들의 얼굴 식별하기', '사람들의 목소리 식별하기', '일반적인 문제해결 전략 사용하기' 그리고 '이러한 지식들을 습득하게 하는 사회 활동에 참여하기' 등이 생물학적 일차 지식에 포함되며, 이 지식들은 모듈단위로(modular) 구성되어 있다. 즉, 서로 다른 시기에, 각기 다른 방법으로, 인간은 다양한 유형의 생물학적 일차 지식을 다루도록 진화되어 왔다. 예를 들어, 사람들의 얼굴을 식별하는 지식을 습득할 수 있게 하는 인지 과정들(cognitive processes)은 사람들의 목소리를 식별하는 지식을 습득할 수 있게 하는 인지 과정들과는 다르다. 한편, 엄청나게 다양한 사람들의 '얼굴'과 모국어로 구성된 '소리'를 식별하는 능력은 별도의 교습(tuition) 없이 쉽게 획득되는 반면, 이런 기본적인 '얼굴'과 '소리'를 구별하는 능력은 다양한 '확산적 인지 과정들(divergent cognitive processes)'과는 구별된다. 다시 말해서, 사람들의 '얼굴' 및 '목소리' 식별을 위한 기술은 각기 다른 시대에, 서로 다른 방식으로 습득-진화되어온 '생물학적 일차 지식'에 속하며, 이 지식은 일반적 정보처리과정(general information processing)을 요구하는 '생물학적 이차 지식'과는 구별된다.

생물학적 이차 지식은 사회문화적 요구에 의해 발생된 지식으로, '읽기', '쓰기: 다양한 주제에 대한 글 쓰기' 등이 그 예이다. 교수설계는 주로 이 생물학적 이차 지식을 다루는 것과 관련이 있다. 생물학적 이차 지식을 다룰 때, 일반적으로, '인간의 인지'는 정보처리 엔진의 한 가지 예이다. 이때, 생물학적 일차 지식을 처리하는 구조와는 다르게, 생물학적 이차 지식을 다루는 인지구조 및 일련의 과정은 다양한 범주의 지식들을 다룰 수 있는 역량을 지녔다. 다시 말해서, 교수설계는 생물학적 일차 지식이 아닌 이차 지식을 다루는 것과 관련이 있으며, 이 이차 지식을 획득하게 하는 인지적 기제(cognitive machinary)의 구체화는 효과적인 '교수설계 절차(instructional design procedures)'를 제시하는 데 기여할 수 있다.

왜 교수설계는 생물학적 일차 지식과 이차 지식의 구별을 요구하는가?

인간의 구조(structures, 예: 인체 구조, 뇌 구조, 유전자 구조 등)와 그것들의 기능들(functions)은 자연 선택에 의한 진화의 부산물들이다. 예를 들어, '허파에서 산소와 이산화탄소를 수송할 수 있게 하는 기능'에서부터 '마주 보는 위치의 엄지손가락 구조(opposable thumbs)'까지 인간의 기능과 구조는 수많은 세대에 걸쳐 진화된 것이다. 이와 같이, 인체의 구조와 기능에 대한 진화는 진화의 역사 속에서 쉽게 고찰되는 반면, 인간의 정신 및 인지활동은 진화적 측면에서 두드러지게 다루어지고 있지 않다. 현재까지, 인간정신은 진화할 수 있는 독립체라고 여겨지지 않았으며, 인지활동의 진화론적 관점 및 그에 대한 결과들은 거의 고려되지 않았다. 그러나, 자연 선택에 의한 진화의 부산물 관점에서, 인간의 '뇌 구조'와 그 구조에 상응하는 '인지적 기능들'을 고려할 때, 중요한 교수적 결과들은 발견된다. 진화론적 관점에서 인간의 인지활동을 고찰하는 것은, 인지기능에 대한 새로운 통찰력을 갖게 하며, 그 새로운 이해는 다시 교수적으로 어떻게 활용할 것인지에 대한 통찰력도 갖게 한다(Sweller, 2003, 2004; Sweller & Sweller, 2006). 본 장에서는 위에서 언급한 두 개의 지식의 범주(즉, 생물학적 일차 지식과 이차 지식)에 대하여 고찰할 것이다. 이 두 종류의 지식은 어떻게 습득되며, 각각 어떤 교수적 함의를 지니고 있는지 분석될 것이다.

처음으로 지식을 생물학적 일차 지식과 이차 지식으로 구분한 학자는 David Geary(Geary, 2007, 2008)이다. 이러한 지식범주화에 의해서, Geary는 독특한 교육심리학적 기반을 제공했다. Geary에 의하면, 생물학적 이차 지식은 명시적인 교수활동(learning and teaching)에 의해 습득되는 지식이다. 반면, 생물학적 일차 지식은, 명시적인 교수활동 없이, 일반적으로 습득되는 지식을 일컫는다. 지식을 생물학적 일차 지식과 이차 지식으로 범주화하는 과정에서, Geary는 설명이 곤란했던 많은 문제들을 해결한다. Geary의 지식범주화 방식은 '교수설계'를 변화시킬 잠재성뿐만 아니라, 인간의 인지활동에 대한 이해를 새롭게 할 잠재성을 제공한다.

지식을 일차 지식과 이차 지식으로 구분하고 대조하는 것은 Geary 방식의 핵심이다. 인간은 생물학적 일차 지식에 동화(assimilate)되도록 진화되어 왔다. 어떤 면에서, 이 일차 지식은 획득되도록 이미 프로그램되어 있는 본능적인 지식(instinctive knowledge)으로, 획득하는 데 별도의 교수활동을 필요로 하지 않는다. 반면, 이차 지식을 다루는 지식은 인간의 진화론적 역사 속에서 발견되지 않으며, 따라서 일차 지식을 획득하는 방법과는 근본적으로 다른 방식으로 이차 지식은 획득된다. 즉, 생물학적 이차 지식은 사회문화적 토대 안에서 명시적으로 가르치고 배워야만 습득되는 지식이다. 이러한 이차 지식은 인간이 소속되어 있는 '사회' 및 '문화'적 환경에 상당히 의존적이다. 따라서, 이차 지식은 각기 다른 사회문화적 환경에 따라 각각 다르다. 생물학적 일차 지식을 토대로 이차 지식은 개발되지만, 서로 다른 시스템과 관련되어 있는 이 두 지식의 인지 과정은 상당히 다르며 서로 다른 교수설계 시사점을 가지고 있다.

생물학적 일차 지식

인간이 가지고 있는 다양한 형식의 기술(skills)은 생물학적 일차 지식에 토대를 두고 있다. 그러한 기술은 보편적이며, 또한 많은 노력 없이, 무의식적으로, 명시적인 교수활동 없이 획득되기 때문에, 아주 당연한 것으로 간주된다. 이러한 기술의 '예'로는 사람들의 얼굴들을 쉽게 식별하며, 물체들(physical objects)을 구별하는 것 등이 포함된다. 또한, 명시적 교육 프로그램 없이도 동작 및 움직임에 의해서 타인과 혹은 환경과 상호작용하는 법을 습득한다. 모국어로 듣고 말하는 것은 가장 중요한 생물학적 일차 기술 중 하나이다. 모국어로 듣고 말하는 기술을 습득할 때, 별도의 교과과정이나 교육활동은 요구되지 않는다(물론, 모국어로 듣고 말할 수 있는 기술을 습득하기 위해서는, 많은 양의 정보(단어 및 문장)가 먼저 선행되어 학습자의 인지구조에 저장되어 있어야 한다). 예를 들어, 말하는 기술을 습득할 때, 우리는 입술, 혀, 호흡 및 다양한 소리들을 동시에 조합하여 다루는 법(skill)을 알아야 한다. 그러나, 이렇게 '말하는 법(skill)'은 습득되는 것이지, 교육과정을 통해서 학습되는 것이 아니다. 모국어로 말하는 법을 가르쳐야 한다고 누구도 생각하지 않으며, 따라서 그러한 교육과정 또한 필요하지 않다. 왜냐하면, 인간은, 별도의 교육과정 없이, 모국어로 말하는 법을 습득하도록 진화되어 왔기 때문이다. 모국어로 말하는 법을 배울 때 요구되는 엄청난 양의 정보에도 불구하고, 생물학적 일차 지식에 속하는 이 필수적인 기술을 획득할 때 우리는 인지부하를 경험하지 않는다.

그러면, 왜 이러한 기술들은, 그 엄청난 정보의 양에도 불구하고, 쉽게 획득되는가? 그것은 우리가, 생물학적 생존의 필수적 조건으로써, 수많은 세대에 걸쳐, 그러한 지식들을 습득하도록 진화되어 왔기 때문이다. 그러한 기술들은 문화적 유산이라기보다는 생물학적 유산이다. 문화의 발달과 관계없이, 대부분의 사람들은 이러한 기술을 자연스럽게 습득한다. Geary(2007, 2008)는 본능적으로 획득되는(즉, 생물학적 일차 지식을 요구하는) 이러한 기술들을 생물학적 혹은 진화론적으로 일차 기술이라고 범주화했다.

생물학적 일차 지식은 서로 독립적인 모든 일차 기술들에 따라 기능적으로 모듈화되어 있다. 서로 다른 진화론적 시기에, 각각의 일차 기술은 독립적으로 진화되어 왔다. 기능적인 측면에서, '사람의 얼굴을 식별하는 기술'과 '모국어로 듣고 말하는 기술'은 관련성이 거의 없다. 단지, 일정한 그러나 상당히 다른 진화론적 시기에, 인간이 이러한 기술들을 배우도록 진화했다는 것만이 공통점이다. 이 진화론적 역사 때문에, 이 두 기술은 어떤 노력이나 명시적 교수활동 없이 쉽게 획득될 수 있다.

우리는 생물학적 일차 지식을 어떻게 획득했는지 잘 모르며, 대부분의 일차 지식은 아주 어린 시절에 획득된다. 일차 지식은 따로 가르칠 필요가 없으며, 소속된 사회의 구성원으로 존재한다면 그것으로 충분하다. 실제로, 우리의 조상들이 원시적 공동체를 세웠던 그 자체가 생물학적 일차 지식의 예라고 볼 수 있다.

또한, 생물학적 일차 지식을 제대로 갖추었는지 측정하는 테스트는 존재하지 않는다. '일차 지식을 가지고 있다'는 것은 오직 이 지식의 특성을 드러내는 절차들에서만 확인된다. 어떤 분야에서 적극적인 학습 혹은 명시적 교수활동 없이 지식을 쉽고 빠르게 무의식적으로 습득할 수 있다면, 그 분야는 생물학적 일차 지식의 분야임이 분명하다.

생물학적 일차 지식은 대부분의 인간 인지활동의 관점들에 대한 기본적인 토대를 제공한다. 쉽고, 빠르게, 그리고 자동적으로, 엄청난 양의 범주화된 지식을, 장기기억장치에 저장하도록 인간은 진화되었기 때문에, 인간은 독창성, 창의성 등의 기술을 위한 기본적인 자질을 갖출 수 있다. 그러나, 생물학적 일차 지식이 필수적이긴 하지만, 그 자체만으로는 인간의 모든 인지활동을 이끌 수는 없다. 예를 들어서, 우리는 한 사회의 구성원으로 동화되면서 자동적으로 '모국어로 말하는 법'(생물학적 일차 지식의 한 예)을 배우지만, 다른 한편에서는 의식적으로 새로운 방법을 사용하여 말하는 방법을 배우는데, 이것은 사회에 동화되면서 배웠던 방식과는 다른 방식이다. 새로운 방법을 사용하여 말하는 법을 배우는 것은 명시적 교육프로그램에 의해서 이루어진다. 좀더 구체적으로 살펴보자면, 우리가 직면하고 있는 문화적 특수상황에서 우리는 사용하고 있는 말의 문법적 구성이 적절한지 적절하지 않은지를 배우며, 특수한 학술적 연구활동과 관련된 복잡한 언어 기술을 배운다. 또한, 생물학적 일차 지식으로서 획득된 언어적 표현은 상당한 교정의 과정을 거치는데, 이 교정된 언어 기술은 더 이상 생물학적 일차 지식이라고 말할 수 없다. 이것들은 생물학적 이차 지식에 속한다.

생물학적 이차 지식

기하급수적인 지식의 축적—가장 최근의 상황이긴 하지만—을 동반한 채, 인간의 문화는 지속적으로 변화하고 있다. 이 새로운 지식은 앞서 논의된 생물학적 일차 지식과는 본질적으로 상당히 다르다. 인간은 말하는 데 요구되는 운동 및 인지 기능을 스스로 습득하도록 진화되어 왔으며 이것들은 명시적 교육과정 없이도 가능하다. 그러나, 모국어로 글쓰기를 배우기 위해서는 생물학적 일차 지식의 다른 관점들이 요구된다. 모국어로 글 쓰는 방법을 배우는 것은 모국어로 말하는 것과는 상당히 다르다. 인간은 모국어로 '글 쓰는 법'을 스스로 습득하도록 진화되지 않았다. 인류는 불과 몇 천 년 전에서야 비로소 글쓰기를 시작했다. 생물학적 진화에 영향을 받아온 긴 세월에 비하면 턱없이 짧은 시간이다. 실제로 인간이 모국어 '글 쓰는 법'을 배운 이후에도, 대부분의 세월동안 오직 소수의 사람들만이 글을 쓰는 방법을 알았다. 불과 100여 년 전 대중교육의 출현으로 말미암아, 그것도 오직 몇몇의 사회에서만 대부분의 사람들이 비로소 모국어로 글 쓰는 법을 배우기 시작했다. 인간은 모국어로 말하는 법을 습득하도록 진화했지만, 모국어로 글 쓰는 법을 스스로 습득하도록 진화되지는 못했다. 이렇게 모국어로 말하는 법을 습득할 때 사용되는 인지 시스템과 모국어로 글쓰기를 배울 때 사용되는 인지 시스템은 다르기 때문에, 모국어로 글 쓰는 법을 배우는 교수과정은 모국어로 말하는 법을 배우는 과정과는 상당히 다르다. '글쓰기'는 생물학적 이차 지식의 한 '예'이다.

인류는 수많은 서로 다른 유형의 생물학적 일차 지식을 습득하도록 진화되어 왔으며, 또한 각기 다른 생물학적 일차 지식 습득을 위한 고유한 시스템을 가지고 있다. 이와 마찬가지로, 우리는 생물학적 이차 지식 습득을 위한 통합적 시스템을 가지고 있다(Geary, 2007, 2008). 인류의 진화의 역사를 통해서 자연스럽게 습득되게 하는 일차 지식 습득 시스템과는 차이가 있는 이차 지식 습득 및 통합 시스템은 사회문화적 요인과 긴밀하게 관련되어 있다. 생물학적 일차 지식은 별도의 수고 없이 쉽게 획득되는 반면, 생물학적 이차 지식은 의식적인 수고와 노력이 필요하다. 소속된 사회에 동화되어 있기만 해도 모국어로 말하는 법은 쉽게 습득 가능하지만, 모국어로 글 쓰는 법을 스스로 배우는 것은 가능할 것 같지 않다. 모국어로 글 쓰는 법을 배우기 위해선 소속된 사회에 동화되어 있는 것 이상이 필요하다. 모국어로 말하는 사람들로 둘러싸인 환경에 있는 대부분의 사람들이 모국어로 말하는 법을 쉽게 배우리라고 예상되지만, 모국어로 글쓰기를 할 줄 아는 사람들로 둘러싸인 환경에 있다고 글쓰기를 쉽게 배울 것이라고는 기대하기 어렵다. 모국어로 글쓰기는 의식적인 노력이 요구되기 때문이다. 따라서, 생물학적 이차 지식을 획득하는 것은 매우 어렵고, 또한 이러한 이차 지식의 획득은 현대사회에서 매우 중요하기 때문에, 인류는 사람들이 생물학적 이차 지식을 습득하고자 할 때 도움을 주기 위한 목적으로 방대한 교육 구조(educational structure)를 만들었다. 교육기관들(educational institutions)은 문화를 창달하여 영구화시킬 목적으로 존재한다. 이미 정형화된 문화의 획득을 위해선 생물학적 일차 지식이 필수적으로 요구되지만, 문화 자체는 생물학적 일차 지식이 아닌 생물학적 이차 지식으로 구성되어 있다. 우리는 현재의 다양한 문화적 관점들(특별히, 선진화된 문화)을 무의식적이고 자동적으로 습득하도록 진화되지 않았다. 문화를 구성하는 생물학적 이차 지식의 획득을 위해서는 공식적인 혹은 비공식적인 교육기관들이 요구된다.

인류가 생물학적 일차 기술을 습득하도록 진화되어 온 것처럼, 생물학적 이차 지식을 습득하도록 진화되어 오지는 않았지만, 수많은 영역에서 이차 기술의 획득을 허용하는 인지 시스템(cognitive system)을 진화시켜 왔다. 이 인지 시스템의 자세한 내용은 2장부터 4장까지에서 논의될 것이다.

어떤 기술이 생물학적 일차 지식인지 이차 지식인지 구별하는 가장 좋은 방법은 그 기술을 획득하기 위해서 과연 교수적 지원(institutional support)이 필요한지 아닌지를 살펴보는 것이다. 생물학적 일차 기술은 교수적 지원을 필요로 하지 않지만, 이차 기술은 필요로 한다. 모든 주제들, 즉 요리에서 물리학에 이르는 일련의 모든 교과과정은 생물학적 이차 지식으로 구성되어 있다.

생물학적 이차 지식을 획득하는 과정이 일차 지식을 획득하는 과정과 상당히 다르기 때문에 우리는 교수활동 과정(instructional processes) 역시 다를 것이라 생각한다. '생물학적 이차 지식은 자동적이고 무의식적으로 획득되지 않는다'라는 사실이 중요한 교수적 의미(instructional consequences)를 제공한다. Geary(2007)에 의하면, "대부분의 아이들이, 현대사회의 구성원으로서 기능하기 위해서 필요한 모든 종류의 이차 지식을 '명시적'이고, '직접적'인 교사의 가르침 없이 배운다면, 충분하게 동기부여도 되지 않을 것이고, 인지적으로도 배우는 것이 불가능할 것이다."(p. 43). 생물학적 일차 지식을 다룰 때라면, 학습자를 적절한 학습환경에 투입하여 스스로 지식을 구성하도록 하게 하는 것은 매우 바람직인 일이다. 그러나, 문화적 요청에 따라 인간에 의해 발명된 지식(생물학적 이차 지식)을 다룰 때에는 매우 바람직하지 못하다. 인류는 그러한 지식을 스스로 습득하도록 진화되지 않았기 때문에, 어떤 면에서는 상당히 다른 모습의, 학습자를 도울 인위적 방법들이 요구된다. 다음 섹션에서 그러한 방법들에 대해서 논의하고자 한다.

교수활동의 의미

생물학적 일차 지식과 이차 지식의 구분은, 양쪽의 지식 범주에 대하여, 각기 다른 교수적 함의를 지닌다. 생물학적 일차 지식에 대하여 논의하자면, 때때로 교수 절차(instructional procedure)의 주요 내용으로 거론되는 '일반적인 인지적 기술(general cognitive skills)'의 대부분은, 인간의 생명과 관련된 기본적이고 필수적인 기술이다. 교육기관을 통해서 배워야만 하는 '특정 – 영역 지식(domain-specific knowledge)'과는 대조적으로, 인류는 일반적 인지 기술을 획득하도록 진화되어 왔다. 위에서 언급했듯이, 인류가 일반적 인지 기술들을 획득하도록 진화되어 왔다면, 그러한 지식들은 생물학적 일차 지식으로서 자동적으로 습득된다. 생물학적 일차 지식을 가르치는 것을 시도하는 것은 불필요한 일이다.

생물학적 이차 지식과 관련하여, 훨씬 더 중요한 교수적 함의가 있다. 일반적 인지 기술들이 생물학적 일차 지식을 구성하는 반면, 교육기관의 교수활동(teaching)을 통해서 획득되는 특정 – 영역 지식은 생물학적 이차 지식을 구성한다. 일차 지식과는 달리 이차 지식은 명시적으로 가르쳐질 필요가 있으며, 일반적으로 학습자의 의식적 노력을 요구한다. 특별한 교수자료 제공 없이 교수상황에의 몰입(immersion)을 통해서 학습자가 이차 지식을 획득하기를 기대하는 것은 일차 지식을 획득하기를 기대할 때와는 달리 의미없는 일이다(Sweller, 2008).

생물학적 이차 지식의 특성을 반영한, 분명하고 구체적인 교수방법들이 4부에서 논의될 것이다. 1부에서는 생물학적 일차 지식 및 이차 지식과 관련된 좀더 일반적 교수활동의 의미(instructional consequences)에 대해서 논의하고자 한다.

'생물학적 일차 지식'과 관련된 교수활동의 의미

광범위한 영역에서의 일반적인 인지 기술들은 생물학적 일차 지식에 속하며, '일반적 문제해결하기(general problem solving)', '계획하기(planning)', '의사결정하기(decision making)', '사고하기(thinking)' 등이 이 기술에 속한다. 인간은 이러한 기술들을 배운다기보다는 자연스럽게 습득한다. 연구문헌에 의하면, '수단-목적 분석(means-ends analysis)'은 가장 중요한, 그리고 가장 잘 알려진 '일반적 문제해결 전략'이다(예: Newell & Simon, 1972; Sweller, 1998). 문제 영역에 상관없이, 이 일반적 문제해결 전략은 몇몇의 단계를 적용하여 문제를 해결한다. 즉, 문제해결을 위해서는, '현재 해결해야 하는 문제 상태(current problem state)'와 그 '문제해결의 목표 상태(goal state)'를 동시에 고려해야 하며, 두 상태의 간격을 줄여줄 적절한 '문제해결 연산자(problem solving operator)'를 찾아야 한다. 현재 해결해야 하는 문제 상태에 적절한 문제해결 연산자를 골라 적용하면, '새로운 상태'가 만들어지는데, 이때 이 '새로운 상태'가 '문제해결의 목표 상태'인지 아닌지 확인해야 한다. 만약 이 새롭게 만들어진 상태가 '문제해결의 목표 상태'라면 문제는 해결된 것이고, 그렇지 않다면, '현재의 문제 상태'가 '문제해결의 목표 상태'가 될 때까지 이 절차는 반복적으로 사용된다. 초급 수준의 일차 방정식 문제를 가지고, 이 수단-목적 전략을 설명하자면 다음과 같다.

"$a+b=c$일 때, $a=?$"의 문제를 '수단-목적 전략'을 이용해서 풀어보자. 이때 현재의 문제상태는 "$a+b=c$"이며, 이 상태는 한 번 혹은 두 번의 변형을 통해서, 일차 방정식의 좌변에 a만 남겨두는 상태인, 목표 상태로 만들어야 한다. 이 목적을 성취하기 위해서, 먼저, 우리는 현재의 문제 상태와 목표 상태의 차이를 찾아야 한다. 이 문제에선, 단 한가지의 차이가 발견된다. 방정식의 좌변에 '$+b$'가 있고, 이를 좌변에서 제거하면 문제는 해결된다. '수단-목적 전략'에 의해서 요구되는 다음 단계는 방정식의 좌변에서 '$+b$'를 제거할 수 있게 하는 적절한 '문제해결 연산자'를 찾는 것이다. 이 단계를 통해서 현재의 문제 상태와 목표 상태 사이는 좁혀진다. 이 수학문제의 경우, 대수학 법칙(즉, 이항연산 법칙)이 문제해결 연산자이다. 연산법칙에 의해, 방정식의 양 변에서 '$+b$'를 빼면 결과적으로 좌변에는 'a'만 남는다. 이 결과를 문제의 목표 상태와 비교해볼 때, 새롭게 만들어진 이 상태는 원래 문제가 목표로 했던 상태와 일치한다. 따라서, 우리는 문제가 해결되었다는 것을 확인할 수 있다.

문제해결을 위한 '특정-영역 지식'이 없을 경우엔, 수단-목적 전략 같은 일반적 문제해결 전략이 사용된다. 가령, 대수를 처음 배우는 중학생들은 위에서 설명된 전략을 사용하여 문제를 해결할 것이다. 그러나, 이 글을 읽는 대부분의 독자들이라면 위의 수학문제를 해결할 때, 수단-목적 전략을 사용할 것 같지는 않다. 비슷한 수학문제에 어느 정도 노출된 이후엔, 특정-영역 전략(domain-specific strategy)을 사용하여 문제를 해결할 수 있기 때문이다. 비슷한 수학문제들을 해결하는 연습을 충분히 했다면, 위의 수학문제는 즉각적으로 양변에 같은 변수($+b$)를 빼서 해결할 수 있다는 것을 알 수 있을 것이다. 학습자가 문제해결을 위한 특정-영역 지식을 가지고 있다면, 현재 해결되어야 할 문제 상태(current problem state)와 목표 상태(goal state) 그리고 이 두 상태 사이를 좁힐 문제해결 연산자 등을 찾는 수고는 더 이상 필요하지 않는다. 이러한 불필요한 수고 없이, 학습자는 적당한 해법을 사용하여 문제를 해결한다. 학습자는, 고민 없이, 즉각적으로, 방정식의 양변에서 '$+b$'를 빼야 문제를 해결할 수 있다는 것을 안다. 어떤 특정 영역의 문제를 접했을 때, 그 문제가 어떤 문제이며, 어떻게 그 문제를 해결할 수 있는지 신속히 알아내는 지식은 많은 비슷한 문제들을 학습한 이후에 습득될 수 있으며, 그 특정 영역의 비슷한 문제들을 해결할 때 유용하게 사용된다. 이와는 대조적으로, 수단-목적 전략은 광범위한 영역에서 처음 접하는 문제들을 해결할 때 주로 사용된다. 일반적으로, 어떤 특정-영역의 지식을 갖고 있지 않은 초보 학습자들은 수단-목적 전략을 사용하여 문제를 해결한다.

초보 학습자(novice learners)와 숙련된 학습자(expert learners)의 차이를 연구한 많은 연구문헌에 의하면, 문제해결을 할 때, 숙련된 학습자는 특정-영역 지식을 사용하는 반면, 초보 학습자는 수단-목적 전략을 사용한다. 예를 들면, Larkin, McDermott, Simon과 Simon(1980a, b)은, 물리학 문제를 해결할 때, 숙련된 학습자들은 이미 가지고 있는 물리학 지식을 바탕으로 주어진 문제를 처음부터 순서적으로 풀어나가는 반면, 초보 학습자들은 수단-목적 전략을 사용하여 문제의 마지막 단계(즉, goal state)부터 거꾸로 해결한다는 사실을 발견했다. 또한, Sweller, Mawer와 Ward(1983)는 초보 학습자들이 수단-목적 전략을 사용하여 문제의 목표단계에서 처음단계로 문제 상태를 거슬러 올라가며 문제를 해결하는 방법은, 학습자의 숙련도가 증가함에 따라, 지식-기반 전략(knowledge-based strategy)을 사용하여 처음단계부터 순서적으로 문제를 해결해가는 방법으로 전환된다는 것을 증명했다. 이 결과들은 우리가 문제해결을 위한 어떤 특정한 지식을 가지고 있다면 통상적으로 그 지식을 특정-영역의 문제들을 해결할 때 사용하며, 그렇지 않다면 적절한 문제해결 방법을 찾기 위해 수단-목적 전략을 사용한다는 것을 보여준다.

어떤 연구문헌에서도, '수단-목적 전략을 사용하는 법을 배워서 혹은 연습해서 문제해결을 향상시켰다'는 연구 결과는 찾을 수 없다. 아마도, 모든 인간은 이 전략을 스스로 습득하여 사용하도록 진화된 것 같다. 생존을 위해서, 우리 선조들은 수단-목적 전략이 필요했다. 이 전략을 사용해서, 우리 선조들은, 음식을 찾는 법, 강을 건너는 법, A지점에서 B지점까지의 길을 찾는 법 등을 알아냈다. 문제해결에 사용되는 수단-목적 전략은 생물학적 일차 지식에 속하기 때문에, 우리 모두는 명시적인 학습 없이 이 전략을 사용하는 방법을 습득하고 사용한다.

이와 같은 이유로, 일반적 문제해결 전략(general problem-solving strategy)의 다른 '예' 들(즉, planning, decision making, thinking)도, 명시적 학습을 필요로 하지 않는다. 모든 일반적 문제해결 전략들은 한결같이 생물학적 일차 지식에 속하기 때문이다. '별도의 교육과정 없이 쉽게 습득되고 자동적으로 사용된다'라는 특성들이 다름아닌 이 전략들이 바로 생물학적 일차 지식이라는 증거이다. 많은 문제해결 전략들의 예가 소개되었는데(Polya, 1957 참조), 그 전략들 모두는 자연스럽게 습득되는 것들이지 교과과정을 통해서 배우는 것들이 아니다. 소개된 문제해결 전략 중에는 '해결 방법을 찾기 힘든 어려운 문제를 만났을 때는 이미 알고 있는 비슷한 종류의 문제들과 그 해결 방법에 대해서 곰곰이 생각하라'는 제안도 있다(Polya, 1957). 비슷한 문제들에 대해서 곰곰이 생각하는 방법을 가르치는 것은, 수단-목적 전략을 가르치는 것만큼이나 효과적이지 않을 것이다. 해결해야 할 문제들을 생각할 때, 자동적으로 우리는 이미 알고 있는 지식이나 비슷한 문제들을 머리 속에 떠올린다. 비슷한 문제들을 풀어야 할 때마다 그 문제들이 이전에 풀었던 문제와는 분명히 다른 관점을 가지고 있다는 것을 알면서도, 자동적으로 이미 경험해서 알고 있는 문제해결 방식대로 문제들을 해결하려 한다. 현재 주어진 문제들을 해결하는 데 도움이 되는 비슷한 문제들의 해결 방법을 안다면, 우리는 항상 이 비슷한 문제해결 방법을 사용할 것이다. 왜냐하면, 이미 비슷한 문제해결에 사용된 방법은 새로운 문제들을 해결할 때에도 유용할 것이라는 지식이 바로 생물학적 일차 지식의 '예'이기 때문이다. 우리가 선천적으로, 비슷한 문제들에 대하여 생각하는 능력을 갖추지 않았다면, 아무리 비슷한 문제들에 대해 생각해보라는 권유를 받는다 해도 소용없는 일일 것이다. 익숙하지 않은 문제들을 해결해야 할 때, '비슷한 문제들을 해결했던 방법을 적용하는 법'을 가르치는 일은, 과거에도 그랬듯이, 현재에도, 미래에도 불가능할 것 같다. 또한 무선할당된 통제된 상황아래, '문제해결에 도움을 주는 사고하는 법'의 효과성에 대하여 실험된 적도 없다. 생물학적 일차 지식인 일반적 문제해결의 요령(techniques) 없이 인류는 생존할 수 없으며, 따라서, 특정한 교육과정 없이 쉽고 신속하게 이러한 지식에 동화(assimilate)되도록 진화되어 왔다.

유사한 논쟁이 '계획하기(planning)', '의사결정하기(decision making)'와 같은 다른 일반적 인지적 기술에도 적용된다. '생존 메커니즘(survival mechanism)'의 일부분으로서, 우리는 이러한 기법(techniques)을 습득하도록 진화되어 왔다. 이와 같은 일반적 인지적 기술들은 '가르치고 배울 수도 있는 기술이기도 하다'라는 증거들을 확보하기 전까지는, 자연스럽게 그리고 자동적으로 습득되는 생물학적 일차 지식으로 여겨질 것이다. 몇몇의 인지적 기술들은 선천적으로 타고나는 것들이지 결코 가르쳐질 수 없는 것들이다.

그렇다면, 어떤 것들이 '일반적 인지적 기술들은 가르치고 배울 수 있는 기술이다'라는 가설의 증거가 될 수 있을까? 한 번에 한 개의 변인만을 수정하여 실험하는 무선할당된 통제된 상황에서 실시된 '원전이 테스트(far transfer test)'의 결과는 그 증거를 제시할 수 있다. 이때, '테스트 단계'에서 사용되는 문제들은 '학습단계'에서 다룬 문제들과는 전혀 관계없는 영역의 문제들이어야 한다. 왜냐하면, 테스트는 '일반적 문제해결 전략'을 획득했는지를 알아보기 위한 것이지, 특정-영역 지식을 획득했는지를 알아보기 위한 것이 아니기 때문이다. 입증되지 않은 실험 결과는 증거가 될 수 없으며, 또한 통제집단을 사용하지 않았거나 혹은 여러 개의 변인들을 동시에 수정한 실험 설계의 결과 역시 증거로 사용될 수 없다. 이 경우, 실험의 목적과는 관계없는 요인들(factors)이 실험 결과에 포함되기 때문에, 정확한 실험의 결과로 보기는 어렵다. 따라서, 일반적 인지적 전략들이 획득되었는지를 확인하는 실험에서는, 반드시, 전혀 다른 학습영역에 속하는 '완벽히 다른 문제(far transfer problem)'를 테스트 문제로 사용해야 한다. 그렇지 않다면, 학습자들이 '학습 단계'에서 배운 일반적 인지 기술(general cognitive skill)을 이용해서 문제해결을 했는지, 혹은, '학습 단계'에서 접한 특정-영역에 대한 지식의 도움을 받아서 문제해결을 했는지 구별할 수 없기 때문이다. 현재까지 '일반적 인지 기술은 배우고 익혀 유용하게 사용할 수 있는 것이다'라는 증거는 발견되지 않고 있다. (3장에 한 가지 예외적인 사례가 제시되어 있기는 하다.)

'생물학적 이차 지식'과 관련된 교수활동의 의미

생물학적 이차 지식은 배워 익힐 수 있는 지식이지만, 어떤 지식이 생물학적 일차 지식인지 이차 지식인지 구별하기가 쉽지 않았기에, 그 교수법은 늘 난항에 시달려 왔다. 사람들은 교육 기관(학교 등) 밖에서 직접적이고 명시적인 가르침 없이 어렵지 않게 많은 지식을 습득하는 것 때문인지, 가장 최고의 교수법은 분명하고 확실한 설명을 피하는 것이라고 생각하는 것 같다. 구성주의 학습(constructivist learning), 발견학습(discovery learning), 문제기반 학습(problem-based learning)의 주창자들은 분명하고 확실한 지식을 학습자에게 제시하지 않는 것이 효과적일 것이라고 주장한다. 왜냐하면, 사회 구성원들이 복잡한 사회구조 안에서 제대로 기능하며 살아가기 위해서는 엄청난 양의 정보를 획득해야 하는데, 분명하고 확실한 정보를 전달하는 교육은 이러한 상황에 맞지 않는다고 믿기 때문이다(Kirschner, Sweller, & Clark, 2006; Mayer, 2004). 따라서, 이들은 학습자들에게 주어진 문제를 해결하는 구체적인 방법을 제시하는 것보다, 약간의 안내를 허용하긴 하지만 근본적으로 학습자 스스로의 힘으로 문제를 해결하도록 두는 것이 보다 효과적인 교수방법이라고 생각한다. 이러한 관점은 '학습자들은 지식을 스스로 구성하는 방법을 배울 필요가 있으며, 따라서 학습자들이 스스로 지식을 찾는 데 방해가 되는, 분명한 지식을 전달하는 교육은 피해야 한다'는 입장을 취한다.

역사적으로도 발견학습은 간접적 교수법들 중에서도 선도적 위치에 있는 교수법으로서, 구성주의 교수법(constructivist teaching)으로 그 절정을 이루는 탐구기반 교수법(inquiry-based teaching)이다. 이러한 특성의 교수학습법은 시대와 대중의 선호도에 따라 발견학습, 문제기반 학습(problem solving learning), 탐구학습(inquiry learning), 그 외 구성주의 학습(constructivist learning) 등 각기 다른 이름으로 불렸지만, 사실상 그 차이를 구별해 내기 힘들며 실질적으로도 동일한 내용을 다룬다. 공통적으로 이 모든 학습법들은 학습자에게 구체적인 지식의 제공을 보류해야 한다고 주장한다(Sweller, 2009a).

그러나, 이러한 구성주의 교수법이 탁월한 교수법인지에 대한 근거는 없다. 이론적으로도 구성주의 교수법은 인간의 인지구조(human cognitive architecture)를 고려하지도 않으며 탁월한 교수법임을 증명하는 실험 결과도 찾아보기 힘들다. 그럼에도 불구하고, 이 구성주의적 관점은 두 가지 범주에서 나름의 논리를 다음과 같이 피력한다. 첫째, 학습자에게 문제해결에 필요한 구체적 정보를 주지 않는 것이, 역설적이게도 학습자가 더 나은 정보를 획득할 수 있게 한다는 것이다. 이 관점에 의하면, 지식을 스스로 발견하는 행위 자체가 지식의 질을 향상시킨다. 또한, 발견된 지식은 직접 교수법에 의해 전달된 지식보다 질적으로 탁월하다(Bruner, 1961).

이 관점이 옳은 관점이라면, 문제해결을 통해서 획득된 지식은 해결된 예제(worked examples)를 학습해서 얻은 지식보다 우수해야 한다. 그러나 이 명제에 대한 증거는 없으며, 사실상, 이 명제의 반대 입장을 지지하는 증거들이 확인되고 있다. Klahr과 Nigam(2004)은 '명시적 학습법'에 의해 익힌 학습자와 '발견학습'을 통해서 자연과학 법칙을 익힌 학습자들을 비교했는데, 습득된 지식에 질적인 차이가 없다는 것을 알아냈다. 두 교수학습법 사이의 차이가 있다면, '발견학습'이 '명시적 학습'보다 좀더 많은 시간이 걸렸다는 것뿐이다. 뿐만 아니라, 해결된 예제 효과(Sweller & Cooper, 1985)에 기반한 증거들은 '구성주의 학습' 및 '발견학습'의 관점이 기대하는 결과와는 반대되는 결과를 보고한다. 즉, 해결된 예제 효과(worked example effect)는 학습자들이 '아무 도움 없이 문제해결을 시도(problem solving)' 하는 학습보다는 '해결된 예제'를 학습한 이후에 일련의 비슷한 문제를 푸는 연습을 한 경우에 더 많은 것을 배운다고 설명한다(해결된 예제의 효과성에 대한 증거는 8장에서, 해결된 예제의 역효과에 대해서는 12장에서 더 자세하게 논의될 것이다).

둘째, '발견학습 혹은 구성주의 교수법이 효과적이다'라는 주장은 이러한 교육방법을 통해서 제시되는 지식과 정보의 획득과는 직접적으로 관련이 적어 보이며, 대신에 지식과 정보를 발견하는 방법에 대한 학습과 관련이 있어 보인다. 이 관점에 의하면 학습자들에게 지식과 정보를 제공하지 않고 보류하는 것이 궁극적으로, 학습자들의 정보 습득 능력을 향상시킨다. 다시 말해서, 정보의 발견(information discovery)은 교육과정의 특정 지식(curriculum knowledge)을 습득하는 데 필요한 유용한 방법으로서, 반드시 배우고 익혀야 하는 일반 기술(skill)에 해당한다는 것이다. 즉, 지식을 발견하는 방법을 배우지 않는다면, 우리는 필요한 지식의 대부분을 발견할 수 없다는 것이다.

그러나, 앞서 언급했듯이 지식을 구성하는 방법을 가르치기 위해 즉 지식을 구성하는 방법을 연습시키는 것은 효과적이지 않을 것 같다. 명백하게, 이러한 부류의 지식은 생물학적 일차 지식에 속하기 때문이다. 생존을 위해서, 우리는 지식을 구성하는 법을 습득하도록 진화되어 왔으며, 따라서, 지식 구성(knowledge construction)은 명백하게 생물학적 일차 기술(skill)이다. 특별한 교습(tuition) 없이 우리는 자동적으로 이 기술을 습득해왔다. 그러나, '지식을 습득하는 법을 배운다'는 의미를 '도서관을 이용해서 지식과 정보를 찾는 법' 혹은 '인터넷을 이용해서 지식과 정보를 찾는 법'으로 제한하여 사용한다면, 당연히 이러한 기술(skills)은 명확하고 분명하게 배우고 익힐 필요가 있는 것들이며, 따라서, 이 기술들은 생물학적 이차 기술에 해당한다. 우리는 도서관이나 인터넷 사용법을 저절로 습득하도록 진화되지 않았기 때문이다. 그러나, 근본적으로 그리고 일반적으로 우리는 지식을 구성하는 법을 습득하도록 진화되어 왔으며, 따라서 지식을 구성하는 방법을 가르치는 것은 무의미하다.

요약하자면, 학습자가 선천적으로 지식을 구성하는 방법을 이미 안다면, 학습자에게 학습에 필수적인 '법칙(laws)', '규칙(rules)', '개념(concepts)', '절차(procedures)'에 대한 최소한의 정보만을 제공하여 스스로 '지식을 구성' (즉, 스스로 배워야 할 것을 찾아서 익히는 것)하게 하는 교수법은 무의미하다. 교육과정 안에서 배워야 하는 개념(concepts)과 절차(procedures)는 반드시 가르치고 배워야 하는 생물학적 이차 지식이며, 이 이차 지식을 구성하는 능력은 우리가 이미 생득적으로 가지고 있는 일차 지식과 기술을 토대로 한다. 따라서, 지식을 구성하는 기술은 생물학적 일차 기술에 속하므로, 가르치고 배울 필요가 없다. 교육과정 안에서, 가르치고 배워야 할 것은 교육과정과 관련된 개념과 절차이며, 이 개념과 절차를 어떻게 획득할 것인가는 아니다. 뿐만 아니라, '발견학습에 의해서 획득된 지식이 명시적인 교수학습법(explicit instruction)에 의해 획득된 지식보다 우수하다'는 증거는 없다. '사람들의 얼굴 식별하기', '모국어로 듣고 말하기' 등과 마찬가지로, '지식을 구성하기(constructing knowledge)'는 필수적인 일차 지식과 기술이며, 우리는 이 지식과 기술을 습득하도록 진화되어 왔다. 만일 이 가정이 사실이라면, 구성주의 교수법의 효과성에 대한 실증적 증거는 가능하지 않을 듯하다.

결론

Geary의 생물학적 일차 지식과 이차 지식에 대한 견해는 자연과학적 관점에서 매우 흥미롭다. 또한, 이 견해는 교수설계적 관점에서도 매우 중요하다. David Geary의 관점이 사실이라면 기존의 많은 교수법들은 전적으로 오도된 것들이며, 따라서 시급히 수정되어야 할 것이다.

Geary에게 깊은 영향을 받은 이 장(1장)은 지식은 생물학적 일차 지식(생득적으로 타고나는 지식)과 생물학적 이차 지식(사회문화적 요인에 의해 배워야 하는 지식)으로 나뉘어야 한다고 제안한다. 생물학적 일차 지식은 무의식적으로, 자동적으로, 쉽고, 빠르게, 배우지 않아도 습득되는 지식이다. 반면, 생물학적 이차 지식은 특수한 사회문화적 영향아래 중요하게 여겨지는 내용들을 일컬으며, 이 지식을 습득하기 위해서는 분명하고 확실한 교수 학습 상황아래 의식적인 노력이 필수적이다. 대부분의 교육기관의 교과과정이 다루는 특정-영역 지식은 이차 지식에 속한다. 사실상, 공립학교와 같은 교육기관들은 혼자서 습득하기 어려운, 명시적 학습 없이는 습득 불가능한 이차 지식을 가르치기 위해서 고안되었다. 그러나 현재 이 이차 지식이 일차 지식과 다를 바 없이 다루어지고 있다.

인지부하이론(cognitive load theory)과 이 책의 나머지 부분들은 생물학적 이차 지식을 다루는 것과 관련이 있다. 2부는 생물학적 이차 지식을 처리하는 '인간의 인지구조'에 대해서 다룬다. 본 장은 진화론적 측면에서 지식의 범주를 분류하였다. 생물학적 이차 지식과 관련된 인간의 인지구조에 대하여 논의할 때 더욱더 심도 있는 진화론적 견해가 요구된다. 진화론(evolutionary theory)의 기제(machinery)는 아주 밀접하게 인간의 인지구조의 기제와 관련되어 있다고 여겨지기 때문이다. 2부에서는, '인간의 인지구조'의 '정보처리 특성'이 '자연 선택에 의한 진화'의 과정에서 보여주는 '정보처리 특성'과 다르지 않다는 것이 논의될 것이다. 결론적으로, 본 연구는 어떻게 인간은 학습하며, 사고하고, 문제를 해결하는가에 대한 이해의 실마리를 '진화의 과정'에서 찾으려 한다. 동시에, '인간은 어떻게 학습하고, 사고하며, 문제를 해결하는가'에 대한 이해는 교수설계에도 필수적이다.

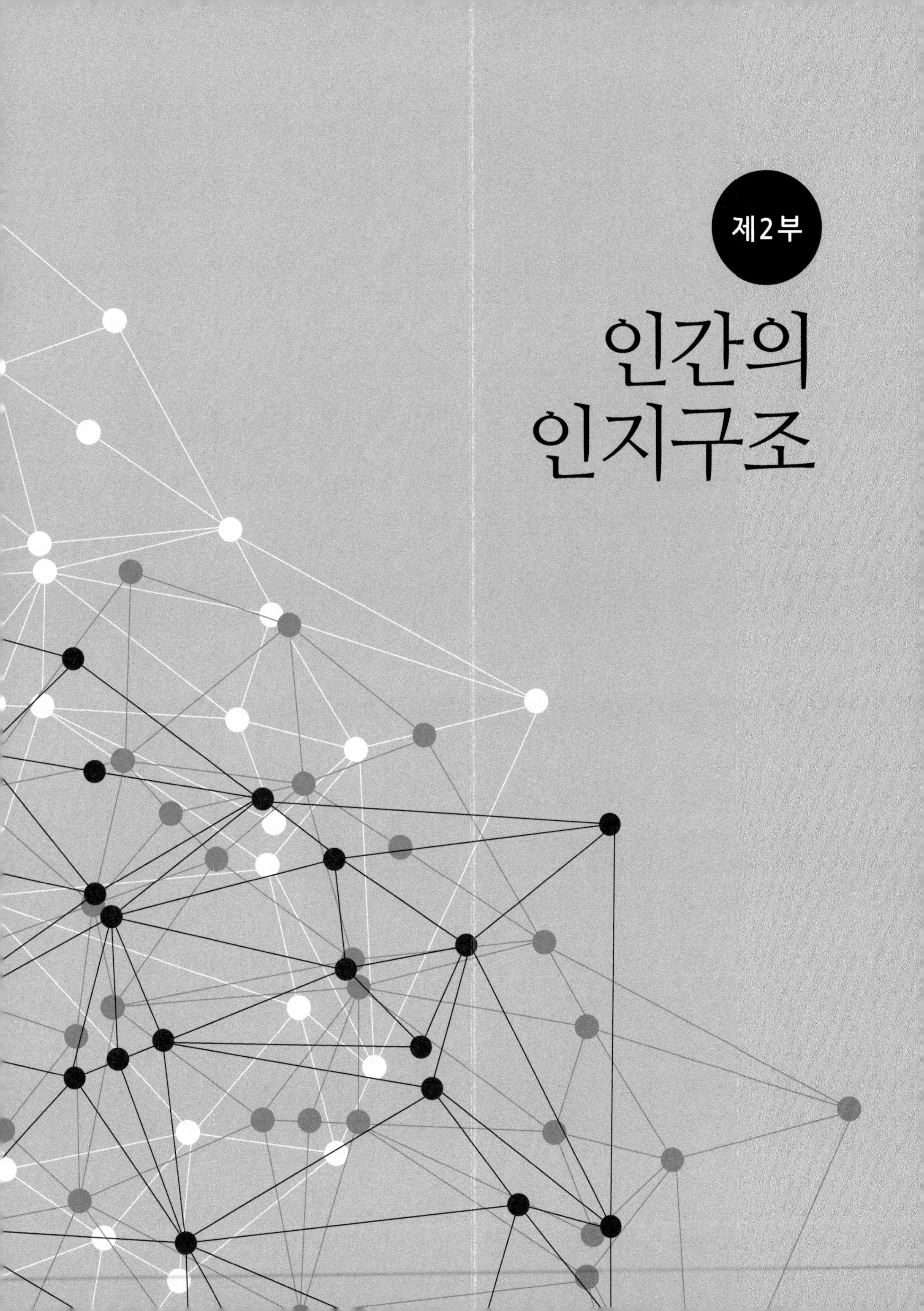

제2부

인간의 인지구조

인간의 인지구조란 작동기억 및 장기기억과 같은 인간의 인지를 구성하는 구성요소들이 조직되는 방식을 말한다. 생물학적 이차 지식을 다룰 때의 인간 인지구조의 특징은 2장부터 4장에 걸쳐 다루었다. 1부의 1장에서는 중요한 지식의 범주들을 구분하는 데 생물학적 진화가 어떻게 사용될 수 있는지를 설명한 반면, 2부의 2장부터 4장까지는 진화론적 관점을 매우 다른 방식으로 활용한다. 2장부터 4장에서는 생물학적 이차 정보를 다룰 때의 인간의 인지 장치와 유사한 생물학적 진화의 장치를 활용하였다. 생물학적 진화에는 어떤 특정한 환경에서 어떤 유기체의 기능과 활동을 결정하는 유전적 정보의 저장이 필요하다. 그러한 기능과 활동들은 다음 세대들에 걸쳐 전수되지만 유전 물질의 돌연변이로 인해 변형될 수도 있다. 그러한 변이가 같거나 새로운 환경에서 종에게 적응된다면, 저장된 유전정보 내에 변화된 상태로 유지된다. 그러한 변이가 적응적이지 못하다면 사장되는 것이다. 이러한 방식으로, 자연적 선택에 의한 진화의 과정에서 정보가 저장되고, 전송되고, 변화된다.

이러한 정보처리 시스템은 생물학적 진화에서만 나타나는 독특한 현상은 아니다. 인간의 인지 체계에 의해 이차 정보를 다룰 때에도 같은 처리방식이 사용된다. 즉, 자연적으로 발생하는 범주체계에 속하므로 우리는 그것들을 자연적인 정보처리 시스템(natural information processing systems)이라고 부른다. 이러한 시스템들은 자연적인 독립체들의 활동을 관장한다. 자연 선택에 의한 진화와 인간의 인지는, 둘 다 자연적인 정보처리 시스템의 예를 제공하기 때문에 유사한 면이 있다.

자연은 많은 정보처리 시스템을 포함한다. 모든 살아있는 유기체는 자신의 생존을 위해, 자연 환경에서 유기체가 반드시 다루어야 하는 다양한 정보의 범주들을 다룰 수 있도록 해주는 정보처리 시스템에 의존한다. 그러한 정보처리 시스템들은 복잡성과 정교성에 있어서 비교적 단순한 것에서부터 대단히 복잡한 것까지 다양하다. 우리는 그런 시스템들 중에서 가장 복잡한(sophisticated) 생물학적 진화와 인간의 인지에 관심을 두고 있다. 그러한 시스템들을 정의하는 데는 몇 가지 특징이 있다. 첫째, 복잡한 자연적 정보처리 시스템은 환경의 다양성을 다루기 위한 목적으로 새로운 정보를 창출할 수 있다. 둘째, 복잡한 자연적 정보처리 시스템은 새로운 정보를 창출하고 그것이 효과적이라는 판단을 한 후, 후속 세대의 사용을 위해 정보를 저장할 수 있지만, 그 정보가 효과적이지 않다면 소거될 수 있다. 셋째, 그러한 시스템은 시스템 활동을 관장하기 위해 저장된 정보를 사용할 수 있다. 넷째, 그러한 시스템은 시공을 가로질러 효과적인 정보를 전파할 수 있다.

복잡한 자연적 정보처리 시스템은 반드시 이러한 정의적 특징을 충족해야 하며, 물론 그러한 특징들은 인간의 인지에도 적용된다고 볼 수 있다. 우리 인간도 새로운 정보를 창출하고, 그 정보를 기억하기 위한 절차들을 갖고 있으며, 우리의 활동을 관장하기 위해 정보를 사용할 수 있고 정보를 전파할 수 있다. 그러한 특징들이 인간의 인지에도 적용되는 반면, 자연적 선택에 의한 진화와 같은 방식으로 그러한 특징들이 적용되는 것은 우연의 일치가 아니다. 진화도 역시 정보를 창출하고, 기억하고, 사용하고, 전파한다. 인간의 인지와 생물학적 진화가 모두 정보를 창출하고, 전파하고, 사용하고, 기억하는 복잡한 자연적 정보처리 시스템이기 때문에, 그것들 모두가 기능하기 위해서는 동일한 기본적인 정보처리 장치에 의존한다고 추측할 수 있다. 그러한 장치의 조작은 일련의 원리에 바탕을 두고 있다.

자연적 정보처리 시스템의 구성요소는 다양한 방식으로 설명될 수 있지만, 이 책에서는 '정보 저장 원리', '차용과 재조직 원리', '무작위적 생성 원리', '변화의 제한성 원리', '환경의 조직과 연결 원리'라는 다섯 가지 기본 원리가 사용될 것이다. 생물학적 진화와 인간의 인지 모두를 설명하기 위하여 이러한 원리들이 제시될 것이며, 따라서 인간의 인지가 생물학적 진화의 유사 모형으로 다뤄질 수 있다. 실제로, 인간의 인지에 이러한 원리들을 적용하는 것은 진화론적인 생물학적 과학에서 하나의 통합된 자연적 정보처리 시스템으로서 이미 정립된 원리들에 관한 인지구조를 우리에게 제공하는 것이다. 인간의 인지와 생물학적 진화에 같은 원리들이 적용될 수 있다면, 자연적 선택에 의한 진화는 일종의 정립된 기능이론이기 때문에, 우리는 우리가 기능을 알고 있는 인지체계를 잠정적으로 소유하게 되는 것이다. 이러한 방식으로, 훨씬 더 정립되지 않은 인간의 인지 기제에 대한 실마리를 제공하기 위해서 이미 정립된 생물학적 진화의 기제가 사용될 수 있다. 생물학적 진화와 인간의 인지에 공히 적용하기 위하여 2장부터 4장까지에 걸쳐 다섯 가지 자연적 정보처리 시스템 원리가 제시될 것이다. 그 서두는 정보 저장 원리로부터 시작하고자 한다.

제2장

정보 축적: 정보 저장 원리

자연 환경은 매우 복잡하면서도 다양하다는 특징이 있다. 자연 환경과 관련하여 헤아릴 수 없을 만큼 많은 변수들이 끊임없이 변화하는 경향이 있다. 대부분의 동물과 식물들은 낮과 밤, 여름과 겨울, 가뭄과 홍수를 겪는 복잡하고 다양한 환경에서 생존해야만 한다. 모든 자연적 정보처리 시스템은 반드시 그러한 복잡성과 다양성을 다룰 방법을 찾아야 한다. 즉 자연적 정보처리 시스템이 반드시 기능해야만 하는 복잡하고 가변적인 환경임에도 불구하고, 그 환경이 익숙하고 예측 가능한 것처럼 취급될 수 있어야만 한다. 그것의 기능에 필요한 다양성에는 대응할 수 있어야 하지만, 기능과 무관한 다양성은 무시할 수 있어야 한다. 어떤 의미에서, 그러한 복잡성을 다루는 방식은 의외로 간단하다. 엄청난 복잡성은 매우 큰 정보 저장소를 사용해서 처리할 수 있다. 자연적 정보처리 시스템들은 환경에서 발생하는 대부분의 예상 밖의 변화들을 다루기 위해 충분히 큰 정보 저장소들을 구축한다.

자연적 정보처리 시스템은 정보를 어떻게 저장하는가?

진화 생물학

진화 생물학에 의해 커다란 정보 저장소의 필요성이 충족된다는 것은 잘 알려져 있다. 모든 게놈은 대부분의 생물학적 활동을 결정짓는 엄청난 양의 DNA 기반 정보를 포함한다(Portin, 2002; Stotz & Griffiths, 2004). 유기체들은 복잡하고 풍부한 정보 환경에서 생존하기 때문에 게놈의 크기는 분명 클 것이다. 간단하고 작은 정보 저장소는 모든 자연 환경의 복잡성을 다루기 쉽지 않을 것이다. 필수불가결하게 직면하게 될 환경적 변수들을 다루기 위해서는 크고 정교화된 저장소가 필요한 것이다.

게놈의 복잡성이나 크기를 측정하는 합의된 방법은 없다. 그럼에도 불구하고, 모든 게놈은, 정보의 단위로 볼 수 있는 쌍들이 최소한 수천 개, 혹은 많은 유기체에서는 수십 억개로 구성된다(복잡성을 측정하는 방법으로 사용되는 것에 대해서는 합의된 바 없지만, 모든 측정 방법들이 매우 많은 수의 정보 단위를 보여준다). 유기체와 종의 유전적 기능은 정보의 커다란 저장소에 따라 달라진다. 모든 자연적 정보처리 시스템이 어느 정도의 큰 정보 저장소를 필요로 한다면, 인간의 인지도 반드시 그와 같은 크기의 정보 저장소가 필요할 것임에 틀림없다.

인간의 인지: 장기기억

인지에서 장기기억의 역할은 진화론적 생물학에서 게놈과 논리적 동등성을 지닌다. 생물학에서 게놈과 마찬가지로, 장기기억은 정보의 매우 큰 저장소로서 역할을 한다. 우리의 정상적인 일상 활동 중 대부분은 익숙한 활동이다. 우리가 '익숙하다'고 말하는 것은 사실은 장기기억 안에 있는 정보에 기초한다는 의미다. 그러한 정보는 판에 박힌 일상 활동들을 계획하기 위해 매시간 마주치는 엄청난 수의 객체들을 자동적으로 재조직하는 활동에 개입할 수 있게 해준다. 이러한 모든 것은 장기기억 안에 있는 거대하고 조직화된 지식 기반에 따라 달라진다.

생물학적 일차 정보와 생물학적 이차 정보 저장. 장기기억 안에 저장된 많은 정보가 생물학적 일차적인 지식을 구성한다는 것은 논란의 여지가 없다. 우리는 세상에서 생존하고 기능을 수행하기 위하여 엄청난 양의 일차 지식을 습득하도록 진화해 왔다. 예를 들어, 우리가 듣고 말할 때, 우리가 하는 활동들 중에 물리적·사회적 측면의 많은 부분이 장기기억 안에 있는 엄청난 규모의 일차 지식의 저장소를 토대로 한다. 이와 유사하게, 별다른 노력 없이 물리적 세계에서 활동할 수 있는 능력은 장기기억 내의 지식이 어느 정도인지를 보여주는 것이다. 우리는 많은 객체와 얼굴들을 보고 인식하며, 그럼으로써 광범위한 물리적 활동에 개입할 수 있다. 그러한 활동들 중에 많은 부분은 장기적인 훈련이 없이도 학습될 수 있으며, 따라서 장기기억 안에 있는 일차적인 지식임을 보여주는 것이다.

우리의 일차적인 지식 기반은 우리가 흔히 간단하고 쉬운 것으로 느끼는 많은 활동들에 개입할 수 있게 해준다. 정보처리 용어 중 많은 '단순한' 활동들이 사실은 절대 단순하지 않다. 그것은, 우리가 그런 활동을 생물학적 일차적인 기능으로 습득했고, 모든 생물학적 일차 기능은 단순하고 쉬워 보이기 때문에, 순전히 단순해 보이는 것뿐이다. 대부분의 생물학적 일차 활동을 수행하는 데 필요한 엄청난 양의 저장된 정보들은, 음성 인식과 같은 일차 기능을 모사하기 위해 컴퓨터를 준비하는 프로그래밍 과정에서 그 어려움을 경험할 수 있다. 어려움은 그러한 기능들을 수행하기 위해 요구되는 거대한 지식 기반의 필요성으로부터 발생한다. 우리는 거대한 지식 기반을 빠르게 습득할 수 있도록 진화되어 왔지만, 그 크기와 복잡성 때문에 그와 같은 지식 기반이 컴퓨터에 프로그래밍으로 준비되기에는 매우 어려울 수 있다.

일례로, 꽃을 꺾으러 밖으로 나가는 것과 같은 단순한 과제를 생각해보자. 우리가 밖으로 나가서 꽃을 꺾는 것을 배우는 것은 오랜 훈련을 필요로 하는 과제가 아니다. 그러한 단순함에도 불구하고, 컴퓨터가 그와 유사한 과제를 수행하도록 프로그래밍하는 것은, 엄청난 시간과 노력의 지출이 요구될 것이며, 실제로 우리가 아는 한 그러한 과제는 오늘날의 로봇 연계 컴퓨터가 수행할 수 있는 범위를 넘어선다. 실제로, 그것은 장기기억 안에 있는 거대한 일차 지식에 기반하기 때문에 우리에게는 단순하게만 보이는, 대단히 복잡한 과제인 것이다. 컴퓨터가 수행하도록 프로그래밍된 다른 과제들과 비교해볼 수 있다. 밖으로 나가서 꽃을 꺾는 것과 같은 단순한 과제를 수행하는 것과 비교해볼 때, 그랜드마스터 수준으로 체스 경기를 하거나 복잡한 수학 연산을 수행하도록 컴퓨터 프로그래밍을 하는 것은 훨씬 쉽다. 그러한 활동들은 우리가 습득하도록 진화해온 것이 아닌 이차 지식에 기반하기 때문에, 우리는 이러한 과제들을 대단히 복잡한 것으로 여긴다.

우리가 밖으로 나가서 꽃을 꺾거나 수학 연산을 수행할 수 있기까지 모두 장기기억 안에 있는 지식의 양에 의해 결정된다. 그럼에도 불구하고, 그러한 과제들을 수행하는 데 필요한 지식의 유형은 상당히 다르다. 꽃을 꺾는 것은 양적으로 엄청난 것이지만 우리가 그러한 지식을 습득하도록 진화되었기 때문에 쉽게 습득했다. 복잡한 수학은, 우리가 그것을 습득하도록 특별히 진화된 것이 아닌 이차 지식이 필요하므로, 훨씬 더 어려울 것이다. 비록 우리가 수학 연산 능력보다 꽃 꺾기를 위한 지식 기반을 훨씬 더 쉽게 습득할지라도, 실제로는 꽃 꺾는 연습을 할 때의 지식 기반이 훨씬 더 클 것이다. 위에서 제시된 바와 같이, 밖으로 나가서 꽃을 꺾는 것이 복잡한 수학 연산보다도 더 큰 지식 기반을 필요로 할 것이라는 증거는, 두 가지 활동을 수행하기 위한 컴퓨터 프로그래밍의 용이성 차이에서 나온다. 생물학적 일차 활동과 관련된 정보들은 우리가 장기기억 안에 가지고 있는 대부분의 지식을 구성한다고 볼 수 있을 것이다.

저장된 생물학적 이차 정보의 크기와 기능에 관한 증거. 장기기억 안에 있는 대부분의 지식이 일차 지식으로 분류될 수 있지만, 절대적으로 우리의 이차 지식 기반은 여전히 측정이 불가능할 정도로 크다. de Groot(1965)와 Chase와 Simon(1973)의 체스에 관한 연구는 장기기억 저장소 안에 있는 엄청난 양의 이차 정보에 대해 설명하는 데 사용될 수 있다. 뿐만 아니라, 그 독창적인 연구는 장기기억에 최소한으로 의존하거나 전혀 의존하지 않는 것으로 추측되는 많은 고차원적인 인지활동들이 장기기억고의 내용에 의해 주로 추진되는 것을 처음으로 보여준다.

de Groot의 연구를 위한 초기 원동력은, 체스 그랜드마스터들이 아마추어 선수들(weekend player)을 거의 항상 이긴다는 사실이었다. de Groot는 대부분 예외 없이 그러한 결과를 낳는다는 사실을 발견하는 데 관심을 두었다. 그러한 우세한 결과를 내기 위해서 그랜드마스터는 어떤 지식을 가지고 있으며, 어떤 활동에 개입하는가? 그럴듯한 가정들이 많이 있는데, 그것이 만약 타당하다면, 이 질문에 대한 답을 제공할 것이다. 실제로, 체스를 해봤거나 체스 기능을 길러내는 요인에 대해 생각해 본 대부분의 사람들에 의해 직관적으로 몇 가지 가능한 대답들이 추측되었던 것 같다.

쉽게 납득할 수 있는 한 가지 가설은, 그랜드마스터들이 아마추어 선수들보다 적절한 방법을 찾는 데 있어서 더 높은 수준의 문제해결 검색을 사용한다는 것이다. 예를 들면, 그들은 수단-결과 분석을 사용하는 데 특히 능숙할 것이다. 수단-결과 전략을 사용할 때, 그랜드마스터는 아마추어 선수들보다 더 많은 '깊이(depth)'를 검색할 것이다. 그것은, 그들이 몇 가지 안 되는 방법의 결과만을 생각하는 것이 아니라 보다 장기적인 일련의 방법들을 고안할 것임을 의미한다. 바로 앞의 몇 단계를 고려하는 방법보다 더 많은 단계를 생각하는 것이 더 효과적인 방법을 선택하는 결과를 낳기 마련이다. 또 다른 점으로, 체스 그랜드마스터들은 '너비 면에서(in breadth)' 훨씬 더 나은 검색에 참여할 수 있다. 어떤 방법을 생각해낼 때마다, 아마추어 선수는 작게 움직이는 선택만을 고려하는 반면, 체스 그랜드마스터는 대단히 넓게 움직이는 선택을 생각할 수 있다. 단지 작은 숫자의 움직임을 고려할 때보다 큰 숫자의 선택을 생각할 때 더 나은 방법을 찾을 것으로 기대할 수 있는 것이다.

사실, de Groot는, 그랜드 마스터의 우세성이 아마추어 선수들보다 깊이나 너비 면에서 훨씬 나은 검색에서 기인한다는 증거를 발견하지는 못했다. 그가 발견한 것은 다른 수준의 선수들 간에 존재하는 한 가지 차이인데, 그 차이는 문제해결 기능과는 그다지 관련이 없는 것 같다. 오히려, 기억과 관련이 있다. de Groot는 선수들에게 체스 말을 움직이기 전 약 5가지 장면의 장기판 구성을 보여주고 나서 그 선수들에게 방금 본 장기판 구성대로 장기 말을 바꾸도록 요구하였다. 그 결과, 마스터나 그랜드마스터들은 자신들이 본 장기판 구성을 매우 정확한 수준으로 재구성할 수 있었다. 반면, 낮은 능력의 선수들은 장기 말을 바꾸는 데 있어서 훨씬 정확성이 떨어졌다(de Groot & Gobet, 1996 참조).

de Groot는 이러한 체스 장기판 구성 장면을 실제 게임에 가져다 적용하였다. 그는 실제 게임에서의 구성이 아니라 무작위 구성의 장기판에 놓은 말들을 옮기는 데서 같은 결과가 얻어지는지 조사하는 시도는 하지 않았다. 대신 Chase와 Simon(1973)은 de Groot의 결과를 따라하였는데, 본래 연구에 더하여 무작위로 설정한 장기판 위에 말을 놓는 실험을 수행했다. 결과는 매우 달랐다. 무작위 설정에서는 전문가와 비전문가 체스 선수 간에 차이가 없었다. 그랜드마스터가 실제 게임 설정에서 재구성한 것과 비교할 때, 무작위 설정에서는 모든 선수들이 낮은 수행을 하였다. 실제 게임의 설정 판을 마주한 전문가 선수들만이 이 기억 테스트에서 높은 수행을 보였다. 전문가 선수들이 무작위 설정 환경에서만 낮은 수행을 보인 반면, 전문성이 낮은 선수들은 실제 게임과 무작위 설정 환경 모두에서 낮은 수행을 보였다.

이론상으로, 이러한 결과는 다른 모든 자원 요인들을 제외한 체스 전문성에 대해서 완전한 설명을 제공할 수 있다. 체스에 대한 능력은 어떤 독창적이고 기발한 체스 방법을 생각하는 능력을 기반으로 하는 것이 아니다. 전문성은 체스 게임에서 목격된 수천 가지의 장기판 설정들을 인식하기 위해 학습하는 것과 다양한 설정 중에 성공 가능성이 가장 높은 방법을 배우면서 생기는 것이다. 이러한 기능은 수년간의 일관되고 지속적인 연습을 통해서 천천히 습득된다. 그러한 연습은 수행 개선에 대한 명확한 의도, 즉 '의도적 연습'이라는 것으로 수행될 필요가 있다(Ericsson, Krampe, & Tesch-Romer, 1993). 체스 그랜드마스터는 고도의 전문성을 습득하기까지 보통 10년이 필요하다.

de Groot의 연구와 Chase와 Simon의 연구가 있기까지, 연습으로 인해 발생하는 인지적 변화는 본질적으로 잘 알려지지 않았다. 이제 우리는 연습을 하면서 학습이 된다는 것을 알고 있다. Simon과 Gilmartin(1973)에 의하면, 체스 그랜드마스터들은 장기판 설정과 관련된 최선의 방법을 포함해서 수천 가지의 장기판 설정 정면을 장기기억에 저장하고 있다. 체스 경기를 운영하는 기능의 원천은 어떤 불가사의한 사고 기능이라기보다는 그 저장된 정보로부터 나오는 것이다. 역으로 말하면, 기능 수준이 낮은 선수는 장기기억 안에 많은 장기판 설정 장면과 좋은 방법들을 갖고 있지 않기 때문에 복잡한 사고로 참여해야만 한다. 저장된 지식이 없는 상태에서, 문제해결 검색을 통해 방법을 생성해야 하는 것이다. 전문성이 개발되면 문제해결 검색 활동의 필요성은 줄어든다. 대신, 최선의 방법이 장기기억으로부터 인출될 수 있기 때문에, 각 선택 지점을 결정하는 최선의 방법은 검색에 개입하지 않고서도 명확해진다. 초보자들은 사고 기능을 사용해야 하지만, 전문가는 지식을 사용한다.

동시 체스의 현상을 설명하기 위하여 체스 기능에 대한 이러한 설명이 사용될 수 있다. 시범 게임에서, 체스 그랜드마스터는 아마추어 선수 열두 명과 동시에 경기를 해서 물리칠 수 있다. 체스 기능에 관한 장기기억 정보가 없는 상태라면, 우리는 누군가에게 어떻게 열두 명을 상대로 한 복잡하고 서로 다른 게임을 위한 멀티플 전략을 동시에 생각해낼 수 있는지 물어보고 싶을 것이다. 물론, 그 대답은 가능하지도 않을뿐더러 필요하지도 않다는 것이다. 그랜드마스터의 상대 선수는 오로지 자기 게임에 한정된 전략을 고안해내기 위한 시도를 해야 한다. 그랜드마스터는 장기판에 와서 게임의 진행상황과 상관없이, 장기판의 상황을 보고, 즉각적으로 그 상황에 맞는 최선의 방법을 인식하고 인출한다. 그러한 과정은 남은 장기판에서도 반복될 수 있다. 각 장기판에서 서툰 게임전략을 생각해낼 필요가 없다. 반면, 그랜드마스터의 상대방은 자신만의 싱글 게임을 위해 서툰 전략을 생각해내야만 한다. 장기기억 안에 적절한 방법에 관한 정보가 없는 상태, 즉 지식이 없는 선수들에게는 각 환경 설정에 대한 최선의 방법을 나타내는 어떤 전략이든 가능한 무작위 방법(아래 참조)이 필요하게 될 것이다.

체스 게임과 관련된 연구들의 결과가 특별하지 않다. 체스 기능과 관련된 인지적 처리과정은 생물학적 이차 지식이 필요한 일상의 영역에 적용된다고 기대할 수 있다. 특히, 교육기관에서 가르치는 주제들은 체스에서 발견된 것과 비슷한 인지적 프로파일을 지녔다고 볼 수 있다. 어떤 생물학적 이차 영역에서도, 우리는 장기기억 안에 있는 차별적인 지식을 구성하는 초보자와 전문가 간의 주요 차이, 즉 유일한 차이를 예측할 수 있다. 문제해결 능력의 향상은 보편적인 문제해결 전략의 습득으로 인해 일어나는 것이 아니라 문제와 관련된 지식의 증가에 의해 직접 발생된다.

이 책을 읽는 모든 독자들은 체스 그랜드마스터들과 비슷한 놀라운 능력을 가지고 있다. 유일한 차이는 그러한 능력이 모든 사람들에게 있으나 체스가 아닌 다른 영역에 해당된다는 것이다. 만일 독자들에게 마지막 문장을 약 5초간 보게 한 후에 그 문장을 구성하는 글자를 최대한 제시하라고 하면, 대부분의 사람들이 쉽고 정확하게 할 수 있을 것이다. 체스의 연구 결과처럼, 무작위로 나열된 글자들에서는 그러한 능력이 사라진다. 문장을 구성하는 글자들을 규칙대로 제시하는 것은, 실제 게임에서 가져온 체스 장기판으로부터 장기 말들을 움직이는 것과 다름없다. 체스 그랜드마스터는 체스를 공부하고 연습하는 데 여러 해를 보내는 반면, 교육받은 사람들은 읽기 연습에 여러 해를 보내는 것이 유일한 차이이다. 인지적 결과는 같은 것이다.

예상할 수 있는 바와 같이, 체스에서 발견된 것과 유사한 연구 결과가 텍스트를 이해하고 기억하기(Chiesi, Spilich, & Voss, 1979), 전기공학(Egan & Schwartz, 1979), 프로그래밍(Jeffries, Turner, Polson, & Atwood, 1981), 대수학(Sweller & Cooper, 1985) 등을 포함하는 영역에서도 수년 동안 발견되었다. 이러한 연구 결과들은, 인간의 인지구조가 이 책에서 논의될 교수적 처리과정(교수방법들)을 이끌어낸 것과 함께 중요한 교수활동 시사점을 지닌다.

de Groot의 연구 결과는 교수활동 시사점을 제공할 뿐만 아니라, 인간 인지의 본질적 특성에 관한 중요한 정보를 제공하고 그 과정에서 우리 스스로 가지고 있는 관점을 변화시킬 수 있다. de Groot의 연구 결과는 인간의 인지 영역에 대하여 발견되어야 할 가장 중요한 몇 가지 결과들을 제공해준다. 인간들은 장기기억을 상당히 제한되고 분리된 사실과 사건들의 집합(set)에 지나지 않는 것으로 생각하는 경향이 있는 것 같다. 별도의 사실과 사건들의 조합 이상으로는 그다지 생각하지 않는 일반적인 경향이 있다. 장기기억은 문제해결이나 사고활동과 같은 인간 인지의 실제로 중요한 측면에서 매우 주변적인 역할을 하는 것으로 자칫 간주될 수 있다. de Groot의 연구 결과는 그러한 관점을 완전히 뒤집는다. 장기기억의 역할은 단순히 유의미한 사실이나 과거로부터의 사건을 회상할 수 있게 해주는 것 이상으로 매우 중요하다. 대신, 장기기억은 인간 인지의 중심일 뿐만 아니라 인간 마음의 정점에 해당되는 인지 양상의 중심이기도 하다. 문제해결 및 사고활동과 같은 모든 고차원적인 인지활동을 수행하기 위해서 우리는 장기기억이 필요하다. 그러한 고차원적인 인지 처리에 필요한 전문성은 장기기억 안에 있는 내용에 따라 완전히 달라진다. 우리는 장기기억 안에 보유한 정보로 인해서 어떤 영역에 대한 능력을 갖게 된다. 뿐만 아니라, 역량과 기능을 갖추게 되는 주요 원인도 장기기억에 있는 그러한 정보가 될 것이다.

스키마 이론. 장기기억 안에 있는 정보의 중요성을 고려할 때, 그 정보가 존재하는 형태를 분석할 필요가 있다. 스키마 이론이 그 대답이 될 수 있다. 스키마 이론은 Piaget(1928)와 Bartlett(1932)의 연구로 중요하게 부각되었다. Bartlett은 스키마의 특성과 기능을 명확하게 보여주는 실험에 대해 설명하였다. 그는 한 사람에게 외국 문화에서 발췌한 사건을 설명하는 구문을 읽게 하였다. 그 사람은 읽고 난 후에 기억할 수 있는 가능한 많은 문장을 글로 작성하였다. 그 다음 그 문장을 두 번째 사람에게 같은 방식으로 제시하였고, 두 번째 사람이 작성한 문장을 또 세 번째 사람에게 제시하는 방식으로 진행하였다. 이러한 과정으로 총 10명이 이전 사람의 문장을 읽고 자신의 기억을 기록할 때까지 반복되었다.

Bartlett은 문장과 문장 사이에 일어난 변화를 분석하였다. 그는, 독자들에게 낯선 유령에 대한 묘사와 같은 평범하지 않은 사건들에 대한 설명은 쉽게 사라지는 평이함(levelling) 혹은 평탄화(flattening), 그리고 친숙한 사건에 대한 묘사가 강조되는 선명화(sharpening)의 두 가지 효과를 발견하였다. 서구 문학이나 문화에서 자주 등장하는 전쟁에 관한 설명은 선명화되는 특징의 예다. 기억된 것은 본래의 문장에서 도출된 장면이라기보다는 그 사건에 대한 도식적 표상이다. 장기기억은 헤아릴 수 없을 만큼 많은 스키마를 가지고 있으며, 그런 스키마들은 유입되는 정보를 어떻게 처리할지를 결정한다. 우리가 보고 듣는 것은 온전히 우리의 감각에 영향을 주는 정보에 의해서 결정되는 것이 아니라 장기기억에 저장된 스키마에 의해서 거의 결정된다.

스키마 이론은 문제해결의 수행에 대한 설명을 제공하면서 1980년대에 점차 중요성이 부각되었다. 스키마는 우리가 정보의 다중 요소들을, 그 다중 요소들이 사용되는 방식의 단일한 요소로 범주화할 수 있게 해주는 일종의 인지적 구인으로 정의할 수 있다(Chi, Glaser, & Rees, 1982). 예를 들어, 중학교 교육과정의 대수학을 공부한 대부분의 사람들은 '$a/b=c$ 형식에서 c를 풀어라'와 같은 모든 문제는 왼쪽의 분모(b)로 등식의 양쪽을 곱함으로써 풀면 된다는 문제해결 스키마를 가지고 있을 것이다. 그러한 스키마를 습득한 사람이라면 누구나, 같은 독립체는 예제들 간의 어떤 차이가 있음에도 불구하고 같은 방식으로 취급된다는 식으로, 이와 유사한 모든 문제들을 같은 방식으로 해결할 것이다. 충분히 높은 수준의 전문성을 갖고 있다면, 이와 비슷한 문제들을 구성하는 미지수 및 수학기호와 같은 모든 개별 요소들이 학습된 스키마로 인해 일종의 단일 요소로 취급된다. 결과적으로, 그런 스키마와 같은 모든 정보는 본질적으로 같은 방식으로 취급될 것이다. 우리는 위에 제시된 대수 문제와 같은 문제들을 모두 같은 방식으로 풀려고 할 것이다. 사실, 우리가 큰 노력을 들이지 않고도 그 문제를 풀 수 있게 해주는 템플릿을 제공하는 것은 스키마인 것이다.

문제해결 스키마가 기능하는 방식은 우리에게 엄청난 이점을 준다. 우리는 스키마가 아니면 풀기 어렵거나 불가능한 문제들을 풀 수 있게 된다. 불행히도, 그와 같은 처리과정은 또한 불가피한 것으로 보이는 부정적인 결과도 가지고 있다. 때때로, 어떤 특정한 스키마와 연관되어 보이는 문제들이, 사실은 관련이 없을 수도 있다. 장기기억 안에 있는 스키마는, 어려운 문제들을 해결하기 쉽게 해줄 수도 있지만, 스키마가 적절한 템플릿을 제공해줄 것으로 잘못 추측할 경우 오히려 쉬운 문제를 매우 해결하기 어렵게 만들어버릴 수도 있다. 어떤 문제가 어떤 특정한 범주에 속하는 것같이 보이지만 사실은 그 범주에 속하지 않기 때문에 부적절한 스키마를 사용함으로써 문제를 해결하는 경우가 발생한다. 이러한 것이 선입견적인 기대(einstellung) 혹은 심적 갖춤새(mental set)의 사례이다(Luchins, 1942; Sweller, 1980; Sweller & Gee, 1978). 장기기억 속에 저장된 스키마는 우리가 역할을 수행하는 데 있어서 매우 중요하지만, 한편으로는 그것이 없으면 명확해질 수 있는 것을 우리가 제대로 볼 수 없게 만들어버릴 수도 있다.

자동화. 새로 습득된 스키마는 의식적으로 그리고 때로는 상당한 노력을 들여서 처리해야만 한다. 연습의 횟수가 더해져감에 따라 스키마는 점점 덜 의식적인 처리로 사용할 수 있게 된다(Kotovsky, Hayes, & Simon, 1985; Schneider & Shiffrin, 1977; Shiffrin & Schneider, 1977). 우리의 읽기 능력이 그 예가 된다. 처음에 읽기를 배울 때는 각각의 개별 글자들을 의식적으로 처리해야 한다. 연습 횟수가 늘어나면서 개별 글자에 대한 자동화된 스키마가 습득되지만, 단어를 구성하는 글자들의 그룹은 여전히 의식적으로 처리할 필요가 있을 것이다. 더 많은 연습이 추가되면서 단어에 대한 인지능력이 자동화되고 심지어 익숙한 단어 그룹은 의식적인 통제 없이도 읽을 수 있게 된다. 자동화가 높아지면, 글의 의미를 파악하는 수준에서만 의식적인 노력이 필요하게 될 것이다. 따라서, 이 책을 읽는 유능한 해독력을 지닌 독자들이라면, 손으로 쓴 글씨, 단어를 구성하는 많은 글자들의 조합, 구문, 문장 등을 포함해서 무수한 수의 형태를 인식하게 해주는 개별 글자들에 대한 스키마를 가지고 있을 뿐만 아니라 자동적으로 인식할 수 있을 것이다. 글자와 단어에 대한 낮은 수준의 스키마는 능력이 향상됨에 따라 점차 자동화되고, 자동화되었다면 더 이상 의식적으로 처리할 필요가 없어진다. 반면, 초보 독해자들은 그와 같은 자동화 수준에 이르지 못했기 때문에 텍스트를 완전히 이해하기 위해서는 훨씬 더 많은 노력을 들여 처리할 필요가 있을 것이다.

교수활동 시사점

학습과 문제해결에 관한 장기기억의 역할에서, 우리는 교수활동의 목적과 기능에 대한 시사점을 얻을 수 있다. 교수활동의 목적은 장기기억 안에 지식의 저장을 늘리기 위한 것이다. 장기기억 안에 전혀 변화가 일어나지 않았다면, 아무것도 배우지 않은 것이다. 장기기억 안에 변화된 것이 무엇인지 설명할 수 없는 교수적 절차는 아무것도 변화시키지 않았으며 따라서 아무것도 배우지 않을 위험이 있는 것이다.

장기기억 안에 있는 지식의 증가가 학습에 매우 중요하다는 것뿐만 아니라, 이제는 교수활동의 결과로 무엇이 학습되고 저장되었는지에 대해서도 잘 알게 되었다. 흔히 우리는 내용과는 독립적인(domain-general) 개념과 절차를 저장하는데, 이는 보통 교수활동을 위한 적절한 주제(subject)를 제공하지 못한다. 수단-결과 분석과 같은 내용 독립적인 문제해결 전략은 분명 장기기억에 저장되어 있긴 하지만, 생물학적 일차 지식의 일환으로 자동적이고 무의식적으로 습득되기 때문에 교수활동의 대상이 될 수 없다. 교수의 대상이 될 수 있는 지식은 훨씬 더 좁아지는 경향이 있다. 내용 독립적인 지식보다 내용 의존적인(domain specific) 지식이 바로 그것이다.

de Groot의 체스에 관한 연구는 믿기 힘들 정도의 그러한 구체성을 보여주었다. 우리는 약 30분 안에 체스의 규칙을 배우고 그 규칙을 사용할 수 있으며, 이론적으로는 경기해봤던 모든 게임과 경기하게 될 모든 게임을 생성해낼 수 있다. 체스 기능에서 규칙을 배우는 것은 가장 중요하지만 다른 면에서 그것은 사소한 것에 지나지 않는다. 진정한 체스 기능은 자동화된 스키마를 습득하는 데서 비롯된다. 훌륭한 체스 선수들은 헤아릴 수 없을 만큼 많은 장기판 설정을 인식하고 각 설정에서 둘 수 있는 가장 좋은 방법을 배워야 한다. 그러한 지식 없이 체스 규칙만 아는 것은 별로 소용이 없다. 정확히 같은 원리가 모든 교육내용 영역의 학습에 적용된다. 능력을 기르기 위해서, 우리는 배우길 원하는 교육내용 영역에서 그 영역에 한정된(domain-specific) 스키마를 습득해야 한다. 수학이나 과학과 같이 명확하게 정의된 규칙이나, 문학이나 역사와 같이 언어에 바탕을 둔 명확하지 않은 규칙들을 배울 필요가 있기도 하지만, 그러한 지식은 우리를 매우 높은 능력 수준까지 인도해주지 못할 것이다. 실제적인 능력을 위해서는, 수많은 문제 상태와 상황에 대해 인식하고, 그러한 상태와 상황에 직면했을 때 어떤 조치를 취해야 하는지를 배워야 한다.

교수설계를 할 때 우리는 de Groot의 연구가 주는 교훈을 명심해야 한다. 대부분의 교육과정 영역에 포함된 지식—우리가 그 지식을 습득하도록 진화되지 않은 영역의 지식—은 반드시 습득되어야 하는 수많은 특정 내용의(domain-specific) 스키마로 구성되어 있다. 그러한 지식의 보유 여부가 전문성을 설명하는 것이다. de Groot는 체스 그랜드마스터가 보통 일반적인 문제해결 전략을 위한 효과적인 레파토리, 또는 실제적인 인지적 전략, 메타인지적 전략, 혹은 사고 전략을 가지고 있음을 발견하지 못했다. 뿐만 아니라, 전문 체스 선수들에게서 이러한 기능의 수준이 높음을 보여주는 내용의 연구도 없다. 우리는, 그러한 전략들은 생물학적 일차적인 것일 수 있으며, 따라서 가르쳐질 필요가 없음을 말하고 있는 것이다. 보편적인 전략 대신에, 체스 그랜드마스터들은 체스 장기판의 구성 장면들과 그러한 설정에서 유용한 최선의 방법에 대한 지식을 갖고 있다. 그러한 다른 지식의 수준은 곧 체스 전문가들이 서로 다른 수준인 이유에 대해 설명하는 데 충분할 것이다. 특정 내용의 지식은 또한 교육내용 영역에서 전문성을 설명하는 데도 유용하다. 특정 내용의 지식을 강조하지 않는 탐구학습, 문제기반 학습, 구성주의 학습 절차들과 관련된 최근 인기 있는 교수기법들이 과연 위에서 제시된 인지구조의 어떠한 기반이라도 가지고 있는지 주의 깊게 살펴보아야 할 것이다(Kirshner, Sweller, & Clark, 2006). 그러한 기법들은 장기기억 혹은 다음 두 개의 장에 걸쳐 다루게 될 인간의 인지에 관한 측면들을 전혀 반영하지 않은 채 진행하는 것으로 보인다.

결론

유전자 저장 정보가 자연적 선택에 의한 진화에 필요한 정보처리 과정에 가장 중요하듯이, 장기기억 저장소에 보존된 정보는 인간의 인지와 관련된 모든 상황에서 매우 중요하다. 복잡한 자연 환경에서 이러한 저장소들이 제대로 기능을 할 수 있으려면 엄청난 크기의 저장소가 필요하다. 자연적 정보 저장소는 매우 광범위한 조건 상황에서 유연하고 적절하게 반응할 수 있도록 충분히 커야만 한다. 인간 인지의 경우, 우리의 장기기억 저장소는 인간에 의해 개입되는 생물학적 일차적인 활동과 이차적인 활동 모두를 포함하는 다양한 인지활동을 할 수 있도록 충분히 크다. 다음 이슈는 어떻게 자연적인 정보 저장소가 습득되는가 하는 것이다. 그러한 문제는 3장에서 다룰 차용과 재조직 원리 및 무작위적 생성 원리로 설명될 수 있을 것이다.

정보 획득: 차용과 재조직 원리 및 무작위적 생성 원리

자연적 정보처리 시스템(natural information processing systems)은 어떻게 정보를 획득하는가? 2장에서 논의된 정보 저장소 원리는 자연적 정보처리 시스템이 복잡한 환경에서 제대로 기능을 발휘하기 위해서는 활동을 안내할 수 있는 방대한 정보 저장소를 필요로 함을 시사해준다. 정보가 획득되는 방식은 수업설계 및 수업절차와 관련된 사람들의 주요 관심사항이다. 정보 저장소를 구심점으로 놓고 볼 때, 수업의 주요 기능은 장기기억에 저장될 정보를 획득하기 위한 효율적이고 효과적인 절차를 제공하는 것이다.

자연적 정보처리 시스템을 통해 획득한 정보 저장소들의 특성을 판단한 사례와 마찬가지로, 자연 선택에 의한 진화론은 자연적 시스템이 정보를 획득하는 절차에 대해 통찰을 제공해줄 수 있다. 이러한 처리과정은 인간의 인지에도 유사하게 적용될 수 있다. 자연적 정보처리 시스템이 정보 획득에 사용하는 기본적인 두 가지 처리과정은 차용을 통한 재조직 원리와 무작위적 생성 원리이다. 차용을 통한 재조직 원리는 다른 정보 저장소에서 조직된 정보를 획득하기 위한 절차이며, 무작위적 생성 원리는 새로운 정보를 생성하기 위한 절차이다. 이 장에서는 이 두 가지 원리를 다룬다.

차용과 재조직 원리

정보 저장소는 방대한 양의 정보를 필요로 한다. 그러한 방대한 정보는 자연 선택과 인간의 인지에 적용되는 차용과 재조직 원리를 통해 획득된다.

생물학적 진화

게놈(genome)을 통해 정보가 획득되는 방식은 잘 알려져 있다. 무성 생식이건 유성 생식이건 생식은 게놈이 보유하고 있는 거의 모든 정보의 획득 처리과정을 보여준다. 무성 생식의 경우, 돌연변이를 제외하고 모든 후손들에게 정밀하게 게놈 복제가 전달된다. 무성 생식 과정에서 세포는 서로 동일한 두 개의 부모 세포와 자녀 세포로 분화된다. 이와 달리 유성 생식은 구조적인 이유로 게놈이 보유한 정보가 조상들과 다르게 조직된다. 게놈 정보는 남성 조상과 여성 조상으로부터 균등하게 차용되며, 유전학적으로 동일한 형제(일란성 쌍둥이)를 제외하고 모든 조상이나 현재 또는 미래의 게놈과 다르게 독특한 게놈을 형성하도록 결합된다. 유성 생식은 이러한 방식으로 정확한 정보 전달을 수반하는 처리과정에 다양성, 특이성, 창조성을 겹쳐놓을 수 있다.

무성 생식은 재조직화 과정이 생략된 생물학적 차용 사례를 보여준다. 모든 후손들은 직전 조상으로부터 전체 게놈 정보를 아무런 변경 없이 차용한다. 유성 생식은 차용과 재조직을 수반하는 생물학적 사례를 보여준다. 정보는 유성 생식 과정에서 조상들로부터 차용되지만, 새로운 정보 저장소를 생성하기 위해 차용 과정에서 재조직된다. 모든 세포는 아버지와 어머니로부터 가져온 정보를 혼합하여 담고 있다. 부모로부터 차용하고 재조직된 정보의 혼합은 독특한 개인을 생성한다. 이 장에서는 인간의 인지에서 차용만을 요구하는 처리과정뿐 아니라 차용 및 재조직을 함께 요구하는 처리과정도 살펴볼 것이다.

인간의 인지

유추는 비교적 단순하다. 장기기억에 저장된 대부분의 이차 지식은 다른 사람들로부터 차용해온 것이다. 이러한 이차 지식은 개인들의 장기기억에 저장되며 다른 사람들에게 전달될 수 있다. 다른 사람에게서 지식을 받아들이고 전달하는 능력은 대부분 생물학적 일차 기술에 달려 있다. 그것은 진화를 통해 습득된 기술로 우리가 지식을 다른 사람들과 의사소통할 수 있도록 해준다. 예를 들면, 읽고 쓰기를 배우는 것은 이차 기술이지만 다른 사람들과의 의사소통을 위해 언어를 사용하는 것은 별도로 배울 필요가 없다. 우리는 다른 사람들과 의사소통할 수 있도록 진화되어 왔으며 자동화된 일차 기술로 의사소통할 수 있다.

우리가 의사소통하기 위해 사용하는 몇 가지 과정이 있다. 모방(Bandura, 1986)은 우리가 참여하는 대다수 활동의 중심이 된다. 모방은 생물학적 일차 지식에 기반한 기술이다. 우리는 다른 사람을 모방하도록 진화되어 왔으며, 배우지 않고도 자동적으로 모방할 수 있다. 우리의 모방 성향은 최근 새롭게 발견된 거울 신경 시스템(mirror neuron system)으로 설명할 수 있게 된 여러 신경학적 근거와 관련되어 있다. 다른 사람이 동일한 동작을 수행하는 것을 관찰할 경우에도 거울 신경이 작동하며, 마찬가지로 우리가 특정 동작에 대해 생각하거나 특정 동작에 대한 문장을 듣는 경우에도 거울 신경이 작동한다(Grafton, Arbib, Fadiga, & Rizzolatti, 1996; Iacoboni et al., 1999; Tettamanti et al., 2005). 거울 신경 시스템의 이러한 특징들은 이 시스템이 타인의 동작을 모방하는 능력과 모방 성향의 기본이 된다는 주장을 뒷받침해준다. 유사한 모방 메커니즘이 다른 인지 활동에도 적용될 수 있다. 타인을 모방하는 방법은 모방 과제가 복잡할지라도 별도로 배울 필요가 없다. 모방은 생물학적 일차 기술이다. 모방 활동은 지적 발달에 필수적인 생물학적 현상이기 때문에 배우지 않아도 자동으로 일어난다. 우리는 모방 능력을 진화시켜 왔으며, 그 능력을 지식 획득에 사용하고 있다.

우리의 모방 성향은 생물학적 일차적이다. 우리가 모방을 통해 획득한 지식은 대부분 일차 지식이며 일차 지식의 대부분은 모방을 통해 획득하기 쉽다. 그러나 모방은 이차 지식의 습득에도 사용된다. 교사는 모방하려는 인간 성향에 의지하여 복잡하고 새로운 절차를 학생에게 시연한다. 교사는 학습자들에게 무엇인가를 시연할 때 학습자들이 시연과 관련된 지식을 동화하리라고 가정한다. 즉, 학습자들이 우리를 모방하리라고 가정한다. 모방 행동은 교사의 장기기억에 있는 정보가 학습자의 장기기억에 저장되도록 차용한다.

물론 모방 과정이 완벽한 경우는 드물다. 학습자가 장기기억에 자신의 정보를 가지고 있고, 새로운 정보가 기존에 저장된 정보와 결합되어야 한다. 유성 생식 과정에서 일어나는 변화와 유사한 방식으로 새로운 정보가 변화를 야기할 때 재조직화 과정이 일어난다. 이러한 변화는 유익할 수도 해로울 수도 있으므로 모방한 원본과의 차이에 대한 효과성이 검증되어야 한다. 유익한 변화는 유지되고 해로운 변화는 제거되어야 한다. 변화가 매우 해로운 것이라면 학습은 실패하게 된다. 원본과의 차이가 중립적이거나 유익한 것이라면 학습은 성공하게 된다.

모방이 다른 사람들로부터 정보를 획득하는 유일한 방법은 아니다. 그러나 모방은 모방의 필연적 파생물인 생물학적 이차 정보를 다른 사람들에게 전달하기 위해 인간이 사용하는 가장 기본적이고 보편적인 기법이다. 사람들이 모방을 할 때 관찰과 같은 시각양식을 어떻게 사용하는지 보여주기보다는 말이나 문자 자료와 같은 청각 양식을 어떻게 사용하는지 '보여주는' 것이 보다 효과적일 수 있다. 이와 같이 우리는 다른 사람을 모방할 뿐 아니라 듣고 읽는다. 교육적 맥락에서 듣기나 읽기의 목적은 다른 사람의 장기기억에 보관된 이차 지식을 획득하려는 것이다. 교육적 맥락에서 우리가 획득하는 대부분의 정보는 듣기나 읽기 또는 다이어그램이나 그림을 봄으로써 획득된다. 우리는 그들이 말하는 것을 듣거나, 그들이 기록한 것을 읽거나, 그들이 만든 다이어그램이나 애니메이션을 살펴봄으로써 다른 사람의 정보를 차용한다. 이러한 방식으로 타인의 장기기억으로부터 차용된 정보는 우리의 장기기억에 동화된다. 직접 모방의 경우, 정보의 전이가 정확하게 모방 절차를 따라 이루어지는 것은 아니다. 일반적으로 장기기억에 보관되어 있는 정보와 재조직되어 결합된다. 그러한 변화(transformation)는 부정적, 중립적 또는 긍정적 효과를 가질 수 있다. 변화가 부정적 효과를 갖는다면 유의미한 학습이 일어나도록 추가적으로 변형되거나 폐기될 것이다. 변화가 중립적 또는 긍정적 효과를 갖는다면 장기기억에 저장된다. 물론 오개념(misconception)인지가 명료하지 않다면 장기기억에 오개념이 저장될 수 있다. 오개념이 저장되면, 수정되지 않는 한 오랜 기간 동안 부정적 영향을 미칠 수 있다.

차용된 정보가 재조직된다는 확실한 근거가 있다. 정보 저장 원리를 살펴본 이전 장에서 장기기억의 지식은 스키마 형태로 저장된다고 제시되어 있다. 스키마는 다른 사람들로부터 차용되며 스키마 획득 과정은 어느 정도 재조직을 수반한다. 이전 장에서 살펴본 Bartlett(1932)의 연구는 재조직 과정에 대한 근거를 제공해준다. 앞서 살펴본 바와 같이, 우리는 타인으로부터 획득한 정보 가운데 장기기억에 저장된 선수지식과 부합하는 새로운 정보는 강화하지만, 관련이 없는 부분들은 감소시키거나 제거한다. 이러한 방식으로 차용된 정보가 새로운 스키마를 구성하기 위해 장기기억에 있는 기존 지식과 결합될 때 차용된 정보는 재조직된다. 새롭게 구성된 스키마는 차용된 스키마의 정보 내용과 다를 수 있다.

재조직 과정은 논의가 필요하다. 이 내용은 무작위적 생성 원리(randomness as genesis principle)의 핵심이 되기 때문에 다음 절에서 다루고 있다. 재조직을 통해 새로운 정보가 만들어진다면 필연적으로 무작위적 요소(random component)를 갖게 된다. 무작위성은 타인의 장기기억으로부터 전송된 정보라기보다 개인이 생성한 전적으로 새로운 정보와 관련된다. 타인의 장기기억으로부터 획득한 정보가 새로운 구성으로 재조직될 때, 재조직된 구성이 효과적인지를 판단하는 선수지식을 미리 가지고 있을 수는 없다. 진행 중인 변화에 앞서 특정 변화의 효과성을 판단하기 위해 사용할 수 있는 논리적 절차는 존재하지 않는다. 재조직이 일어나면 선수지식의 부재 속에서 효과성이 검증되어야 하며, 재조직에 앞서 특정 변화의 효과성이 판단될 수는 없다. 효과성은 예상대로 변화가 이루어졌는지를 검증하는 것으로써 습득이 일어난 후에 판단될 수 있을 뿐이다.

재조직으로 인한 것이건 다른 절차로 인한 것이건 신기성 논리(logic of novelty)는 어떤 새로운 생성이 일어나는 과정을 가리킨다. 잠재적 재조직의 효과성을 검증하기 위해 장기기억에 저장된 관련된 지식을 사용할 수 없다면 재조직 과정에 무작위적 생성과 검증 과정이 수반된다. 재조직은 무작위적으로 생성되어야 하므로 효과적인 변화는 유지되고, 비효과적인 변화는 폐기되면서 효과성이 검증되어야 한다. 그것은 차용과 재조직 원리의 '차용(borrowing)' 측면과 '재조직(reorganising)' 측면에서 매우 상이한 결과를 수반한다. 차용과 재조직 원리는 최소의 재조직으로 차용된 정보는 환경에 대해 일관성과 충실도가 높을 가능성을 보증해준다. 우리가 누군가로부터 언제 정보를 차용할지 확신할 수 없지만, 차용 정보의 효과성은 이미 다른 사람들이 검증해오고 있다. 타인으로부터 획득한 정보가 아무런 정보의 변경 없이 차용되었을지라도 정보와 관련하여 항상 위험성을 가지고 있다. 그럼에도 불구하고 우리는 빈번하게 재조직 과정 없이 차용된 정보가 특정 상황에서 효과적으로 사용되었기에 이미 효과성이 검증되었다고 가정한다. 그러나 재조직을 거친 정보에 일어난 변화에 대해서도 동일하게 주장할 수는 없다. 그러한 변화는 모두 무작위적 요소를 가지고 있기 때문에 그러한 변화가 일어나기에 앞서서 우리는 변화가 효과적인지 알 수도 없고 알지도 못한다.

교수활동 시사점

차용과 재조직 원리는 지식을 획득하는 주요 절차를 설명해준다. 그것이 인지부하이론과 수업설계의 핵심이다. 원리가 타당하다면, 교육적 시사점은 명료하다. 우리는 학습자에게 관련 정보를 가능한 한 많이 제공해야 한다. 구성주의, 발견학습 또는 문제중심학습 관점에 기반하여 학습자에게 정보를 알려주지 않는 것은 타당하지 않다. 우리는 타인으로부터 정보를 획득하도록 진화되어 왔으며, 정보를 주고받는 데 능숙하다. 학습자 스스로 정보를 발견하도록 도와주는 부분이 인지구조의 어느 부분인지 찾기란 쉽지 않다. 문제를 해결할 때 필요한 정보를 제공하는 것처럼 스캐폴딩을 사용하여 학습자가 필요한 정보를 획득하도록 지원하는 것은 유익하다. 학습자들에게 필요한 정보를 직접적이고 명시적으로 제공하는 것은 훨씬 더 유익하다.

결론

차용과 재조직 원리는 일차 지식과 이차 지식을 정보 저장소에 저장하는 핵심적인 방법을 제공해주기 때문에 자연적 정보 저장에 필수적이며 핵심이 된다. 차용과 재조직 원리가 없다면 대부분의 지식은 획득되어 저장될 수 없다. 이러한 이유로 교수활동 절차를 다루는 이 책의 나머지 장들은 주로 다이어그램이나 그림, 문자 정보나 음성 정보로부터 정보 획득을 촉진하는 설계 기법과 관련되어 있다. 인지부하이론에 따른 수업설계는 교사가 음성적 또는 시각적 형태로 학습자에게 전달하는 정보의 차용을 촉진하기 위한 수업절차의 설계를 의미한다.

차용과 재조직 원리는 정보 저장소에 저장된 지식이 효과적으로 활용될 가능성을 향상시켜 준다. 차용된 정보는 조직화되어 있으며, 이미 효과성이 검증되었으므로 사용될 환경에 적합할 가능성이 높다.

정보의 차용은 차용과 재조직 원리의 핵심 기능이지만, 정보가 차용되는 방식에 따라 창의성이 결정된다. 그럼에도 불구하고, 차용과 재조직 원리가 새로움의 원천이 되는 것은 아니다. 이전에 저장한 정보를 재조직하고 창의성을 부여하는 방식으로 새로운 정보가 생성될 수 있다. 이전 정보의 재조직을 통한 창의성은 완전히 새로운 정보의 생성과는 다르다. 다음 원리는 새로운 정보의 생성을 목적으로 하는 원리이다.

무작위적 생성 원리

차용과 재조직 원리에 따르면, 정보는 다른 외부 자원으로부터 차용된다. 정보는 어떤 기제를 통하여 생성되는가? 차용과 재조직 원리는 자연 체계에서 정보가 소통되는 방식을 설명해주지만, 무작위적 생성 원리는 정보가 생성되는 기제를 제공해준다. 무작위적 생성 원리는 무작위적 생성과 검증 절차를 사용하여 자연적 정보처리 시스템에 창의성 엔진을 제공해준다. 따라서 무작위적 생성과 검증 절차는 자연 체계에 존재하는 모든 새로움의 궁극적 원천이 된다.

무작위적 생성이 인간 창의성의 원천이라는 주장을 인간의 인지에 적용할 때 새로운 개념이 될 수 있다. 그럼에도 불구하고, 모든 유전변이(genetic variation)가 태생적으로 무작위성을 내재하고 있다는 주장은 생물학의 핵심이며 보편적으로 수용되고 있다. 우리의 유추가 타당하다면, 인간의 인지 또한 자연 체계로써 새로운 정보의 생성과정에서 무작위성을 가질 것이라고 가정할 수 있다. 우리는 먼저 새로움의 생성과정에서 무작위성의 역할을 살펴보고자 한다.

생물학적 진화

동일 종족에 속하는 유기체거나 다른 종족에 속하는 유기체거나에 관계없이 개별 유기체들 간의 모든 유전변이는 일련의 무작위적 돌연변이로 역추적될 수 있다. 우리는 유성 생식이 독특한 개인들의 출생을 보장함으로써 개인들 간의 변이를 증가시킨다는 사실을 앞에서 살펴보았다. 그러나 자손의 독특한 개성은 생식 과정에서 결합된 남성과 여성의 대립형질 유전자로 인해 인과적 차이를 갖게 된다는 사실을 인식해야 한다. 남성과 여성의 대립형질 유전자가 동일하다면 차용과 재조직 원리에서 일어났던 재조직은 일어날 수 없다. 이 경우, 유성 생식은 무성 생식과 마찬가지로 아무런 변이를 일으키지 않으며, 자손이 부모와 동일하기 때문에 유성 생식은 아무런 의미가 없게 된다. 단지 부모 양측으로부터 획득한 유전 정보의 차이로 인해 자손은 부모와는 다르게 되며 이론상으로 그러한 차이들은 언제든지 역추적할 수 있다.

이와는 별개로 효과성에 대한 검증이 없는 무작위적 돌연변이는 무익하다. 효과성이 검증된 모든 무작위적 돌연변이는 효과적이다. 적응적 돌연변이(adaptive mutations)는 생존과 재생산에 효과적이며, 미래에 생물학적 진화를 위해 종 게놈(species genome)의 정보 저장소에 저장된다. 대부분의 돌연변이는 적응적이지 않다. 생존과 재생산에 비효과적인 돌연변이는 종 게놈에 저장되지 않는다. 대신에 이들 돌연변이들은 삭제된다.

무작위적 변이는 모든 생물학적 변이와 모든 생물학적 새로움의 근원이다. 모든 생물학적 시스템에서 관찰되는 방대한 창조성은 궁극적으로 무작위적 돌연변이에 기인한다. 그러한 창조성은 인간이 생산할 수 있거나 이해할 수 있는 모든 것들을 하찮은 것으로 만든다. 수많은 연구자들이 무작위적 돌연변이로 창조된 생물 시스템을 이해하려고 시도하고 있다. 예를 들면, 우리는 야채를 생쥐 크기의 고기와 다른 물질로 변환시킬 수 있는 공장을 세울 수 없다. 자연 선택에 의한 진화 과정은 생물학적 진화와 연관된 다른 원리들과 함께 오랜 무작위적 돌연변이를 거쳐 그러한 결과를 획득할 수 있게 된다.

생물학적 진화에서 범용 프로세스인 무작위적 생성과 검증은 자연적 정보처리 시스템의 강력하면서도 중요한 측면이다. 무작위적 생성 원리는 자연적 정보처리 시스템의 핵심 측면들을 설명해준다. 마찬가지로 이 과정은 우리가 새로운 정보를 생성할 때 인간의 인지가 사용하는 핵심적 과정이다.

인간의 인지

생물학에서 무작위적 돌연변이는 무작위 생성과 검증의 독특한 사례를 제공해준다. 문제해결 과정에서 무작위적 생성과 검증은 자연 선택에 의한 진화에서 무작위적 돌연변이가 수행하는 바와 마찬가지로 인간 인지에서 동일한 역할을 수행할 수 있다. 새로운 문제를 해결하려고 시도하는 사람이 장기기억에 문제에 대한 완전한 해결책을 가지고 있지도 않고 타인이 제공하는 해결책에 접근할 수도 없다고 가정해보자. 문제에 대한 관련지식을 가지고 있지 않을 경우, 유일한 대안은 가능한 경우의 수(possible moves) 가운데 하나를 무작위적으로 시도해보는 것이다. 시도의 효과성 검증은 정신적으로 또는 물리적으로 실행될 수 있다. 시도 결과에 대해 선수지식이 없는 이러한 효과성 검증 과정은 무작위적 생성과 검증 절차이다. 기존 지식을 사용할 수 없을 때 무작위적 생성과 검증은 불가피하다. 무작위적으로 검증해야 하는 대안적인 경우의 수를 감소시키기 위해 기존 지식이 사용될 수 있지만, 기존 지식이 모두 사용되고 나면 무작위적 생성과 검증 절차가 남아있는 전부가 된다.

무작위적 생성과 검증 절차의 근거. 우리는 학습자들이 새로운 문제를 해결할 때 무작위적 생성과 검증을 사용한다는 두 가지 범주의 증거를 제시할 수 있다. 첫째, 몇 가지 실증적 근거들이 있다. 새롭고 복잡한 문제를 해결할 때 대다수 문제해결자들은 여러 가지 막다른 길에 도달하게 될 것이다. 막다른 길에 도달했다는 것은 이전의 시도 또는 일련의 시도들이 부적절했음을 의미한다. 일부 막다른 길은 장기기억에 저장된 오개념으로 인해 발생할 수 있다. 그럼에도 불구하고, 많은 경우가 무작위적으로 생성된 시도들 때문이라고 주장할 수 있다. 막다른 길에 이르게 한 문제해결의 원인으로 오개념이 제거될 수 있다면, 막다른 길에 대해 한 가지 명료한 대안적 설명만이 남게 된다. 무작위적으로 생성된 시도들은 막다른 길에 이르게 할 수 있으며, 유사한 결과를 초래하는 다른 절차를 발견하기는 어렵다. 문제해결 과정에서 발생하는 모든 막다른 길은 시도가 해결책으로 안내하는지를 판단하기 위해 이전의 시도들에 이어 적어도 한 가지 이상 무작위적으로 실행되었음을 가르쳐준다. 문제해결 시도들을 생성하는 데 사용할 수 있는 사전지식이 많을수록 발생할 수 있는 막다른 길은 줄어들게 된다. 문제해결 과정에서 발생하는 막다른 길들은 무작위적 생성 및 검증 절차 사용의 실증적 근거를 제공한다.

문제해결 전략으로서 무작위적 생성과 검증 절차 사용의 두 번째 근거는 실증적 근거보다 논리적 논거에서 기인한다. 새로운 문제해결에서 사용하는 모든 문제해결 시도들은 (a) 무작위적 생성 및 검증 절차, (b) 장기기억에 저장된 지식, (c) 가장 보편적으로 (a)와 (b)의 결합에 의해 생성된다고 가정한다. 사용할 수 있는 대안이 이들 세 가지뿐이고, 성공 가능성 측면에서 어느 대안이 효과적인지 구분할 수 있는 지식이 없다면, 문제를 해결할 때 사용할 수 있는 유일한 전략은 무작위적 생성 및 검증이다. 문제해결 시도들을 생성하는 메커니즘으로 지식과 무작위적 생성 및 검증을 대신할 수 있는 대안이 존재하는지는 아직까지 확인되지 않았다. 대안적 메커니즘에서 시도들이 생성될 때까지는 무작위적 생성 및 검증이 문제해결 시도들을 생성하는 유일한 절차이다.

유추적 문제해결과 같은 문제해결 전략은 지식과 무작위적 생성 및 검증 절차의 대안이 될 수 있다. 사실, 유추적 문제해결이 지식의 결합과 무작위적 생성 및 검증으로 분해될 수 있음을 입증하는 것은 매우 간단하다. 유추적 문제해결을 사용할 때 적합한 유추를 결정해야 한다. 유추를 선택할 때 표면적인 문제해결 지식구조와 심층적인 문제해결 지식구조를 사용할 수 있다. 그럼에도 불구하고, 표적 문제(target problem: 유추해서 풀어야 할 문제)가 새로운 것이라면, 유추의 효과를 확신할 수 없다. 확실성은 지식에서 비롯된다. 근거 문제(source problem)에 대한 유추를 통해 표적 문제를 해결하려고 시도할 때, 필연적으로 무작위적 생성과 검증을 사용하게 된다. 유추가 완벽할 수도 있지만, 전혀 쓸모가 없는 막다른 길에 이르게 할 수 있다. 유추를 문제에 적용하고 효과성에 대한 지식을 획득한 후에만 유추의 효과성을 판단할 수 있다. 만약 유추가 효과적이라면 우리는 그 절차를 추후에 사용할 수 있다. 만약 그것이 효과적이지 않다면, 우리는 처음부터 다시 시작해야 한다. 유추를 선택하는 것은 문제해결 시도이며, 다른 문제해결 시도와는 다르다. 그것은 지식의 결합과 무작위적 생성과 검증을 요구한다.

무작위적 생성 및 검증 절차의 중요성. 앞 절에서 우리는 선택이 결정되고 검증될 때까지 무작위적 요소를 가진 근거 문제 유추(source problem analogy) 선택의 결과를 알 수 없다고 주장했다. 유추 선택 결과에 대한 지식의 결핍은 보편적이며, 구조적인 함의를 내포하고 있다. 시도가 무작위적으로 생성되는 경우, 시도가 물리적으로 또는 인지적으로 실행 완료될 때까지는 결과를 알 수 없다. 물리적으로 또는 인지적으로 시도가 실행된 후에만 무작위적 시도의 효과성을 판단할 수 있다. 말 그대로 우리는 무작위적 시도에 앞서서 시도의 결과를 알려주는 사전지식을 가지고 있지 않다. 무작위적으로 선택한 시도를 실행한 후에만 시도의 효과성을 판단할 수 있다. 선택한 시도가 효과적이라면 그 시도를 저장하고, 계속해서 문제를 해결해갈 것이다. 이때, 이용가능하다면 장기기억에 저장된 지식을 활용하거나 아니라면, 무작위적 선택을 통해 해결해갈 것이다. 시도가 목표 달성에 비효과적이라면, 그 시도는 우리를 목표로부터 멀어지게 하거나 막다른 길에 이르게 하기 때문에 폐기된다. 이렇게 효과적인 시도들은 다음 사용을 위해 장기기억에 저장되고, 효과적이지 않은 시도들은 폐기되므로, 저장된 시도들이 지식이 된다.

중앙집행장치로서의 지식. 인지부하이론이 사용하는 인지구조는 독립적인 중앙집행장치를 가정하지도, 필요로 하지도 않는다(Sweller, 2003). 중앙집행장치는 인지과정을 조직하고 통제하는 구조이다. 문제해결 과정에서 지식은 어떤 조치가 이루어져야 하는지, 그 조치들이 언제, 어떻게 이루어져야 하는지를 가르쳐준다. 요컨대 장기기억에 저장된 지식은 독립적인 중앙집행장치의 대체재로 기능한다. 지식이 부재할 경우, 무작위적 생성과 검증 절차가 사용된다.

인간의 인지 시스템에는 장기기억과는 별개로 중앙집행장치가 존재하지 않는다고 주장할 수 있다. 그럼에도 불구하고 Baddeley(1992)의 작동기억이론을 비롯하여 여러 인지이론에서 중앙집행장치의 존재를 가정하고 있다. 우리는 장기기억에 저장된 지식과 분리된 독립적인 중앙집행장치는 중앙집행장치의 원상태 복귀를 위한 무한반복을 초래한다고 가정한다. 장기기억에 저장된 지식이 중앙집행장치의 속성을 가지고 있지 않다면, 지식과 독립적인 중앙집행장치가 어떻게 그러한 작용을 결정하는지 의문에 직면하게 된다. 우리는 첫 번째 중앙집행장치를 관리하는 다른 중앙집행장치를 필요로 하며, 계속해서 세 번째, 네 번째 중앙집행장치를 필요로 하게 된다. 장기기억에 저장된 지식이 차용과 재조직 원리와 무작위적 생성 원리를 통해 사실상의 중앙집행장치로 작용한다면 이 문제는 해결된다.

자연 선택에 의한 진화의 유추는 이러한 점에서 특별한 의미를 갖게 된다. 진화는 중앙집행장치의 기능을 필요로 하지 않는다. 인간 인지의 진화 유추가 타당하다면, 인간의 인지는 지식과 무관하며 독립적인 중앙집행장치를 필요로 하지 않는다. 자연적 정보처리 시스템이 기능을 수행하기 위해서는 장기기억에 저장된 지식의 결합과 무작위적 생성과 검증 절차가 요구된다.

창의성. 이러한 분석에 따르면, 무작위적 생성 원리는 창의성의 근원이 된다. 생물학적 진화에서 무작위적 생성 원리가 모든 변이와 창조성의 궁극적인 근원이라는 주장에는 논쟁의 여지가 없다. 무작위적 돌연변이는 모든 유전변이의 기반을 제공하며, 생물학적 진화에서 관찰되고 자연 선택에 의한 진화로 설명되는 방대한 창조성의 주요 원천으로 간주된다. 우리는 문제해결 과정에서 무작위적 생성과 검증이 인간의 인지에서도 동일한 역할을 수행한다고 가정한다. 만약 그렇다면, 무작위적 생성과 검증은 인간이 발명한 모든 새로운 개념과 절차의 궁극적 원천이 된다. 창의성을 무작위적 생성과 검증 과정으로 규정하는 데 이의가 있을 수 있다. 그럼에도 불구하고, 자연 선택에 의한 진화의 유추를 무시할지라도, 우리는 그 논리적 근거를 주목해야 한다고 주장한다. 창의성은 미지의 세계로 이동하도록 요구한다. 이전에는 존재하지 않았던 아이디어, 객체, 개념이나 절차처럼 어떤 것이 새로운 것이라면, 그것의 개발은 장기기억의 기존 지식에 전혀 의지할 수 없다. 현재의 지식을 넘어서야 한다. 차용과 재조직 원리의 재조직과는 별개로 어떻게 기존에 저장된 지식을 넘어설 수 있을까? '시도'나 과정은 그것이 생성된 절차를 가지고 있어야 한다. 우리는 그것이 무작위적으로 생성될 수 있다고 가정한다. 하지만, 그것이 무작위적으로 생성되지 않았다면 어떤 절차를 사용할 수 있을까? 대안적 절차가 제시될 때까지는 무작위적 생성이 유일하게 사용할 수 있는 과정이라고 가정해야 한다. 자연 선택에 의한 진화와 마찬가지로 인간의 창의성은 무작위적 생성과 검증에 의존하고 있다.

무작위적 생성과 검증이 창의성을 구성하는 원천이라면, 왜 사람마다 창의성에 차이가 나는 것일까? 그 답은 우리의 지식 기반에 있다. 지식 기반은 사람마다 크게 차이가 난다. 낮은 지식 기반을 가진 사람의 무작위적 생성과 검증은 매우 높은 지식 기반을 가진 사람의 무작위적 생성과 검증과는 매우 상이한 결과로 안내할 것이다. 전기의 속성과 전기가 흐르는 물질의 속성을 알고 있다면, 매우 상이한 물질들이 백열전구에 적합한 요소인지 무작위적으로 검증하여 백열전구의 발명 기회를 가질 수 있다. 만약 우리가 전기와 물질의 속성을 알지 못한다면, 백열전구를 발명할 기회를 가질 수 없다.

이러한 분석에 근거하여, 특정 영역 지식의 차이가 다른 어떤 요인보다 인간의 창의성을 더 잘 설명해준다고 할 수 있다. 또한, 일반적인 문제해결 전략과는 달리 특정 영역 지식은 가르치고 배울 수 있다.

교수활동 시사점

인간의 창의성의 차이가 주로 특정 영역 지식에 의존하고 있다면 특정 영역 지식을 확대시키는 방법 이외에 다른 수단을 통해 창의성을 향상시키려는 시도는 비효과적이라고 할 수 있다. 생성의 무작위성 원리에 따르면, 학습자가 무작위적 생성과 검증 과정에 참여하도록 촉진할 필요가 있다. 무작위적 생성과 검증은 무수한 세대를 통하여 인간 인지 역사의 일부가 되어왔기 때문에, 생물학적으로 강력한 일차 구성요소를 함유하고 있다. 우리가 자동적으로 그 기법을 사용하기 때문에 무작위적 생성과 검증을 가르칠 수 있는 가능성은 매우 제한될 수밖에 없다. 인간의 창의성 개발과 관련된 연구들은 이러한 가정을 지지해준다(Sweller, 2009b). 창의성을 촉진하는 절차에 대한 성공적 사례를 발견하기는 쉽지 않다.

한 가지 예외가 있을 수 있다. Osborn(1953)이 개발한 브레인스토밍 기법은 무작위 생성을 촉진하는 것으로 보인다. 브레인스토밍은 아이디어의 유용성과 관계없이 사람들이 가능한 한 많은 아이디어를 생성하도록 요구한다. 이 기법은 검증이 없는 무작위적 생성으로 구성되기 때문에 인지구조와 결합될 수 없으며, 무작위적 생성 원리에 그 절차를 연결시킬 수 있다. 사람들에게 브레인스토밍하도록 요구하는 것은 문제해결 방안을 무작위적으로 생성하도록 요구하는 것과 같다.

브레인스토밍 수업이 보다 유용한 아이디어들을 산출하는 데 기여한다는 근거가 있다(Meadow, Parnes, & Reese, 1959). 따라서 브레인스토밍은 문제해결자가 무작위적 생성 절차를 사용하도록 가르치는 성공적인 사례가 될 수 있다. 이 기법이 정규 수업 주제 영역에서도 유용할지는 좀더 지켜봐야 한다. 브레인스토밍에 대한 연구는 대부분 '가능한 블록의 사용법을 모두 생각해보시오'와 같은 아이디어 생성 과제를 사용한다. 그럼에도 불구하고, 수학 문제해결과 관련된 영역에서 브레인스토밍 수업이 효과적이라는 주장은 타당해 보인다. 우리의 연구는 현재 그러한 영역에서 했던 성과를 얻고 있다.

결론

차용 및 재조직 원리와 무작위적 생성 원리는 자연 선택에 의한 진화의 게놈이나 인간 인지의 장기기억에 관계없이 정보 저장소에 저장된 정보의 획득과 관련하여 두 가지 기본적인 자연적 정보처리 시스템 원리를 제공해준다. 두 가지 원리는 함께 작용한다. 차용과 재조직 원리를 통해 정보는 시간과 공간을 넘어 교류될 수 있다. 자연적 정보처리 시스템은 매우 방대한 정보 저장소를 필요로 하며, 차용과 재조직 원리는 방대한 양의 정보가 어떻게 획득되는지를 설명해주는 효과적인 절차를 제공한다. 새로운 정보의 대부분은 차용과 재조직 원리의 재조직 기능으로부터 생성되는 정보와 더불어 무작위적 생성 원리로부터 형성되는 정보이다. 따라서 무작위적 생성 원리와 차용 및 재조직 원리는 정보가 어떻게 생성되고, 전달되며, 정보 저장소—장기기억— 에 저장되는지를 설명해준다.

우리는 문제해결 과정에서 무작위적 생성과 검증 과정을 통해 새로운 정보를 생성한다. 현재까지 새로운 정보의 생성 과정에서 무작위적 생성과 검증을 대신해서 사용할 수 있는 방법은 존재하지 않는다. 그렇다면, 무작위적 생성 원리는 생물학적 변이를 설명하는 데 사용하는 생물학적 진화와 마찬가지로 인간이 어떻게 새로운 정보를 생성하는지 설명하는 데 사용할 수 있는 유일한 절차일 수 있다.

새로운 정보의 생성자로서 무작위적 생성과 검증이 최선인 이유를 강조할 필요가 있다. 새로운 정보의 생성을 관리하는 중앙집행장치가 논리적으로 가능하지 않다면, 대안이 요구된다. 무작위적 생성과 검증이 바로 그 대안을 제공해준다. 정보 저장소에 저장된 정보에 기반하지 않은 중앙집행장치가 다중처리를 통해 원상태 복귀를 무한반복하지 않고 실행될 수 있다면, 무작위적 생성과 검증이 최선의 자리를 차지할 수 없다. 무작위적 생성은 원상태 복귀를 무한반복하지 않으며, 새로운 정보를 생성한다. 무작위적 생성과 검증은 자연 선택에 의한 진화와 인간 인지에서 창조의 필요조건이 될 수 있다.

인간의 장기기억 또는 게놈에 저장되어 차용과 재조직 원리를 통해 교류되는 정보는 질서정연하며 실용적이다. 질서가 무작위적 생성에서 기인한다는 주장은 역설적으로 보일 수 있다. 이 역설은 종의 기원(existence of species)에 대해 비과학적 설명을 탐색하는 사람들에게 자연 선택에 의한 진화를 부정할 수 있는 명백한 근거가 될 수 있다. 이 역설은 무작위적 생성과 검증의 두 번째 측면을 통해 해결된다. 정보의 효과성에 대한 검증 없이 무작위적으로 생성된다면, 생성된 정보는 대부분 쓸모없는 정보가 될 것이다. 사실상, 자연 선택에 의한 진화나 인간 인지를 통해 무작위적으로 생성된 정보는 대부분 적응적이지 않다. 그것은 기능하지 않으며, 사용할 수 없다. 우리가 새롭고 어려운 문제를 해결하려고 할 때, 대부분의 시도는 성공적인 해결책으로 인도하기보다는 막다른 곳에 이르게 한다. 이것은 유전변이의 대부분이 해로우며, 소량만이 유익한 것과 마찬가지이다. 효과적인 과정은 저장하고, 비효과적인 과정은 폐기하는 효과성 검증 과정을 거친다면, 무작위적 생성이 유용한 새로움(usable novelty)으로 이끄는 강력한 힘이 있다는 사실이 명백해진다. 유용하고 새로운 정보의 획득은 무작위적 생성에 검증이 이어질 때만 가능하다. 또한 인간의 인지와 같은 자연적 정보처리 시스템에서 무작위적 생성과 검증은 새로움을 창조해 낼 수 있으며, 그것은 진정한 새로움을 창조하는 유일한 방법이다. 이는 자연 선택에 의한 진화에서 무작위적 돌연변이가 진정한 새로움을 창조하는 유일한 방법인 것과 마찬가지이다.

정보 저장 원리는 방대한 정보를 저장하기 위한 자연적 정보처리 시스템의 필요성을 뒷받침해준다. 반면, 차용, 재조직, 무작위적 생성 원리는 효과성이 검증된 방대한 정보를 획득하기 위해 자연적 정보처리 시스템이 어떤 절차를 거쳐 외부 세계와 상호작용하는지를 규명할 필요가 있다. 차용과 재조직 원리는 외부 세계로부터 방대한 정보가 획득된다는 사실을 알려주지만, 그 정보가 어떤 구조와 과정을 거쳐 획득되는지 규명할 필요가 있다. 다음 장에서 논의할 변화의 제한성 원리와 환경의 조직과 연결 원리는 자연적 정보처리 시스템이 그들의 환경과 어떤 절차를 거쳐 상호작용하는지를 다루고 있다.

제4장

외부 환경과의 상호작용: 변화의 제한성 원리 및 환경의 조직과 연결 원리

3장에서 생물학적 이차 정보를 다룰 때 인간의 인지는 그 기능을 하기 위해 매우 방대한 정보 저장소를 필요로 한다고 설명한 바 있다. 장기기억들이 그 저장소이다. 장기기억에 있는 대부분의 정보는 다른 사람의 장기기억에 있는 정보를 차용함으로써 획득되고, 이와 함께 무작위 생성 및 검증 절차에 의해 만들어진 비교적 적은 양의 원(原)정보로 이루어져 있다. 차용되거나 생성된 이 정보의 궁극적 목적은 우리로 하여금 외부 환경과 상호작용할 수 있도록 해주는 것이다. 4장에서는 필수적인 시스템에 대해 구체적으로 알아보고자 한다.

인간의 인지가 기능하기 위해서, 자연 정보처리 시스템은 외부 환경으로부터 정보를 획득함으로써 그리고 환경 내에서 적절하게 수행함으로써 외부 환경과 상호작용해야 한다. 환경으로부터 정보를 얻기 위해 자연 정보처리 시스템에서 요구되는 특징들을 총칭하여 변화의 제한성 원리(narrow limits of change principle)라고 한다. 환경 내에서 적절하게 수행되기 위해 자연 정보처리 시스템에서 필요한 특징들을 총칭하여 환경의 조직과 연결 원리(environmental organizing & linking principle)라고 한다. 이 두 개의 원리들은 자연 정보처리 시스템과 이 시스템의 환경 간의 연결고리를 제공한다. 이 원리들은 인지부하이론의 핵심이자 이 책의 후반부에서 다루는 교수 효과들의 직접적인 원인이기도 하다. 두 가지 원리들이 인간의 인지를 다룰 때에는 작동기억과 관계있다. 두 원리가 자연 선택[1]에 의한 진화를 다룰 때에는 이 원리들은 인간의 작동기억과 비슷한 역할을 하는 후생 시스템에 적용된다(Jablonka & Lamb, 2005; West-Eberhard, 2003). 후생 시스템(epigenetic system)은 돌연변이의 위치와 비율에 영향을 끼칠 수 있고, 환경 신호에 따라 유전자를 켰다 껐다 할 수 있는 화학 시스템이다. 작동기억과 후생 시스템 둘 다 정보 저장소와 이것의 외부 환경 간의 인터페이스로 치부될 수 있다.

변화의 제한성 원리

무작위 생성 및 검증을 강조하는 무작위 생성 원리는 외부 환경으로부터 정보가 얻어지는 방법에 대한 구조적 결과를 가지고 있다. 말 그대로, 무작위로 생성된 정보는 조직화되어 있지 않아서, 정보처리 시스템이 다룰 수 있는 비조직화된 정보의 양에 한계가 있다. 그러한 한계는 수학적으로 쉽사리 증명될 수 있다.

처리될 필요가 있는 세 개의 정보 요소들을 다뤄야 하는 시스템이 있다고 가정해보자. 순열 논리에 의해 세 요소들의 가능한 순열은 3! = 6이어서 이 시스템이 고려해야 하는 것은 이 여섯 개의 순열 중 어떤 것이 이 환경에 적합한가이다. 여섯 개의 가능한 순열을 다루는 것이 시스템을 압도해서는 안 된다. 이와 대조적으로 세 개의 정보요소들을 다루는 것이 아닌 열 개의 요소들을 다루어야 한다고 가정해보자. 열 개 요소에 대한 순열은 10! = 3,628,800이며, 이는 그 어떤 시스템도 상당히 다루기 힘든 수이다.

고려되어야 하는 요소의 수에서 아주 적은 증가에도 일어나는 조합 폭발[2](combinatorial explosion)을 가정한다면, 그 수를 제한시킬 수 있는 이점이 있다. 순열의 수를 다룰 수 있는 수준으로 낮추기 위하여 자연 정보처리 시스템에서 다룰 수 있는 무작위로 생성된 요소들의 수를 엄격하게 제한시키는 것을 예상할 수 있다. 변화의 제한성 원리는 자연 정보처리 시스템이 외부 환경으로부터 정보를 얻을 때 이러한 강제적 원칙을 반영하고 있다. 자연 선택에 의한 진화의 경우 후생 시스템이, 그리고

• • •

역주 1 군집이 환경에 더 잘 적응하는 과정. 많은 수의 변이체들이 형성되지만 가장 잘 적응하는 변이체만 살아나 그 유전 정보를 전달시킨다.

역주 2 무한에 가까운 조합이 만들어지는 경우. 얼핏 보기에는 많지 않은 수로 무한에 가까운 수를 만들어내는 것.

인간의 인지의 경우에 작동기억이 무작위로 생성된 정보의 특징을 고려한 방식으로 구조화되어야 한다.

생물학적 진화

유전 시스템이 외부 환경과 어떻게 상호작용하는지에 대한 지식, 보다 구체적으로는 외부 환경으로부터 지식을 어떻게 획득하는지에 관한 지식은 여러 측면에서 여전히 초보수준에 머물러 있다. 자연 선택에 의한 진화는 인간의 인지와 근원이 유사하다. 진화이론 및 지식은 여러 측면에서 인간의 인지에 관한 지식보다 상당히 자세하기 때문에 인간의 인지를 설명할 때 진화이론을 사용한다. 외부 환경으로부터 자연 정보처리 시스템이 얻은 정보를 다룰 때 우리의 상대적 지식수준은 역전되는 경향이 있다. 우리는 인간의 인지 시스템이 외부 세계로부터 지식을 어떻게 얻는지를 유전 시스템이 외부 세계로부터 정보를 어떻게 얻는지보다 더 많이 알고 있다. 그럼에도 불구하고 우리는 외부 환경에서부터 유전 시스템으로의 정보 흐름에 관한 어느 정도의 지식은 가지고 있다. 이러한 정보 흐름 및 그것의 결과로 생기는 생물학적 진화에 끼치는 영향은 인간의 인지와 유사성을 가지고 있다.

생물학적 진화에서, 관련된 과정들은 후생 시스템에 의해 통제되는데, 이 시스템은 인간의 인지에서 작동기억이 하는 역할과 유사한 역할을 수행한다. 후생 시스템은 유전 시스템과 외부 환경 간의 매개체를 제공한다. 이 시스템은 DNA 기반 유전 시스템과 DNA 외부에 있는 환경 간의 상호작용을 통제한다. 유전 시스템에 비해 후생 시스템은 상당히 덜 알려져 있는데, 이 둘은 보통 상호작용을 함에도 불구하고 별개이고(Jablonka & Lamb, 1995, 2005; West-Eberhard, 2003) 독립적으로 활동한다고 일반적으로 가정하고 있다.

정보처리 관점에서 보면, 후생 시스템은 폭넓은 두 가지 기능을 가지고 있다. 첫 번째, 후생 시스템은 유전적 변화를 초래할 수 있는 방법으로 외부 환경에서 DNA 기반 유전 시스템까지 선택적으로 정보를 처리하고 전송한다. 그러한 기능은 '변화의 제한성 원리'를 다루고 있는 해당 절에서 관심 갖고 있는 부분이다. 두 번째, 후생 시스템의 기능은 유전 시스템의 어느 부분이 작동하는지 안 하는지를 판단하기 위해 환경 정보를 사용하는 데 있다. 환경 정보를 사용해서 어떻게 유전 시스템이 기능하는지 정하는 그러한 역할은 다음에 다룰 원리인 '환경 조직 및 연결 원리'하에서 다루어진다. 이 절에서는 환경에서 나온 정보가 어떻게 유전 시스템의 DNA 코드를 변경할 수 있는지에 대해 제한적 변화 원리로 다루고 있다.

후생 시스템은 변이가 일어나는 곳에 영향을 끼치기 위해 특정 환경을 활용할 수 있다. 환경 조건에 따라서 게놈[3]의 어느 부분에서 변이가 촉진될 수 있는 반면 다른 부분에서의 변이는 저지되기도 한다. 예를 들면, 어떤 유기체에서는, 유기체의 생존을 위협하는 스트레스 가득한 환경은 변이 증가를 가져올 수 있다. 새로운 환경에서 살아남도록 유기체를 도와주는 생성물의 유전암호를 지정하는 게놈의 증가된 변이는 다양성을 증가시킬 수 있어서 종의 생존 가능성을 높여준다. 또 다른 예로는, 먹이를 포획하는 데 사용되는 독액같이 높은 수준의 다양성을 요하는 게놈의 평균보다 변이 비율이 수천 배 높을 수 있다. 변이는 생존에 도움을 주는 장소에서 후생 시스템에 의해 촉진될 뿐만 아니라 후생 시스템 또한 그러한 변이가 복구되지 않음[4]을 보장해줄 수 있다.

후생 시스템은 변이가 일어나는 곳과 변이의 비율까지도 정할 수 있지만 변이의 속성을 정하지 않는다. 변이의 속성은 무작위 생성 원리에서 살펴본 무작위 생성에 의해 정해진다. 위에서 언급한 것처럼 무작위성은 궁극적으로 변이를 생성하기 때문에, 변이 개수에 제한이 있다. 후생 시스템에 의해 변이 비율이 증가되는 조건하에서 성공적 변이는 극히 드물다. 복제되는 동안, 대부분의 유전 정보는 정확하게 복제된다. 실제적 변이 이벤트는 무작위 변이 때문에 적합하지 않을 수 있다. 무작위 생성 및 검증은 변화의 제한성 원리를 이끌도록 작은 단계들로 제한되어야 한다.

인간의 인지

무작위 생성 원리에서 생겨서 변화의 제한성 원리를 이끄는 인간의 인지에서의 구조적 결과들은 새로운 정보를 다룰 때 작동기억의 특징에서 명백하게 드러난다. 우리는 작동기억 내에 있는 것만을 의식하기 때문에 작동기억을 의식과 동일시할 수 있다. 의식과 작동기억 간의 연계에 대한 증거는 장기기억에 담겨있는 내용에 대한 내성적(introspective) 지식에서 나온다. 우리는 장기기억에 있는 막대한 양의 정보를

• • •

역주 3 생물의 생존에 필요한 최소의 염색체 한 조에 존재하는 모든 유전 물질의 총집합. 한 유기체에 대한 모든 유전정보의 집합체.

역주 4 유전자의 경우 돌연변이가 일어나면 이것을 다시 고쳐주게 된다.

인식할 뿐만 아니라 이를 언제든지 인식하기도 하지만, 그 정보의 작은 일부분만 의식할 뿐이다. 이 일부분은 장기기억에서 나온 어떤 정보들로 구성되어 있으며, 특정한 때에는 작동기억에 있기도 한다. 장기기억에 있는 내용의 일부가 작동기억으로 옮겨질 때까지는 우리는 그 일부를 인식하지 않는다. 우리가 의식하는 지식은 작동기억에 있는 매우 적은 양의 지식에만 한정되고, 장기기억에 남아있는 정보에 관해서는 의식하지 않는다.

작동기억은 환경으로부터 들어오는 정보를 처리하는 중요한 구조이다. Atkinson과 Shiffrin(1968)이 주장한 아키텍처에 따르면, 정보 양식이 시각적인지 청각적인지에 따라 감각 시스템의 다양한 모듈에 의해 맨 처음 정보를 받고 매우 짧게 처리된다. 그러고 나서 이 정보의 몇몇 요소들은 장기기억에 있는 정보와 함께 의식적으로 처리될 수 있는 작동기억을 통과하게 된다. 작동기억에서 처리된 정보가 일정기간 동안 보유되려면 영구저장을 위한 장기기억으로 보내져야 할 필요가 있다. 일단 정보가 장기기억에 저장되면, 이것을 작동기억으로 가져와 향후 행동을 지배하는 데 사용될 수 있는데, 이러한 과정은 다음에 환경의 조직과 연결 원리에서 자세하게 논의할 것이다. 변화의 제한성 원리를 다루는 해당 절에서는 장기기억이 아닌 작동기억이 환경에서 비롯하여 감각 시스템을 통해 작동기억에 도달한 새로운 정보를 어떻게 다루는지에 대해서만 초점을 두고 있다.

환경에서 비롯된 새로운 정보를 다룰 때의 작동기억의 특징들은 광범위하게 연구되어 왔고 잘 알려져 있다. 작동기억은 현저하면서도 다양한 측면에서 놀랄 만한 두 개의 특징들을 가지고 있는데, 이 특징들은 교수설계에 관심 있는 사람에게는 중요하다. 작동기억의 첫 번째 특징은 새로운 정보를 다룰 때 용량에 있어서 매우 제한적이고(예: Cowan, 2001; Miller, 1956), 두 번째 특징은 보유기간에 있어서 매우 제한적이라는 점이다(Peterson & Peterson, 1959). 용량 제한에 대해 논의를 시작해보자.

매우 제한된 항목 혹은 요소의 수만이 작동기억에서 처리될 수 있다. 항목이 본래 스키마로 개념화되지 않았지만 가장 손쉽게 스키마로 이해될 수 있다. 작동기억이 새로운 정보를 처리하는 데 있어서 그 용량이 매우 제한적이라는 데 보편적으로 동의하고 있지만 정확한 한계에 있어서는 논의의 여지가 남아 있는데 그러한 한계는 아마도 검사조건에 따라 약간씩 변할 수 있기 때문이다. Miller(1956)는 그 한계를 일곱 가지 항목으로 봤지만 최근 네 가지 항목이라고 제안한 Cowan(2001)이 보다 대표성이 있다. 수업 관점에서 보았을 때, 작동기억이 정보를 저장하는 능력에 있어서 심하게 제한적이기 때문에 정확한 숫자는 무의미하다.

사실, 수업에서 고려해야 할 사항을 다룰 때에 작동기억의 한계는 제안된 작동기억 용량의 최대 측정치보다 상당히 협소해진다. 흔히, 작동기억의 용량 측정치는 단어, 전화번호, 글자와 같은 항목들의 무작위 집합을 기억하는 우리의 능력을 포함하고 있다. 보통, 수업 맥락에서 우리는 그러한 항목들을 저장하는 데 작동기억을 사용하지 않는데, 특징상 어떤 종류의 정보든 이를 저장하는데 작동기억을 사용하지 않기 때문이다. 대신 작동기억은 항목들을 처리하는 데 사용되는데, 여기에서 처리란 특정 방법으로 정보의 항목들을 조직하고, 조합하고, 비교하거나 조작하는 것을 필요로 한다. 예를 들면, 통상적으로 작동기억에서 필요한 저장은 인지조작활동에 따른 중간 산출물을 유지하기 위한 것이다. 이러한 이유에서 작동기억은 기본적인 처리 기능과 동시에 저장 기능도 가지고 있다.

처리 과정의 속성에 따라 저장할 수 있는 것보다 더 적게 정보의 항목들을 처리할 수 있을 것이다. 우리는 주어진 시간에 새로운 정보의 두세 개 항목들만 작동기억에서 처리될 수 있음을 제안한다. 새로운 정보의 더 많은 항목들을 처리하도록 요구된다면 우리의 작동기억 처리 시스템은 작동하려 하지 않을 것이다. 새로운 정보를 처리할 때 작동기억의 용량은 극도로 제한적이다. 그러한 제한의 이유는 작동기억이 다루어야 하는 요소들의 수가 아주 적게 증가한다손 치더라도 조합 확장이 일어나기 때문이다.

우리 대부분은 직관적으로 작동기억의 용량이 제한적임을 알고 있다. 예를 들면 일곱 자리 수 이상으로 된 번호에 전화 걸 때처럼 새로운 숫자를 기억해야 한다면 그 수를 기억할 수 없을 것이고 전화를 걸 때 최소한 한 번 종위 위에 쓰인 번호를 봐야 할 것이다. 설명을 이해하거나 어려운 문제를 푸는 데 어려움을 겪는다면 그 이유 또한 작동기억의 처리 한계 때문임을 우리는 잘 모르고 있다. 그러한 처리 한계는 이 책의 뒤에서 다루겠지만 수업을 설계할 때 주요하게 고려해야 한다.

작동기억의 한계는 그 용량에만 제한되어 있지 않다. 작동기억은 또한 기간에도 제한이 있다. 작동기억의 시간적 한계는 Peterson과 Peterson(1959)이 언급하였다. 대부분의 새롭게 들어오는 정보만이 몇 초 동안 작동기억에 머물러 있을 수 있으며, 거의 모든 정보는 20초 후에 소실된다. 반복암송을 통해 이러한 정보 소실을 피할 수 있다. 새로운 내용을 계속해서 반복 암송한다면 이것은 상기되어 작동기억에서 무한정 머물러 있을 수 있게 된다.

용량 제한의 경우에서처럼 새로운 번호로 전화를 걸 때 우리가 하는 것을 떠올려 보면 작동기억의 시간적 한계를 직관적으로 알 수 있다. 새로운 번호로 즉각 전화를 걸 수 없는 경우, 우리는 걸 때까지 반복 암송할 것이다. 전화번호를 되뇌지 않으면 빠르게 소실되기 때문에 반복 암송해야 함을 알고 있다. 이와 유사하게 설명이나 문제의 일부로서 처리되어야 하는 정보가 있고, 이를 거의 즉각적으로 처리할 수 없다면, 이후에 처리되는 것은 소실될 것이고, 이 소실은 이해나 문제해결을 심각하게 방해할 것이다. 반복암송은 또한 장기기억으로 정보의 전이를 도와주는 부가적 장점을 가지고 있다.

작동기억의 용량과 기간의 제한은 장기기억으로부터가 아닌 감각기억을 통해 외부 환경에서 획득된 새로운 정보에만 적용된다. 이러한 제한은 장기기억에서 나온 친숙한 정보에는 적용되지 않는다. 작동기억은 새로운 정보가 아닌 친숙한 정보를 다룰 때는 극적으로 다른 특징을 갖는다. 이러한 특징들은 다음에 다룰 원리인 환경의 조직과 연결 원리에서 논의할 것이다.

작동기억과 정보 양식. 단일 구조로 작동기억을 파악하는 것이 때로는 편하지만 투입되는 정보의 양식에 일치하는 여러 개의 프로세서로 구성된 작동기억으로 보는 것이 보다 정확하다. 예를 들면 청각 정보를 처리하는 작동기억 프로세서는 시각 정보를 다루는 프로세서와 다르기 때문이다. 작동기억의 다채널 특징은 이후에 논의하는 교수활동 시사점을 제공한다.

Baddley의 이론은 다채널 작동기억 이론으로 가장 잘 알려져 있다(예: Baddley, 1992). 그는 작동기억을 중앙집행장치, 시공간적 스케치패드(visio-spatial sketchpad), 음운 고리(phonological loop) 등 세 개의 구성요소로 나누었다. 최근에는 여기에 에피소드 버퍼(episodic buffer)를 추가하였다. 이전 장에서 언급하였듯이, 우리는 중앙집행장치의 실행 가능성에 의문을 제기하였는데, 중앙집행장치는 집행장치로서 무한 후퇴하였으며, 중앙집행장치의 역할이 장기기억으로 할당되는 것을 선호하기 때문이다. 이와 반대로, 작동기억을 부분적으로 독립된 청각 요소와 시각 요소로 구분한 것은 중앙집행장치의 역할에서처럼 논리적 이슈가 아니라, 실증적 근거를 통한 주장이다(Penney, 1989). 시각 및 청각 정보를 처리하는 서로 다른 프로세서를 가지고 있고, 그러한 프로세서가 전체가 아닌 부분적으로 독립적인 것처럼 보인다. 두 개의 프로세서는 위에서 언급했던 용량 및 기간 제한을 가진다는 특징을 공유한다. 따라서, 효과적인 작동기억의 용량은 두 개의 프로세서를 사용함으로써 증가될 수 있다. 이러한 이유로 작동기억을 청각 및 시각 프로세서로 구분하는 것은 중요한 교수활동 시사점을 제공한다.

교수활동 시사점

작동기억의 용량 및 기간이 제한되어 있다는 가정에서 나오는 교수활동 시사점들이 많다. 이 책의 3부에서 다룰 인지부하이론 및 인지부하 범주, 4부에서 다룰 인지부하이론의 교수 효과들에서 이러한 시사점들을 주로 다루고 있다. 일반적으로, 대부분의 학생들은 초보자이기 때문에 이들에게 제공되는 정보의 대부분은 새로운 내용이다. 따라서, 제한된 용량과 기간의 작동기억에 의해 처리되어야 한다. 일반적으로, 동일한 정보라도 학습자에게 요구되는 다양한 활동을 다양한 방식으로 제시할 수 있다. 즉 동일한 교과내용을 다양한 교수설계와 연관시킬 수 있다. 프레젠테이션의 각각의 형태, 즉 학습자에게 요구되는 각각의 활동은 작동기억 혹은 인지부하(이 두 개의 용어는 이 책에서 동의어로 사용된다.)를 부과할 것이다. 이 부하는 교수설계에서의 변화에 따라 다양해지기 때문에 불필요한 인지부하를 줄이는 교수설계가 선택되어야 한다. 작동기억의 한계를 고려하면, 교수활동의 한 가지 목적은 불필요한 인지부하를 줄여서 부족한 작동기억 자원이 교과 영역의 핵심에 직접 향하게 하고, 부적절한 교수설계의 일부로 요구되는 활동들과는 멀어지도록 보장해야 한다. 작동기억 자원을 교과내용의 본질적 핵심사항과 직접 연결하고 불필요한 부분을 줄이는 것이 인지부하이론의 목표이다.

결론

진화론적 관점에서 우리의 작동기억 한계는 반직관적으로 보일 수 있다. 인간은 왜 익숙하지 않은 정보에 직면할 때 그토록 심각한 작동기억 한계를 가지고 진화해온 것일까? 현재 인지부하이론에 대한 프레임워크가 이에 대한 설명을 제공해준다. 작동기억의 한계를 만든 변화의 제한성 원리는 무작위 생성 원리에서 직접 나왔다. 무작위 생성 및 검증은 새로운 것을 다룰 때 필수적인데, 새로운 것에 직면할 때 새로운 정보를 조직하는 방법에 대해 우리에게 지시하는 작동기억 내의 중앙집행장치가 부족하기 때문이다. 따라서 우리가 조직해야 하는 요소들의 절대적 수는 중요한 요소가 된다. 소수의 요소는 우리가 다뤄야 하는 소수의 순열만을 가져온다. 요소의 수가 소폭 증가하면 효과적으로 다루기 불가능한 수백만 개의 순열로 나타난다. 매우 제한된 수 그 이상의 요소들을 처리하는 작동기억은 이점이 없기 때문에, 용량이 큰 작동기억으로 진화할 이유가 없는 것이다. 새로운 정보를 다룰 때 작동기억의 한계를 고려한다면, 수업 동안 불필요한 작동기억의 부하를 고려하는 수업절차가 요구된다.

인간 인지에서 작동기억은 후생 시스템과 유전적으로 같은데, 진화 생물학에서 유사한 역할을 하기 때문이다. 두 개의 구조는 자연 정보처리 시스템에서 새로운 환경 정보를 처리하게 해주는데, 이 정보는 자연 선택에 의한 진화의 경우 게놈, 인간 인지의 경우 결국에는 장기기억이라는 정보 저장소에 조직화된 형태로 저장될 수 있다. 일단 정보가 정보 저장소에 조직화된 형태로 저장되면, 그 저장소로부터 인간의 작동기억 혹은 후생 시스템에 의해 인출될 수 있다. 장기기억에서 저장된 정보를 다룰 때 작동기억의 특징은 혹은 조직화된 게놈 정보를 다룰 때 후생 시스템의 특징은 외부 환경의 무작위 정보를 다룰 때의 특징과 매우 다르다. 그 특징들은 마지막 원리인 환경 조직 및 연결 원리에서 다루고자 한다.

환경의 조직과 연결 원리

앞서 제시된 네 개의 원리들에서 무작위 생성 및 검증 과정을 통해 정보를 창출하거나 혹은 이미 생성된 정보를 차용하고, 저장하기 위해 유용한 정보만 선택하는 등의 처리 과정을 거친 후 그 정보를 정보 저장소에 저장하는 등 자연 정보처리 시스템이 어떻게 정보를 획득하여 저장하는지를 살펴보았다. 네 개의 원리들은 어떻게 유용한 정보가 모여서 저장되는지를 설명해주지만 자연 정보처리 시스템의 궁극적인 목적은 단순히 정보를 저장하는데 있지 않다. 오히려 정보를 저장하는 자연 정보처리 시스템의 궁극적 목적은 그 시스템이 자연 환경에서 기능하도록 하는 데 있다.

환경 조직 및 연결 원리는 그러한 최종 단계를 제공하고 이렇게 하여 자연 정보처리 시스템을 위한 궁극의 정당성을 제공한다. 이러한 원리 없이 자연 정보처리 시스템은 아무런 기능을 하지 않는데, 그 이유는 이것은 시스템들로 하여금 자신들의 활동과 자신들의 환경을 조정하도록 하는 원리이기 때문이다. 환경 조직 및 연결 원리는 저장된 거대한 양의 정보로 하여금 특정 환경과 관련된 활동을 결정하는 데 사용되도록 해준다.

생물학적 진화

생물학적 진화에서 환경 조직 및 연결 원리의 역할은 게놈에서 조직된 정보가 환경과 연결되도록 하여 활동이 환경에 적합하도록 보장하는 데 있다. 변화의 제한성 원리에서처럼, 후생 시스템은 환경 조직 및 연결 원리에서도 핵심이다. 변화의 제한성 원리에서는 후생 시스템이 특정 시간 및 장소에서의 변이에 초점을 둔 반면, 환경 조직 및 연결 원리에서는 특정 환경과 관련된 특정 활동을 위해 저장된 유전 정보를 통제하는 데 후생 시스템을 사용한다. 후생 시스템은 DNA 기반 정보를 DNA 이외의 외부 세계와 연결하는 데 사용되곤 한다.

환경 조직 및 연결 원리는 변화의 제한성 원리가 새로운 정보를 다루어야 하는 방법과는 매우 다른 방식으로서, 정보 저장소에서 나온 이전에 조직화된 정보를 다루고 있다. 따라서 후생 시스템이 변화의 제한성 원리를 통해 변이에 영향을 주는 환경 정보를 다룰 때의 시스템 특징은 이 시스템이 환경 조직 및 연결 원리를 통해 특정 결과에 영향을 끼치기 위한 유전 정보를 모을 때의 시스템 특징과 매우 다르다. 가장 명확한 차이는 후생 시스템이 다룰 수 있는 변이 형태를 한 새로운 정보의 양에는 제한이 있을 수 있는 반면, 이 시스템이 다룰 수 있는 이전에 조직된 DNA 기반의 유전 형질의 양은 제한이 없다는 점이다. 후생 시스템은 정보 저장소에 저장 대상이 될 수 있는 매우 소량의 새로운 정보만 처리할 수 있다. 이와 대조적으로 후생 시스템은 이전에 조직되어 저장된 막대한 양의 정보를 처리할 수 있다.

후생 시스템의 역할은 유전형질이 표현형질[5]로 연계되는 방식에서 명확하게 보여질 수 있다. 그러한 연결을 통제하는 것이 바로 후생 시스템이기 때문이다. 표현형질은 특정 유전자들을 활성화할지 혹은 잠자코 있게 할지에 의해 대부분 결정되는데, 하나의 유전자를 켤지 끌지를 정하는 것은 바로 후생 시스템이다. 일단 후생 시

역주 5 한 유기체가 발생한 형태로서 나타내는 특징들. 표현형질은 유전자들과 환경 간의 상호작용의 결과이다.

스템에 의해 활성화되면 일련의 화학적 반응들이 특정 단백질로 된 산물들을 초래하는데 이 단백질이 하나의 특정 표현형질을 정한다. 단백질 합성의 모든 단계들은 후생 시스템이 통제한다. 이어서 후생 시스템은 게놈 외부에 있는 모든 환경 조건에 의해 영향을 받는다. 따라서 환경은 후생 시스템에 영향을 주고, 차례로 후생 시스템은 어떤 유전자를 활성화할지와 잠자코 있게 할지에 영향을 준다. 이러한 방식으로 환경은 표현형질 혹은 물리적 특징들을 결정한다.

환경과 게놈 혹은 정보 저장소 간의 연결 통로로서 후생 시스템의 중요성은 변화의 제한성 원리와 환경 조직 및 연결 원리 두 가지로 구분하여 볼 수 있다. 변화의 제한성 원리의 경우, 환경 조건에 의해 유발된 후생 시스템은 변이가 발생하는 장소와 그것의 빈도를 정할 수 있다. 환경 조직 및 연결 원리의 경우, 또다시 환경 조건에 의해 유발된 후생 시스템은 저장된 유전 정보 중 어떤 것을 사용할지 혹은 묵살할지를 정한다.

이러한 두 가지 역할에 있어서 후생 시스템의 특징들은 매우 다양하다. 변이는 그것이 가속되었을 때조차도 매우 적은 유전 변화를 초래한다. 이와 대조적으로 표현형질로 표출되도록 요구될 수 있는 많은 양의 유전형질은 무제한인 것처럼 보인다. 막대한 양의 유전 정보는 특정 표현형질을 정하는 후생 시스템에 의해 조직될 수 있다. 후생 시스템은 막대한 양의 정보를 조직할 수 있는데, 그 정보가 이미 게놈 안에 조직되어 있기 때문이다. 그러한 조직화된 정보는 하나의 단일한 거대한 블록(하나의 유전자 혹은 여러 개의 유전자들)으로 다뤄질 수 있어서 표현형질을 정하는 것과 보조를 맞춰 활동한다.

후생 시스템의 중요한 영향력에 대한 직감은 누군가 신체에서 다양한 세포를 고려할 때 보여질 수 있다. 세포핵을 포함하여 신체의 모든 세포는 헤아릴 수 없을 정도로 신체적 특징이 다르더라도 동일한 DNA 구조를 가지고 있다. 간 세포는 그 구조 및 기능에 있어서 신장 세포와 거의 관련성을 갖지 않는다. 이러한 차이점들은 유전적 차이로 인한 것이 아닌데, 개인의 간 세포와 신장 세포 둘 다 동일한 DNA를 가지고 있기 때문이다. DNA보다 다른 요소들이 이 세포들 간의 차이점들을 일으켜야 한다. 그 차이점들은 후생 시스템을 통해 다양한 유전자들을 껐다 켰다 하는 환경적 요소에 기인한다. 일단 환경에 의해 촉발되면, 거대한 양의 DNA 기반 정보는 생산될 세포 유형을 정하기 위해 후생 시스템에 의해 사용될 수 있다.

인간의 인지

다른 원리의 경우처럼, 환경 조직 및 연결 원리는 생물학적 진화에서의 역할과 유사하게 인간의 인지에서 자신의 역할을 수행한다. 생물학적 진화 및 인간의 인지 둘 다 환경 조직 및 연결 원리를 통해 정보 저장소에 있는 정보를 활동과 환경이 적절하게 조정되도록 보장하는 데 사용한다. 조정을 관장하는 것과 관련된 인지적 지식 구조는 작동기억이며, 이 구조는 또한 변화의 제한성 원리의 중심에 있다. 작동기억은 두 원리의 핵심에 있는 반면 장기기억에 있는 익숙한 정보를 다룰 때 작동기억의 속성은 새로운 정보를 획득할 때 사용되는 작동기억의 속성과 굉장히 다르다.

변화의 제한성 원리를 다룰 때 작동기억이 용량과 보유 기간에 있어서 굉장히 제한적임을 언급한 바 있다. 그러한 제한에 대해 제시한 이유는 환경에서 나온 새로운 정보가 조직화를 제공하는 중앙집행장치를 가지고 있을 수 없기 때문이다. 대신 무작위 생성 및 검증 활동이 중앙집행장치를 대체하는데, 이러한 무작위 생성은 조합 폭발을 방지하기 위해 제한되어야 한다.

감각기억을 통해 환경 정보를 수용하는 것과 마찬가지로 작동기억 또한 활동과 환경을 조정하는 데 사용되는 장기기억에 있는 이전에 저장되고 조직화된 정보와 상호작용하고 이를 수용하기도 한다. 장기기억에 저장된 정보는 환경으로부터 수용된 정보와 매우 다르다. 저장된 정보는 무작위적이지 않고 조직화되어 있어서 실질적으로 다르게 다뤄질 수 있다. 무작위 정보는 조합 폭발을 방지하기 위해 제한되어야 하는 반면 작동기억에 의해 다뤄질 수 있는 조직화된 정보의 양에 대한 한계는 불필요하다. 정보가 조합되는 방법이 이미 설정되었기 때문에 조합 폭발은 일어날 수가 없다. 결과적으로 작동기억에서 다룰 수 있는 장기기억에서 나온 조직화된 정보의 양은 알려진 한계가 없다. 이와 유사하게 장기기억에서 나온 정보의 기간에도 알려진 한계가 없다.

장기기억에서 온 정보와 반대로 감각기억에서 온 정보를 다룰 때 작동기억의 특징에 있어서 거대한 차이점은 Ericsson과 Kintsch(1995)로 하여금 새로운 프로세서를 가정하게 만들었다. 그들은 작동기억이 장기기억으로부터 조직화된 정보를 다룰 때, 이것을 '장기 작동기억(longterm working memory)'으로 칭했다. 장기 작동기억의 가장 중요한 특징은 새로운 정보를 다룰 때 작동기억의 심각한 한계와는 현저하게 대조적으로, 용량이나 기간 제한이 명확하지 않다는 점이다. 이 책에서는 감각기억을 통해 환경에서 들어온 정보를 다루는지 혹은 장기기억에서 온 정보를 다루는지에 따라 달라지는 다른 속성을 가진 단일 구조로 작동기억을 다루고 있지만, 작동기억과 장기 작동기억을 두 개의 별개 구조로 여겨도 될 만큼 충분히 의미가 통한다. 현재의 목적 때문에 장기 작동기억이 작동기억의 부분집합으로 다뤄지든 이 둘이 별개의 실체로 다뤄지든지 간에 아무런 차이점이 없다. 양쪽 표현이 주는 교수활동 시사점은 동일하다.

작동기억은 환경에 조직화된 연결을 제공하기 위해 장기기억으로부터 정보를 얻는다. 환경 조직 및 연결 원리는 장기기억에서 작동기억으로 조직화된 정보를 옮겨지도록 해주는데, 이는 작동기억에서 사용되는 그 정보를 주어진 환경에 적합한 방식으로 활동과 협응하기 위한 것이다. 변화의 제한성 원리하에서 환경으로부터 정보를 감각기억을 통해 작동기억이 받고 그 정보를 가능한 저장소를 위해 처리하는 것이 아닌 환경 조직 및 연결 원리하에서 작동기억은 환경적으로 적합한 정보를 장기기억에서 받는다.

생물학적 진화와 인간의 인지 시스템 간의 유사점은 특히 이러한 점에서 밀접하다. 후생 시스템은 특정 유전자들을 끄거나 켤 수 있는, 환경에서 나온 트리거를 필요로 한다. 이와 유사하게 작동기억은 장기기억에서 어떤 정보를 인출하여 사용할지 안 할지를 정하는 환경 단서에 의해 결정된다. 후생 시스템이 게놈에서 나온 정보를 사용할지 안 할지를 정하기 위해 환경 정보를 사용하는 것처럼, 트리거로서 작동기억은 장기기억에서 나온 정보 중 어떤 것을 사용하고 어떤 정보를 묵과하기 위해 환경 정보를 사용한다.

이러한 방식으로, 작동기억으로 하여금 스키마 한 세트를 선택하도록 유도하는 환경 단서에 의해 자극될 때까지 장기기억에 있는 정보는 활성화되지 않는다. 예를 들면, a를 구하기 위해 $(a+b)/c=d$ 형태의 문제를 인식하도록 해주는 장기기억에 있는 스키마를 가지고 있다고 하자. 그 스키마는 우리가 이 방정식을 볼 때까지 사용되지 않고 있다. 일단 보이면, 방정식은 취할 행동이 무엇인지 우리에게 말해주는 스키마를 자극하는 단서로서 기능한다.

그러한 의미에서, 환경은 우리에게 장기기억에 있는 다수의 스키마들 중에서 어떤 것이 적절한지를 알려준다. 일단 환경 정보가 작동기억으로 하여금 장기기억에 있는 특정한 스키마 세트를 선택하라고 자극한다면, 그러한 스키마는 그러한 환경에 적절한 복잡한 행동을 지배하는 데 사용될 수 있다. 동일한 의미에서 일단 환경 정보가 후생 시스템으로 하여금 게놈에 있는 특정한 유전자 세트를 활성화하도록 자극한다면 그러한 유전자는 그 환경에 적합한 복잡한 행동을 지배하는 데 사용될 수 있다. 따라서 환경 조직 및 연결 원리를 통해서 작동기억이나 후생 시스템은 주어진 환경 안에서 활동을 결정하기 위해 장기기억이나 게놈 안에 있는 정보를 선택한다.

변화의 제한성 원리를 논하면서, 비조직화된 새로운 정보를 다룰 때 제한된 작동기억이 가진 진화적 장점을 언급한 바 있다. 조직화된 친숙한 정보를 다룰 때에는 무제한의 작동기억이 가진 동일한 진화적 장점이 있다. 만약 우리가 작동기억으로 옮겨질 수 있는 장기기억 안의 많은 수의 복잡하면서도 조직화된 정보덩어리(스키마)를 가지고 있다면, 우리는 다룰 수 있는 많은 수의 환경적 상황을 가질 가능성이 있다. 예를 들면 장소 배치를 배움으로 우리는 길을 잃지 않고 쉽고 빠르게 이동할 수 있게 된다. 그러한 지식은 진화적 장점이 있는데, 그 장점이란 친숙해질 수 있는 장소의 크기가 증가할수록 높아질 가능성이 있다는 것이다.

교수활동 시사점

기대했던 대로, 환경 조직 및 연결 원리는 교육에서 중요한 기능을 수행한다. 교육의 주목적은 우리로 하여금 장기기억 내에 있는 정보에 선택적 접근을 하도록 요구하는 환경에서 적절하게 수행하도록 하는 데 있다. 많은 양의 익숙한 정보를 장기기억으로부터 작동기억에 옮기는 능력 없이는 교육 목적을 거의 달성할 수 없다. 이 책의 독자들의 현재 활동은 명확한 예가 된다. 순전히 신체적 관점에서, 독자는 갈겨쓴 글씨가 있는 엄청 복잡한 페이지를 단순히 마주하고 있다. 이 갈겨쓴 글씨는 환경 유인책으로 기능한다는 이유만으로 중요하다. 우리는 이 글씨들로부터 의미를 도출하는데, 환경의 조직과 연결 원리를 통해 이 갈겨쓴 글씨와 외부 세상을 연결하도록 해주는 장기기억 내에 저장된 정보를 획득하는 데 몇 년에서 수십 년을 들였기 때문이다. 장기기억에서 작동기억으로 스키마를 옮기기 위해 작동기억은 갈겨쓴 글씨를 유인책으로 사용한다. 그러고 나서 그러한 스키마는 의미를 도출하는 데 사용될 수 있다.

결론

환경 조직 및 연결 원리는 자연 정보처리 시스템이 주어진 환경에서 기능하도록 허가해주는 최종 단계를 제공해준다. 이 원리는 또한 자연 정보처리 시스템을 위한 주요한 타당성을 제공해준다. 실제로는, 이전에 살펴본 원리들은 환경 조직 및 연결 원리가 기능하도록 하기 위해서만 필요할 뿐이다. 우리를 둘러싼 환경에서 우리로 하여금 궁극적으로 수행하게 해주는 것은 바로 환경 조직 및 연결 원리이다. 이 원리 없이는 무작위 생성 및 변화의 제한성 원리를 통해 새로운 정보를 만들어내려는 것이 무목적적이 되고, 차용 및 재조직 원리를 통해 정보 저장소에 정보를 저장하거나 정보를 다른 저장소에 옮기려는 것이 무목적적이 된다. 이 모든 원리들과 그 원리들이 다루고 있는 과정들은 환경 조직 및 연결 원리의 기능, 즉 자연 정보처리 시스템이 자신의 환경에서 적절하게 기능하도록 하는 데 필요하다. 우리는 환경의 조직과 연결 원리 때문에 복잡한 세상에서 인지적으로, 생물학적 기능할 수 있다.

인간의 인지구조의 체계 및 기능 요약

2부에서 다섯 가지 기본 원리와 함께 자연 정보처리 시스템을 설명하는 데 사용될 수 있는 인간의 인지구조에 대해 개략적으로 살펴보았다. 인간의 인지가 자연 정보처리 시스템으로 간주될 수 있기 때문에 그러한 다섯 가지 원리들은 우리에게 인간의 인지구조를 제공해준다. 이번 절에서, 몇몇의 일반적인 교수 제언들을 제시하는데 이러한 구조를 사용하고 있다. 3부에서 인지부하이론을 간략하게 살펴본 후 4부에서 일련의 구체적인 교수 제언들을 살펴볼 것이다. 인지부하이론은 현재의 인지구조에 근거하고 있다.

인간의 인지구조는 생물학적 진화에 의해 생성된 자연 정보처리 시스템으로 간주될 수 있다. 생물학적 진화도 또한 자연 정보처리 시스템으로 간주될 수 있어서 이 두 시스템들은 동일한 기반 원리들에 의해 관장된다. 이 원리들은 교수활동과 관련된 인간의 인지구조 측면들, 특히 생물학적 이차 지식을 다루는 측면들을 구체화하는 데 사용될 수 있다. 위에서 논의한 자연 정보처리 시스템의 다섯 가지 원리들 모두 이차 혹은 가르칠 수 있는 지식이 어떻게 획득되고 사용되는지를 구체화하는 데 필수적인 반면, 원리의 일부는 생물학적 일차 지식이 어떻게 획득되고 사용되는지를 설명하는 데 필요하기도 하다.

정보 저장소 원리는 일차 내지 이차 지식을 다룰 때 동일하게 중요하다. 이 두 개의 지식 범주는 본질적으로는 동일한 방식으로 정보 저장소에 저장되어야 하고, 저자들이 아는 한 한정된 지식의 속성에 따라 저장소가 달라진다는 아무런 증거가 없다. 만일 일차 지식과 이차 지식에 필요한 서로 다른 저장소가 가능하다는 것을 제안하는 증거가 제시되지 않는다면 두 개의 지식 범주는 동일한 저장소에 보관된다고 가정해야 한다.

언어 획득과 같은 대부분의 일차 지식은 대개는 모방을 통해 획득되는데, 이것은 차용 및 재조직 원리 중에서 차용 요소가 일차 및 이차 지식 획득에 있어서 중요함을 나타내고 있다. 이 원리에서 재조직 요소는 일차 지식 획득에서는 한정된 역할을 수행한다. 일차 지식은 우리가 적절한 환경 조건하에서 자동적으로 획득되는 매우 구체적인 지식 범주들을 점점 획득해 나간다는 점에서 모듈식이라 할 수 있다. 일차 지식을 획득할 때 차용하는 것이 가장 중요한 반면 그 차용된 지식은 재조직을 거의 겪지 않는다. 일차 지식은 이전에 획득된 스키마에 동화될 때 최소의 재조직을 겪기도 한다. 이와 대조적으로 이차 지식은 차용 및 재조직 원리를 통해 동화될 때 실제 재조직을 겪을 수 있다. 보통, 그러한 재조직은 유익할 수 있지만 그럼에도 불구하고 때때로 듣거나 읽을 때 학습자가 '차용'하는 것은 원 정보와 거의 관계없는 것을 담고 있기도 하여 잘못된 이해와 오개념을 이끌어내게 한다.

무작위 생성 원리와 변화의 제한성 원리는 생물학적 이차 지식에 중요하지만 일차 지식 획득에 있어서는 아무런 기능을 하지 못한다. 새로운 일차 지식을 무작위로 생성하고 검증해야 할 필요는 없는데, 우리는 그러한 지식을 거의 만들어내지 않기 때문이다. 새로운 버전의 수단-목적 문제해결 전략 혹은 얼굴을 인식하는 새로운 방법은 효과성을 위해 무작위로 생성하고 검증되어야 할 필요가 없다. 효과적인 그러한 절차의 동화 버전으로 점점 변화될 뿐이다.

만약 일차 지식을 만드는 데 무작위 생성이 요구되지 않는다면, 장기기억에 있는 일차 지식을 서서히 만들어갈 필요가 없다. 일차 지식이 효과적인 것은 확실하지만 이 지식을 빠르게 습득하는 것은 장기기억의 기능성을 망가트릴 수 있다는 최소한의 위험이 있다. 일차 정보는 그 효과성을 검증해볼 필요 없이 많은 양이 빠르게 획득될 수 있다. 인간은 점점 일차 지식을 정확하게 획득해 나가는데, 이것이 효과적이고, 평범한 기능을 위해 획득되어야 하기 때문이다. 이러한 이유로 인해 일차 지식은 이차 지식보다 더 빨리 획득되고, 의식적 노력 없이 그리고 수업 없이 대부분 획득된다.

환경 조직 및 연결 원리는 정보 저장소 원리 등과 나란히 일차 내지 이차 지식을 다룰 때 동등하게 적용된다. 이차 지식의 경우에서 일어난 것처럼, 일단 획득되어 장기기억에 저장된 막대한 양의 일차 지식은 환경을 적절하게 다루도록 통제될 수 있다. 이차 지식에서 일어나는 것처럼, 일차 지식은 특정 환경에 적합한 활동들을 발생시키기 위해서만 획득되어 장기기억에 저장된다. 일차 지식을 다룰 때 환경의 조직과 연결 원리의 목적은 이차 지식을 다룰 때 그 목적과 동일하다. 두 경우에서, 환경 조직 및 연결 원리는 장기기억에 있는 지식과 외부 환경 간의 연결을 허용한다.

이러한 분석에서 보면, 일차 및 이차 지식이 동일한 방식으로 저장되고 사용되지만 그 획득에 있어서는 실제적으로 다르게 여겨질 수 있다. 우리는 동일한 방식으로 일차 및 이차 지식을 생물학적 저장하여 사용하지만 두 개의 지식 범주를 서로 다른 획득 시스템을 사용하여 꽤 다른 방식으로 획득한다. 그러한 다른 획득 시스템은 일차 지식이 필요하면서 효과적인지 아닌지를 검증하는 우리의 메커니즘으로 상당히 많은 양의 일차 지식이 빠르고 쉽게 획득되게 해준다. 이와 대조적으로 우리는 이차 지식 없이도 생존할 수 있어서 이 지식은 매우 다른 방법으로 획득된다.

다섯 개의 자연 정보처리 시스템 원리 모두는 이차 지식 및 이를 획득하는 데 필요한 메커니즘에 적용되는데, 일차 지식 획득 메커니즘과 달리 우리는 이차 지식을 자동적으로 획득하는 데 필요한 메커니즘을 가지고 있지 않다. 이차 지식을 획득하기 위해서는 구체적인 시스템이 필요한데, 작동기억은 그 시스템을 제공해준다. 그러한 이유 때문에 작동기억과 가장 밀접하게 연관된 원리들인 무작위 생성 및 변화의 제한성 원리는 이차 지식 획득에 있어서 중요하지만 일차 지식의 획득에 있어서는 중요하지 않다. 이차 지식 획득에 있어서 작동기억의 결정적 중요성 때문에 작동기억과 장기기억 간의 관계는 이차 지식 혹은 가르칠 수 있는 지식에 중요하다. 교수활동의 이슈를 다룰 때, 작동기억과 장기기억 간의 관계를 유심히 고려해야 하는데, 여기에는 외부 정보 혹은 장기기억에 있는 정보를 다룰 때 작동기억(장기 작동기억)의 특징이 바뀌는 것이 포함되어 있다.

교수의 주목적은 장기기억에 있는 사용 가능한 지식을 증가시키는 데 있다. 학습은 장기기억 내의 긍정적 변화로 정의되는데, 만약 장기기억 내에 아무 것도 변화하지 않았다면 학습이 일어나지 않은 것이라 할 수 있다. 인지구조에 관한 우리의 지식에서 본다면, 학습의 목적은 환경 조직 및 연결 원리의 효과성을 증가시키는 데 있다. 환경 조직 및 연결 원리는 이것이 뽑아낼 수 있는 많은 양의 유용한 정보를 가지고 있을 때에만 효과적일 수 있다. 실용성과 관련된 이것의 잠재성은 장기기억에 있는 정보에 달려 있다. 장기기억 속의 정보를 증가시키는 가장 효과적인 방법은 차용 및 재조직 원리를 거치는 것이며, 따라서 교수에서 이 원리를 강조해야 한다. 물론 차용 및 재조직 원리는 차용될 수 있는 적절한 정보가 타인의 장기기억 내에 있을 때에만 사용될 수 있다. 만일 정보를 차용하는 것이 가능하지 않다면, 이는 정보가 문서로 된 소스 혹은 다른 소스를 통해 직접적으로 혹은 간접적으로 다른 사람에게서 차용하는 것이 가능하지 않기 때문이거나 심지어 필요한 정보가 아직 생성되지 않았기 때문인데, 그렇다면 이에 대한 유일한 다른 해결책은 무작위 생성 원리를 통해 정보를 만들어내는 것이다. 우리는 매우 서서히 정보를 만들어내는데, 이는 작동기억이 새로운 정보를 다룰 때 극도로 제한적이기 때문이다. 변화의 제한성 원리는 무작위 생성 원리가 매우 서서히 작용하게 한다. 새로운 모든 정보가 차용 및 재조직 원리의 재조직 요소를 통해서 얻어지든 발생 원리로서 무작위성을 통해서 얻어지든지 간에 그 정보는 작동기억의 한계에 예속되어 있다.

이러한 작동기억의 한계점은 교수절차의 대상이 되는 생물학적 이차 지식을 다룰 때마다 고려되어야 한다. 인지부하이론은 그 기반으로서 이러한 인지구조를 사용하는 교수이론이다. 따라서 작동기억과 장기기억은 인지부하이론에 중요하다. 인지부하의 유형은 3부에서 다룰 것이다.

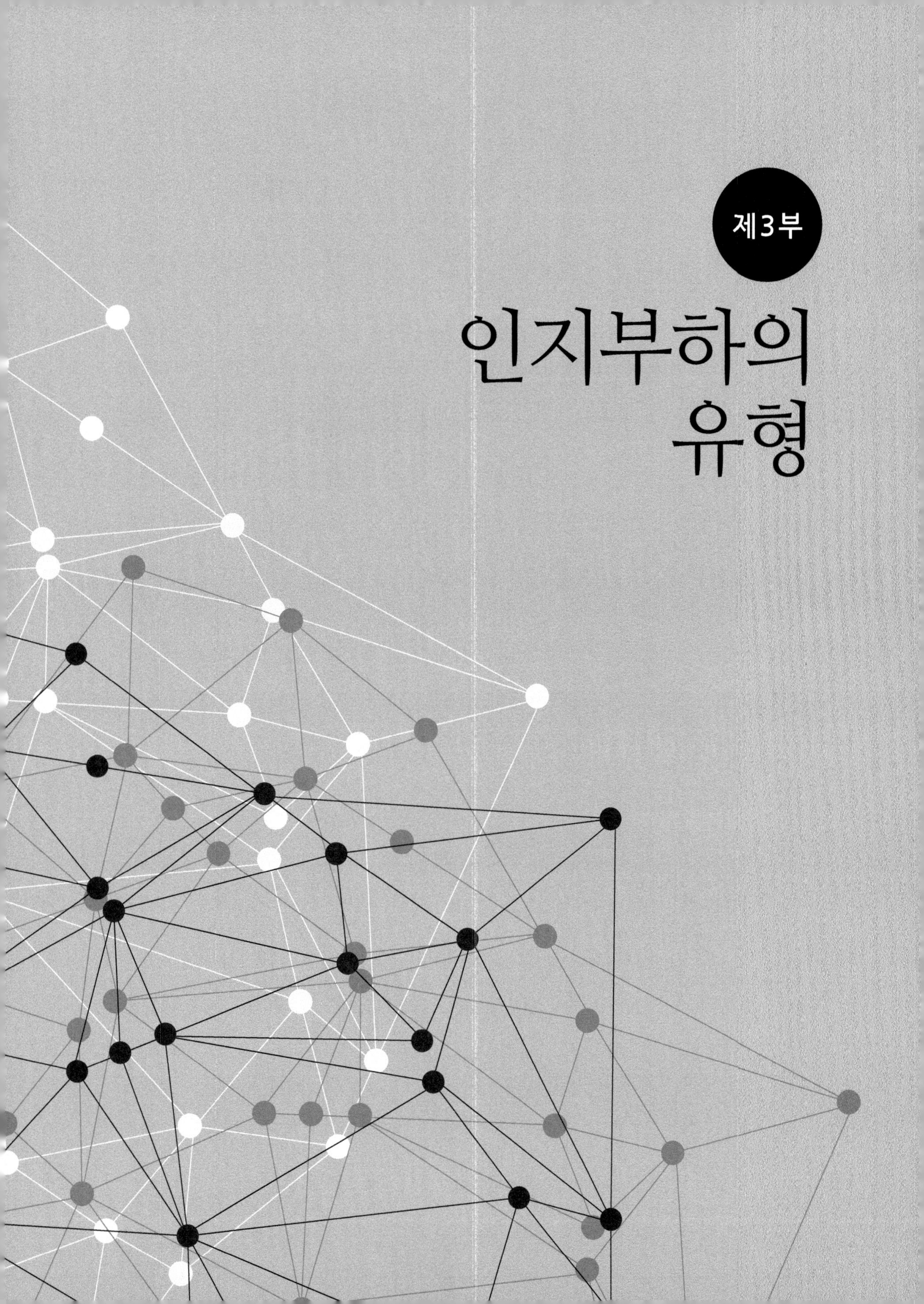

제3부

인지부하의 유형

교수설계 이론과 과정은 앞에서 설명된 인지구조에 기반할 수 있다. 인지구조는 필수적이다. 인지구조에 대한 고려 없이 이루어지는 교수설계는 진공상태 혹은 사상, 그리고 개인의 주관적 경험에 기초하여 이루어지는 의사결정과 같다. 교수설계를 결정할 때, 개인적 경험도 가치롭지만 증거에 기반한 이론을 대체하기 어렵다. 인지구조에 대한 설명을 담고 있는 인지부하이론은 그러한 이론을 제공하기 위한 것이다.

인간 인지구조는 효과가 있는 교수절차와 효과가 없는 교수절차를 설명하는 데 사용되는 맥락을 제공한다. 우리는 인간 인지구조에 근거하여 효과가 있을 것 같은 교수활동의 유형을 결정한다. 예를 들어, 매우 일반적인 학습과 문제해결 전략이 생물학적 일차 지식에 해당하고, 따라서 매우 어린 나이에서부터 그러한 전략을 자동적으로 쉽게 배우도록 진화해왔기 때문에 의식적으로 교육할 필요가 없다고 가정할 수 있다. 생물학적 일차 지식의 습득은 아주 중요하고 긴급한 것이기 때문에, 상대적으로 늦게 기능이 시작되는 생물학적 이차 지식이 습득되는 과정인 점진적이고 의식적이며 노력을 통한 시스템과는 다르다. 만약 매우 일반적인 전략이 생물학적 일차 지식이고, 그래서 별도로 교육할 필요가 없다면, 교육은 자연스러운 습득이 이루어지도록 진화되지 못한 특정 내용의 지식(domain-specific knowledge)에 국한되어야 한다. 우리는 앞 장에서 제시된 인지구조에 기반하여 '특정 내용의 지식을 가르치는 것은 직접적이고 명시적이어야 한다'고 가정할 수 있다. 왜냐하면, 인류는 직접적이고 명시적인 교육을 통해 타인으로부터 지식을 얻는 차용과 재조직의 원리(borrowing and reorganizing principle)를 사용하여 직접 습득하도록 진화되었기 때문이다. 부가적으로 매우 중요한 것 중의 하나는 새로운 정보를 습득해야 할 때 인지부하이론의 관점에서 교수설계를 수행 시 작동기억이 제한적이라는 사실을 가정하는 것이다.

이러한 일반적인 제안은 인간 인지구조에 대한 현재까지의 지식으로부터 나온 것이다. 물론, 엄격하게 검증될 때까지는 제안이 이루어지지 않는다. 가설로서 검증될 때, 특정 교수절차에 대한 옹호를 위해 적절한 데이터가 사용될 수 있다. 인지부하이론은 가설 검증을 위한 목적으로 사용될 수 있다. 인지구조에 기반한 인지부하이론은 교수활동의 주요 목적이 장기기억에 생물학적 이차 지식을 풍부하게 증가시키는 것이라고 제안한다. 무엇보다, 이러한 목적하에 새로운 생물학적 이차 지식을 처리할 경우, 작동기억의 용량이 제한적이라는 사실이 고려되어야 한다. 정보는 불필요한 처리과정을 줄이는 방식으로 제시되어야 한다. 따라서, 인지부하이론은 학습과 관련이 있는 필요한 인지부하는 늘리는 반면 불필요한 부하는 줄이는 방식으로 정보를 처리하는 절차에 관심을 가지고 있다. 5장에서는 교수절차가 부과하는 인지부하의 몇 가지 유형에 대해 살펴보고, 6장에서는 그러한 유형의 인지부하를 측정하는 기법에 관해 논의하고자 한다.

제5장 내재적 인지부하와 외재적 인지부하

학습자들은 작동기억(working memory)에서 교수정보(instructional information)를 처리해야 한다. 이때, 교수정보는 작동기억에 인지부하(cognitive load)를 주는데, 인지부하는 그 기능에 따라 다음의 범주들로 나뉠 수 있다(Paas, Renkl, & Sweller, 2003, 2004; Sweller, van Merriënboer, & Paas, 1998; van Merriënboer & Sweller, 2005). 작동기억 부하(working memory load)의 일부분은 작동기억이 처리해야 하는 학습정보의 내재적 특성 때문에 발생하는데, 우리는 이 부하를 '내재적 인지부하(intrinsic cognitive load)'라고 부른다. 내재적 인지부하는 학습정보가 내재적으로 가지고 있는 근본적인 구조 때문에 발생하며, 학습정보가 학습자에게 전달될 때 사용되는 교수활동절차(instructional procedures)와는 관련이 없다.

작동기억 인지자원(working memory resources)을 요구하는 또 다른 인지부하는 학습정보가 가지고 있는 내재적 구조 때문이라기보다는, 학습정보가 학습자에게 전달되는 방식 혹은 학습자가 참여해야 하는 학습활동 때문에 발생한다. 다시 말해서, 학습자료(instructional materials) 자체가 내재적으로 가지고 있는 특성뿐만 아니라 학습자료가 학습자에게 제시될 때 사용되는 교수설계(instructional design)의 특성 역시 인지부하를 줄 수 있다. 우리는 교수 설계시 발생되는 학습성취에 불필요한 인지부하를 '외재적 인지부하(extraneous cognitive load)'라고 부른다. 외재적 인지부하는 학습정보를 학습자에게 전달할 때 사용되는 교수활동절차 때문에 발생한다.

이 두 인지부하는 —즉, 학습자료의 내재적 특성 때문에 생긴 인지부하(내재적 인지부하)와 그 학습자료가 학습자에게 제시되는 방식 때문에 생긴 인지부하(외재적 인지부하)— 작동기억이 할당한 자원 내에서 처리되어야 한다. 이때 학습자료가 지닌 내재적 특성 때문에 발생되는 인지적 어려움에 쏟는 노력(즉, 인지자원(working memory resources))은 학습성취와 밀접한 관련이 있다. 따라서, 우리는 이러한 인지자원을 '본유적 자원(germane resources)'이라고 부른다. 그러나, 용어의 부적합성에도 불구하고, '본유적 인지부하(germane cognitive load)'라는 용어는 '본유적 자원'을 언급할 때 빈번하게 사용되고 있다. 내재적 인지부하와 외재적 인지부하와는 달리, 본유적 인지부하는 학습자료와는 무관한 전혀 다른 범주이다. '본유적 인지부하'는 학습성취에 밀접하게 관련 있는 정보를 이해하기 위해 노력하는 작동기억의 인지자원으로서 이해되어야 하며, 이때 '학습성취에 밀접하게 관련 있는 정보'는 내재적 인지부하를 발생시킨다. 한편, 외재적 인지부하는 '이 정보'를 다루는 교수설계(instructional design)의 결과에 의해서 발생되며, 이 발생된 외재적 부하를 처리하기 위해서도 작동기억의 인지자원이 할당되어야 한다. 우리는 외재적 인지부하를 다루는 데 할당된, 이 '작동기억의 인지자원'을 '외재적 자원(extraneous resources)'이라 부른다.

내재적 인지부하와 외재적 인지부하의 가산성

내재적 인지부하와 외재적 인지부하는 합산이 가능하다. 이 두 인지부하를 합한 값이, 학습자가 교수학습자료를 접했을 때 발생하는 '총 인지부하(total cognitive load)'이다. 이 총 인지부하는 학습자가 내재적 인지부하를 처리하기 위해 필요한 본유적 인지자원과 외재적 인지부하를 처리하기 위해 필요한 외재적 인지자원으로 얼마나 많은 작동기억 인지자원을 사용해야 할 것인지를 결정한다. 이때, 내재적 인지부하와 외재적 인지부하를 다루는 데 사용되는 인지자원은 모두 동일한 '작동기억풀(working memory pool)'로부터 나온다.

내재적 인지부하와 외재적 인지부하를 처리하기 위해 필요한 총 인지부하가 이용 가능한 작동기억 인지자원을 능가하면, 인지 시스템은 필수적인 정보를 처리하는 데 부분적으로라도 실패하게 된다. 학습자료 자체가 내재적으로 가지고 있는 인지적 어려움(내재적 인지부하)에 쏟을 인지자원이 턱없이 부족하기 때문이다. 즉, 학습자료가 부실하게 설계되어 많은 양의 외재적 인지부하를 발생시킨다면, 학습자는 이 부실하게 설계된 학습자료를 이해하는 과정에서 발생하는 모든 어려움을 해결하고, 교수자료 자체가 가지고 있는 어려움에 인지적 노력을 쏟기 때문에 충분한 양의 인지자원을 가지고 있지 않다. 왜냐하면, 학습자의 작동기억 인지자원은 제한되어 있기 때문이다. 학습내용이 제시될 때 사용되는 교수활동절차를 이해하는 데 인지자원을 다 써버려, 정작 학습자는 학습을 시작하지 못할 수도 있다.

교수설계의 목적은 오로지 외재적 인지부하를 줄이는 것이다. 그래서, 가능하면, 작동기억풀의 더 많은 비율의 인지자원을 학습활동절차를 이해하는 노력이 아닌, 학업성취와 관련 있는 노력으로 사용하게 해야 한다. 따라서, 외재적 인지부하는 가능한 최대한도로 줄여야 한다. 최대로 줄여진 외재적 인지부하는, 학습자가 외재적 인지부하를 처리하는 데 적은 노력을 들이고, 대신 학습성취와 관련된 내재적 인지부하를 처리하는 데 더 많은 인지적 노력을 기울일 수 있게 한다.

요소 상호작용성

내재적 인지부하와 외재적 인지부하의 수준(정도/양)은 학습자료를 구성하는 요소들의 상호작용(element interactivity) 수준에 의해서 결정된다. 상호작용하는 구성요소들이란 작동기억에서 동시에 처리되어야만 의미가 파악되는 논리적으로 서로 관련이 있는 요소들을 말한다. 하나의 요소(an element)는 처리되어야 하는 단수의 어떤 '무엇'이며, 요소들(elements)이란 특질상 스키마(schemas)를 의미한다. 대부분의 스키마들은 하위 스키마들(sub-schemas) 혹은 하위 요소들(sub-elements)로 구성된다. 하나의 스키마로 되기 전에, 대부분 스키마를 구성하는 각각의 하위 요소들은 먼저 작동기억에서 처리된다. 개별적으로 먼저 처리된 하위 요소들이 하나의 스키마로 통합되면, 그 스키마는 다시 하나의 요소(a single element)가 되어 작동기억에서 처리된다. 이러한 방법으로, 다수의 '낮은 수준의 스키마(lower-level schemas)'들은 소수의 '높은 수준의 스키마(higher-level schemas)', 혹은 하나의 개체(요소)로 작용하는, 단 하나의 아주 높은 수준의 스키마(a single higher-level schema)로 전환된다. 이와 같은 방법을 통해서, 우리는 학습활동시 발생되는 작동기억 부하(working memory load)의 양을 줄일 수 있다.

내재적 인지부하와 요소 상호작용의 관련성에 대하여 살펴보자. 가령, 어떤 학습자료들은 한 번에 하나의 요소만을 학습하도록 되어있다고 하자. 우리는 이 경우에 학습자료들이 낮은 수준의 요소 상호작용과 낮은 수준의 내재적 인지부하를 가지고 있다고 말할 수 있다. 이러한 자료들은 적은 양의 '작동기억 인지자원' 만으로도 충분히 해결될 수 있다. 그러나, 어떤 학습자료들은 개별적으로 분리해서 학습해서는 안 되는 요소들을 지녔다. 왜냐하면, 서로 상호작용하는 요소들은 동시에 처리되어야만 이해가 가능해지기 때문이다. 이러한 자료들은 높은 수준의 요소 상호작용과 높은 수준의 내재적 인지부하를 지녔다. 학습활동을 통하여 서로 상호작용하는 다수의 개별적인 요소들이 하나의 스키마로 통합되기 이전까지는, 높은 수준의 요소 상호작용을 지닌 학습자료들은 낮은 수준의 요소 상호작용을 지닌 자료보다 더 많은 작동기억 인지자원(혹은 작동기억 부하)을 필요로 한다.

외재적 인지부하 역시 학습자료의 요소 상호작용의 정도에 의해 결정되지만, 이 경우의 요소 상호작용이란 학습자료들의 내재적 복잡성과는 관련이 없다. 어떤 교수활동절차는 학습자들이 한정된 수의 요소들만을 동시에 처리하게 한다. 이 경우, 요소 상호작용의 수준은 매우 낮으며, 외재적 인지부하 또한 매우 낮다. 반면, 같은 학습내용을 다루면서, 다른 교수활동절차를 사용한 어떤 학습자료는, 학습자들이 많은 수의 요소들을 동시에 처리하게 해서, 결과적으로 높은 수준의 요소 상호작용과 높은 수준의 외재적 인지부하를 일으키게 한다. 다음에서 내재적 인지부하와 외재적 인지부하에 영향을 주는 요소 상호작용에 대해서 더 자세히 논의될 것이다.

요소 상호작용성과 내재적 인지부하

앞서 언급했듯이, 내재적 인지부하의 근원은 학습자가 다루어야 하는 정보 안에 내재되어 있으며(Sweller, 1994), 전적으로, 정보를 구성하는 요소들의 상호작용 수준에 의해 결정된다. 학습자가 다루는 모든 정보들에 대하여 요소 상호작용을 추정하는 것은 가능하다. 먼저 낮은 수준의 요소 상호작용을 지닌 정보부터 살펴보자.

새로운 어휘를 획득하는 것은 많은 교육과정에서 공통적으로 필요한 일이다. 제

2 언어의 새로운 어휘를 학습하는 것이 그 분명한 '예'이다. 그 양이 많든 적든, 새로운 어휘를 획득하는 것은 모든 영역에서 필수요건이다. 가령, 화학 과목에서 '원소주기율표'의 모든 원소들의 기호들은 학습되어야 한다. 이때, 이 학습해야 하는 어휘 목록(즉, 원소기호)들은 다른 요소들에 대한 결과도 아니고, 그것들과 어떤 관련도 없는, 각각 개별적으로 학습되어야 할 것들이다. 예를 들어, 원소주기율표의 원소들을 익히는 학습자가 '구리' 원소의 기호는 'Cu'이고 '철' 원소의 기호가 'Fe'라고 학습한다고 할 때, 이 둘은 서로 별개의 것이다. 이와 유사한 예로, 제2 언어(영어)를 배우는 학습자가 한국어 단어 '고양이'는 영단어 'cat'으로 번역되고, 한국어 단어 '개'가 영단어 'dog'로 번역된다고 배우는 과정과 서로 독립적이다. 우리는, 위에 제시된 각각의 경우에서, 어떤 한 관계에 대한 학습이 다른 관계들을 학습하는 데 영향을 주어야 한다는 어떤 논리도 혹은 구조적인 이유도 찾을 수 없다. 결론적으로, 이러한 범주의 지식들은 동시에 학습될 필요가 없다. 서로 상호작용하지 않는 다른 요소들에 대한 언급 없이, 독립적으로, 서로 다른 시기에 학습되어도 무방하다.

높은 수준의 요소 상호작용을 지닌 정보는 서로 밀접하게 관련된 요소들로 구성되어 있으며, 따라서 따로 떼어서 학습될 수 없다. 각각의 요소들을 개별적으로 학습하는 것은 아무 의미도 없다. 의미 있는 학습이 되기 위해서, 모든 관련된 요소들은 동시에 고려되어야 한다. 예를 들어, 우리가 화학 원소기호들을 개별적으로 학습하는 것은 가능하지만, 그러한 원소기호들로 구성된 다양한 형식의 화학식(예: $MgCO_3 + H_2SO_4 \rightarrow CO_2 + MgSO_4 + H_2O$)을 분리해서 학습하는 것은 불가능하다. 이러한 종류의 화학식을 제대로 학습하기 위해선, 우리는 화학식을 구성하고 있는 모든 구성요소들은 물론이고, 화학식 전체를 고려해야 한다.

실제로, 방정식(숫자와 기호들로 구성된 식)들은 높은 수준의 요소 상호작용성을 지녔다. 우리는 간단한 수학 방정식을 가지고 높은 수준의 요소 상호작용 효과를 확인할 수 있다. 어떤 학습자가 "$(a+b)/c=d$일 때, $a=?$"란 문제를 푸는 방법을 배운다고 가정해보자. 이 방정식은 다수의 상호작용하는 요소들을 가지고 있다. 'a', 'b', '=', '/'와 같은 방정식의 상징 기호들은 단순한 상징 이상의 의미를 가지고 있다. 상징 기호들 사이의 관련성은 방정식을 풀기 위해 처리되어야 하는 요소이기도 하다. 예를 들어, '/'와 'c' 사이의 관계는 이 문제를 해결하기 위해 미리 학습이 이루어져야 하는 하나의 요소이다. 요소 자체는 그것이 무언가의 상징체이건 상징체 간의 관계이건 상관없이 문제 내의 다른 요소들과 늘 상호작용한다. 문제해결의 어느 시점에서 동시에 고려되어야 하는 모든 요소들이 서로 상호작용하기 때문에, 문제, "$(a+b)/c=d$일 때, $a=?$"에서 상호작용하는 요소들의 개수는 상당히 많다. 동시에 처리되어야 하는 많은 요소들이 있다는 점에서, 수학 방정식은 높은 수준의 요소 상호작용을 지닌 과제이다.

과제를 구성하는 모든 요소들을 동시에 고려하지 않고, 높은 수준의 상호작용을 지닌 학습자료를 완벽히 이해하는 것은 불가능하다. 예를 들어, 우리는 앞서 제시된 방정식에서, 부호, '/'를 다른 부호들과의 관련성 언급 없이 따로 떼어서 처리할 수 없다. 부호 '/'의 의미를 이해하기 위해서, 우리는 방정식의 다른 부호들과 그 부호들 사이의 관계들 모두가 필요하다. 오로지 관련 있는 모든 부호들과 그 부호들 사이의 관계들이 동시에 고려될 때, 수학 방정식은 이해될 수 있다. 더 나아가, 문제를 해결하기 위해서는, 부호들과 그 부호들 사이의 관계들이 주어진 문제에 대한 해결책과 전적으로 관련된 것이어야 한다. 각각의 요소들을 따로 분리해서 이해하는 것은 주어진 문제를 해결하는 데 별로 많은 정보를 주지 않는다. 따라서, 높은 수준의 상호작용을 지닌 학습자료들을 이해하기 위해서, 우리는 상호작용하는 모든 요소들을 동시에 고려해야 한다.

학습에 필수적인 정보를 구성하는 요소들의 상호작용 정도는 내재적 인지부하를 결정한다. 정보를 구성하고 있는 요소들의 상호작용 정도가 낮다면, 작동기억에서 오직 적은 수의 요소만 처리하면 되므로, 내재적 인지부하 역시 낮다. 극단적으로, 개개의 요소들은, 다른 요소들과는 별개로, 독립적으로 학습될 수 있고, 작동기억에 적은 양의 내재적 인지부하만을 부과한다. 반대로, 필수적인 요소들 사이의 상호작용 정도가 높다면, 내재적 인지부하 역시 높다.

과제 난이도

낮은 내재적 인지부하는 다양한 과제 난이도(task difficulty)의 수준에 따라 구별될 필요가 있다. 작동기억에 아주 적은 양의 인지적 부담을 주는, 매우 낮은 수준의 내재적 인지부하를 지닌 과제라 하더라도 여전히 어려운 과제일 수 있다. 제2언어의 어휘를 익히는 학습이 그 분명한 예다. 자연적으로 발생한 언어들(natural languages)은 학습되어야만 하는 엄청난 양의 어휘 항목들을 가지고 있다. 이러한 어휘 항목들을 학습하는 것은 매우 어려울 수 있으며, 흔히 습득하는 데 수년이 걸리는 시간 소모가 매우 큰 과제이다. 과제 난이도는 학습되어야 하는 어휘 항목이 지닌 내적 복잡성이 아닌, 어휘 항목의 엄청난 수효 때문에 발생한다. 각 어휘 항목이 낮은 수준의 요소 상호작용성을 가지고 있으면, 그래서 낮은 내재적 인지부하를 작동기억에 부여한다면, 이러한 어휘 항목들은 아주 적은 양의 작동기억 인지자원을 활용해서 습득될 수 있다. 제2 언어의 어휘 항목 같은 몇몇의 자료들을 학습할 때 발생하는 어려움은, 학습해야 하는 각각의 요소 자체와 관련된 것이 아니라, 단순히 익혀야 하는 개별적인 요소들이 엄청나게 많다는 데 있다.

낮은 수준의 요소 상호작용성을 지닌 과제는, 제2 언어의 어휘를 획득하는 경우처럼, 지속적으로 처리되어야 하는 많은 요소들이 있을 경우에만 어려운 과제인 반면, 높은 상호작용을 지닌 과제는 과제를 구성하고 있는 전체 요소들의 개수가 상대적으로 적다 해도 어려운 과제이다. 앞서 소개된 수학 방정식과 같이, 높은 요소 상호작용성을 지닌 학습자료들이 어려운 이유는 낮은 요소 상호작용성을 지닌 학습자료가 어려운 이유와는 아주 다르다. 적은 수의 구성요소라 할지라도, 이 요소들이 서로 상호작용한다면, 한정된 용량을 지닌 작동기억 내에서 처리되기 어렵다. 일부 사람들의 경우, 많은 수가 동시에 상호작용하는 요소들은 처리가 불가능하다(즉, 이해가 불가능하다). 높은 상호작용성을 지닌, 새로운 학습자료를 익히는 데서 오는 어려움은 서로 관련 없는 자료출처들로부터 학습자료가 구성되었기 때문이다. 자료를 구성하는 요소들의 상호작용 때문에, 높은 상호작용을 지닌 학습자료들은 항상 어렵다. 또한, 높은 상호작용을 지닌 학습자료들은 엄청난 수의 구성요소들을 포함하지만, 모든 구성요소들이 직접적으로 상호작용과 연관되지는 않는다. 따라서, 일부의 높은 요소 상호작용성을 지닌 자료들을 학습하기가 어려운 이유는, 그 자료들이 엄청난 수의 상호작용하는 요소들을 지녔기 때문만이 아니라, 절대적인 차원에서 엄청나게 많은 요소들을 지녔기 때문이다. 엄청나게 많은 수의 요소들이 학습자료를 구성할 뿐 아니라, 이 요소들이 하나같이 모두 다 상호작용하는 경우라면, 이러한 자료를 학습하기는 유난히 어려울 것이다.

학습자료에 따라, 구성요소들의 총 개수와 이 요소들이 상호작용하는 정도는 다양하며, 상호작용하지 않는 구성요소들의 총 수효는 내재적 인지부하와는 아무 관련이 없다. 학습자들은 자료를 구성하는 수천 개의 구성요소들을 그야말로 소화해야 하지만, 이 구성요소들이 낮은 수준으로 상호작용하며, 서로 독립적으로 처리될 수 있다면, 상대적으로 가벼운 내재적 인지부하를 갖는다. 학습자료를 구성하는 많은 요소들을 한꺼번에 이해해야 하는 과제는, 비록 그 요소들이 상호작용하지 않는다 해도, 그 자체가 어렵지만, 어떤 개별적인 요소만 이해하는 과제라면 그다지 어렵지 않다. 이와는 대조적으로, 학습자료가 상대적으로 적은 수의 구성요소를 지녔다 할지라도, 이 요소들이 서로 상호작용한다면, 학습자는 불가항력적인 내재적 인지부하를 갖는다. 이러한 학습자료를 이해하기 위해서는 이 자료를 구성하는 모든 요소들을 동시에 다루어야 하기 때문이며, 그래서 동시에 다루어야 하는 여러 개의 요소들이 작동기억에서 처리될 수 있는 요소의 용량을 초과하기 때문이다. 이 같은 상황의 결과로 발생되는 과도한 양의 내재적 인지부하를 다루기 위해서는 특별한 교수전략이 필요하다. 이 교수전략들은 4부에서 논의될 것이다.

이해력

정보를 구성하는 요소들의 상호작용은, '이해력(understanding)'을 정의할 때 사용될 수 있다(Marcus, Cooper, & Sweller, 1996). 상호작용하는 모든 요소들이 작동기억에서 처리될 때, 학습자는 정보를 완벽히 이해한다. 그러나, 구성요소들이 적절하게 처리되지 않는다면, 학습자는 정보를 이해하는 데 실패할 것이다. 작동기억의 용량을 초과하는, 엄청난 수효의, 상호작용하는 요소들로 구성된 정보라면, 이러한 정보는 이해되기 어렵다. 반면, 낮은 수준의 상호작용을 지닌 정보는 이해되기 쉽다. 왜냐하면 이러한 정보는 쉽게 그리고 적절하게 작동기억에서 처리될 수 있기 때문이다.

정보를 구성하는 '요소들의 상호작용'과 '이해력'의 관계는 낮은 수준의 상호작용을 지닌 정보를 다룰 때 아주 분명해진다. 낮은 수준의 상호작용을 지닌 정보를 다룰 때, 우리는 '이해력' 이란 용어를 사용하지 않는다. 가령, 어떤 사람이 화학 원소기호 'Cu'는 '구리'라고 언급하지 못하는 상황을 가정해보자. 이때 우리는 이 사람은 원소기호 Cu의 의미를 배우지 않았거나 혹은 배웠어도 잊어버렸을 것이라고 짐작하며, 이 사람이 적절한 대답을 하지 못한 이유는 'Cu는 구리를 의미한다'라는 특정한 지식을 갖고 있지 않거나, 좋지 않은 기억력 때문이라고 생각할 것이다. '화학 원소기호에 대한 이해력이 부족해서 적절한 대답을 하지 못했다'라고는 생각하지 않을 것 같다. 이해력의 맥락에서 이 상황에 대한 이유를 설명하는 것은 조금 이상하다. 이와 같이, '이해력'이라는 용어는 낮은 수준의 상호작용을 지닌 정보를 다룰 때에는 적절치 못하다.

반대로, 높은 상호작용을 지닌 정보를 다룰 때, 우리는 '이해력'이라는 용어를 사용한다. 이 용어는 오직 높은 내재적 인지부하와 관련 있는, 높은 수준의 상호작용을 지닌 정보에 적용할 때만 사용된다. 낮은 내재적 인지부하만을 발생케 하는 낮은 수준의 상호작용을 지닌 정보를 다룰 때는 결코 사용되지 않는다. 문제, "$(a+b)/c=d$일 때, $a=?$"를 풀지 못한 학습자가 있다고 가정해보자. 낮은 수준의 상호작용을 지닌 정보를 다루는 경우와 유사하게, 학습자가 이 문제를 풀지 못한 이유는 특정 수학지식 부족 때문이며 기억력 부족 때문이다. 학습자는 이러한 범주의 문제를 푸는 방법을 배우지 않았거나, 배웠어도 문제 푸는 방법을 잊어버렸을 수 있다. 그러나 이 경우, 대부분의 사람들은 학습자가 이 문제를 못 푼 가장 큰 이유는 이 수학 문제에 대한 '이해력' 부족 때문이라고 생각할 것 같다. 높은 상호작용을 지닌 정보의 경우, 다수의 상호작용하는 요소들이 학습자의 작동기억에서 처리될 수 있을 때, 학습자는 정보를 이해할 수 있다. 다수의 상호작용하는 요소들의 수효가 너무 많아, 작동기억에서 모두 한꺼번에 처리되기 어려운 경우에는, 학습자는 정보를 이해하는 데 실패할 것이다. 위에서 제시된 수학 방정식의 경우, 방정식이 가지고 있는 미지수들과 기호들 그리고 그것들 사이의 관계들이 학습자의 작동기억에서 한꺼번에 처리되지 못한다면, 학습자는 이 수학 문제 푸는 방법을 이해할 수 없을지도 모른다.

'이해력을 겸비한 학습(learning with understanding)'과 '기계적 암기에 의한 학습(learning by rote)'의 차이는 정보를 구성하는 요소들의 상호작용 측면에서 설명될 수 있다. '기계적 암기에 의한 학습'은 아주 강한 부정적인 어감을 갖는 경향이 있는 반면, '이해력을 겸비한 학습'은 아주 긍정적인 어감을 갖는다. 그러나, 두 학습형태는 모두 작동기억 내에서 요소 상호작용이 처리되는 과정을 통해 설명될 수 있다. '이해력을 겸비한 학습'은 높은 수준의 상호작용을 지닌 정보를 학습할 경우에만 사용될 수 있지만, '기계적 암기에 의한 학습'은 낮은 수준의 상호작용을 지닌 정보뿐 아니라 높은 수준의 상호작용을 지닌 정보를 학습하는 경우에도 모두 다 적용되어 사용될 수 있다. 낮은 수준의 상호작용을 지닌 정보를 다룰 때, '기계적 암기에 의한 학습'을 하는 것은 불가피하다. 이 방법 이외에 다른 학습방법이 없기 때문이다. 화학 과목의 원소주기율표를 익히는 학습에서, '구리'를 의미하는 기호가 'Cu'라는 것을 익힐 때, 이 경우, 기계적으로 이 의미를 암기하는 것 이외에는 다른 학습방법이 없다. 이와는 대조적으로, 높은 수준의 상호작용을 지닌 학습자료는 기계적인 암기에 의해서도, 이해력을 동반해서도 학습이 가능하며, 이때 각각의 학습이 지니고 있는 교수적 함의도 함께 적용된다. 그러나, 예를 들어, 우리는 수학 과목에서 더 복잡한 문제를 해결할 때 사용될 스키마를 만들기 위해서, 문제, "$(a+b)/c=d$일 때, $a=?$"를 푸는 방법을 이해할 필요가 있는데, '기계적 암기에 의한 학습'으로는 이 문제를 푸는 방법을 이해할 수 없다.

요소 상호작용 측면에서, '이해력을 겸비한 학습'과 '기계적 암기에 의한 학습'의 차이는 곱셈 개념을 처음 학습하는 아이들에게서 그 전형적인 예를 찾을 수 있다. '곱셈'의 개념은 장기기억에 이미 저장되어 있는 각각의 '증가 값(multiplicative value)'과 함께 새로운 어휘를 학습하는 방법과 같은 방법으로 학습될 수 있다. 아이들은 주로 무조건 외워서 '3×4=12'를 학습한다. 기계적으로 무조건 외우는 이 학습법은 여러 가지 이점이 있는데, 그 중에서도 가장 큰 이점은 학습자료 내에서 내재적 인지부하의 원인이 되는 요소 상호작용을 엄청나게 줄일 수 있다는 것이며, 따라서 이에 비례하는 작동기억 부하의 양도 줄일 수 있다는 것이다. '3×4=12'를 기계적으로 외워 익힐 때는 이 수식을 구성하는 5개의 기호(3, ×, 4, =, 12)로 구성된 오직 5개의 요소만이 필요하다.

그러나, 왜 '3×4=12'가 성립될 수 있는지를 '이해(understanding)'하기 위해서는, 3×4는 12가 되는 절차를 알아야 하는데, 이때, 엄청나게 많은 요소들이 필요하다. 요소들의 상호작용 또한 엄청나게 증가하며, 따라서 학습자의 작동기억은 더 많은 정보를 처리해야 하며, 그 처리된 정보는 장기기억에 저장되어야 한다. 무조건 '3×4=12'를 외울 때와는 달리, 학습자는 곱셈의 결과가 12가 되는 이유는 4를 3번 더했기 때문이라는 이유를 이해할 필요가 있다. '3×4'와 '4+4+4'의 값이 모두 12라는 사실은 우연의 일치가 아니다. 이 곱셈식(즉, '3×4')은 4를 3번 더하라는 의미이다. 이 곱셈식을 이해하기 위해서, 단순하게 무조건 곱셈의 결과 값을 외울 때와는 달리, 학습자의 작동기억은 '4+4+4=12'와 관련된 요소들을 '3×4=12'와 관련된 요소들과 합치고, 서로 상호작용시켜야 한다. 이때, 요소 상호작용 및 이와 관련된 인지부하는 엄청나게 증가할 것이 분명하다. 학습자가 '3×4=4+4+4=3+3+3+3=4×3=12'를 학습한다면, 추가적 요소 상호작용 및 추가적 작동기억 부하와 함께 추가적 이해는 발생될 것이다. '덧셈, 뺄셈, 곱셈, 나눗셈'의 관계들에 대한 학습은, 학습자의 작동기억에서 더 많은 상호작용하는 요소들을 처리하게 하며, 그래서 더 많은 작동기억 부하를 갖게 하지만, 학습자들이 수식에 대한 더 깊은 이해를 갖을 수 있게 한다. 그러나, 문제해결의 절차들을 하나 하나 이해하며 하는 학습방법은 학습자가 익혀야 하는 요소들의 '양' 및 그 요소들의 '상호작용'을 증가시키고 상당한 양의 인지부하를 생기게 하기 때문에, 많은 학습자들은 3×4가 12가 된다는 것을 이해 못한 채 추가적으로 상호작용하는 요소들을 더하는 것을 그만둔다. 학습자가 수식, '3×4=12' 이상의 것을 이해할 수 없다면, 그 외 곱셈의 교환법칙(commutative law of multiplication, 즉, *ab*=*ba*), 그리고 그 교환법칙이 다른 숫자들에도 적용될 수 있다는 사실을 배우지 못할 것이다(예: 2×5=5×2). 이런 이유로, 곱셈 체계 내의 더 깊은 관계들에 대해 학습하지 않는 기계적 암기에 의한 학습은 스키마 형성(schemata formation)에 제한적일 수밖에 없다.

이러한 분석은 '기계적 암기에 의한 학습'과 '이해력을 겸비한 학습' 모두 질적인 절차를 필요로 한다는 것을 보여준다. 두 경우 모두 정보는 학습자의 작동기억에서 처리되어 장기기억에 저장된다는 것을 보여준다. 두 학습방법의 차이가 있다면, 그것은 정보처리의 '질'이 아닌 '양'이 다르다는 것뿐이다. '이해력을 겸비한 학습'은 항상 학습자의 작동기억에서 처리되어야 하는(상호작용하는) 요소들의 수효를 증가시킨다. 따라서, 우리들 모두는, 적어도 몇몇의 상황에선, 요소 상호작용 및 정보 이해와 관련된 작동기억 부하가 너무 커져 버린 이러한 자료들을 다룰 수 없을지도 모른다. 별도의 이해 없이 무조건 외우는 학습이, 유일하게, 성공이 확실한 선택일 수 있다. '이해력을 겸비한 학습'이 언제나 학습의 목표여야 하지만, 교수자로서 우리는 그 목표가 때때로 달성되지 않는다는 것을 이해할 필요가 있다. 적어도 학습의 초기 단계에선, 무조건 외우는 학습이 유일하게 학습을 가능하게 하는 선택일 수 있다.

교수적 관점으로부터, 우리는 몇몇의 상황에선 그 용량의 한계 때문에 학습자의 작동기억에서 매우 높은 상호작용을 지닌 정보들이 동시에 처리되는 것은 불가능하다는 사실을 안다. 적어도 학습 초기 단계에선 이런 정보는 이해될 수 없다. 학습의 초기 단계에 학습자가 자료를 이해 못했다고 해서, 이 자료는 이해가 불가능한, 즉, 작동기억에서 처리될 수 없는 자료라고 말할 수는 없다. 학습자료를 구성하는 각각의 요소들은 하나씩 혹은 몇 개씩 묶어 순차적으로 학습자의 작동기억에서 처리될 수 있다. 우리는 이렇게 개별적 요소들을 하나씩 익혀나가는 학습법을 '기계적 암기에 의한 학습'이라고 이름 붙인다. '기계적 암기에 의한 학습'은 매우 높은 요소 상호작용을 지닌 자료의 학습 초기에 반드시 필요하다(Pollock, Chandler, & Sweller,

2002). 이 논의는 16장에서 '요소의 분리 효과 및 상호작용 효과'를 논의할 때, 실증적 증거와 함께 다시 고찰될 것이다.

내재적 인지부하 조절

어떤 의미에서, 내재적 인지부하는 학습과제에 내재되어 있기 때문에 변경될 수 없다. 학습과제 자체가 변경되지 않는다면 그리고 학습자의 지식 수준이 그대로라면(변함 없다면), 내재적 인지부하 또한 그대로다(변함이 없다). 그러나, 그 변동 없는 혹은 고정된 인지부하는 학습자료가 지닌 본래의 특성을 변경하는 방법을 통해서 수정될 수 있다. 예를 들어, 위에서 이미 언급했듯이, 우리가 상호작용하는 요소들을 다른 요소들과 관계없는 독립적인 요소로 분리시켜서 먼저 학습한다면, 학습자료가 지닌 요소 상호작용의 정도와 내재적 인지부하는 감소될 것이다. 두말할 필요도 없이, 내재적 인지부하의 감소는, 오직, 학습 과제의 변동에 의해서만 가능하다. 복잡한 과제를 익혀야 하는 학습자가 학습과제를 구성하는 상호작용하는 요소들의 관계나 혹은 내재적 인지부하를 구성하는 주요 구성요소들에 대하여 학습의 초기 단계에 모두 배우지 않는다 해도, 이것은 그렇게 심각한 문제가 아니다. 그러나, 학습의 어느 단계에 이르면, 과제를 완벽히 이해하기 위해서, 상호작용하는 모든 요소들의 관계에 대한 이해는 필수적이다. 학습해야 하는 과제가 지닌 본래의 특성을 변경해서 내재적 인지부하를 감소시키는 것은 중요한 교수기법(instructional techniques)임이 분명하지만, 대부분의 경우에 그 효용성은 학습 초기 단계에 국한되는 일시적인 것이다.

또한, 내재적 인지부하는 학습자의 인지적 학습활동[1]을 통해서 감소될 수 있다. (인지적) 학습활동이란 작동기억에서 다수의 요소로 인식되어 처리되는, 서로 상호작용하는 다수의 요소들을 묶어 소수의 '요소들의 그룹' 혹은 한 개의 '요소'로 전환시키는 활동이다. 모든 학습활동은 이에 대한 예를 제시한다. 가령, 라틴 알파벳[2] 혹은 영어에 익숙하지 않은 학습자에게 'CAT'은, 학습자의 작동기억의 인지부하만 소비하는, 그저 구불구불한 선들의 복잡한 조합일 것이다. 그러나, 본 글을 읽는 독자

• • •

역주 1 본 글에서 언급된 모든 '학습활동'은 인지적 학습활동(cognitive learning activity)을 의미하고, classroom activity와는 구별된다.

역주 2 라틴 알파벳을 사용하는 언어에는 프랑스어, 독어, 스페인어, 포르투갈어 등이 있다.

들은, 두말할 필요도 없이, 'CAT'이란 스키마를 이미 가지고 있으며, 즉, 상호작용하는 요소들(C, A, T)을 하나의 스키마로 처리하여 이미 인지적 저장장치(즉, 작동기억)에 보유하고 있으므로, 따라서 'CAT'를 접했을 때, 어떤 내재적 인지부하도 갖지 않는다. 인지적 학습활동의 주요 역할은 서로 상호작용하는 다수 요소들을 소수의 혹은 하나의 스키마로 통합하여 '요소 상호작용의 수준'과 '내재적 인지부하'를 극적으로 줄이는 것이다. 이 학습활동의 결과로 확보된 (극적으로 줄어든 내재적 인지부하 덕분에 확보된) 작동기억의 인지자원은 다른 학습활동을 위한 자원으로 활용된다. 본 글을 현재 읽고 있는 독자들의 경우를 '예'로 살펴보자. 본 글을 읽는 독자들은 현재 읽고 있는 이 글(원고)을 구성하고 있는 문자들을 해독하는 데 인지자원을 따로 사용하지 않아도 되기 때문에, 이 글을 읽는 궁극적 목적인 글의 내용을 이해하는 데 더 많은 인지자원을 할애할 수 있다. 이와 같이, 스키마 획득을 통한 학습(learning through schema acquisition)은 높은 수준의 요소 상호작용을 지닌 정보의 특성 때문에 발생되는 작동기억 부하를 제거한다.

위에 제시된, '학습과제의 변경'과 '인지적 학습활동'을 제외하고는 내재적 인지부하를 감소시키는 다른 방법은 없다. 학습자에게 제시되는 특정한 지식 수준이 필요한 특정한 과제에 대해서 인지부하는 고정적이다.

요소 상호작용성의 개념은 아주 밀접하게 요소(elements) 혹은 스키마(schemas)의 개념들과 연결되어 있다. 요소(an element)란 학습되어야 하는, 즉 작동기억에서 처리되어야 하는 단수의 어떤 무엇인 반면, 스키마(a schema)는 일반적으로 다수의 서로 상호작용하는 요소들의 총체를 일컫는다. 스키마 구축(schema construction)은 다수의 학습자료를 구성하는 요소들이 어떻게 상호작용하는가에 대한 학습의 결과로 성립되며, 스키마 자동화(schema automation)는, 이미 구축된 스키마를 사용함에 따라 더 이상 '서로 상호작용하는 요소들'이 학습에 큰 부담이 되지 않게 한다. 일단, 스키마로 구축되면, 이 스키마는 작동기억에 큰 인지적 부담을 주지 않는, 또 하나의 요소가 되며, 더 고차원적인 스키마를 구축하는 데 사용된다. 서로 상호작용하는 요소들은, 한 개의 요소로 인식되고 처리되어, 하나의 스키마(a schema) 안에 내장되며, 이 스키마(a schema)는 다시 더 복잡한 스키마들을 구축할 때 하나의 요소로 인식되며 처리된다. 영어에 익숙하지 않은 사람들에게 '영어로 된 글'은 서로 상호작용하는 '직선'과 '곡선'으로 구성된 복잡한 집합들로 인식되는 반면, 영어에 능통한 사람들에게 그 상호작용하는 복잡한 집합은 하나의 요소로 작용하는 하나의 스키마로 여겨진다.

인지구조와 내재적 인지부하의 관계

학습이 절대적으로 필요한, 친밀하지 않은 새로운 정보는 '차용과 재조직 원리(the borrowing and reorganizing principle)', '무작위적 생성 원리(the randomness as genesis principle)', '변화의 제한성 원리(the narrow limits of change principle)'에 의해서 습득된다. 일단 학습된 그래서 활용될 필요가 있는 정보는 '정보 저장 원리(the information store principle)'와 '환경의 조직과 연결 원리(the environmental organizing and linking principle)'에 의해서 다루어진다. 이 두 가지 원리들은 이미 인지 장치에 저장되어 있는 친밀한 정보가 다른 인지활동을 수행하기 위해 어떻게 사용되는지를 설명해준다.

학습된 그래서 친밀한 정보는 아직 학습되지 않은 새로운 정보와는 상당히 다른 방법으로 다루어진다. 4장에서 '변화의 제한성 원리'와 '환경의 조직과 연결 원리'를 논의할 때 이미 언급했듯이, 작동기억의 성질은 친밀한 정보를 다룰 때와 친밀하지 않은 정보를 다룰 때 아주 다르다. 높은 상호작용을 지닌 정보가 다루어지는 방법의 관점에서 다른 점을 논의하고자 한다. 아직 학습되지 않은 높은 상호작용을 지닌 새로운 정보는 '차용과 재조직 원리' 혹은 '무작위적 생성 원리'를 통하여 획득될 때, 작동기억을 압도하는 높은 내재적 인지부하를 만든다. 그러나, 이미 학습되어, 그래서 학습자의 장기기억에 스키마(상호작용하는 다수의 요소들을 하나로 통합한 총체)의 형태로 저장되어 있을 경우, 이 저장장치로부터 '환경의 조직과 연결 원리'에 의해 검색될 수 있다. 정보를 구성하는 요소들이, 스키마 형태로 구축되기 위해서 처음 처리될 때의 어려움과는 대조적으로, 일단 스키마 형태로 구축되어 장기기억에 저장되고, 이 스키마를 필요로 하는 인지적 학습활동을 해야 할 때, 이 스키마는 아무 어려움 없이, 장기기억으로부터 하나의 요소로 검색된다. 장기기억으로부터, 다수의 상호작용하는 요소들을 내장하고 있는 이 하나의 스키마는 하나의 요소로 검색되며, 따라서 작동기억에서 하나의 요소로 처리되는 이 하나의 스키마는 작동기억 부하를 최소로 만든다.

요소 상호작용성과 외재적 인지부하

학습자료를 구성하고 있는 요소들의 상호작용은 내재적 인지부하뿐 아니라 외재적 인지부하와도 관련이 있다. 학습자가 습득해야 하는 정보가 지닌 내재적 특성에 의해 학습자의 작동기억에 부과되는 내재적 인지부하와는 달리, 학습활동시, 정보가 학습자에게 제시되는 방법 때문에 외재적 인지부하는 부과된다. 어떤 교수활동절차는 학습자들이 스키마 획득과 직접적 관련 없는 다수의 상호작용하는 요소들을 처리하게 하여 상당한 양의 인지적 부담(즉, 외재적 인지부하)을 갖게 한다. 그러나, 같은 내용의 정보를 다루지만 다른 교수활동절차는 직접적으로 스키마 획득과 관련 없는 요소들의 상호작용을 상당히 줄여 학습자가 느끼지 않아도 되는 이 불필요한 인지적 부담을 줄인다. 외재적 인지부하와 요소 상호작용에 관한 내용은 4부에서 더 상세하게 제시될 것이다. 그 전에 간단히 살펴보자면 다음과 같다.

'차용과 재조직 원리'를 토대로, 생물학적 이차 지식은 직접적이고 명시적인 학습 방법에 의해서 습득된다.(그러나, 생물학적 일차 지식은 명시적인 교수학습 방법 없이 습득되도록 진화되어 왔다.) 직접적이고 명시적인 교수학습 방법 대신, '문제해결 방법(problem solving)'이 교육 수단으로 사용되었다고 가정해보자. 이때, 학습자들은 문제에 대한 해결 방법을 스스로 찾아야 한다. 예를 들어, 학습자들이 문제해결의 일반적 기술을 통해서 '수학' 과목을 익힌다고 가정해보자. 이때, 이전에 보지 못한 새로운 문제들은 학습자의 장기기억에 문제에 대한 해결 방법이 저장되어 있지 않기 때문에, 학습자들은 문제해결을 위해 '수단－목적 전략'을 사용한다. 7장(무목표 효과: goal-free effect)과 8장(해결된 예제 효과: worked example effect)에서 제시되었듯이, 이 전략은 학습자가 '현재 문제 상태(current problem state, 예: $a+b=c$)'와 '문제해결의 목표 상태(the goal state, 예: a에 관해서 풀어라)'를 동시에 고려하여, 두 상태의 차이(방정식의 좌변에 $+b$가 있으며 이는 제거되어야 함)를 스스로 알아내고, 두 상태의 차이를 제거할 때 사용될 수 있는 문제해결을 위한 식의 연산법칙 역시 스스로 찾게 한다. 이 모든 요소들이 동시에 고려되지 않고는 문제가 해결될 수 없다. 그러나, 수단－목적 전략을 사용할 때 학습자는 필수적으로 다수의 요소들을 동시에 처리해야 하기 때문에, 요소 상호작용의 정도는 매우 높다. 뿐만 아니라, 이러한 요소들은 개별적으로 분리해서 고려될 수도 없으며, 이 모든 요소들이 동시에 고려되지 않는다면 문제해결 방법을 찾는 것은 거의 불가능하다.

높은 수준의 요소 상호작용을 다루어야만 하는 '수단-목적 전략'에 대한 대안이 있다. 학습자들이, '수단-목적 전략'을 사용하여, 스스로 문제를 해결하도록 내버려두기보다는, '해결된 예제들(worked examples)'을 학습하게 하는 것이다. '수단-목적 전략'이 완벽히 제거된 '해결된 예제' 학습에선, 학습자들은 더 이상 높은 수준의 요소 상호작용을 다루어야 하는 '문제해결 절차'에 참여하지 않는다. 학습자가 '수단-목적 전략'을 사용하여 '문제해결 절차'에 참여하게 하거나 혹은 '해결된 예제'를 학습하게 하는 것은 교수자의 재량이다. 교수자의 재량에 따라, '수단-목적 전략'을 이용한 문제해결 방법과 관련된 높은 수준의 상호작용은 줄여질 수 있으며, 또한 줄여져야 한다. '문제해결 방법(problem solving)'을 활용한 —'해결된 예제들'을 이용한 학습 이외에— 학습의 결과들은 8장에서 더 자세히 논의될 것이다. 또한, 다른 많은 학습상황에서 높은 외재적 인지부하를 일으키게 하는 높은 수준의 상호작용을 지닌 많은 예들이 4부에서 논의될 것이다.

이 논쟁은 인간의 인지구조와 아주 긴밀하게 연결되어 있다. 학습자가 '무작위적 생성 원리'에 의해서 문제를 해결해야 한다거나, 학습과 관련된 스키마 획득 및 스키마 자동화에 도움이 되지 않는 인지활동을 해야 한다면, '변화의 제한성 원리'와 관련된 작동기억의 제한성으로 인해, 학습의 효과성은 줄어들 것이다. 이런 비효과적인 학습절차와 관련된 여러 인지활동들과 함께 문제해결 방법 역시 필수적인 학습을 방해하는 높은 외재적 인지부하를 일으킨다.

외재적 인지부하를 증가시키는 것은 결코 이롭지 못하나, 내재적 인지부하를 증가시키는 것은 이로울 수 있다. 내재적 인지부하를 증가시킨다는 것은 학습될 필요가 있는(즉, 학습자의 작동기억에서 처리될 필요가 있는) 정보의 양을 증가시키는 것이며, 작동기억 용량(working memory capacity)만 이를 감당할 수 있다면 이 증가는 학습에 유익할 것 같다(16장의 '다양성 효과' 참조). 이와는 대조적으로, 외재적 인지부하의 증가는 학습자들이 학습 이외의 다른 용도로 작동기억 인지자원을 사용하게 한다. 그러나, 외재적 인지부하는 교수자의 재량으로 조절될 수 있는 것으로서, 학습자의 이해력을 방해하지 않으며, 교수방법의 개선을 통해서 감소될 수 있다. 외재적 인지부하의 감소로 확충된 작동기억 인지자원이 학습과 관련된 스키마 획득 및 자동화와 관련된 활동에 사용된다면 이해력은 증가할 것 같다.

교수활동 시사점

내재적 인지부하와 외재적 인지부하로 구성되는 총 인지부하는 작동기억 인지자원을 초과해서는 안 된다. 총 인지부하가 너무 높으면, 학습자의 작동기억에서 필수적인 정보를 처리하는 것이 어려워지게 되며 그래서 학습은 중단된다. 특정한 학습자에게 주어진 특정한 정보에 대하여, 내재적 인지부하는 고정적이다. 그러나 이 내재적 인지부하는, 학습자료가 본래적으로 가지고 있는 특성을 변경함에 따라 증가될 수도 있고 감소될 수도 있다. 내재적 인지부하가 높으면, 외재적 인지부하의 양은 매우 중요하다. 내재적 인지부하가 낮을 때보다 높을 때, 외재적 인지부하를 줄이는 것이 훨씬 더 중요하기 때문이다. 내재적 인지부하가 낮다면, 총 인지부하가 활용 가능한 작동기억 인지자원을 능가하지 않기 때문에, 높은 외재적 인지부하는 그렇게 큰 문제가 아니다. 다시 말해서, 낮은 수준의 상호작용을 지닌 학습자료에 대해서, 따라서 낮은 인지부하를 지닌 학습자료에 대해서, 외재적 인지부하가 아무리 높다 해도 학습자들은 정보들을 처리할 수 있다. 낮은 수준의 요소 상호작용으로 인해 발생하는 낮은 내재적 인지부하를 가진 학습자료를 다루는 교수설계는 항상 작동기억 인지자원을 최적으로 사용할 때보다 조금 덜 사용한다. 따라서, 학습을 방해하지 않는다. 즉, 총 인지부하의 양은 작동기억의 한계를 넘지 않는다.

만약 내재적 인지부하가 높다면, 이 이미 높은 내재적 인지부하에 외재적 인지부하를 더하는 것은 당연히 과도한 총 인지부하를 만든다. 내재적 인지부하가 낮을 때와는 달리, 내재적 인지부하가 높은 상황에선, 교수설계 이슈는 매우 중요하다. 높은 외재적 인지부하와 관련된 높은 수준의 요소 상호작용을 지닌 학습자료에, 높은 내재적 인지부하와 관련된 높은 수준의 요소 상호작용의 요소들을 더하는 것은 학습자의 작동기억이 제공하는 인지자원의 양을 초과하게 한다. 그러나, 내재적 인지부하가 낮다면, 작동기억 인지자원을 부적절한 교수설계로 인한 교수방법을 다룰 때 사용한다 해도 그리 큰 문제는 되지 않는다. 오직 내재적 인지부하가 높을 때만 문제가 된다(15장의 '요소 상호작용 효과' 참조). 결론적으로, 4부에서 논의되는 대부분의 인지부하 효과는 내재적 인지부하와 외재적 인지부하가 높은, 그래서 감소시킬 필요가 있는 학습상황들과 관련이 있다. 인지부하이론은 주로 외재적 인지부하를 줄이는 것과 관련이 있다.

결론

학습자료가 학습자의 작동기억에 부여하는 인지부하는 내재적 인지부하와 외재적 인지부하로 나뉜다. 이에 상응하여, 작동기억의 인지자원은 내재적 인지부하를 다루는 '본유적 자원(germane resources)'과 외재적 인지부하를 다루는 '외재적 자원(extraneous resources)'으로 나뉜다. 이 분류는 인지부하이론의 발달과정에서 기본적인 것으로 판명되었다. 인지부하이론의 주요 목적은—그러나 유일한 목적은 아니다— 외재적 인지부하를 줄이는, 그래서 학습활동과 관련 없는 정보에 쏟는 작동기억 인지자원을 줄이는 교수활동절차를 고안하는 것이다. 교수활동절차가 지닌 외재적 인지부하에 더 이상 노력을 기울일 필요가 없는 작동기억의 인지자원은 대신에 학습성취와 밀접하게 관련이 있는 내재적 인지부하를 다루는 인지자원으로 전환될 수 있다.

이 책의 4부에서 논의된 대부분의 인지부하 효과들은 외재적 인지부하들을 줄이는 교수활동절차들과 관련이 있다. 외재적 인지부하를 다룰 때, 이 인지부하를 줄이는 것은 항상 이롭지만 증가시키는 것은 결코 이롭지 않다. 인지부하 효과들 중 일부는 외재적 인지부하를 줄인다기보다는 내재적 인지부하를 개조하는 것과 관련이 있다. 내재적 인지부하를 증가시키거나 감소시키는 것은 내재적 인지부하가 유효한 작동기억의 인지자원을 초과하느냐 초과하지 않느냐에 따라 이로울 수도 있다. 4부에서 논의된 인지부하 효과들(cognitive load effects)은 모두 "내재적 인지부하는 최적화되어야 하며, 외재적 인지부하는 최소화되어야 한다"는 가정을 토대로 한다. 인지부하의 이상적인 상태를 설명하기 위해서, 우리는 먼저 인지부하를 측정하는 기술부터 논의할 필요가 있다. 다음 장은 '인지부하 측정'과 관련이 있다.

인지부하 측정

인지부하이론 안에서 작동기억이 중요하기 때문에, 작동기억의 부하를 측정하는 것이 연구자들에게 우선적인 과제가 되었다. 실험의 결과를 예측함으로써 이론의 타당성을 지원하는 과정을 보여주는 것도 가능하긴 하지만, 인지부하의 독립적인 측정 방법을 따로 제공하는 것도 유용할 것이다. 이 장에서는 인지부하를 측정하기 위해 사용되는 다양한 방법과 지난 30년 동안 그러한 방법들이 어떻게 발전해 왔는지 살펴보고자 한다.

인지부하의 간접 측정

인지부하이론의 초창기에는 인지부하가 직접적으로 측정되지 않았다. 그것은 문제해결과 학습 간의 관계를 검증하는 실험 결과에 기초하여 추측되었다. 인지부하를 간접적으로 가늠하기 위하여 몇 가지 기법이 사용되었다.

계산을 통한 추정

인지부하이론의 초기 연구는 학습전략으로서 문제해결의 효율성에 집중하였다. 높은 수준의 문제해결 전략이 낮은 수준의 문제해결 전략보다 작동기억 부하를 더 많이 유발시킬 것이라는 가정을 하였다. Sweller와 동료들에 의해 1980년대에 수행된 일련의 실험들을 통해서 상당히 많은 문제해결 전략을 필요로 하는 학습전략은 훨씬 적은 문제해결 전략을 적용하는 전략보다 질이 낮은 학습 결과물을 생산하게 한다는 것을 보여주었다. 이러한 결과를 설명하기 위해, Sweller(1988)는 문제해결 전략을 사용하는 것은 높은 외재적 인지부하를 내포하는 불필요한 문제해결 검색을 유발하기 때문에 스키마 획득에 방해가 된다고 주장하였다.

문제해결 전략을 사용하는 검색이 인지부하를 증가시켰음을 제시하는 이론적 지지는 계산을 통한 추정(computational model)을 통해서 설명되었다. 높은 수준의 검색 전략과 낮은 수준의 검색 전략을 비교한 결과, Sweller(1988)는 더 높은 검색 전략은 작동기억에서 더 많은 정보가 보유되고 처리되는 것에 상응하는 문제해결 처리 과정을 시뮬레이션하기 위하여 더욱 복잡한 모델이 필요함을 발견하였다. 이와 비슷하게, Ayres와 Sweller(1990)는 다단계 기하학 문제에 관한 문제해결 방안을 시뮬레이션하기 위한 생산 시스템 모델을 사용하면서, 높은 검색 전략은 단순한 전략보다 더 많은 작동기억 자원을 요구한다는 증거를 제시하였다.

계산 모형에 의해 제공된 그러한 간접적 증거는 인지부하의 지표로서 그것을 사용하는 것이 제한적이었다. 그럼에도 불구하고, 인지부하이론의 프레임워크 안에서, 컴퓨터 모델은, 인지부하가 교수설계에서 하나의 중요한 요인이라는 상당히 독립적인 증거를 제공하는 첫 번째 시도였다. 컴퓨터 모델은 인지부하이론의 기원에서 하나의 중요한 요인이 되었다.

수행 지표

인지부하이론의 초기에는 관찰된 효과에 대한 인지부하를 설명하기 위하여 지식을 습득하거나 학습을 하는 동안의 수행 지표가 사용되기도 하였다. 직접적인 측정 없이, Chandler와 Sweller(1991, 1992)는 교수활동의 시간이 인지부하를 위한 대용으로 사용될 수 있다고 주장하였다. 학생들이 어떤 주제를 학습하기 위하여 인지부하가 증가되는 전략을 사용하는 것이 필요하다면, 인지부하의 그러한 증가가 학습 단계에서 수행에 영향을 미칠 것이라는 것이 이론화되었다. 테스트 점수가 제시하는 것처럼, 영향을 받는 것은 미래의 수행만이 아니라 습득하는 동안의 수행도 해당된다. 초기의 연구들은 그러한 주장을 뒷받침하였다(Owen & Sweller, 1985; Sweller, Chandler, Tierney, & Cooper, 1990; Sweller & Cooper, 1985). 연구 결과는 또한 높은 인지부하가 예상되는 조건에서 습득하는 동안에 오류율이 높은 것으로 나타났다(Owen & Sweller, 1985; Sweller & Cooper, 1985 참조). 증가된 인지부하는 학습 시간과 획득 과정의 정확성에 모두 부정적으로 영향을 줄 것이다.

문제해결시 오류율

오류율(error rates)은 문제 내에서 각각 인지부하에 차이가 있음을 규명하기 위해서 사용되어 왔다. Ayres와 Sweller(1990)는 학생들이 기하학 영역의 문제해결을 할 때 어떤 특정 지점에서의 높은 작동기억으로 인해 그 지점에서 자주 오류를 범한다는 것을 발견하였다. 후속 연구에서, Ayres(2001)는 절차적 계산이 필요한 수학 과제에서 오류율이 다양해진다는 것을 보여주었다. 높은 오류율은 고려할 사항이 많은 변수들을 가지고 의사결정이 가장 많이 있어났던 지점들과 일치하였다. 위 두 연구가 교수적 방법이 아닌 문제해결에 대해 조사하긴 했지만, 작동기억 자원에 대한 요구도를 결정하기 위해 오류율이 사용될 수 있다는 증거를 제공하였다.

인지부하의 주관적 측정

처음부터 인지부하의 이론적 관심사는, 위에 제시되었듯이, 오류율 및 학습 시간과 같은 인지부하의 간접적 측정 방법에 의해 검증된 교수적 효과성을 예측하는데 사용되었다. 인지부하이론이 발전되고 더 많은 교수적 효과들이 규명될수록 인지부하의 직접적 측정 방법의 필요성이 더욱 분명해졌다. 예를 들면, Chandler와 Sweller(1991) 그리고 Sweller와 Chandler(1994)는 인지부하에 대한 직접적인 측정 방법의 부재에 대해 비평하였다. 그러한 교착상태는 인지부하에 대한 주관적 측정 방법을 개발함으로써 주요 돌파구를 제공해준 Paas(1992)에 의해 타개되었다.

정신적 노력에 대한 주관적 측정

Bratfisch, Borg와 Donic(1972)에 의해 이전에 개발된 도구에 기초해서 Paas (1992)는 학습자들이 학습과 검사 중에 투입된 정신적 노력의 양을 회고할 수 있을 것이며, 이 '노력의 강도'를 인지부하의 '지표'로 고려할 수 있을 것이라고 추론하였다(p. 429). Paas, Tuovinen, Tabbers와 van Gerven(2003)은 그 후에 정신적 노력에 대한 정의를 "과제에 의해 부과된 요구를 수용하기 위해 실제로 할당되는 것으로, 그리하여 실제 인지부하를 반영하는 것으로 볼 수 있는, 인지적 능력을 나타내는 인지부하의 측면"(p. 64)으로 개선하였다.

'아주 아주 적은 정신적 노력(1)'부터 '아주 아주 높은 정신적 노력(9)'까지를 범위로 하는 아홉 가지 척도의 리커트 척도(Likert scale)를 사용해서, 학습자들에게 학습과 검사 주기 중 다양한 지점에서 그들의 정신적 노력에 대한 등급을 표현하도록 하였다. 인지부하를 높이거나 낮출 것으로 가정되었던 교수적 절차들과 비교해서, Paas(1992)는 학습자 스스로 등급을 표현한 정신적 노력과 검사 수행 점수가 일치한다는 것을 발견하였다. 낮은 인지부하를 포함할 것으로 가정되는 교수설계에 노출된 학습자들은, 인지부하가 높을 것으로 가정되는 설계에 노출된 학습자들보다 우세한 학습 결과를 거두었고 자신의 정신적 노력에 대해 낮게 등급을 매겼다.

Paas와 van Merriënboer(1994)에 의해 수행된 후속연구도 Paas(1992)의 연구 결과와 일치한다. 뿐만 아니라, Paas와 van Merriënboer(1994)는 심장 박동에 대한 스펙트럼 분석을 통해 신체적 측정 데이터를 수집하였다. 그러나, 자가 등급 척도와는 다르게, 신체적 측정 방법은 처치 집단들 간에 차이를 감지할 수 없었고, 정신적으로 활동하는 기간과 비활동 기간만을 구별할 수 있었다. 주관적 측정이 신체적 측정 방법보다 더 민감하고 학습을 훨씬 덜 방해하는 것으로 밝혀졌다. 아홉 가지 척도 방법은 또한 신뢰성이 매우 높은 것으로 나타났다(Paas, van Merriënboer, & Adan, 1994 참조).

난이도에 대한 주관적 측정

주관적 측정 방법에 대한 이러한 초기 시도들의 성공 덕분에 다른 연구자들도 인지부하의 측정 방법으로 주관적 척도를 수용하게 되었다. 그러나 많은 연구자들은 '정신적 노력'이라는 용어를 사용하는 대신에 학습자들에게 학습 과제가 얼마나 '어려운지 혹은 쉬운지' 등급을 매기도록 하였다. 예를 들어, Marcus, Cooper와 Sweller(1996)에 의해 수행된 일련의 실험에서 과제의 요소 상호작용성 수준에 따라 난이도에 대한 주관적 측정이 유의미하게 달라졌다. 뿐만 아니라, Ayres(2006a)는 난이도에 대한 주관적 측정 방법으로 과제에 포함된 요소 상호작용성의 차이를 감지할 수 있음을 발견하였다.

간단한 주관적 등급 척도 방법은 사용된 단어(정신적 노력 혹은 난이도)에 관계없이, 놀랍게도 서로 다른 교수적 절차에 의해 내포된 인지부하를 구별해줄 수 있는 가장 민감한 측정 방법으로 간주되어 왔다. 그 방법은 4부에서 제시된 다양한 교수적 절차들에 내포된 인지부하를 판단하기 위하여 널리 사용되어 왔다. Paas 등(2003b)은 1992년부터 2002년까지 인지부하의 주관적 측정에 사용된 25편 이상의 연구기록들을 모았다. 그 이후로도 더욱 많은 연구들이 있다.

주관적 측정에 영향을 미치는 변인

van Gog와 Paas(2008)는 정신적 노력과 난이도가 후속 결과에 있어서 중요한 구인일 수 있음을 지적하였다. 두 가지 척도 간의 차이를 조사한 몇 가지 선행 연구가 이러한 관점을 지지한다(Ayres & Youssef, 2008). 학습자에게 과제가 얼마나 어려웠는지 묻는 것은 그 과제를 완수하는 데 얼마나 많은 노력을 투입했는지를 묻는 것과는 다르다. 두 가지 측정 방법이 자주 상관이 있기는 하지만, 난이도가 노력과 항상 일치하는 것은 아니다. 예를 들면, 매우 어려운 문제들일 경우 어떤 학습자들에게는 어떤 현실적인 노력도 들일 수 없을 만큼 너무 부담이 클 수도 있다.

측정되는 것에 차이가 있을 가능성뿐만 아니라, van Gog와 Paas(2008)는 정신적 노력에 대한 주관적 평가가 수집되는 시기도 추가적인 변인으로 규명하였다. Paas와 van Merriënboer(1994)는 학습자들이 학습평가, 즉 시험이 끝난 후에 수집된 정신적 노력 측정 방법을 사용하였다. 이와 대조적으로, 다른 많은 연구자들은 지식 습득(교수활동) 기간이 완료되고 난 후에 데이터를 수집하였다. 이 두 가지 방법은 비교할 필요도 없을 것이며 서로 다른 결과를 보여줄 것이다. 그러한 몇 가지 차이에 대해서는 아래 효율성 측정 방법에 대해 설명할 때 다루게 될 것이다.

주관적 측정의 일관성

이렇게 차별적인 절차에도 불구하고, 난이도나 정신적 노력에 대한 주관적 측정 방법은 놀랍게도 별다른 불일치나 이견 없이 인지부하이론에 의해 예견된 수행 결과(Moreno, 2004; van Merriënboer, Schuurman, De Croock, & Paas, 2002)와 일치하는 일관성을 나타냈다. 그러나 몇몇 연구에서는 수행 검사에서 그룹 처치의 차이에도 불구하고 주관적 측정 방법들 간에 통계적으로 유의한 차이가 없었다(Cuevas, Fiore, & Oser, 2002; Hummel, Paas, & Koper, 2004; Kester, Kirschner, & van Merriënboer, 2005). 또한 주관적 측정 방법에 따라서는 인지부하의 차이가 있었으나 수행 검사에 대해서는 그룹 처치 효과가 없는 연구들도 있었다(Homer, Plass, & Blake, 2008; van Gerven, Paas, van Merriënboer, Hendriks, & Schmidt, 2003). Kalyuga, Chandler와 Sweller(2004)의 연구는 세 가지의 각 실험에서 성취 효과가 없는 인지부하 차이, 인지부하 차이와 그에 부합하는 성취 효과, 인지부하 차이는 없지만 성취 효과는 있는 경우 등과 같이 서로 다른 결과를 제시하였다. 어떤 특별한 조건이나 자료의 경우에는 그러한 기대하는 결과가 발생하지 않을 수도 있다. 물론, 모든 통계학적으로 결정된 효과를 고려하면 반드시 일치하기는 어려울 것이다. 주관적인 측정치와 성취 검사 간의 상관은 완벽하게 일치할 수가 없다. 간혹 그러한 불일치에도 불구하고 주관적 측정 방법들은 지대한 영향을 미치고 인지부하이론을 지지하는 증거로서 유용성을 제공하였다.

효율성 측정

Paas(1992)의 자가 측정 척도를 토대로, Paas와 van Merriënboer(1993)는 정신적 노력과 과제 수행 지표를 혼합한 효율성(efficiency) 측정 방법을 개발하였다. Paas와 van Merriënboer는 학습에 대한 인지적 대가를 고려하는 것이 중요함을 호소하였다. 상이한 두 가지 교수 방법이 같은 학습성과를 산출하였다고 해도 그러한 수행 수준에 도달하는 데 들인 노력이 고려해야 할 하나의 중요한 요소가 된다. 한 가지 교수 전략이 다른 교수 전략과 같은 수행 성과를 산출하였지만 더 적은 인지 자원을 사용하였다면 그 첫 번째 전략이 더 효율적인 것이다. 효율성(E)은 다음의

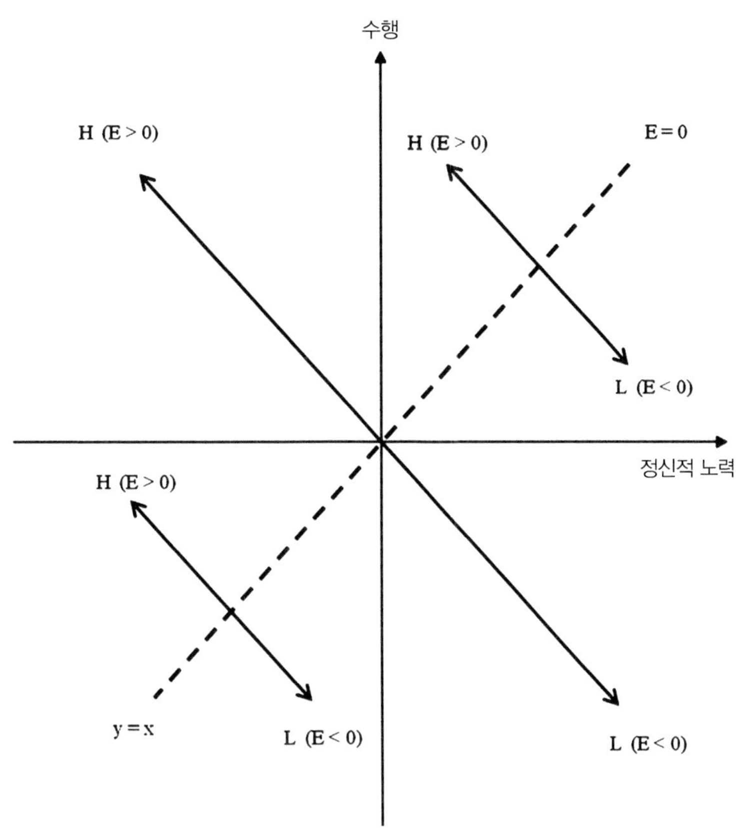

그림 6.1
효율성에 대한 그래픽 표상

공식을 사용해서 산출된다.

$$E = (Z_{\text{Ptest}} - Z_{\text{Etest}}) / \sqrt{2}$$

Z_{Ptest}는 표준화된(Z 점수) 성취 검사 점수를 나타내고, Z_{Etest}는 성취 검사 후에 수집된 표준화된 정신적 노력 점수를 나타낸다. 이 공식은 어떤 점으로부터 한 선($y = x$)까지 직교거리에 대한 수학적 계산을 토대로 한다. 효율성에 있어서 차이는 간단한 그래픽 표현([그림 6.1] 참조)으로 설명될 수 있다. 수행에 대한 Z점수와 정신적 노력의 Z점수가 같을 경우 E값은 0이며, [그림 6.1]의 대각선($y = x$)과 같이 된다. 이 선 위($E > 0$)에 위치한 점들이 효율적인 학습을 나타내고 이 선 아래($E < 0$)에 위치한 점들이 비효율적인 학습을 나타내는 반면, 이 선상에 있는 모든 점들은 $E = 0$과

같다. Paas 등(2003b)은 낮은 교수 효율성은 낮은 과제 수행과 높은 정신적 노력으로부터 산출되는 반면(그림에서 L 영역) 높은 교수 효율성은 높은 과제 수행과 낮은 정신적 노력으로부터 산출된다고(그림에서 H 영역) 설명한다.

효율성 측정 방법에 대해 검토하기 위해, van Gog와 Paas(2008)는 1993년부터 2007년까지 효율성 측정 방법을 사용한 30편이 넘는 인지부하이론 관련 연구들을 문서화하였다. 그러나 위에서 언급했듯이 van Gog와 Paas(2008)는 정신적 노력에 대한 주관적 평가가 수집되는 방식에도 영향을 주는 변수들이 있는데, 정신적 노력의 척도가 효율성 공식에 반드시 필요하기 때문에 그러한 변수들이 효율성 측정 방법에도 영향을 미친다는 것을 지적하였다. van Gog와 Paas는 이렇게 다른 방법들로 서로 다른 효율성 유형들이 측정될 수 있음을 주장하였다. 지식 습득 직후 측정(post-acquisition maesures)을 사용하는 것은 훈련 효율성을 보여주는 반면, 성취검사 후에 수집된 정신적 노력 척도를 사용하는 것은 스키마와 같은 인지구조의 습득 등의 학습 결과(learning consequences)를 측정해준다.

학습 효율성이 스키마 습득이나 스키마 자동화에 대해 알려주는 좋은 지표가 될 수 있다는 것에 동의한다. 학습자들이 새로운 스키마를 습득했고 별다른 노력을 들이지 않고 그것을 사용할 수 있다면, 그 교수방법의 필요도가 높다고 할지라도 스키마 습득을 가장 강력한 것으로 간주할 수 있다. 그럼에도 불구하고 교수활동의 효율성은, 4부에서 논의된 인지부하 효과들의 주요 고려사항인 학습과정이 얼마나 효율적인가를 보여주는 것과 같이 중요한 역할을 지닌다. 교수설계에 따라 쉬워지기도 하고 어려워질 수도 있다는 것을 아는 것이 인지부하이론에서 매우 중요한 사실이다. 이러한 교수설계적 접근의 차이에도 불구하고, 지식 습득 직후 측정된 훈련의 효율성 지표와 성취 검사 이후 측정된 효율성 지표 모두 교수설계에 적절한 정보를 제공해줄 수 있다.

효율성 계산에 있어서 문제점

그러한 폭넓은 척도 사용에도 불구하고, Hoffman과 Schraw(2010)는 교수 효율성의 계산과 관련하여 몇 가지 우려를 제시하였다. 효율성에 대한 검토 연구에서, Hoffman과 Schraw는 Paas와 van Merriënboer의 원조 모형이 표준화된 수행 점수와 표준화된 노력 점수 간의 상이함(불일치라는 모순)을 토대로 하였음을 이유로 들면서 그것을 편의 모형(deviational model)으로 분류하였다. 그들은 개념적으로 상이한 두 변수들 간의 뺄셈의 의미를 해석하기 어렵다고 주장하였다. 그들은 어떤 한 개인의 지능과 체중에 대한 *Z*점수들 간의 뺄셈과 같다고 지적하였다. 그 결과로 얻은 점수가 정확히 무엇을 가리키는 것인지 알기 어려울 것이다.

Hoffman과 Schraw는 또한 *Z*점수에 대하여, 효율성 측정 방법은 그룹 데이터만을 토대로 가능하므로 개인적인 효율성 비교에는 사용될 수 없는 규준 참조 점수임을 주지시켰다. 한편, 그들은 또한 개인의 효율성을 비교하는 것이 문제가 아니라, 전체적인 처치 안에서 제공되는 차이들이 비교되고 있는 것이 문제임을 제시하였다. 4부에서 다루어지겠지만, 인지부하이론의 논리하에 수행된 대부분의 연구들이 전체적인 그룹 차에 모두 관심을 두고 있으므로 개인적인 비교 자체를 문제 삼지 않았다. 편의 모형에 대한 대안으로, Hoffman과 Schraw는 수행과 주관적 측정 척도의 비율을 토대로 하는(Kalyuga와 Sweller, 2005; Kalyuga, 2008b에서 사용된 척도, 자세한 내용은 13장 참조) (1) 가능 모형(likelihood model)과 확률들의 비율(ratios of probabilities)을 토대로 하는 (2) 조건적 가능 모형(conditional likelihood model)이라는 다른 두 가지 방법의 장점을 제시하였다.

Hoffman과 Schraw는 편의 모형을 비하하지 않고, 연구 목적에 따라 적합한 서로 다른 방법이 있음을 주장하였다. 수행과 노력 점수 순위 간의 차이를 조사하고자 한다면, Paas와 van Merriënboer의 편의 모형이 유용하다. 그렇지만 Hoffman과 Schraw의 분석을 토대로 한 수행 평가와 주관적 평가의 비율(가능 모형)은 계산하기 매우 간단해서 개별적인 효율성 측정치를 결정하는 데 사용될 수 있다. 그러한 개별적인 측정치들은 전반적인 처치 효과를 비교할 때 반드시 필요한 그룹 효율성을 제시하기 위해서도 쉽게 사용될 수 있다. 우리는 가능 모형을 훨씬 발전적으로 사용한 연구가 나오기를 기대한다.

이차 과제를 통한 인지부하 측정

위에서 설명한 주관적 측정 방법들은 인지부하를 측정하기 위해 가장 자주 사용되는 수단이었다. 그러나 작동기억 부하를 측정하는 전통적인 방법은 일차 과제와 함께 이차 과제를 사용하는 것(이중과제 방법론, dual-task methodology)이다(Britton &

Tesser, 1982; Kerr, 1973). 이차 과제는 학습자가 학습이나 문제해결을 하는 일차 과제에 더하여 이차 과제로 부가적 인지활동에 참여하도록 요구하는 것이다. 예를 들면, 학습자에게 일차 과제로 일군의 수학문제를 푸는 방법을 학습하는 것뿐만 아니라 이차 과제로 어떤 특정한 소리에 특정 방식으로 반응하도록 하는 것이다. 일차 과제에 내포된 인지적 부담이 클 경우 이차 과제에 대한 수행은 저하된다. 반대로 일차 과제에 대한 인지적 부담이 낮다면 이차 과제에 대한 수행이 향상되는 결과가 발생될 수 있다.

일반적으로 이차 과제는 일차 과제와 매우 다르고 일차 과제보다 적은 작동기억 자원을 필요로 하는데, Sweller(1988)는 이와 다른 형태를 창안하였다. Sweller는 (1) 문제를 해결하는 것이 일차 과제가 되고, (2) 그 경험으로부터 학습하는 것이 이차 과제가 되는 두 가지 처리과정과 관련된 것으로, 문제해결을 통해서 학습하기를 요구하는 과제로 고안하였다. 달리 말하면, 학습자가 문제해결하는 것을 일차 과제로 취급할 때, 이는 학습자가 이차 과제인 문제해결을 통해 하는 것을 방해할 수 있다. 문제가 복잡할수록 그로부터 배우는 것이 적어질 것이다. 주어진 문제와 이전 문제의 해결안을 기억해내는 것으로 구성된 이차 과제를 토대로 한 경험적 연구 결과가 이 주장을 지지한다. 문제해결과 관련된 인지부하를 줄이기 위해 고안된 교수적 처리과정(해결된 예제 등)들은 앞에 제시된 문제들에 관해 기억할 수 있는 정보의 양을 증가시켰다.

보다 더 전통적인 이차 과제 사용 방법으로, Marcus 등(1996)은 요소 상호작용성에 대해 조사하였는데, 특히 그림이 텍스트로만 표현된 같은 내용과 비교해서 요소 상호작용성을 얼마나 줄일 수 있을지 연구하였다. 이 연구에서, 두 가지 유형의 이차 과제가 사용되었는데, 각각 일차 과제를 구성하는 학습 삽화를 포함하였다. 첫 번째 실험에서 이차 과제는 삽화를 공부하는 도중에 무작위로 제시되는 소리를 인식하는 것이었다. 그 소리를 들으면 학습자들은 발로 페달을 밟아서 반응해야 한다. 일차 과제가 어느 정도 인지적인 기여를 요구하는가, 즉 인지부하를 나타내는 일종의 측정 방법으로 사용되었다. 두 번째 실험에서 이차 과제는 삽화를 공부하는 도중에 제시되는 두 자리 숫자를 기억하는 것이었다. 이 때, 인지부하에 대한 측정 방법으로 이차 과제 회상에 대한 정확성이 사용되었다. 두 가지 이차 측정의 유형 모두에서 학습성과와 일치하는 유의미한 결과가 발견되었다. 다이어그램과 요소 상호작용성이 낮은 자료를 사용한 그룹이 더 높은 학습성과를 보였고 이차 과제에서 더 높은 수행을 보였다. 따라서 인지부하 논리를 지지하고 있다.

Chandler와 Sweller(1996)도 교수 양식에 맞추어 변화된 글자 회상하기의 이차 과제를 제시하는 이중 과제 방법론을 사용하였다. 이러한 이차 과제를 위해 소리와 함께 두 개의 차별화된 글자들이 학습 내용 습득 도중에 컴퓨터 스크린 위에 팔방으로 흩어져서 제시된다. 학습자들은 두 번째 글자를 기억하는 동안에 첫 번째 글자를 회상해야 한다. 연구 결과 인지부하를 줄이기 위해 고안된 우수한 학습전략이 이차 과제에 대해 높은 점수를 거둔 것으로 나타났다. 뿐만 아니라 요소 상호작용성이 높은 학습자료일 경우에만 교수전략과 이차 측정 방법에서 유의한 차이가 발견되었다. 요소 상호작용성이 낮은 자료는 비효율적인 학습전략을 극복하기에 충분히 많은 작동기억 자원이 있어서 이차 과제에 대한 수행이 영향을 받지 않았다. Halford, Maybery와 Nain(1986)은 학습과제가 아닌 문제해결 과제에서도 높은 요소 상호작용성 수준에 따라 높은 작동기억 부하가 필요함을 보여주기 위해 이차 과제 방법을 사용하였다.

Brünken, Steinbacher, Plass와 Leutner(2002)는 학습자들에게 주요 교수자료 위에 표시되는 글자색의 변화에 주의를 기울이도록 하였다. 글자색이 변하면, 학습자들은 컴퓨터 키보드위의 키를 눌러야 했다. 인지부하의 측정치로 이 이차 과제에 대한 반응시간이 사용되었다. 이차 과제의 결과는 학습 수행이 가장 높은 그룹에서 인지부하가 가장 낮았고 다시 인지부하이론의 예견을 지지하는 것으로 나타났다.

앞서 제시된 연구에서 이차 과제는 시각자료였다. 후속 연구에서 Brünken, Plass와 Leutner(2004)는 청각으로 된 이차 자료의 효과를 조사하였다. 청각자료와 시각자료는 작동기억의 서로 다른 하위 시스템에서 처리된다는 가정(Baddeleym 1986)을 토대로 한 주장을 사용해서, Brünken 등(2004)은 다른 이차 과제 양식(청각 혹은 시각)이 서로 다른 작동기억 경로 안의 인지부하 변수를 감지할 것이라는 논지를 전개하였다. 좀더 구체적으로 설명하자면, 청각적 이차 과제로 청각 채널 내의 인지부하 차이를 파악할 수 있을 것이다. 이러한 가정에 대해 Brünken 등(2002)의 연구에서와 같은 학습자료이지만 이차 과제를 다르게 해서 검사하였다. 색의 변화를 인식하는 것을 대신해서, 학습자료 안에 단음(소리)을 무작위로 삽입하였다. 그런 다음 인지부하의 차이를 파악하기 위해 반응시간을 사용하였다. 예상대로, 청각적 요소가 들어있지 않은 학습자료보다 청각 정보가 들어있는 학습자료에서 청각 작동기억 채널 안의 더 많은 자원이 사용되었다. 위에서 제시한 두 편의 연구

(Brünken et al., 2002, 2004)는 이차 과제의 감각양식(청각 혹은 시각)이 중요한 변수임을 보여준다.

van Gerven, Paas, van Merriënboer와 Schmidt(2006)도 시청각 교수자료를 연구하는 중에 이차 과제를 사용하였다. 이 연구에서, 이차 과제는 학습자료 앞에 놓인 주크박스 버튼의 조명을 감지하는 것이었다. 이 연구에서, 시청각 형태와 순수한 시각 표상이 비교되었고, 나이에 대한 영향도 연구되었다. 학습 결과는 젊은 학습자들이 나이 든 학습자들보다 수행에서 높았지만 자료의 양식에 따라서는 효과가 발견되지 않은 것으로 나타났다. 이 연구에서 사용된 이차 과제는 젊은 학습자들이 나이 든 학습자들보다 더 빠른 반응시간을 보인다는 결과를 반영하였다. 뿐만 아니라, 인지부하(난이도)에 대한 주관적 측정치도 수집되었는데 나이와 양식에 있어서 유의한 차이를 보였다. 흥미로운 것은, 검사 수행에서는 양식에 따른 효과가 발견되지 않았지만, 주관적 측정 방법은 단일 양식 표상보다 이중 양식 표상이 더 쉽게 인식된다는 것을 보여주었다. 이 연구는 이차 과제를 사용하는 것보다 주관적 측정 방법이 더 효과적일 수 있음을 보여주었다.

인지부하이론 연구는 주관적 측정 방법이 이차 과제의 사용보다 인지부하에 대한 지표로 훨씬 더 효과적임을 보여주고 있다. 이 두 가지 측정 방법은 각각의 차별적인 사용에 대한 중요한 논리를 제공할 수도 있을 것이다. 주관적 측정 방법들은 쉽고 빠르게 수행될 수 있다. 그러한 방법들은 학습자를 개별적으로 검사할 때, 혹은 특정한 장비 없이 전체 클래스를 대상으로 사용될 수도 있다. 반대로, 이차 과제는 훨씬 더 많은 계획을 필요로 하며 이차 과제의 특성에 따라 장비가 필요할 수도 있다. 그리고 이차 과제는 주관적 측정 방법보다 훨씬 더 정상적인 교실 학습에 방해를 끼칠 수 있다.

그럼에도 불구하고, 이차 과제를 사용하는 장점도 있다. 그 중요한 장점은 주관적 측정 방법은 과제가 완료된 후에 인지부하의 총합만을 알 수 있는 반면에, 이차 과제 방법은 과제 도중에 인지부하에 대한 지속적인 측정치를 제공할 수 있다는 것이다. 다음 절에서 다루게 될 신체적 측정 방법은 순간적인 인지부하에 대해서도 더욱 정확한 측정값을 제공할 가능성이 있다.

우리가 알고 있는 한, 인지부하의 효율성에 대한 측정 방법이 이차 과제를 사용해서 계산되었던 적은 없다. 계산하지 않을 이유는 없다. Hoffman과 Schraw(2010)에 의해 논의된 모든 효율성 측정 방법들은, 일단 어떤 한 가지 인지부하의 값이 설정되었다면 주관적 척도를 사용하는 것과 마찬가지로 바로 이차 과제를 사용해서도 쉽게 계산될 수 있는 것이다.

인지부하의 생리학적 측정

Paas와 van Merriënboer(1994)는 주관적 측정 방법이 더 많은 잠재 가능성을 보여주었다고 주장하면서, 주관적 측정을 심장박동의 스펙트럼 분석에 비유하였다. 그럼에도 불구하고 이후 십년 동안 인지부하이론 연구자들에 의해 어떠한 생리학적 연구도 수행된 것이 없었다. 그렇지만 보다 최근에, 그러한 방법들이 다시 출현하였다. 인지적 동공 반응(cognitive papillary response)도 검사되었던 한 가지 방법이다. van Gerven, Paas, van Merriënboer와 Schmidt(2004)는 Kahneman과 Beatty(1966)의 연구를 인용하면서 동공 크기가 기억부하와 관련될 수 있음을 주장하였다. 서로 다른 기억부하 수준을 필요로 하는 일련의 과제들을 사용해서, 기억부하의 증가 수준에 따라 동공 확대가 증가되었다는 제안이 확인되었다. 그러나, 나이 든 참가자들이 몇 가지 인지적 과제에 대해서 이러한 상관을 보이지 않았던 것처럼 동공 반응 방법은 나이에 따라 제한될 수도 있음이 발견되었다.

연구자들은 인지부하를 측정하기 위하여 기능적 자기공명영상(functional magnetic resonance inmaging: fMRI, Ayres, & Pachman, 2008; Whelan, 2007)과 뇌파(eletroencephalography: EEG, Antonenko, Paas, Grabner, & van Gog, 2010)와 같은 기법들을 사용하기를 주장해왔다. 이러한 관심은 더욱 정교화된 기술의 발전으로 이어졌다. 생리학적 방법이 상당한 이점을 가져올 수 있음을 보여주기 위한 연구가 시작되었다. 예를 들면, Antonenko와 Niederhauser(2010)는 하이퍼텍스트를 가지고 하는 학습을 조사했던 연구에서 주관적 측정값과 EEG 측정값을 모두 수집하였다. 주관적 측정 방법으로 정신적 노력 척도가 사용되었고, EEG는 알파, 베타, 세타 두뇌 파장 리듬을 캡처하였다. 수행 점수는 안내에 따라 하이퍼텍스트(노드들을 함께 연결하는 도입 텍스트)를 사용하는 것이 안내 없이 하이퍼텍스트를 사용하는 것보다 더 높은 학습성과를 거두었음을 보여주었다. 정신적 노력 측정값에서 그룹 간 차이가 발견되지는 않았지만 하이퍼텍스트 안내 그룹에서 알파, 베타, 세타 측정값이 유의하게 낮았다. 하이퍼텍스트 안내가 인지부하를 낮추었지만, 그러한 차이를 드러내주는 것은 EEG 측정 방법뿐이었다는 결론이다. 주관적인 방법의 실패에 관한 설명으로, Antonenko와 Neiderhauser는 주관적 측정 방법이 전체 부하만을 측정할 수 있는 반면 EEG 방법의 장점은 전체 부하뿐만 아니라 순간성, 최고점, 평균, 누적량과 같은 부하에 대한 다양한 정보를 반영하였음을 주장하였다(인지부하에 대한 시기적 측면에 관한 보다 자세한 내용은 Xie & Salvendy, 2000 참조).

van Gog, Rikers와 Ayres(2008)도 인지부하에 대한 순간적인 측정의 장점에 대해 논의하였다. van Gog 등은 학습과 검사 도중에 수집될 수 있는 시선 추척 및 심장박동 모니터링과 같은 온라인 방법들과, 과제를 방해하지 않고 활동이 완료되고 난 다음에만 수집될 수 있는 주관적 측정 방법과 같은 오프라인 자료를 구별하였다. 지난 몇 년간, 인지부하이론과 멀티미디어 환경에 관한 연구는 인지적 처리과정에 관한 보다 깊은 통찰을 얻기 위해 시선 추적을 사용해왔다(van Gog & Scheiter, 2010). 인지부하상의 변화를 측정하기 위해 시선 추적이 사용될 수 있다는 몇 가지 증거들도 출현하였다. Underwood, Jebbert와 Roberts(2004)는 텍스트와 그림의 서로 상이한 조합들은 상이한 인지적 처리과정의 수준을 요하는 것을 발견하였는데, 이는 시선 고정이 다음과 같이 서로 부합하는 것으로서 확인되었다. 대체적으로 길게 고정된 시선은 인지적 처리가 더 많이 필요함을 나타낸다. 결론적으로, 시선 추적 데이터는 학습자가 어디에 집중하는지를 알려줄 뿐만 아니라 얼마나 길게 집중하는지도 알려줌으로써 어디에서 인지부하가 발생하고 그것이 어느 정도 큰지를 가늠할 수 있게 해준다는 장점이 있다.

잠재적 가능성을 보여주는 또 다른 온라인 전략은 언어 복잡성에 대한 지표를 사용하는 것이다. 생리학적 측정 방법과 그 특성이 다르지만, 언어 표현의 복잡성은 학습과제와 테스트 과제를 수행하면서 동시에 측정되는 능력인 생리학적 측정치와 많은 특징들을 공유한다. Khawaja, Chen과 Marcus(2010)는 난이도가 증가할수록 언어 표현에서 어휘 밀도가 떨어진다는 논의를 제시하였다. 이 효과는 산불 사고를 관리하는 팀을 대상으로 한 연구에서 발견되었다. 산불 관리 업무 과제가 어려워질수록 예견치 못한 사건 발생을 포함해서 관리 팀의 언어 표현 패턴이 과제 복잡성에 따라 밀도가 줄어드는 방식으로 변화하였다. 따라서 언어 표현의 복잡성에 대한 측정 방법은 인지부하에 대한 또 하나의 유용한 과제와 부하가 연결된(online) 지표가 된다.

불안한 출발 이후, 생리적 지표와 같이, 주관적 측정 방법의 대안으로 사용될 수 있는 인지부하의 지표들에 현재 연구의 관심이 상당히 많이 모이고 있다. 몇 가지 기법들은 가능성이 있긴 하지만, 현재 연구에서 관심을 기울이고 있는 것이 믿을 만한 결과로 나올 것이라고 판단하기에는 아직 이르다. 과거, 생리학적 측정 방법들은 인지부하이론이 사용된 교수설계에 의해 발생된 인지부하의 차이를 제대로 보여줄 정도로 충분히 민감하지 못하다는 것이 입증된 바 있다. 충분히 민감한 생리학적 측정 방법들을 찾기 위한 시도가 과연 성공적으로 입증될지 확인하는 일이 남아있다.

인지부하 유형별 측정

인지부하의 유형 규명에 따라(Sweller, van Merriënboer, & Paas, 1998), 인지부하를 토대로 한 이론적 예측들이 더욱 정교화되었다. 어떤 교수설계가 왜 효과적인지 혹은 왜 효과적이지 않은지를 주장하기 위해서 전체 인지부하를 그냥 사용하는 대신에, 연구자들은 자신의 가정을 형성하는 데 있어서 인지부하 유형들을 구별하기 시작하였다. 그러므로 지난 십 년간 상이한 인지부하 유형에 대한 개별 측정 방법을 획득하는 데 많은 관심을 기울여왔다.

이론적으로 내재적 인지부하와 외재적 인지부하가 전체 부하로 합산된다고 가정하면, 실험을 위한 목적으로 내재적 인지부하와 외재적 인지부하를 구별하는 것은 간단한 일이다. 어떤 교수 실험에서 내재적 인지부하가 일관되게 유지되지만 교수적 조건들 간에 외재적 인지부하가 다르다면, 자기평가 척도에 의해 나타나는 인지부하 측정값의 모든 차이는 틀림없이 외재적 인지부하의 차이 때문인 것이다. 이와 같이, 외재적 인지부하를 일관되게 유지하고 내재적 인지부하에 변화를 준다면 모든 측정값의 차이는 내재적 인지부하의 차이 때문인 것이다. Ayres(2006a)는 내재적 인지부하를 측정하기 위한 첫 번째 시도에 이러한 논리를 사용하였다.

문제해결 과제를 사용해서 Ayres(2006a)는 학생들에게 후속 계산이 필요한 일련의 대수 문제를 완료하도록 하였다. 학생들은 사전에 이러한 문제해결을 위한 수업을 받았기 때문에 별도의 수업 없이 진행되었다. Ayres는 교수적 요인에 의해서 발생되는 외재적 인지부하는 일정한 것으로 추론하였다. 이전 연구에서, Ayres(2001)는 계산할 곳의 위치에 따라서 학생들이 특정한 오류율을 보이는 것을 발견하였다. 몇 가지 연산들은 다른 것들보다 요소 상호작용성이 더 높았으며, 이로 인하여 그 지점에서 큰 오류율이 발생하였다. Ayres(2006a)의 연구에서, 문제를 완료하면 학생들이 각 계산이 '얼마나 쉬운지 혹은 어려운지' 발견한 대로 평가하도록 하였다. 연구 결과, 난이도 수준과 오류 패턴 간에 일관된 연계성이 나타났다. 인지부하에 대한 자기평가를 통해서, 학생들은 문제들 안의 요소 상호작용성(내재적 인지부하)에 유의한 차이가 있음을 실제로 파악할 수 있었다. 더 많은 내용 지식을 지닌 학생들은 지식이 적은 학생들보다 평가를 통해 내재적 부하의 난이도를 더 잘 파악한다는 것도 발견하였다. 대체로 전문성은 학생들이 각 연산에 관련된 내적인 처리과정을 더 깊이 성찰하게 해주고, 연구 결과에서 부하를 더 정확하게 평가할 수 있게 해준다. 높은 수준의 내용 지식을 갖춘 학생들은 거의 실수를 하지 않았지만, 그들은 여전히 요소 상호작용성의 수준을 구별할 수 있다. 이 연구에서는 상이한 인지부하 유형별로 구분된 측정 방법을 제시하지 못하였다. 오히려, 외재적 인지부하를 일관되게 유지함으로써 부하상의 모든 차이가 내재적 부하로 인해 발생된 것으로 짐작하도록 할 수 있었다.

DeLeeuw와 Mayer(2008)는 서로 다른 도구로 내재적, 외재적, 본유적 인지부하를 따로따로 측정할 수 있을지 조사하기 위하여 주관적 측정 방법과 이차 과제로 구성된 혼합 방법을 사용하였다. DeLeeuw와 Mayer는 내재적 인지부하는 멀티미디어 교수자료 안에서 설명 문장의 수를 증가시킴으로써 조작할 수 있고, 외재적 인지부하는 동일한 음성(spoken) 텍스트와 문자 텍스트로 구성된 중복자료를 변화시켜서 조절할 수 있다고 주장하였다. 전이 과제에 대한 수행은 본유적 인지부하를 측정하는 방법으로 보았다. 인지부하가 수집된 세 가지 측정 방법은 수업(lesson) 도중에 배경색의 변화로 구성되는 이차 과제에 대한 반응 시간, 수업 도중에 수집된 정신적 노력에 대한 자기평가, 그리고 수업 후에 수집된 난이도에 대한 자기평가였다. 두 가지 실험에서, 이차 과제는 중복(외재적 인지부하) 조작에 가장 민감하고, 정신적 노력 평가는 문장 복합성(내재적 인지부하)의 변화에 가장 민감하며, 난이도 평가는 전이 결과의 차이에 가장 민감한 영향을 미치는 것으로 나타났다. 전이 검사 점수가 높은 학생들은 본유적 노력을 더 많이 투입한 것으로, 반면 전이 검사 점수가 낮은 학생들은 본유적 노력을 덜 투입한 것으로 보였다.

이러한 연구 결과는 측정 방법에 따라 서로 다른 처리과정에 접근할 수 있고, 서로 다른 민감성을 드러낼 수 있음을 보여준다. 그렇지만, 그 연구에서 사용된 세 가지 측정 방법들이 과연 상이한 인지부하 유형들을 구별해낼 수 있는지에 대해서는 의심의 여지가 있다. 이차 과제가 어째서 정신적 노력 평가보다 외재적 인지부하에 더 민감해야 하는 것인지, 혹은 정신적 노력 평가가 왜 내재적 인지부하에 특별히 더 민감해야 하는지가 명확하지 않다. 뿐만 아니라, 전이 수행 결과가 과연 필연적으로 본유적 인지부하에 대한 측정 방법인지도 의심스럽다. 게다가 현재 공식에 의하면, 본유적 인지부하는 단지 내재적 요소 상호작용성에 의해 내포되는 부하의 합을 반영하는 것이어서 독립적으로는 전체 부하에 기여하지 못한다는 것을 주지할 필요가 있다. 그럼에도 불구하고, 조작의 특성에 따라서 상이한 방법들이 서로 상이한 결과를 산출하였다는 것은 흥미로운 일이다. 다른 연구(Cierniak, Scheiter, & Gerjets, 2009b; van Gerven et al., 2003)에서도, 동일한 연구 안에서 인지부하에 대한 자기평가와 이차 과제 측정 방법을 함께 사용하였다.

인지부하의 상이한 측면들을 측정하기 위한 노력으로, 몇몇 연구자들은 NASA 과제 부하 지표(NASA Task Load Index: 이하 NASA-TLX, Hart & Staveland, 1988)로 불리는 다면 척도의 영향을 받았다. NASA-TLX는 과제를 완료하는 것과 관련된 서로 다른 요인들을 측정하는 여섯 가지 하위척도, 즉 (1) 정신적 요구도(정신적·지각적 활동이 얼마나 많이 필요한가?), (2) 신체적 요구도(신체적 활동이 얼마나 많이 필요한가?), (3) 시간적 요구도(시간 압박이 얼마나 많이 발생하는가?), (4) 수행(실험에서 제시된 과제 목표를 성취한 데 대해 얼마나 성공적이라고 생각하는가?), (5) 노력(당신의 수행 수준을 성취하기 위해 작업한 것이—정신적 · 신체적으로—얼마나 힘든가?), (6) 좌절 수준(과제를 하는 동안에 느꼈던 것이 얼마나 불안하고, 낙심하고, 초조하고, 스트레스였는가 혹은 얼마나 확신하고, 만족하고, 편안하였는가?)으로 구성된다. 정신적 부하에 대한 전체 측정값은 이 여섯 가지 하위척도들을 혼합한 계산법을 통해 구할 수 있다.

NASA-TLX에 대한 최근 성찰에서, Hart(2006)는 NASA-TLX 척도는 인터페이스 설계와 평가에 관심을 기울인 연구들에서 주로 사용되어 왔다고 주장한다. 뿐만 아니라, 비행에서 사용하고자 했던 그 본래 설계의 일관성을 유지하여, 많은 연구들에서 항공 교통 통제 및 다른 우주항공 활동에 초점을 맞추었다. 반면, 인지부하이론 연구자들은 학습 환경에 초점을 맞추어 하위척도 중 몇 가지만을 선택하거나 문항의 말을 바꾸는 식으로 도구를 수정하였다. 서로 다른 인지부하 유형들을 측정하기 위한 한 연구에서 Gerjets, Scheiter와 Catrambone(2006)은 NASA-TLX로부터 세 가지 문항을 선정하였다(Gerjets, Scheiter, & Catrambone, 2004 참조). 그것은 '과제 요구도'(학습 과제를 완료하기 위해서 얼마나 많은 정신적·신체적 활동이 필요했었는가),

'노력'(학습 환경의 내용을 이해하기 위해서 참가자가 얼마나 힘들게 작업해야 했는가), '탐색 요구도'(학습 환경을 탐색하기 위해서 참가자가 얼마나 많은 노력을 투입해야 했는가)이다. Gerjets 등(2006)은 이러한 각 항목이 차례대로 내재적, 외재적, 본유적 부하와 일치할 수 있다고 주장하였다. '해결된 예제(worked examples)'의 복잡성을 조작한 한 연구의 결과는 검사 수행 데이터와 대체로 일치하는 것으로 나타났다. 다시 말해서, 가장 높은 학습성과 그룹은 가장 낮은 인지부하를 보고하였다. 그렇지만, 세 가지 측정 방법이 이미 제시된 바와 같이 서로 다른 인지부하의 유형과 일치함을 지지하는 연구 증거는 없다.

인지부하에 대한 더욱 차별화된 측정 방법에 대한 조사에서, 부하를 표상하는 상이한 유형이 무엇인가에 대한 생각으로 문항의 진술문을 나열하고자 하는 경향도 있었다. 예를 들면 Cierniak 등(2009b, p. 318)은 '학습내용이 당신에게 얼마나 어려웠습니까?', '그 자료를 가지고 공부하는 데 얼마나 어려웠습니까?', '학습 중에 당신은 얼마나 집중했습니까?'와 같은 문항들을 사용하였다. 문항 진술문의 선택은 '학습내용'은 내재적 부하로 연결시키고, '자료를 가지고 공부하기'는 외재적 부하에 연결시키고자 하였다. 집중(concentration)은 학습 관련 처리과정에 대한 주의집중을 반영하므로 본유적 부하를 표상한다고 주장하였다. 이 연구에서, 인지부하 측정값들과 수행 데이터 간에 유의한 일치성이 발견되었다.

그러나 검사 수행과 인지부하 측정값은 일치하지만 이론적 예측과는 일치하지 않는 경우도 있다. Gerjets, Scheiter, Opfermann, Hesse와 Eysink(2009)는 진술문의 변화를 더욱 다양하게 사용하였다. 학생들은 '학습 영역의 어려움'(내재적 부하를 의도함)과 '예제를 이해하는 데 정신적 부하가 얼마나 많이 들었는지'(본유적 부하를 의도함)에 수준을 표시하도록 하였다. 외재적 부하를 위해서는 '중요한 내용과 중요하지 않는 내용을 구분하시오'와 '학습 환경에서 다루고 있는 것의 어려운 정도를 표시하시오'라는 두 가지 진술문을 사용하였다. 그러나, 이 연구에서는 인지부하 측정값과 학습성과물 간에 예견했던 일치를 발견하지 못하였다.

위의 인지부하의 상이한 유형에 대한 측정값과 심리측정학적 시도 사이의 불일치가 예견치 못했던 것은 아니다. 인지부하의 유형들 간의 심리측정학적 특징을 구분하기 위해서는, 학생들로 하여금 그들이 경험하고 있는 인지부하가 인지부하의 어떤 특정한 유형에 의한 것인지 아닌지를 지적하게 하는 것이 필요하다. 우리는, 학습자들 특히 초보 학습자들이 그러한 구분을 할 수 있을지 의심스럽다. 예를 들어 몇 가지 새로운 개념을 학습하려고 시도할 때, 학습자들은 그 과제 난이도가 어느 정도인지 정확하게 지적할 수 있을 것이다. 반면, 자료의 내재적 특성이나 그 자료가 표현되고 있는 방식에 대해 그들이 느낀 난이도를 표시하는 것은 정확성이 훨씬 떨어질 것이다. 대부분의 경우, 이 책의 4부에서 논의된 것들과 같은 대안적인 교수절차들을 학습자들이 인식하고 있지 않다면, 학습자들은 그 교수절차들이 어떻게 변할 수 있을지에 대해 이해하지 못할 것이다. 학습자들이 교수설계 원리에 익숙하지 않다면, 그들이 경험하고 있는 난이도 수준이 부적절한 교수설계 때문인지 혹은 그들이 다루고 있는 내용의 본질적인 복잡성 때문인지 지적할 위치에 있지 않은 것이다. 이러한 상황 조건에서, 인지부하가 어떤 한 가지 요인에 의해 발생되었다고 지적하도록 설계된 심리측정학적 실험절차는 실패하기 쉽다(Kirschner, Ayres, & Chandler, 2011).

인지부하의 유형들에 대한 심리측정학적 측정 방법에 대한 한 가지 대안이 있다. 한쪽을 일관되게 유지하는 동안에 다른 한쪽에 변화를 주는 무작위 통제 실험은 내재적 인지부하와 외재적 인지부하가 독립되어 있다는 지표를 제공하고, 동시에 관련 교수적 결과에 대해서도 알려준다. 4부에서 제시된 바와 같이, 내재적 혹은 외재적 관련 인지부하가 실험적으로 구분될 수 있기 때문에, 심리측정학적 수단을 사용해서 인지부하의 범주에 따른 효과를 판단하는 것의 어려움은 별 문제가 되지 않는다.

요약

이 장에서는 인지부하를 측정하기 위해 연구자들에 의해 사용된 주요 방법들을 소개하였다. 인지부하이론의 초기에, 다양한 교수적 효과들이 인지부하의 변화에 의해 설명될 수 있다는 증거를 제공하기 위하여 오류율, 과제에 대한 소요 시간, 계산 모형과 같은 간접적 방법들이 어떻게 사용되었는지 제시되었다. 이러한 간접적 측정 방법들이 수행 검사 점수와 함께 인지부하이론을 강화하였다. Paas(1992)가 정신적 노력에 대한 단일 척도로 된 자기평가 방법을 제시한 후에는 간접적 측정 방법으로부터 유의미한 조치를 찾고자 하는 노력이 줄기 시작하였다. 이 측정 방법과 그 파생물(난이도 척도)이 교수 효율성 측정 방법과 함께, 수많은 연구에 사용되었고 인지부하이론의 발전을 위한 매우 중요한 도구가 되었다. 대부분의 연구에서, 모든 인지부하이론의 효과를 지지하는 데 자기평가 방법이 부수적인 증거로 제공되었다. 그럼에도 불구하고, 자기평가 척도들은 실시간의 동시적 데이터를 제공하지는 못하였다. 학습이 끝나고 난 후에 측정한 인지부하 지표만을 제공하기 때문에 학습이나 문제해결 도중에 인지부하의 변화를 판단하는 데 사용할 수 없다. 학습과의 동시적 데이터를 제공할 수 있는 대안적 측정 방법은 이차 과제의 사용이다.

이차 과제는 자기평가 척도보다 자주 사용되진 않았다. 왜냐하면 이차 과제는 학습을 방해하는 경향이 있고 더 복잡한 실험 조건이 필요하고, 때로는 더 복잡한 장비도 필요하기 때문이다. 이차 과제의 장점은 학습이나 문제해결 도중에 인지부하를 측정할 수 있다는 것인데, 이는 단점이기도 하다. 이차 과제는 사용하기가 어려울 수 있다. 반대로 자기평가 방법은 학습이나 문제해결 후에 즉시 제시될 수 있고 보통 진행하는 데 30초면 충분하다. 그럼에도 불구하고, 인지부하 내의 예측된 변화를 보여주기 위해서 인지부하이론 연구에서 이차 과제가 성공적으로 사용되어 왔다. 시선 추적과 같은 동시적이고 지속적인 인지부하 판단 방법과 EEG의 활용과 같은 생리학적 방법 등이 잠재적 방법으로 출현하기 시작했지만 아직 초기 검증 단계이고 효과를 증명하기 어려운 단계다.

요약하면, 인지부하를 측정하기 위하여 수많은 방법들이 사용되었다. 정신적 노력이나 난이도에 대한 자기평가 척도는 가장 많이 사용되었고 가장 성공적으로 적용된 것이었다. 그것의 가장 뛰어난 강점은 사용하기 쉽고 학습을 방해하지 않는다는 것이다. 반대로, 인지부하의 상이한 유형들을 주관적으로 측정하고자 했던 시도들은 훨씬 덜 성공적이었다. 인지부하의 유형들을 구별하는 것도 중요하긴 하지만, 심리측정학의 기법들이 특히 초보자의 학습과정을 연구할 때 그러한 구인들을 유의미하게 구별해낼 수 있을지 신중하게 따져봐야 한다. 그 대안, 즉 적절한 실험 설계의 사용이 성공적이었음이 여러 차례 입증되었다. 4부에서는 그러한 실험들의 결과에 대해 다루고자 한다.

제4부

인지부하 효과

앞의 세 부에 거쳐 소개된 인지부하이론은 30여 년의 세월을 통해 점진적으로 발전되어 왔다. 인지부하이론의 최우선 목적은 새로운 교수절차를 생성하는 것이다. 교수절차를 생성하는 능력은 인지부하이론의 성공과 실패의 궁극적인 기준이 된다.

4부에서는 인지부하이론에 의해 생성된 교수절차들에 대해서 다루고 있다. 각 절차는 인지부하이론에 기반한 교수절차가 전통적인 교수절차에 비해 학습과 문제해결을 촉진했는지에 대한 실험으로부터 제시된다. 반복 가능한 무작위 통제 실험이 이러한 과정의 핵심이다. 4부에서 논의되는 각 효과는 수많은 연구자들의 다각도 검증을 통해 제시된 것이다. 각각의 제시는 적어도 한 가지 변인을 통제하는 통제 집단과 다양한 실험 집단으로 구성되어 있다. 실험 참가자는 무선할당 방식으로 실험 집단과 통제 집단에 배정된다. 가장 흔한 방식으로는 각 실험에 두 단계의 과정이 있다. 첫 번째 단계에서는 학습, 즉 지식이 습득되는 과정 동안 전통적인 방식 혹은 인지부하이론이 제안하는 새로운 방식의 교수절차로 교육을 받는다. 두 번째 단계에서는 학습 결과에 어떠한 차이가 있는지를 조사하기 위해 모든 집단에 공통적으로 각종 테스트가 실시된다. 만약 통계분석 결과, 새로운 절차에 의해 학습이 촉진되었다는 결과가 제시될 경우, 새로운 인지부하 효과가 제시되는 것이다. 그리고, 우수한 교수절차가 새롭게 생성된다. 4부에서 제시되는 모든 효과는 이러한 절차와 복잡한 변형에 기반하고 있다.

새롭고 효과적인 교수설계의 탄생은 두 가지 중요한 의미를 갖는다. 첫째는 가장 분명한 것으로서, 새롭고 보다 나은 교수활동을 조직화할 수 있다는 것이다. 둘째는 교수절차의 생성을 통해 인지부하이론을 강화시킨다는 것이다. 세상의 어떤 이론도 최종적이고 완벽하며 완전하게 타당할 수는 없다. 실용적인 함의를 생산해내는 이론의 능력이 가장 강한 형태의 타당화를 제공하는 것이다. 인지부하이론은 수많은 교수적 활용 사례를 산출하였으며, 그러한 사례는 4부에서 제시되고 있다.

무목표 효과

무목표 효과(goal-free effect)는 인지부하이론 프레임워크가 규명한 첫 번째 수업 효과이다. 무목표 문제는 특정한 목표를 수반하는 전통적인 문제가 특정 목표가 없는 문제로 대치될 때 나타난다. 예를 들면, 전형적인 고등학교 기하학 문제는 학습자들에게 ∠ABC와 같이 특정한 각도를 구하도록 요구할 것이다. 이와는 달리, 무목표 문제에서는 학습자들에게 특별히 이 각도를 구하도록 요구하지 않을 것이다. 다만, '구할 수 있는 모든 각도의 값을 계산하시오(calculate the value of as many angles as you can)'와 같이 보다 개괄적인 단어 표현을 사용한다. 문제에서 이러한 단어 표현은 학습자들이 여전히 전통적인 문제의 표적각(target angle;∠ABC)을 구하도록 허용하지만, 자신들이 구할 수 있는 다른 각도들도 자유롭게 구할 수 있으며, 특정한 목표에 초점을 맞추도록 요구받지도 않는다. **무목표 문제**(goal-free problem)는 **목표 부재 문제**(no-goal problem)로 불리기도 하며, **무목표 효과**는 **목표 구체성 효과**(goal-specificity effect)로 언급되기도 한다. 기하학 예제가 제시되어 있다고 가정해보자. 무목표 효과는 '구할 수 있는 모든 각도의 값을 계산하시오'라는 지시문으로 제시된 무목표 문제를 해결한 학습자들이 '∠ABC의 값을 구하시오'라는 지시문으로 제시된 목표를 포함한 전통적인 문제를 해결하는 학습자들에 비해 우수한 학업성취를 보였을 때 나타난다.

무목표 효과의 기원은 전문성에 대한 초기 연구에서 시작되었다. 초보자들은 대부분 전통적인 문제를 해결할 때, 수단-목적 전략을 사용하여 목표로부터 주어진 것으로 역행하여 작업할 것이다(Larkin, McDermott, Simon, & Simon, 1980a, b; Simon & Simon, 1978). 예를 들면, 초보자들은 ∠ABC의 값을 구해야 하는 기하학 문제에 직면할 때, 그들은 목표에 초점을 맞추고, 주어진 값과 연결을 찾으려고 시도하면서 수단-목적 분석을 사용하여 역행으로 작업한다. 이와는 달리, 장기기억에 저장된 스키마를 사용하는 전문가들은 해결책을 알고 있으며, 주어진 값에서 목표 값으로 순행하여 작업하기 쉽다. 그들의 스키마는 이 문제의 주어진 값과 목표를 고려할 때 이것이 최선의 방법이라고 알려준다.

수단-목적 전략을 사용하는 역행 작업(working backwards)은 목표에 대한 지식을 필요로 한다. 우리가 목표를 알지 못한다면, 목표로부터 역행하여 작업할 수 없다. 단지, 주어진 것으로부터 순행하여 작업할 수밖에 없다. 또한 목표가 확인되지 않으면, 목표와 주어진 것 간의 차이를 감소시킬 수 없다. 우리는 한 번에 한 가지씩 고려하면서 순행하여 작업할 수밖에 없다. 왜 수단-목적 전략의 제거가 유익한가?

5장에 제시된 바와 같이, 초보자들이 사용하는 수단-목적 전략은 효과적인 문제해결 방법이지만, 과중한 인지부하를 부과한다. 문제해결자는 주어진 문제, 목표, 주어진 것과 목표와의 차이, 차이를 감소시킬 수 있는 문제해결 연산자를 동시에 고찰해야 한다. 이들 각각의 요소들은 상호작용하여 매우 높은 수준의 요소 상호작용성을 초래한다. 문제해결의 목적이 문제 상태를 인식하고, 각각의 상태에 적합한 최선의 시도들을 발견하는 학습이라면, 수단-목적 분석과 관련된 높은 수준의 요소 상호의존성은 감소되어야 하는 외재적 인지부하가 된다. 작동기억이 학습을 방해하거나 감소시키는 수단-목적 전략으로 뒤덮일 수 있다.

이와는 달리, 무목표 환경을 생성함으로써 학습은 목표를 주어진 것으로 연결하는 전략에서 벗어날 수 있다. 대신에 학습자는 현재의 문제 상태와 다른 상태에 도달하는 방법에 초점을 맞추게 된다. 현재의 상태와 현재의 상태에서 실행할 수 있는 시도를 강조함으로써 작동기억에 대한 부하가 감소되어 남은 자원을 학습에 활용할 수 있다. 무목표 문제해결은 요소 상호작용성 면에서 주어진 것, 목표, 주어진 것과 목표와의 차이, 이 차이를 감소시키는 연산자를 고찰하는 대신에, 문제해결자에게 주어진 것과 가능한 시도를 고찰하도록 요구한다. 상호작용 요소가 감소되면 외재적 인지부하가 감소하여 학습을 향상시킬 수 있다.

2부에 기술한 인지구조에 관하여, 작동기억 부하를 감소시키는(변화의 제한성 원리; narrow limits of change principle) 무목표 문제해결은 장기기억에 전달될 수 있는 관련 정보량을 증가시켜준다(정보 저장 원리; information store principle). 일단 장기기억에 정보가 저장되면, 환경의 조직과 연결 원리(environmental organizing and liking principle)는 후속 문제해결에 저장된 정보가 사용될 수 있게 해준다.

Sweller(1988)는 인지부하 설명으로 무목표 효과를 뒷받침하였다. 그는 인지부하와 관련된 선험적 정보를 획득하기 위해 계산 모형(computational model)을 사용하였다(6장 참조). 첫째, Sweller는 인지과정을 시뮬레이션으로 구성한 계산 모형을 사용하여, 단순한 운동학 문제를 해결하는 과제에서 수단-목적 전략이 무목표 접근보다 유의미하게 많은 투입과 계산을 요구한다는 사실을 입증하였다. 둘째, Sweller는 학습자에게 문제해결을 통해 학습하도록 요구하면 문제해결과 경험 학습이라는 두 과정이 수반된다고 추론하였다. 전통적인 접근을 사용한 문제해결이 무목표 접근보다 더 많은 인지자원을 필요로 한다면, 전통적인 접근에서는 무목표 문제해결에 비해 학습에 사용할 수 있는 자원이 줄어들게 된다. Sweller는 삼각법 자료를 사용한 실험에서 전통적인 목표 접근과 무목표 접근을 비교하였다. 실험 결과, 무목표 집단이 목표 집단에 비해 문제의 구조에 대해 더 많은 지식을 획득하였다. 계산 모형과 삼각법 자료를 사용한 실험 데이터는 무목표 효과에 대해 더 깊은 이해를 제공해주며, 인지부하 설명을 지지해준다.

무목표 효과에 대한 실증적 근거

인지부하이론의 초기 개발 과정에서 수단-목적 분석은 효율적인 학습의 중대한 장애물로 간주되었다. Mawer와 Sweller(1982), Sweller, Mawer와 Howe(1982)의 연구는 수단-목적 분석이 규칙 발견이나 특정한 절차적 스키마의 획득을 촉진하지 않는다고 주장하였다. 비록 단순한 발견적 교수법을 통해 문제가 해결될 수 있을지라도, 학습은 거의 일어나지 않는다. 문제해결 과정에서 수단-목적 분석을 축소하거나 방지하려면 목표를 제거해야 한다. 퍼즐 문제를 사용한 Sweller와 Levine(1982)의 연구에서는 문제의 목표가 제시되는 경우보다 문제의 목표가 제거될 때 더 많은 학습이 일어나는 것으로 나타났다. Sweller와 Levine의 연구에서는 미로 문제의 목표 위치를 알고 있는 문제해결자가 목표 위치를 모르고 있는 문제해결자보다 더 많은 오류를 범한 것으로 나타났다. 미로는 단순한 규칙을 사용하여 해결할 수 있다. 일련의 실험을 통해, Sweller와 Levine은 학습자들이 목표에 대해 많이 알면 알수록 해결 규칙을 포함하여 문제 구조에 대해 더 적게 학습한다고 주장하였다. Sweller와 Levine은 목표가 제시된 문제는 학습자들이 수단-목적 분석에 초점을 맞춤으로써 정보 획득이 방해를 받게 된다고 주장하였다. 미로 문제와 하노이 타워(Tower of Hanoi) 퍼즐을 사용한 Sweller(1983)의 후속 연구는 수단-목적 분석이 전이 효과를 방해한다고 주장하였다.

퍼즐 문제를 활용한 연구 결과들에 이어, Sweller, Mawer와 Ward(1983)는 학교 교육과정으로 연구를 확대했다. 먼저 Sweller 등은 단순한 물리학 문제를 사용하여 무목표 효과를 입증하였다. 이 실험에서 목표 집단은 '경주용 자동차로 여행한 거리를 알아보시오(find the distance travelled by the racing car)'와 같이 전통적인 문장제 문제를 제시받았으며, 무목표 집단은 '구할 수 있는 모든 변인의 값을 계산하시오(calculate the value of as many variables as you can)' 문제를 제시받았다. 연구 결과, 무목표 집단이 수단-목적 분석을 사용하여 진행한 집단보다 후속 문제에서 순행 작업 전략(forward-working strategy)으로 쉽게 전환하는 것으로 나타났다. 또한 무목표 집단 학습자들은 방정식을 목표 집단과 다르게 사용하였다. 목표 집단이 단순히 방정식을 적은 반면, 무목표 집단은 주어진 값을 완전하게 대입하여 방정식을 적었다. 방정식을 적고 동시에 그것들을 대입하는 능력은 인지부하 감소의 근거를 제공해준다. 또한 Sweller 등은 기하학 문제에서도 유사한 전략 사용의 차이를 발견하였다.

삼각법 문제를 사용한 Owen과 Sweller(1985)의 연구에서도 무목표 효과에 대한 근거를 찾아볼 수 있다. 전통적인 교재는 학습자들에게 삼각형의 빗변의 길이를 계산하도록 요구한다. 학습자들은 이 계산을 수행하기 위해 먼저 하위목표로 다른 변의 길이를 구해야 한다. 문제해결은 목표를 해결하기 전에 하위목표를 먼저 계산해야 하는 두 단계를 필요로 한다. 이 문제를 무목표 형태로 변환하기 위해서는 지시문을 '그림에서 모든 변의 길이를 계산하시오'로 수정하기만 하면 된다. 무목표 접근의 이점은 목표로부터 역행적으로 작업하여 특정 해결 경로를 탐색하지 않고도 직접 값을 계산하기 시작할 수 있다는 것이다. 학습자들은 무목표 문제를 해결하기 위해 삼각비(tangent, sine, cosine)에 대한 사전지식을 갖추고 있어야 하지만, 그러한 문제들은 특정 목표가 요구하는 해결 경로 검색으로 인한 부가적인 작동기억 부하를 부과하지 않는다. 학습자들이 수행해야 할 일은 주어진 다른 변인을 가지고 삼각방정식을 충족시키는 한 변을 구하는 것이다. 일단 최초 계산이 실행되면, 새롭게 계산된 값을 사용하여 다음 계산이 실행될 수 있다. 해결 경로 검색과 관련된 상호작용 요소들을 제거함으로써 궁극적으로 외재적 인지부하를 감소시킬 수 있다.

Owen과 Sweller(1985)의 연구에서, 한 집단의 학습자들은 학습단계에서 무목표 문제를 수행하였으며, 다른 집단 학습자들은 특정 목표가 제시된 전통적인 문제를 수행하였다. 연구 결과, 무목표 집단이 목표 집단보다 변의 길이를 두 배나 많이 계산해낸 반면, 오류 비율은 유의미하게 낮게 나타났다. 두 집단 모두 전통적인 검사 문제를 가지고 시행한 사후검사에서도 무목표 집단의 정답률이 목표 집단에 비해 다섯 배 높게 나타났다. 또한 무목표 집단 학습자들이 구조적으로 다른 문제에 그들의 지식을 더 잘 전이시킬 수 있었던 것으로 나타났다.

앞에서 논의한 삼각법 문제는 초기 상태, 목표 상태, 주어진 상태를 목표 상태로 변환하기 위한 일련의 조작자들을 포함하고 있기 때문에 변형 문제로 분류된다(Greeno, 1978). 기하학 문제들은 이러한 특성을 가지고 있으며, 초보자들도 수단-목적 분석을 사용하여 쉽게 해결할 수 있다.

Ayres와 Sweller(1990)는 기하학 변형 문제를 가지고 실행한 연구에서 고등학생들의 언어 프로토콜을 분석하여 수단-목적 분석이 사용된다는 직접적 근거를 얻었다. 또한 그들은 학습자들이 목표 각도에 비해 하위목표 각도를 계산하는 과정에서 유의미하게 많은 계산 오류를 범한다는 사실을 밝혀냈다. 이러한 결과는 수단-목적 분석을 사용하여 하위목표 각도를 찾아 계산하는 일이 목표 각도를 계산하는 것보다 더 많은 작동기억을 요구한다는 직접적인 근거를 제공해준다. Ayres(1993)의 후속 연구에서는 무목표 접근이 하위목표와 관련된 이러한 문제를 완화시켜 주는 것으로 나타났다. Ayres는 목표 각도와 하위목표 각도, 두 각도만을 계산하는 기하학 문제를 개발했다. 목표 집단은 '∠X의 값을 구하시오(find a vallue for angle X)'라는 실험처치를 받았으며, 무목표 집단은 '값이 주어지지 않은 미지의 각도 값을 가능한 한 많이 구하시오(find as many unknown angles as possible)'라는 실험처치를 받았다. 문제의 구조로 인해 두 집단 모두 동일한 각도를 구해야만 했으며, 문제 공간은 동일하였다. 그러나 실험 결과, 무목표 집단이 목표 집단에 비해 유의미하게 적은 오류를 나타냈다. 수단-목적 분석을 방지함으로써 무목표 집단은 짧은 시간에 상이한 문제해결 전략을 적용할 수 있었다.

Bobis, Sweller와 Cooper(1994)는 초등학생을 대상으로 기하학 영역에서 무목표 효과에 대한 정보를 수집하였다. 종이접기 과제 학습에서 학습자들은 특정한 기하학적 모양으로 종이를 접는 방법이 적힌 설명서와 종이 한 장을 배부받았다. 무목표 집단에게는 추가적인 도움을 제공하지 않았으며, 목표 집단에게는 최종 완성된 물리적 모형을 제공하였다. 제공된 물리적 모형은 목표를 갖는 것과 동등한 효과를 가질 것으로 기대되었다. 연구 결과, 무목표 집단이 물리적 모델이 제공된 목표 집단에 비해 종이접기 단계를 유의미하게 더 많이 학습한 것으로 나타났다. 이러한 결과는 물리적 모형의 제시가 학습자들로 하여금 수단-목적 분석을 사용하여 최종 단계로부터 역행 작업을 유도한 것으로 추론된다. Ayres(1998)는 피타고라스의 정리를 연속적으로 사용해야 하는 수학 문제를 가지고 후속 연구를 진행하였다. 목표가 되는 변의 값을 구하기 전에 하위목표가 되는 변의 값을 먼저 구해야 하는 2단계 삼각법 문제가 사용되었다. 연구 결과는 무목표 접근이 전통적인 문제 접근에 비해 학습을 촉진한 것으로 나타났다.

Pass, Camp와 Rikers(2001)는 목표 구체성(goal specificity)이 연령과 어떻게 상호작용하는지를 조사했다. Pass 등은 미로 찾기 문제를 사용하여 청년 집단(평균 20세)과 노인 집단(평균 72세)을 무목표 전략(비가시적 목표)과 목표 전략(가시적 목표)에 배치하였다. 청년 집단이 노인 집단에 비해 높은 성취를 나타냈지만, 두 집단 모두 무목표 전략이 효과적인 것으로 나타났다. 사용한 시간과 해결책에 이르기까지 거쳐온 단계의 수로 수행을 평가한 결과, 무목표 집단이 목표 집단에 비해 높은 성취를 나타냈다. 또한 중요한 상호작용 효과가 관찰되었다. 무목표 전략 사용은 두 연령 집단 간의 수행 차이를 감소시킨 것으로 나타났다. 목표 조건에서는 두 연령 집단 간에 큰 차이가 나타났지만, 무목표 조건에서는 두 연령 집단 간의 차이가 줄어든 것으로 나타났다. 이러한 결과는 무목표 접근이 청년 집단보다 노인 집단에 보다 더 효과적일 수 있음을 보여준다. Pass 등은 작동기억 용량은 연령이 증가함에 따라 감소하므로, 작동기억을 과중하게 요구하는 수단-목적 분석과 같은 특정 목표 전략은 특히 유해할 수 있다고 주장하였다. 반대로, 무목표 접근은 작동기억 자원이 보다 직접적으로 학습에 사용될 수 있도록 해준다.

Miller, Lehman과 Koedinger(1999)는 전기로 충전된 입자들의 움직임을 시뮬레이션으로 구성한 전자 필드 하키(Electric Field Hockey)라고 불리는 상호작용 게임을 사용하였다. 세 가지 전략이 비교되었다: (a) 학습자들에게 '당신이 적합하다고 생각하는 방식으로 게임의 속성을 이해하기 위한 학습'과 '실험'을 수행하도록 요구받은 무목표 조건(goal-free condition), (b) 단계를 진행할수록 점점 더 어려워지고 특정 목표에 도달해야 하는 게임을 수행하도록 요구받은 목표 집단(goal condition), (c) 목표 조건과 동일한 과제를 수행하지만 정답 경로에 대해 해결된 예제가 제시된 특정 경로 조건(a specific-path condition).

게임에서 다룬 물리학 원리 검사에서 무목표 집단과 특정 경로 집단이 목표 집단에 비해 높은 성취를 나타냈다. 하지만, 무목표 집단과 특정 경로 집단 간에는 유의미한 차이가 나타나지 않았다. 따라서 전통적인 문제에 비해 효과적인 것으로 증명된 해결된 예제 효과(8장 참조)와 함께 무목표 효과가 입증되었다. 8장에 제시된 바와 같이, 해결된 예제는 특정 목표 접근에 대한 매우 효과적인 대안이다.

무목표 효과에 대한 대안적 설명

이중 공간 설명

일련의 연구에서 Vollmeyer, Burns와 동료들은 무목표 효과를 확인하였지만, 이중 공간 이론에 기반하여 효과에 대해 대안적 설명을 제공하였다. Simon과 Lea(1974)는 문제 공간이 가설과 해결 규칙이 형성되고 검증되는 **규칙 공간**(rule space)과 문제해결 시도가 진행되는 **사례 공간**(instance space)으로 구분된다고 주장하였다. Vollmeyer, Burns와 Holyoak(1996)은 목표 유형의 차이가 상이한 전략 유형을 촉진할 수 있다고 주장하였다. 특정 목표의 설정은 수단–목적 분석과 같이 비효과적인 전략의 사용을 촉진할 수 있다. 수단–목적 분석은 단지 사례 공간 탐색만을 추구하기 때문에 규칙 탐색을 강조하지 않는다. 이와는 달리, 무목표는 규칙 공간에서 규칙과 가설의 탐색을 촉진한다. 달리 말하면, 목표 구체성이 인지부하의 차이 없이 상이한 전략 유형을 생성한다.

이러한 논리는 타당하며, 인지부하이론과도 양립할 수 있다. 인지부하이론에 따르면, 학습자들이 수단–목적 분석 과정에서 사례 공간을 검색하고, 규칙 공간을 무시하는 이유는 작동기억이 사례 공간을 검색하는 데 모두 점유되어서 규칙 공간을 탐색하는 데 사용할 수 있는 자원이 남아있지 않기 때문이다. 규칙 공간이 검색되지 않는다면, 규칙은 학습될 수 없다. 사례 공간보다 규칙 공간을 더 강조하는 무목표 문제해결은 작동기억이 규칙 공간을 향하게 함으로써 이러한 문제를 해결해 준다. 전통적인 문제해결에 비해 무목표 문제해결이 우수하다는 것이 최종적인 결론이다.

Vollmeyer 등(1996)은 컴퓨터 시뮬레이션을 사용하여 생물학적 환경을 구성함으로써 무목표 효과에 대한 연구를 생물학 기반의 복잡하고, 역동적인 시스템까지 확장시켰다. 표지에는 네 가지 투입 변인(온도, 소금, 산소, 조류)의 영향을 받는 네 종류의 바다생물(게, 새우, 랍스터, 농어)이 담겨 있는 수조가 그려져 있다. 시스템의 산출물인 종(species)의 수는 투입 변인들 간의 다양한 관계에 따라 달라진다. 수조는 학습자들이 이들 관계를 지배하는 규칙을 발견하기 위한 것이다. Vollymeyer 등에 따르면, 이 생물학 실험 과제는 두 가지 방식으로 접근할 수 있다. 학습자들이 현재의 산출 상태와 목표 상태 간의 차이를 감소시키기 위해 투입변인을 조작함으로써 시스템을 특정 목표 상태로 가져오려고 시도하거나(수단-목적 분석), 시스템의 규칙을 발견하기 위해 가설 검증을 사용할 수 있다. 이들 전략에 맞추어 두 개의 집단이 형성되었다. 전통적인 목표 집단의 학습자들은 특정 목표에 도달하기 위해 시스템을 조작하도록 지시한 반면, 무목표 집단은 시스템을 탐색하도록 지시하였다. 실험 결과, 무목표 집단 학습자들이 시간을 적게 사용했으며, 전이를 포함하여 사후검사에서 높은 점수를 얻은 것으로 나타났다. 또한 무목표 학습자들이 과학 연구의 핵심 방법인 한 번에 하나의 투입 변인을 조작하는 전략을 사용한 것으로 나타났다.

Vollmeyer와 Burns는 무목표 효과에 대한 이중 공간 논쟁과 관련하여 두 가지 연구를 추가적으로 실시하였다.

첫 번째 연구에서, Vollmeyer와 Burns(2002)는 하이퍼미디어 자료를 사용하여 매우 상이한 학습환경 유형으로 연구를 확대시켰다. 이 연구에서 학습자들은 세계 일차 대전의 원인에 대해 학습해야 했다. 목표 집단 학습자들은 제시된 하이퍼링크를 탐색하는 동안 20가지 특정한 사건과 날짜에 집중하도록 요구받았다. 무목표 집단 학습자들은 사건에 대한 언급 없이 하이퍼링크를 자유롭게 탐색하였다. 다양한 유형의 지식 검사 결과, 무목표 집단이 중심 주제에 대한 사실, 추론 형성, 이해도에서 유의미한 무목표 효과를 보였다.

두 번째 연구에서 Burns와 Vollmeyer(2002)는 이중 공간 설명을 지지하는 보다 결정적 증거를 찾기 위해 언어 프로토콜을 수집하였다. 이 연구에서 그들은

Vollmeyer 등(1996)과 유사하게 선형적인 투입과 산출 시스템을 사용했지만, 물의 양을 통제하기 위해 시뮬레이션 시스템을 사용하여 복잡성을 줄였다. 그들은 다시 무목표 효과를 입증하였다. 프로토콜 분석 결과, 사례 공간에서 시스템을 조작한 목표 집단 학습자들이 목표 지향적(goal-orientated)이었던 반면에 규칙 공간에서 시스템을 조작한 무목표 집단의 학습자들은 가설 검증을 중요시한 것으로 나타났다.

Geddes와 Stevenson(1997)은 목표 구체성 연구(goal-specificity study)에서 이중 공간 이론 논쟁을 사용하였다. Berry와 Broadbent(1984)가 설계한 과제를 사용하여 학습자들이 컴퓨터가 생성한 사람과 상호작용하도록 요구하였다. 과제의 주요 목적은 학습자가 '매우 예의 바른'과 같은 특정 태도 상태에 도달하도록 하는 것이다. 그 상태에 도달하기 위해서는 일련의 상호작용이 요구된다. 이 상호작용은 학습자들이 바람직한 상태(desired state)에 도달하기 위해 발견해야 하는 특정 패턴이다. 세 집단 설계를 통해, 목표 집단은 특정한 상태에 도달하도록 처치하였으며, 무목표 집단은 사람의 반응을 생성하는 패턴을 규명하도록 처치하였고, 이중 목적 집단은 특정한 상태로 이동하고 반응 생성 패턴을 규명하는 두 가지 과제를 모두 수행하도록 처치하였다. 수차례의 실험 결과, 무목표 집단이 검사 문제와 선언적 지식에 대한 질문 모두에서 다른 두 집단에 비해 높은 성취를 나타냈다. 이 연구에서 실행한 세밀한 분석을 통해, 특정 목표를 가진 두 집단이 컴퓨터의 행동을 안내하는 규칙을 학습하지 못했다는 사실이 명료해졌다. Geddes와 Stevenson은 특정 목표가 학습자로 하여금 사례 공간에 초점을 맞추게 함으로써 규칙 공간을 적합하게 사용하지 못하게 했다고 결론지었다.

Osman(2008)은 Burns와 Vollmeyer(2002)가 개발한 복잡하고 역동적인 수질 통제 과제를 사용하여 목표 구체성 효과와 더불어 '실천을 통한 학습(learning by doing)'과 '관찰을 통한 학습(learning by observation)'의 차이를 조사하였다. 학습 단계에서 학습자들은 다양한 투입 변인을 조작했을 경우, 그에 상응하는 산출 결과를 관찰하거나 직접적으로 투입변인들을 조작하는 활동에 참여하였다. 2×2 설계(목표/무목표, 관찰/실천)를 통해, Osman은 Burns와 Vollmeyer의 연구 결과와 동일한 결과를 얻었다. 무목표 집단이 학습 단계에서 높은 점수를 얻었으며, 절차 통제와 인과 구조에 대한 지식을 측정하는 사후검사에서도 높은 점수를 얻은 것으로 나타났다. 흥미롭게도, 관찰을 통한 학습 집단과 실천을 통한 학습 집단 간의 차이는 발견되지 않았다. 무목표 효과는 학습자들이 문제를 스스로 해결했는가 아니면 다른 사람의 해결 과정을 관찰했는가, 전통적인 문제해결인가 아니면 무목표 문제해결인가에 관계없이 나타났다. 이러한 결과는 복잡하고 역동적인 통제 과제에서 관찰이 '실천을 통한' 학습과 마찬가지로 효과적임을 보여준다. 또한 Osman은 학습자들이 획득한 절차적 지식과 선언적 지식에 대한 데이터를 분석하여, 규칙 공간에서의 가설 검증이 사례 공간에서 투입 변인을 통제하는 절차적 과제보다 이 영역의 지식을 더 생성하기 쉽다고 결론지었다.

결론적으로, 사례 공간보다 규칙 공간에 참여한 문제해결자들에게 무목표 효과가 나타난다는 가설을 검증한 여러 연구들은 이 가설을 지지하는 근거들을 어느 정도 제시해주고 있다. 그럼에도 불구하고, 사례 공간에 대한 강조가 규칙 공간에 대한 관심을 가로막는다는 주장이 있을 수 있다. 이 주장은 인지부하이론이 제안하는 제한된 작동기억 설명과 직접적으로 연결된다. 이 주장에 따르면, 제한된 작동기억은 우리가 동시에 사례 공간과 규칙 공간에 참여하지 못하게 한다.

주의집중 설명

Trumpower, Goldsmith와 Guynn(2004)은 무목표 효과를 설명하기 위해 주의집중 설명(attentional focus explanation)을 사용하였다. 그들은 무목표 조건하에서 현재의 문제 상태와 가능한 경우의 수에 더욱 주의를 집중한다고 주장하였다. 결국, 주어진 상태와 변인(주어졌거나 알려진) 간의 관계에 대한 학습에 기반하여 다음 단계로 나아가게 하는 국지적 관계의 수가 획득된다. 이와는 달리, 특정 목표를 가진 문제에서는 최종 상태와 현재의 상태를 연결짓는 데 초점을 맞추게 된다. 즉, 변인들이 서로 어떻게 관련되는지에 대한 지식이 아니라, 변인들이 목표 상태와 어떻게 연결되는지에 대한 지식을 탐색한다. 결국, 무목표 접근은 특정 목표를 가진 관계보다 국지적 관계에 대한 지식으로 이끌어간다.

Trumpower 등(2004)은 이 가설을 검증하기 위해 Goldsmith, Johnson과 Acton(1991)의 연구를 토대로 통계학습 영역 개념들 간의 상호관계에 대한 구조적 지식(structural knowledge)을 측정하였다. 구조적 지식을 측정하기 위해 참가자들은 두 쌍의 통계 개념이 얼마나 관련성이 있는지 등급을 매기도록 하였다. 컴퓨터 알고리즘을 사용하여 각 참가자의 구조적 지식을 의미망 표상(network representation)으로 계산하였다. 의미망 분석을 통해 참가자들이 국지적 관계를 생성하는지 혹은 목표 상태와 링크를 형성하는지를 확인하였다. 실험 결과는 무목표 효과를 보여주었다. 구조적 지식 척도에 비추어 무목표 집단이 목표 집단보다 국지적 링크(local links)를 더 많이 생성하고, 목표 링크(goal links)를 적게 생성하였다.

Trumpower 등(2004)이 제시한 이론과 실험 결과 모두 흥미롭다. 목표에 대한 링크보다 국지적 링크를 형성한 문제해결자들을 통해 무목표 효과를 주장할 수 있다. 인지부하이론은 전통적인 목표 조건보다 무목표 조건에서 학습자들이 스키마를 획득하기 쉽다고 가정한다. 스키마는 학습자들이 문제 상태를 인지하고, 각각의 상태와 연합된 최선의 경우의 수를 따라갈 수 있게 해준다. 국지적인 구조적 지식의 획득은 스키마 획득 과정과 매우 유사하다. 한정된 작동기억으로 인해 목표에 대한 링크를 획득하는 것은 국지적인 구조적 지식의 획득을 방해하게 된다. 우리가 목표에 대한 링크를 획득한다면, 국지적 링크를 획득하는 데 필요한 작동기억 자원이 부족하게 된다. 달리 말해, 제한된 작동기억 용량과 제한된 주의집중 자원은 동일한 구조를 가리키는 상이한 용어 표현이라고 할 수 있다.

인지부하의 주관적 측정과 무목표 효과

결국, 무목표 효과가 외재적 인지부하를 감소시키는지 아니면 다른 관련 요인 때문인지는 인지부하를 측정함으로써 판단할 수 있다. 무목표 효과에 대한 대다수 연구는 인지부하를 직접적으로 측정하고 있지 않다. 예외적으로, Sweller(1988)는 선험적이고, 간접적인 인지부하 측정 방법을 제안한다. 이 책의 다음 장에서 제시된 다른 인지부하 효과들은 인지부하 측정을 사용하여 폭넓게 연구된 결과들이다. 그러나 무목표 효과에 대한 대다수 연구는 인지부하에 대한 체계적인 주관적 측정 방법을 사용하지 않고 실행되었다(6장 참조). 예외적으로, Wirth, Kunsting과 Leutner(2009)는 미국항공우주국 텔렉스(NASA-TLX: National Aeronautics and Space Administration-Task Load index, Hart & Staveland, 1988) 도구를 사용하여 인지부하를 측정하였다. Wirth 연구의 주요 목적은 문제해결 목표(problem solving goals)를 가진 과제와 학습목표(learning goals)를 가진 문제에 대해 무목표 효과를 조사하는 것이다. 특정 문제해결 사례에서, 특정 문제해결 목표는 순수한 문제해결 전략을 생성하지만, 무목표는 학습전략을 생성한다고 주장한다. 그러나 특정한 학습목표가 제시되어 있다면, 목표 구체성과는 관계없이 학습전략이 작동할 것이다.

컴퓨터 기반의 과학 학습 과제를 사용하여 전통적인 목표 또는 무목표 조건하에서 문제해결 목표 또는 학습목표에 초점을 맞춘 동일한 자료가 개발되었다. 연구자들이 예측한 바와 같이, 학습목표에서는 무목표 효과가 나타났지만, 문제해결 목표에서는 나타나지 않았다. 보다 중요한 사실은 무목표 집단에 비해 특정 목표 집단이 더 높은 인지부하를 경험한 것으로 나타났다. 이러한 결과는 무목표 효과에 대한 인지부하의 해석을 지지해준다.

적용 조건

이 장에 제시된 연구들은 특정 목표 문제보다 무목표 문제 제시가 효과적인 학습환경을 창출한다고 주장하고 있다. 무목표 과제는 수단-목적 문제해결 전략을 줄이고 특정 목표를 성취하기 위한 시도에서 수반되는 외재적 인지부하를 감소시켜 주기 때문에 효과적이다. 또한 학습자들이 목표에 주의를 기울이는 대신에 특정 문제 상태와 연계된 보다 국지적인 관계에 초점을 맞출 수 있기 때문에 규칙 발견과 스키마 획득을 촉진한다. 문제해결 과정에서는 목표에 주의를 기울이는 것이 중요하지만, 학습 과정에서는 중요하지 않다. 이 장에 제시된 여러 연구들은 무목표 전략이 사용할 수 있는 경우의 수가 제한되어 있고 문제 공간이 한정되어 있는 변형 문제(transformation problem)에서 효과적임을 보여준다. 보다 확장된 문제 공간에서는 수많은 경우의 수를 사용할 수 있기 때문에 무목표 문제의 효과가 낮을 수 있다. 즉, 수업목표와 관련성이 낮은 여러 시도들은 중요하지 않을 수 있다.

교수활동 시사점

무목표 효과에 대한 연구는 명확한 교수활동 시사점을 제공해준다. 제한된 조건에서 무목표 문제를 사용할 때, 특정 목표를 가진 문제해결의 효과적 대안이 될 수 있다. 특히 초보자의 경우, 예를 들어 수단-목적 분석처럼 검색 전략으로 인해 발생하는 외재적 인지부하가 높은 전통적인 문제해결은 피해야 한다. 무목표 문제의 가장 큰 장점은 전통적인 특정 목표 문제에서 '가능한 모든 경우의 수를 찾아보시오'

와 같이 단순한 지시를 제공하여, 특정 목표에 대한 학습자의 주의집중을 제거함으로써 무목표 형태로 쉽게 변형할 수 있다는 점이다. 무목표 문제는 적절히 사용된다면 유의미한 효과를 제공해줄 수 있다.

결론

무목표 효과는 인지부하이론이 미로 문제와 퍼즐 문제를 가지고 실행한 초기 연구에서 발견한 첫 번째 효과이다. 무목표 효과는 수단-목적 분석과 같은 검색 기반의 문제해결 전략을 사용하는 학습의 부정적인 영향에 맞설 수 있는 매우 단순하고도 효과적인 방법이지만, 학습과정에서 검색 기반의 문제해결 전략 사용을 마찬가지로 감소시키는 해결된 예제 효과의 그림자에 가려져 있었다(8장 참조). 그럼에도 불구하고, 무목표 전략은 변형 문제를 포함하여 수학과 과학 개념 문제 등 경우의 수가 한정된 영역에서 전이를 포함한 학습결과를 의미 있게 향상시켰다. 관련 없는 검색이나 불필요한 규칙 발견과 관련된 상호작용 요소를 제거하여 문제 공간을 매우 제한적으로 제공한다면, 무목표 전략은 학습을 촉진하는 매우 효과적인 기법이 될 수 있다.

해결된 예제 및 문제 완성 효과

해결된 예제(worked example)는 문제에 대한 단계별 해결책을 제공해준다. 다음은 대수 문제에 대한 예이다.

방정식 $(a+b)/c=d$에서 a를 구하라.

해결책

$$(a+b)/c=d$$
$$a+b=dc$$
$$a=dc-b$$

학습자들은 공부할 때 이러한 해결된 예제를 제공받는다. 그렇지 않으면 그냥 문제를 풀어야 한다. 문제를 풀도록 요청받은 학습자들은 해결된 예제의 첫 번째 줄에 있는 '방정식 $(a+b)/c=d$에서 a를 구하라'만 제공받게 된다. 해결된 예제 효과는 해결된 예제를 제공받아 공부한 학습자들이 단순히 문제를 해결하라고 요청받은 학습자들보다 사후검사에서 문제를 더 잘 풀 때 나타난다.

해결된 예제 효과는 이 책의 초반부에서 논의한 인지구조에서 직접 도출된 것이다. 해결된 예제는 정보 저장 원리(information store principle)를 활용하여 장기기억에 저장되어 있어야 하는 문제해결 스키마를 효율적으로 제공해줄 수 있다. 일단 스키마가 장기기억에 저장되면 우리는 환경 조직 및 연결 원리를 활용하여 관련 문제를 해결하기 위해 저장된 그 스키마를 사용할 수 있다. 그러한 스키마는 차용 및 재조직 원리에 의해 해결된 예제의 제공자의 장기기억에서 차용된다. 해결된 예제는 수단-분석 방법으로 문제해결을 할 때와 비교했을 때에 비해 작동기억에 비교적 낮은 부하를 준다(변화의 제한성 원리). 필요한 모든 내재적 상호작용 요소들은 해결된 예제 안의 정보에 모두 포함되어 있는 반면 수단-분석 방법으로 문제를 푸는 것은 무작위 발생 원리와 연관된 부가요소들이 추가되기 때문이다. 무작위 발생 원리는 문제해결 검색에 불필요하게 상호작용 요소들을 추가시켜서 외재적 인지부하를 부과한다. 인지부하이론의 이러한 다양한 구조는 초보 학습자들에게 해결된 예제로 공부하는 것이 방정식 문제를 그냥 푸는 것보다 뛰어나야 함을 시사하고 있다. 이러한 가설을 지지하는 연구가 전 세계적으로 많이 축적되어 있다.

Atkinson, Derry, Renkl과 Wortham(2000)은 해결된 예제의 정확한 정의가 내려진 것을 찾지 못했으나, 여러 유형의 해결된 예제의 유형 속에서 수많은 공통된 특징들이 있음을 찾아내었다. 대부분의 해결된 예제는 문제해결에 필요한 문제 진술 및 절차를 포함하고 있다. 해결된 예제를 공부함으로써 학생들은 문제의 핵심 측면들을 학습한 후 다른 문제를 풀 때 그 측면들을 사용할 수 있게 된다. Atkinson 등(2000)은 "한마디로 해결된 예제는 학습자들이 공부해서 모방해야 하는 전문가의 문제해결 모델을 제공해준다"라고 하였다. 해결된 예제는 서로 다르게 불리는 수많은 유의어가 있는데, 예제 학습(learning from examples), 예제 기반 학습(example based learning), 모범답안 학습(learning from model answers), 전문가 해결책 공부하기(studying expert solutions) 등이 있다.

해결된 예제에 대한 실증적 근거

해결된 예제는 최근에 만들어진 것이 아니라 수학 및 과학 교사들에 의해 오랫동안 광범위하게 사용되어 왔다. 두드러지지는 않았지만 해결된 예제를 제시하는 최적의 방법들이 있다. 수학 및 과학에서 전통적인 교과서로 새로운 개념 및 절차를 배울 때, 초기에 일부 해결된 예제를 보여준 후 익숙하지 않은 문제가 포함된 심화 연습문제로 공부하도록 연습시켜 왔다. 전형적으로, 어떤 조건하에서는 학생들이 문제의 일부에서 해결책을 찾는 데 실패한 후에만 해결된 예제를 보여주었다. 그러나, 자주 학생들이 문제해결에 실패할 때조차 해결된 예제가 사용되지 않았다. 그러한 경우 학습자들은 문제를 해결하기 위해 상당한 시간을 사용해야 한다. 7장에서 살펴보았듯이 수단–목적 분석으로 문제를 해결하는 것은 문제해결자에게 수많은 상호작용 요소들을 처리하게 하여 학습을 방해하는 외재적 인지부하를 양산하기 때문이다. 비록 해결된 예제의 일부를 드러내 보이는 것이 가장 전통적인 교수절차로 사용되고 있지만 불필요한 문제해결 요구의 영향을 줄이고 가장 효과적이도록 해결된 예제가 보다 더 체계적이면서 일관적으로 사용되어야 한다.

해결된 예제에 대한 연구는 오랜 역사를 가지고 있다. Atkinson 등(2000)은 1950년대까지는 개념 형성 단계에 포함된 과정들을 알아보기 위해 '예'로 학습하는 데 사용되는 전략들을 활용하였다고 보고하였다. 반면 인지부하이론 연구자들 역시 개념 혹은 스키마 형성에 초점을 두었지만 이들 연구 대부분은 해결된 예제 방법과 문제해결 학습 방법을 명확하게 비교하고 있다. 이러한 비교 연구들은 해결된 예제 효과를 증명하고 있다.

수학 및 관련 영역에서 해결된 예제

해결된 예제 효과에 대한 초창기 증거는 수학 학습과 관련된 연구에서 찾아볼 수 있다. Sweller와 Cooper(1985)는 습득 단계에서 해결된 예제가 전통적인 방정식 문제를 푸는 것보다 처리 시간이 덜 걸려 더 빠르게 해결하고, 유사한 문제에서도 더 낮은 실수를 범한다는 사실을 증명하기 위해서 대수조작 문제(예: 방정식 $a=af+c$, 다른 변수의 항으로 a를 표현)를 사용하였다. 해당 연구에서 사용된 실험 설계에서는 해결된 예제 집단과 전통적인 문제해결 집단을 직접 비교하였는데 이는 이후 많은 연구의 청사진이 되었다. 초기에, 새로운 내용(대수조작 문제)을 배워야 하는 고등학생으로 구성된 두 집단에게 제한된 수의 해결된 예제를 제공하였다. 이러한 도입 단계 이후 주 학습 단계인 습득 단계가 이어졌다. 해결된 예제 집단의 경우, 학생에게는 공부해야 할 해결된 예제와 이에 이어 즉시 풀어야 하는 유사한 문제로 구성된 한 쌍의 문제 세트가 제공되었다. 전통적인 문제가 제공되는 집단에는 비교 집단과 동일한 문제 세트였으나 모든 문제를 풀어보도록 하였으며 이 단계에서는 공부할 어떠한 해결된 예제도 주어지지 않았다. 이 설계에서 해결된 예제 집단은 전통적인 문제 집단이 풀어야 하는 문제의 반을 풀게 하였으나 나머지 남은 반에 대해서는 해결된 해결책(worked solution)으로 공부하도록 하였다. 학습 후에 두 집단 모두 어떠한 해결된 예제 없이 풀어야 하는 한 세트의 시험 문제를 제공받았다.

Sweller와 Cooper(1985)는 해결된 예제 집단이 공부한 습득 문제들과 유사한 문제들을 풀게 했을 때 검사 점수가 향상된 반면 전이에 대한 증거를 찾는 데는 실패했다. 해결된 예제 집단은 유사하지 않은 문제에 대해서는 전통적 문제 집단보다 장점을 갖고 있지 않았다. 후속 연구에서 Cooper와 Sweller(1987)는 해결된 예제가 전이를 촉진할 수 있는 조건을 알아보고자 하였다. 이들은 전이가 일어나기 위해서는 문제해결 연산자 자동화가 필요하다는 가설을 검증하기 위해 대수조작 문제와 문장 문제 둘 다를 사용하여 일련의 실험들을 진행하였다.

규칙 혹은 스키마 자동화는 최소한의 작동기억 자원으로 절차가 사용되게 한다(2장 참조). 예를 들면 분수로 된 대수식에 자동적으로 분모를 곱할 수 있는데, 이 때 그 과정에 대해 적극적으로 생각하지 않는다. 이와 대조적으로 분모 곱셈을 처음 배우는 경우 그것을 사용할 때마다 그 과정을 고려해야 한다. 자동화란 문제를 푸는 동안 작동기억의 자원이 다른 활동에 가용될 수 있음을 뜻한다. 분모 곱셈이 필요한 새로운 문제를 제공받는다면, 관련 규칙이 어떻게 돌아가는지를 회상하려 하기보다 해결책을 찾는 데 작동기억 자원을 사용할 수 있다. 이런 식으로, 만일 해결된 예제가 방정식 문제를 푸는 것보다 자동화를 촉진한다면, 전이는 촉진되어야 하고 그 결과로 전이 효과가 나타난다.

그러나 자동화는 서서히 일어나서 실질적으로 습득하는 데 시간이 걸리는데 이는 이전에 Sweller와 Cooper(1985)의 연구에서 제시된 바 없다. 이와 대조적으로 Cooper와 Sweller(1987)의 실험에서 학습 시간을 연장하였는데 해결된 예제 집단이 전통 집단과 비교했을 때 의미 있는 전이 효과를 증명하였다. Cooper와 Sweller는 어떤 복잡한 영역에 있어서 전이를 증명하기 위해서는 필수적인 문제해결 연산자를 자동화하는 데 상당한 시간이 요구된다고 결론지었다. 해결된 예제가 문제해결 방법과 비교했을 때 이러한 과정을 가속화함을 밝혀내었다.

이후에 이루어진 Carroll(1994)의 연구에서 해결된 예제는 수학에서 낮은 성취도를 보이는 학습장애 학생들에게 부분적으로 도움이 됨을 알아내었다. Pillay(1994)는 이 연구를 수학에서 해결된 예제의 사용으로 확장하여 2D와 3D 상호 회전하는 것을 배울 때 문제해결보다 해결된 예제를 사용하는 것이 이점이 있음을 보여주었다. 통계 문제를 사용한 Paas(1992), 기하학 문제를 사용한 Paas와 van Merriënboer(1994)는 해결된 예제 효과에 대한 강력한 증거를 찾아내었다. Paas(1992)의 연구는 해당 장에서 완성 효과를 논의하면서 상세하게 다룰 것이고, Paas와 van Merriënboer(1994)의 연구는 가변성 효과를 논의하면서 다루고자 한다.

해결된 예제와 비구조화된 학습 영역

해결된 예제 효과에 대한 대부분의 연구는 자연어가 요구되는 비구조화된 문제, 인문학 또는 예술적 노력과 관련된 어떤 분야보다도 수학이나 과학 영역 같은 구조화된 문제를 다루고 있다. 구조화된 문제는 다양한 문제 상태 및 문제해결 연산자(예: 대수 규칙)를 분명하게 구체화할 수 있는 문제이다. 비구조화된 문제는 문제 진술 혹은 문제해결 연산자를 분명하게 구체화할 수 없는 것이다. '이 문단의 의미에 대해 논하라'라는 문제는 비구조화된 문제의 예이다.

Spiro와 DeSchryver(2009) 같은 몇몇 연구자들은 해결된 예제 효과는 비구조화된 문제를 사용해서는 얻을 수 없다고 주장하고 있다. 사실 비구조화된 문제를 해결하고 이를 학습하는 데 포함되는 인지활동은 구조화된 문제해결에 필요한 그것과 동일하다고 가정하는 이론적 근거가 있다(Greeno, 1976). 이 책의 앞부분에서 논의한 인지구조는 구조화된 문제와 비구조화된 문제를 구분하지 않기 때문에 이렇게 서로 다른 문제 범주를 다루는 다른 인지구조를 가진다는 가정을 할 근거가 없다. 우리는 문제가 구조화되었건 비구조화되었건 간에 문제 유형과 해결 단계의 범주를 인식하게 해주는 스키마 기반의 지식을 획득해야 한다. 비구조화된 문제에서는 가능한 해결책의 변화량이 구조화된 문제보다 더 많지만 그 변화량은 무한정이지는 않으며, 전문가는 초보자보다 가능한 해결책의 변화량을 더 많이 알고 있다. 물론 궁극적으로 검증해야 할 것은 비구조화된 문제에서도 해결된 예제 효과를 얻을 수 있는지 여부이다.

해결된 예제를 리뷰하는 Renkl(2005)의 연구에서 해결된 예제와 관련된 향후 연구에 대한 많은 통찰과 제언을 하였다. 그 중 하나는 해결된 예제가 '영역의 제한범위에서만 관련' 될 수 있다는 점이다(p. 241). Renkl은 해결된 예제가 알고리즘을 적용할 수 있는 기술 영역, 즉 구조화된 문제에 특히 적합함을 주장하였다. 글쓰기나 시 해석 같은 영역에서는 해결 단계를 보여주는 해결된 예제의 주요 장점을 살릴 수 없다고 덧붙였다. 위에서 언급하였듯이 해당 장에서 지금까지 설명한 대부분의 실험에서는 수학, 과학, 컴퓨터와 같은 알고리즘에 기반을 둔 영역들을 다루어왔다. 그럼에도 불구하고 최근 증가하고 있는 상당한 연구들이 비구조화된 영역에서 인지부하이론 프레임워크를 통해 수행되고 있다. 예를 들면 해결된 예제 효과를 직접 검증하지는 않았지만(통제 집단인 문제해결 집단이 없었다) Owens와 Sweller(2008)는 음악 수업이 해결된 예제로 효과적으로 구성될 수 있음을 증명하였다. 이와 유사하게 Diao와 Sweller(2007), Diao, Chandler와 Sweller(2007)도 외국어 학습 영역에서 해결된 예제를 활용하였다.

비구조화된 문제에서 해결된 예제 효과를 증명한 세 개의 연구를 특별히 살펴보고자 한다. 첫 번째 연구로, Rourke와 Sweller(2009)는 대학생들로 하여금 의자 설계에 사용된 초창기 모더니즘 시대의 특정 디자이너의 스타일을 인식하는 것을 배우도록 하였다. 해결된 예제가 이러한 디자인을 인식하는 데 있어서 문제해결보다 뛰어남을 밝혀내었다. 나아가 해결된 예제 효과는 전이 과제인 스테인드 글라스와 칼과 같은 디자인 형태에도 나타났다.

두 번째 연구로 Oksa, Kalyuga, Chandler(2010)는 두 개의 실험을 하였는데, 초보자들(10학년)에게 셰익스피어 희곡에서 발췌한 내용을 제공하였다. 한 집단에게 원본에 주석을 통합시켜 제공해 주었고, 다른 집단에는 주석을 제공하지 않았다. 주석 제공 집단은 과제 이해도에 있어서 통제 집단보다 우수하였고, 인지부하도 낮았다. Oksa 등의 실험 설계는 전통적인 '해결된 예제로 공부하기-문제 풀기'가 한 쌍으로 된 교대 방식에 들어맞지는 않는데, 이 실험은 전문성 역효과(12장)에 대해 보다 광범위하게 이루어진 연구의 일부이기 때문이다. 그럼에도 불구하고 학생의 절반은 모범 답안이나 문장의 주요 측면에 대한 해설을 제공받았다. 이 모범 답안들은 문제해결 방안(방법)과 동등한 것이다. 이와 대조적으로 주석이 제공되지 않은 학생들은 내용을 스스로 해석해야 하는데 이 활동은 문제해결과 동일하다. 매우 비구조화된 영역에서는 학생들로 하여금 해석하게 하는 것보다 모범 답안을 제공해주는 것이 더 많은 학습을 하게 한다는 사실은 해결된 예제 효과가 비구조화된 문제 영역에 적용 가능하다는 강력한 증거를 제시해준다.

세 번째 연구로, Kyun, Kalyuga, Sweller(준비 중)는 영미문학 학습에서 해결된 예제 효과를 증명해냈다. 영어가 외국어이고 영어에 대한 지식이 많은 집단과 적은 한국 대학생들을 대상으로 전문성 역효과(12장)에 대한 또 다른 연구를 진행하였다. 학습 단계에서 절반의 학생에게는 전형적인 서술형 문제가 제공되었고, 나머지 절반에게도 동일한 문제가 제공되었지만 공부해야 하는 모범 답안을 함께 주었고 문제에 스스로 답안을 작성하도록 하였다. 모든 학생들은 파지 및 근전이, 원전이 검사를 시행하였다. 해결된 예제를 제공받은 집단에서 지식 수준이 낮은 학생들은 학습 단계에서 문제를 더 잘 풀었다. 전이검사에서는 유의미한 차이가 없었지만 파지 검사에서는 해결된 예제 집단이 전통적인 문제해결 집단보다 유의미하게 더 나은 성과를 보여주었다. 이는 비구조화된 문제에서 해결된 예제 효과를 다시 증명한 것이다.

비실험실 기반 연구에서 해결된 예제

위에서 설명한 해결된 예제에 관한 초창기 연구는 통제된 실험실과 같은 조건에서 수행되었다. 해결된 예제 방법이 보다 광범위한 규모와 일상의 교실 조건에서도 효과적으로 이행될 수 있다는 증거 또한 나왔다. 중국 학생들을 대상으로 한 종단 연구에서 Zhu와 Simon(1987)은 오랜 기간 동안 해결된 예제가 강의 및 다른 전통적인 수학교실 활동을 성공적으로 대체할 수 있음을 보여주었다. 이 연구자들은 3년 동안 전통적으로 배운 수학 수업을 해결된 예제에 기반을 둔 종합 전략을 사용하여 2년 만에 완수할 수 있음을 알아내었다.

Zhu와 Simon의 연구처럼 광범위하지 않았지만 다른 연구들도 역시 실제 학습 환경에서 수행되고 있다. 예를 들면 Ward와 Sweller(1990)의 연구에서 일상 수업의 일부로 숙제를 하는 동안 학생들로 하여금 해결된 예제를 공부하게 하였다. Carroll(1994) 또한 이들과 유사한 과제 절차를 수행하였다. 두 연구 모두에서 해결된 예제 효과가 확인되었다.

해결된 예제와 교대 전략

위에서 살펴본 대부분의 연구들에서 해결된 예제는 '예제 – 문제'로 쌍을 이룬 형태로 제시되었다. 학습 단계에서 여러 쌍의 유사한 문제들을 주요 학습 수단으로 제공하였다. 해결된 예제를 공부하게 한 후 유사한 문제를 풀어보게 하여 한 쌍을 이루게 하는 방법론은 Sweller와 Cooper(1985)가 처음으로 채택하였다. 이들은 동기(motivation)적 이유에서 이러한 교대 전략을 만들어냈다. 학생들이 해결된 예제를 공부한 후에 즉시 유사한 문제를 풀어봐야 함을 안다면 해결된 예제를 공부하는 것이 더 동기화될 것이라고 가정하였다. Sweller와 Cooper는 만약 각각의 해결된 예제를 공부한 이후에 즉시 풀어야 할 유사한 문제가 따라나오지 않으면 학생들은 스키마 획득에 도움을 주는 해결된 예제 안의 정보를 충분히 심층적으로 반드시 처리하지 않는다는 점에 초기에 착안하여 '공부 – 해결' 전략을 만들어냈고, 다른 연구자들도 이를 채택하였다.

교대 전략의 효과성을 검증하기 위해 Trafton과 Reiser(1993)는 구획 연습과 즉각적 교대 연습에 대해 연구하였다. 구획 연습에는 일련의 예제들을 공부하게 한 후 일련의 유사한 문제들을 풀어보게 하는 유형과 일련의 문제들을 풀어보게 한 후 유사한 문제들로 구성된 세트를 풀어보게 하는 유형이 있다. 즉각적 교대 연습에는 한 개의 예제를 공부한 후 유사한 한 개의 문제를 즉시 풀어보는 유형과 한 개의 문제를 푼 후 즉시 두 번째 유사한 문제를 풀게 하는 유형이 있다. Trafton과 Reiser는 가장 효과적인 예제는 풀어야 할 문제가 동반되어야 한다는 점을 밝혀냈다. 예제를 공부한 후 문제를 푸는 데 있어서 가장 효율적인 방법은 해결된 예제가 제시된 후 유사한 문제를 풀어보게 하여 이 해결된 예제를 즉시 따라해 보도록 하는 것이다. 사실, 이 효율적인 기법은 Sweller와 Cooper(1985)의 연구와 이후 다른 많은 연구들에서 사용한 방법과 동일하다. 학생들에게 일련의 해결된 예제들을 공부하게 한 후 일련의 유사한 문제들을 풀어보게 하는 구획 연습이 최악의 학습 결과를 가져온다는 점은 주목할 만하다.

문제 완성 효과

해결된 예제 효과는 몇몇의 다른 중요한 교수 효과들과 관련되어 있다. 그러한 효과들 중 일부는 해결된 예제 효과를 연구하면서 발견되었다. 주의분산, 중복, 감각양식, 전문성 역전, 안내 소거, 다양성 효과는 다른 장에서 논의되겠지만 문제 완성 효과는 해결된 예제 효과와 밀접히 관련되기 때문에 이 장에서 다루고자 한다.

해결된 예제 활용에 대한 초기 관심은 해결된 예제가 능동적(active) 학습보다 수동적(passive) 학습을 하게 만든다는 데 있었다. 학습자들이 충분히 심층적으로 해결된 예제에 집중하여 공부할 것인가 아니면 대충 훑어볼 것인가? 뿐만 아니라 학습자들이 전통적인 문제를 푸는 데 어려움을 발견한 경우에만 해결된 예제를 심층적으로 공부한다는 증거가 나왔다(Chi, Bassok, Lewis, Reimann, & Glaser, 1989). 이러한 이슈는 학습자들이 예를 완전하게 처리하기 위해서는 뒤따르는 유사한 문제를 해결해야 함을 인식할 필요가 있음을 시사하고 있다. 이전에 논의되었듯이 '예제 공부-문제해결'로 짝을 이룬 교대 전략은 이러한 이슈를 해결하기 위해 개발되었다. 학습자들이 해결된 예제에 충분히 주의를 기울이도록 보장하기 위한 또 다른 전략은 완성형 문제를 제공하는 것이었다(van Merriënboer & Krammer, 1987). 완성형 문제는 몇 개의 핵심 해결 단계들을 완성해야 하는 부분적인 해결된 예제를 말한다. 이 장 앞부분에서 제시된 대수의 해결된 예제는 첫 번째 단계를 증명해 보인 후 두 번째 단계를 학습자 스스로 해결해보게 함으로써 완성형 문제로 바뀔 수 있다. 그 예는 다음과 같다.

방정식 $(a+b)/c=d$에서 a를 구하라.

해결책

$$(a+b)/c=d$$

$$a+b=dc$$

$$a=?$$

van Merriënboer(1990)는 인지부하이론의 패러다임 내에서 완성형 문제에 대한 첫 번째 심층적 연구를 컴퓨터 프로그래밍 개론 과목에서 수행하였다. 열 번의 수업이 진행되는 동안 학생들에게는 새로운 컴퓨터 프로그램을 설계하여 코딩하도록 하는 전통적인 전략이나 기존의 컴퓨터 프로그램을 수정하여 확장하도록 하는 완성형 전략을 따르도록 하였다. 완성형 집단이 새로운 프로그램을 짜게 한 집단보다 우수함을 밝혀냈는데, 이는 완성형 효과의 예를 제공해준다.

van Merriënboer와 de Croock(1992)도 또한 컴퓨터 프로그래밍을 내용으로 한 유사한 연구를 수행하였다. 프로그래밍 기법을 학습하는 데 있어서 생성형 집단(전통적인 전략)과 완성형 집단을 비교하였다. 그 결과 완성형 집단이 학습에서 우수하게 나왔다. 완성형 집단에서는 새로운 정보 제시 및 프로그래밍 연습을 미완성된 프로그램과 연계하여서, 학습자들로 하여금 일부 해결책을 완성시키도록 하였다. 반면 생성형 집단에서는 모델 프로그램과 생성 과제 둘 다를 제공하였다. 모델 프로그램이 해결된 예제처럼 여겨질 수 있지만 실험 설계에서 학생들은 반드시 이것을 즉시 공부할 필요가 없도록 하였다. 실험 결과는 생성형 집단에서 문제해결을 할 때 빈번하게 예제를 검색해야 함을 보여주고 있다. 학습 영역에서 컴퓨터 프로그램은 매우 복잡하다. 결과적으로 학생들에게 새로운 프로그램을 생성하도록 요구하는 것은 작동기억에 높은 부하를 야기할 수 있는데, 학습자들이 복잡한 모델 프로그램을 검색함과 동시에 참고할 필요성이 강화되어서 외재적 인지부하가 높아지기 때문이다. 외재적 인지부하는 문제해결 이전에 적절한 해결된 예제를 제시해줌으로써 경감되는데 학습자들이 문제해결을 할 때 예제들을 검색할 필요가 없어지기 때문이다. 이상의 두 연구는 많은 해결 단계들을 가진 해결된 예제들 그 자체가 부가적으로 외재적 인지부하를 일으킬 수 있지만, 완성형 문제를 사용하여 그러한 문제를 상쇄시킬 수 있음을 보여주고 있다(van Merriënboer, 1990; van Merriënboer & de Croock, 1992).

이 연구를 Paas(1992)는 기초적인 통계 개념을 배우는 데 세 집단(전통적인 문제해결, 해결된 예제, 완성형 문제)을 비교하여 확장시켰다. 연구 결과, 해결된 예제와 완성형 문제가 제공된 집단은 근전이 및 원전이 과제에서 전통적인 문제해결 집단보다 결과가 우수했고, 정신적 노력도 비교적 덜 들였다. van Merriënboer, Schuurman, de Croock, Paas(2002a)의 후속 연구에서도 전통적인 문제가 완성형 문제보다 인지부하를 더 발생시키고, 덜 효율적임을 증명하였으나 완성형 문제의 우월성이 근전이 효과에만 국한됨을 밝혔다.

완성형 문제의 효과성을 설명하기 위해서 Sweller(1999)는 문제해결 요소를 포함시키는 것이 학습자들로 하여금 문제를 심층적으로 숙고하여 핵심 정보에 주의를 기울이도록 보장한다고 주장하였다. 전체 문제해결을 피하면 작동기억에 과부하가 걸리지 않는다. 문제를 완수하기 위해서는 학습자는 해결된 부분에 집중하여 처리한 후 미결된 단계에 반응해야 한다. 완성형 문제는 해결된 예제와 풀어야 할 문제의 두 요소들을 가진 하이브리드이다(Clark, Nguyen, & Sweller, 2006). 완성형 문제는 표준 형태의 해결된 예제의 첫 번째 대안이었다.

해결된 예제 사용에 대한 비판

해결된 예제 효과는 부적합한 통제 집단을 사용하여 얻어졌다는 점 때문에 비판을 받고 있다(Koedinger & Alven, 2007). 해결된 예제 효과를 검증하기 위한 문제해결 조건하에서 학생들은 보통 어떠한 지원 없이 문제해결을 하도록 요청받는다. 이와 반대로 학습자들이 제시된 적절한 단계대로 문제 푸는 것에 실패할 때 컴퓨터 기반의 문제해결 튜터는 지원을 빈번하게 제공해준다. 이런 식으로, 해결된 예제 단계들에 상응하는 것이 문제해결책이 제시되기 전이 아닌 문제해결 실패 후 혹은 도중에 제시될 수 있다. 문제해결의 이러한 지원 유형은 해결된 예제 통제 집단에 더 적절한 것으로 여겨질 수 있다고 주장될 수 있다.

해결된 예제 효과를 증명한 대부분의 연구에서 지원이 거의 없거나 아예 없는 문제해결 통제 집단을 사용해왔다는 것이다. 학습자들은 문제해결을 하는 동안 아무런 지원 없이 새로운 주제에 대한 한정된 소개를 받은 후 단순하게 문제해결을 요구받는다. 이 절차를 지키기 위하여, 이러한 조건들은 교육기관에서 사용하는 흔한 사례들과 문제해결 옹호자들이 추천하는 것들을 반영하고 있다. 어떤 이는 그저 수학 혹은 과학에서 공통적으로 사용되는 교과서를 면밀히 살펴본 후, 공통적으로 사용된 절차의 지침을 얻기 위해서 최소한의 해결된 예제와 함께 제공된 긴 문제 목록들을 정독해야 한다. 학생들은 수많은 문제들을 풀면서 학습하도록 요구받는다.

공교롭게도 문제해결이 컴퓨터 기반 환경에서 지원받을지라도 해결된 예제로 공부하는 것이 여전히 우세하다. Schwonke, Renkl, Krieg, Wittwer, Aleven, Salden(2009)은 컴퓨터 기반의 인지적 튜터로 문제해결 영역에서 잘 지원되었을 때 해결된 예제 효과가 여전히 유효하게 나타남을 알아내었다. 해결된 예제로 공부하는 것은 새로운 영역에서 문제를 해결하는 방법을 배우는 최고의 수단 중 하나를 제공해준다.

해결된 예제의 다른 비판은 보다 이데올로기적인 경향이 있다. 특히 구성주의자들은 해결된 예제를 능동적 학습이 결여되어 있고, 크게 가치 있는 문제해결 경험이 결여된 지식 전달의 형태로 치부하려고 한다. 물론 학습이 능동적인지 여부는 학습자의 신체적 활동과는 무관하다. 어떤 이는 문제를 풀 때처럼 해결된 예제를 공부할 때 정신적으로 능동적일 수도 있다. 차용 및 재조직 원리(3장)에 근거한다면, 다른 활동으로부터 지식 획득이라는 결과를 얻게 하는 활동은 가장 효율적인 학습 방법이기 때문에 경시되어서는 안 된다. 해결된 예제는 외재적 인지부하를 낮추기 때문에 학습 효과성이 실질적으로 높아질 수 있다. Kirschner, Sweller, Clark(2006)이 지적하였듯이, 해결된 예제의 사용과 대조적으로 발견학습과 문제해결 학습의 활용은 매우 취약한 연구와 이론적 기반을 가지고 있다.

적용 조건

학습자들, 특히 인지적 기능을 습득하는 초기 단계들에 있는 학습자들은 문제해결 학습을 하는 것보다 해결된 예제로 공부하는 데 더 많은 혜택을 받는다는 실질적 증거가 있다. 그럼에도 불구하고 해결된 예제가 외재적 인지부하를 낮추기 때문에 효과적이라는 것을 기억할 필요가 있다. 해결된 예제가 해결된 예제이기 때문에 효과적이라고 가정하는 것은 무척이나 쉽다. 엉성하게 구조화된 해결된 예제를 학습자에게 제공하는 것은 문제해결 전략보다 전혀 효과적이지 않거나 덜 효과적일 수 있다. 만약 외재적 인지부하가 문제해결과 비교해서 낮아지지 않는다면 해결된 예제의 사용은 효과적이지 않을 것이다.

해결된 예제가 효과적인 조건은 내용의 특성과 학습자의 특성에 달려있다. 다음 장부터 논의되는 모든 효과는 어떤 수업이 특정 범주의 학습자들에게 제공되어야 하는지 그 방법에 관해 다루고 있다. 대부분의 그러한 효과들은 해결된 예제의 사용 및 다른 교수 방법 등에도 직접 적용된다. 특히 주의분산, 양식, 중복, 전문성 역전, 안내 소거, 요소 상호작용성, 자기 설명, 상상 효과는 해결된 예제와 다른 교수 방법에도 적용된다. 해결된 예제를 구성할 때 이러한 효과들 모두와 관련된 요소들은 고려되어야 할 필요가 있으며, 이 요소들은 다음 장에서 개략적으로 살펴볼 것이다.

교수활동 시사점

해결된 예제 효과에 대한 연구는 교수활동에 대한 아주 명확한 몇몇 시사점을 준다. 학생들(특정 영역에서 초보자)에게 문제를 풀도록, 특히 새로운 개념과 절차를 학습하도록 하는 것은 학습을 방해하는 외재적 인지부하를 발생시킨다. 그 대신 해결된 예제가 교대 전략(혹은 13장에서 논의할 안내 소거 전략)을 포함하여 도움 받지 않으면서 문제를 해결하기 전에 충분한 연습으로 구성되도록 프로그램되어야 한다는 점에서 해결된 예제를 사용하는 것이 체계적 과정이 되어야 한다.

인지부하이론에 대한 비판이 해결된 예제를 수동적 학습의 형태로 다루는 경향이 있다. 해결된 예제를 공부하는 것은 수동적일 수 있으나 수동성은 쉽게 피해질 수 있다. 한 쌍의 '예제 - 문제'를 사용하는 것은 완성형 문제와 안내 소거가 하는 것처럼 수동적 학습을 피할 수 있는 간단한 기법을 제공한다. 실증 연구의 증거가 증가될수록 해결된 예제는 교육계에서 더욱 우세해지고 있다. 이러한 예로, 최근에 미교과부 문서에서 해결된 예제를 강조하도록 권장하고 있다(Pashler et al., 2007).

결론

지난 25년 동안 인지부하이론에 기반하여 해결된 예제 효과에 대한 연구는 매우 확고하였다. 학습자들이 방정식 문제를 푸는 것보다 해결된 예제로 공부하는 것이 확실한 장점을 가지고 있다는 강력한 증거들이 제시되었다.

논쟁할 여지 없이 해결된 예제 효과는 인지부하이론 효과에서 가장 중요하다. 해결된 예제 효과는 가장 광범위하게 연구되고 있다. 이 효과가 인지부하이론에서 기원하고 있지만, 인지부하이론 역시 해결된 예제 효과 연구 결과의 영향을 받았다. 예를 들면 최근의 차용과 재조직 원리에서 강조점은 인지부하이론의 진화된 버전으로 해결된 예제 효과에 의지하고 있다. 게다가 해결된 예제 효과는 교사로부터 정보를 획득한다는 주장에 상반되는 이론인 구성주의 이론(정보를 발견 혹은 구성하는 것을 강조)에 의해 설명되기 어려울 수 있다(Kirschner, Sweller, & Clark, 2006).

해결된 예제 효과는 후속 장에서 논의되겠지만 많은 다른 인지부하이론 효과의 근원이 되고 있다. 다음 장에서는 주의분산 효과에 대해 다룰 것인데, 이 효과는 해결된 예제의 효과성에 있어서 중요하다.

제9장 주의분산 효과

주의분산 효과(split-attention effect)는 해결된 예제 효과(worked example effect)로부터 파생되었다. 즉, 특별한 형태를 지닌 몇몇의 해결된 예제가 상대적으로 비효과적임이 발견되면서 주의분산 효과는 시작되었다(Tarmizi & Sweller, 1988). 해결된 예제는, 같은 문제를 문제해결(problem-solving)의 방법을 통해서 푸는 것과 비교해 볼 때, 외재적 인지부하를 감소시킬 수 있다는 점에서 가치가 있지만, 모든 해결된 예제가 항상 그런 것은 아니다. 그 구조와 기능에 관계없이, 모든 해결된 예제가 동등하게 효과적이지는 않다. 실제로, 몇몇 해결된 예제들은 그 형태 자체가 높은 수준의 외재적 인지부하를 생성하기 때문에 그다지 효과적이지 않다. 분산된 정보 출처를 지닌 해결된 예제가 이 범주에 해당한다.

주의분산은 학습자가 적어도 두 개 이상의 정보 출처(즉, 공간적으로 혹은 시간적으로 분리된 정보 출처)로 그들의 주의력을 분산시켜야 할 때 발생한다. [그림 9.1a]가 바로 그 예이다. 인지부하이론 관점에서 볼 때, 서로 다른 출처의 정보는 전반적인 내용의 이해를 위하여 반드시 필요하지만, 따로 떼어 놓고 생각해서는 잘 이해되지 않는다. 학습의 최대 효과를 얻기 위해서는 서로 다른 출처의 모든 정보가 내적으로 통합될 필요가 있다. 그렇다고, 학습자로 하여금 공간적으로 혹은 시간적으로 분리되어 있는 각 정보를 통합하게 하는 것은 외재적 인지부하를 발생시킨다. 즉, 학습자가 시간적 혹은 공간적으로 분산된 정보를 학습해야 하는 상황에서, 먼저 한

a. 각 ∠EFB의 값은?

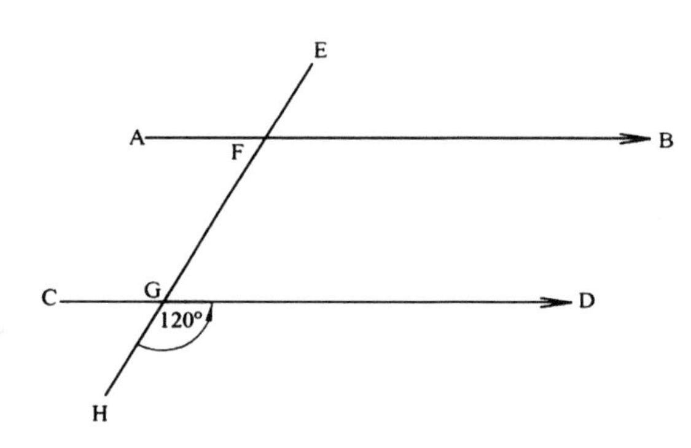

∠GFB=120°(평행한 두 직선 AB와 CD의 동의각은 서로 같다.)
∠EFB=60°(직선 위의 모든 각의 합은 180°이다.)

b. 각 ∠EFB의 값은?

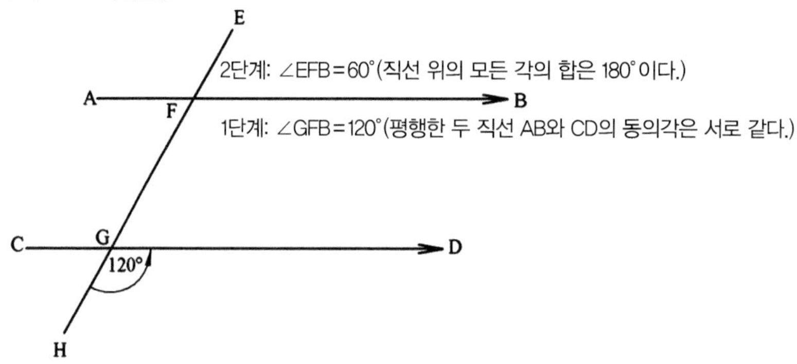

그림 9.1
(a) 해결된 예제(도형의 법칙 중 각의 법칙)의 주의분산된 형태와 (b) 해결된 예제(도형의 법칙 중 각의 법칙)의 통합된 형태

출처의 정보를 익히고, 다른 출처의 정보로 의식을 전환할 때, 처음 출처로부터 이미 학습된 정보는 작동기억에 계속 머물러 있다. 제한된 작동기억을 사용해야 하는 이러한 상황에서, 학습자는 이전 정보와 연계된 또 다른 정보로부터, 더 높은 수준으로 상호작용해야 하는 요소들을 탐색하고 처리해야 한다. 이와 같이, 분산된 출처를 지닌 정보를 제시하는 것은 불필요한 요소 상호작용을 증가시켜 외재적 인지부하를 발생시킨다. 주의분산 조건하에서, 작동기억 인지자원은 학습과 관련된 스키마를 형성하는 데 사용되지 못하고, 외재적 인지부하와 상호작용하는 요소들을 처리하는 데 쓰일 수 있으며, 결과적으로 학습에 큰 손실을 줄 수 있다. 결론적으로, 학습자가 주의분산을 경험하지 않게 하기 위해서, 교수설계자는 서로 다른 출처의 정보들을 물리적으로 통합할 필요가 있으며, 또한, 시간적으로 주의분산된 경우엔

동시에 처리할 수 있도록 해야 한다. [그림 9.1b]가 그 예를 제시하고 있다. 이러한 형태의 학습자료는 학습자에게 외재적 인지부하를 줄여준다.

주의분산 효과는 통합된 학습자료를 토대로 한 교수 전략이 분산된 출처를 지닌 학습자료보다, 더 나은 학업성과를 보여주었을 때 발생한다. 학습상황에서, 학습자들의 주의력을 분산시키는 '다수의 정보 출처들'은 '하나의 통합된 출처'와 실험적으로 비교되었는데, 일반적으로, 정보의 '통합 형태'가 정보의 '주의분산 형태'보다 더 효과적인 학습환경을 이끌었다. 멀티미디어는, 그 자체 정의에 의해서, 한 개 이상의 정보 출처를 내포하며, 따라서 주의분산 효과에 대한 많은 연구들은 멀티미디어 학습자료를 사용해왔다(Ayres & Sweller, 2005 참조). 가령, 그림, 텍스트와 함께 제시된 도표(diagram), 서로 다른 형태의 텍스트(글 또는 음성)가 멀티미디어 학습자료에 포함된다. Sweller(1999)가 주목했듯이, 인지부하이론은 '텍스트와 도표들', '텍스트와 텍스트', '도표들과 도표들'을 주의분산 효과에 기여하는 요소들로 구별하지 않는다(p.98). 서로 다른 출처인 '도표'와 '문자 텍스트(written text)'에 의해서 학습자료가 구성되었을 경우에, '문자 텍스트'를 '도표'의 해당 부분에 배치함으로써, 통합된 자료를 만들 수 있다. 또한, '도표'와 '음성 텍스트(spoken text)' 경우엔, 도표와 그 도표를 설명하는 내레이션(narration)을 사용해서 통합된 자료를 구현할 수 있다.

주의분산 효과는 인지구조와 밀접하게 부합한다. 학습자에게 정보를 제공하는 것은 '차용과 재조직 원리'를 사용하는 것이며, 그 결과로 장기기억의 정보는 증가된다(정보 저장 원리). 그 정보가 분산된 형태로 학습자에게 제시된다면, 학습자는 분산된 각각의 출처에서 지시대상들(referents)을 탐색해야 한다. 탐색(search)은 항상 '무작위적 생성 원리'를 필연적으로 수반하며, '변화의 제한성 원리'로 인해 작동기억 부하를 부과한다. 이때, 다수의 출처에서 제공된 정보를 물리적으로 통합하는 방법에 의해서, 불필요하게 상호작용하는 요소들은 제거되고, 외재적 인지부하는 감소되므로 탐색의 부담은 경감된다. 일련의 과정을 거쳐 장기기억에 저장된 정보는, '환경의 조직과 연결 원리'에 의해, 이후 관련된 문제들을 해결할 때 사용된다.

위의 두 해결 예제들([그림 9.1] 참조)은 주의분산 효과를 증명할 때 사용할 수 있는 학습자료의 예이다. [그림 9.1a]는 주의분산된 형태로 제시된 기초 도형 문제에 대한 해결된 예제(a worked example)이다. 각 HGD는 120°이며 학습자는 각 EFB의 값을 구해야 한다. 이 문제를 풀기 위한 많은 해결 방법들이 있겠지만, 위의 해결된 예제는 두 단계 해법을 제공한다. 첫 번째 단계로, 각 GFB는 '평행하는 두 직선 사이의 동의각은 서로 같다'라는 법칙에 따라 그 값을 구할 수 있다(120°). 두 번째 단계로, 각 EFB(최종적으로 구해야 하는 각)는 '직선 위의 모든 각의 합은 180°이다'라는 직선의 정리에 의해 그 값을 구할 수 있다(60°). 이 예는 주의분산된 형태의 해결된 예제로 구분되며, 문제해결을 위해서 '도형 그림'과 '설명 텍스트'는 반드시 함께 이해되어야 한다. 학습자는 해결된 예제의 각 '진술문'을 읽고, 그 '진술문'에서 언급된 직선과 각을 '도형'에서 찾는다. 즉, 학습자는 '해결된 예제'의 '진술문'과 '도형' 사이를 여러 차례 오가며, 해결해야 할 문제를 이해하고, 그 이해 과정에서 문제 해법과 관련된 '직선'과 '각'을 '도형'에서 찾는다. 이때, 학습자는 작동기억에 이전 정보(예: 진술문)가 남아 있는 상태에서 새로운 정보(예: 도형)를 접해야만 하며, 이 과정은 여러 차례 반복된다. 이러한 정신작용은 작동기억의 외재적 인지부하를 증가시킨다.

주의분산된 형태의 해결된 예제인 [그림 9.1a]와는 대조적으로, [그림 9.1b]는 통합된 형태로 제시된 해결된 예제이다. 통합된 형태의 해결된 예제는 (1) 지시대상(referents) 탐색의 부담을 경감시키며, (2) 문제해결에 필요한 진술문을 단계적으로 도형의 적절한 위치에 끼워 넣음에 따라 정보의 일시적 저장 용량을 줄일 수 있다. 문제해결의 각 단계는 문제해결과 관련된 직선과 각의 그림에 근접하게 위치해 있으며, 각 단계는 학습자가 순서대로 따라갈 수 있도록 번호가 매겨져 있다. [그림 9.1a]의 주의분산된 형태로 제시된 해결된 예제와 비교했을 때, 이 두 정보를 물리적으로 통합시킨 해결된 예제의 제시 형태는 외재적 인지부하를 현저하게 줄일 수 있다. 주의분산 효과를 증명하며, "[그림 9.1b]와 같은 통합된 형태의 해결된 예제를 학습한 학습자가 [그림 9.1a]와 같이 주의분산된 형태의 해결된 예제를 학습한 학습자보다 더 많은 것을 배울 것이다"라는 가설이 세워질 수 있다.

주의분산 효과의 다양한 범주

주의분산 효과는 다양한 범주의 학습자들이 다양한 자료들을 학습하는 다양한 학습환경에서 발생된다. 그러나, 주의분산이 일어나는 모든 학습환경은 공통적으로 일련의 필수요건들을 지니고 있다. 그 필수요건들 중 가장 중요한 것은 서로 다른 출처의 정보는 따로 떼어서 이해될 수 없어야 하고, 학습될 수 없어야 한다는 것이다. 가령, 도표 혹은 그림이 학습에 필요한 모든 정보를 제공한다면, 추가적으로, 텍스트 정보를 이 도표 혹은 그림에 끼워 넣는 것은 불필요한 일이다. 이 경우, 텍스트 정보는 제거시켜야 한다(11장 '중복 효과' 참조). 주의분산 효과는 학습자가 정보를 이해하기 위해서 두 개 이상의 다른 출처의 정보를 동시에 처리해야 할 경우에만 발생된다. 이 조건을 충족시키며 주의분산 효과를 발생시키는 다양한 형태의 주의분산 유형이 있다.

해결된 예제와 주의분산 효과

인지부하 효과에 관한 초기의 연구들은 수학 혹은 과학 과목의 학습자료를 사용해서 수행되었다. 주의분산 효과에 대한 연구도 예외는 아니었다. 주의분산 효과에 대한 최초의 연구는 Tarmizi와 Sweller(1988)에 의해서 수행되었다. Tarmizi와 Sweller의 원래 연구목적은, 당시 '대수학'을 활용해서 이미 증명된 해결된 예제 효과(Cooper & Sweller, 1987; Sweller & Cooper, 1985)가 '기하학'을 활용해서도 그 효과가 변함이 없다는 것을 증명하기 위함이었다. 그러나, 예상과는 달리, 기하학 영역에선 '해결된 예제' 또는 '부분적으로 해결된 예제'를 학습한 학습자가 전통적인 학습전략인 '문제해결'을 사용한 학습자보다 더 나은 결과를 보여주진 못했다. 이에 대하여, Tarmizi와 Sweller는 [그림 9.1a]와 같이 전통적으로 기하학 문제를 다룰 때 사용되는 주의분산 형태의 정보 구성이 해결된 예제의 실패 원인이라고 추론했다. 실험에 사용된 해결된 예제는 기존 수학 교과서에서 채택하고 있는 일반적 문제 제시 형태(즉, 도표 아래에 문제해결 과정이 글로 기술되어 있는 형태)였다. 이 추론을 토대로, Tarmizi와 Sweller는 [그림 9.1b]와 유사한 형태의 '해결된 예제의 통합적 제시 방법'을 실험하고, 그 효과성을 성공적으로 검증했다. 즉, '도표'와 '문제의 단계적 해결 방법'에 대한 설명을 물리적으로 통합한다면, 해결된 예제를 학습하는 것이 문제해결 추적 전략을 사용하는 것보다 훨씬 더 효과가 있음을 증명하였다.

기하학(도형 문제)을 통해서 '물리적으로 통합된 해결된 예제'의 효과성이 증명된 이후, 좌표 기하학(coordinate geometry: $x-y$ 좌표를 이용한 도형 문제)에서 역시 그 효과성은 증명되었다(Sweller, Chandler, Tierney, & Cooper, 1990). 좌표 기하학은 '도형의 정리(theorem-driven geometry)'와 아주 밀접하게 관련되어 있음에도 불구하고, 보다 더 공식(formulae)에 의존적이다. 일반 기하학 문제와 마찬가지로, 좌표 기하학에서도 도형과 관련된 공식과 그 공식을 설명하는 문장(written text)을 분리시켜 구성하는 것이 해결된 예제를 만드는 전통적 방법이었다. 이 좌표 기하학 문제를 활용한 Sweller 등(1990)의 연구 역시 해결된 예제의 정보들이 분산된 형태로 제시되었을 경우는 전통적인 문제해결 방법보다 효과적이지 않았지만 통합된 형태로 제시되었을 경우는 두드러지게 효과적임을 보여주었다.

Ward와 Sweller(1990)는 역학법칙(물리학)을 배우는 학습자들을 대상으로 주의분산 효과를 증명했다. 공식 처리(formula manipulation)를 기반으로 하는 고도의 수학적 능력이 요구되는 이 영역에서, 전통적 교과서 양식대로 해결된 예제가 제시되었을 경우에 '해결된 예제 효과'는 나타나지 않았다. 즉, 전통적 교과서 양식이란 주어진 문제해결과 필연적 관계가 없는데도, 여러 개의 공식들이 공간적으로 분리되어 나열되어 있는 경우를 말한다. 특히, 해결해야 할 문제에 대한 진술(problem statement)과 이 문제해결을 위해 필요한 공식이 멀리 떨어져 있을 경우가 많다. 이런 종류의 문제에선, 등식(공식)을 성립시키기 위해, 문제가 제시한 속력(velocity), 거리(distance), 가속도(acceleration)의 값이 대입되어야 한다. 다시 말해서, 전통적 형태의 해결된 예제에선, 학습자가 해결해야 하는 문제에 대한 진술이 그 문제해결에 사용되는 변수들(즉, 시간, 거리, 속도, 가속도 등)의 값, 그 값을 대입해야 하는 공식들과 서로 공간적으로 분리되어 제시된다. 그 결과, '문제'와 문제해결에 사용되는 '공식' 사이에 주의분산이 발생한다. [그림 9.2a]가 그 예이다.

[그림 9.2a]에서 확인할 수 있듯이, 공식(예: $v = u + at$ 등)의 변수(예: v, u, a, t 등)에 적당한 값을 대입하기 위해서, 학습자는 문제 진술('무엇을 해결해야 하는가?'에 대한 진술)을 내내 기억해야 하거나, 혹은 학습자가 공식의 변수에 값을 대입할 때마다 문제 진술은 참조되어야 한다. 해결된 예제를 이해하기 위해서, '공식' 그리고 그 '공식'과 물리적으로 떨어져 있는 '문제 진술'을 함께 고려해야 하는 상황은 전형적인 주의분산 환경의 예이다.

[그림 9.2b]는 공식과 그 공식을 이용해서 풀어야 하는 문제에 대한 진술을 통합시킨 형태다. 통합된 해결된 예제 형태에선, 무엇을 해결해야 하는 문제인지에 대한 설명이 끝나기도 전에, 공식을 구성하는 변수들의 값이 대입된다. 또한, '공식'과 '문제 진술'에 대한 관계는 물리적으로 통합된 형태로 명시적으로 제시되기 때문에, 학습자들은 이들의 관계에 대하여 탐색할 필요가 없다. 따라서, 작동기억 인지자원은

a. **정지해 있던 기차가 5초 후에 15m/s의 속도에 도달했다. 이 기차의 가속도는?**
$u = 0\text{m/s}$
$v = 15\text{m/s}$
$t = 5\text{secs}$
$v = u + at$
$a = (v - u)/t$
$= (15 - 0)/5$
$= 3\text{m/s}^2$

b. **정지(u)해 있던 기차가 5초(t) 후에 15m/s(v)의 속도에 도달했다.**
[$v = u + at$, $a = (v - u)/t = (15 - 0)/5 = 3\text{m/s}^2$]. 이 기차의 가속도는?

그림 9.2
역학법칙(물리) 문제 중 (a) 주의분산 형태의 예와 (b) 통합적 형태의 예

낭비되지 않는다.

이와 같은 해결된 예제의 전략들을 채택하여, Ward와 Sweller는 해결된 예제 효과뿐만 아니라 주의분산 효과도 증명할 수 있었다. Ward와 Sweller는 세 개의 학습전략을 비교했다: 전통적인 문제해결(problem-solving), 주의분산된 형태로 제시된 해결된 예제(a split-attention worked example), 통합된 형태로 제시된 해결된 예제(an integrated worked example). 그 결과, 통합된 형태로 제시된 해결된 예제를 학습한 학습자가 다른 두 방법을 사용한 학습자보다 우수한 학업성취를 보였으며, 다른 두 방법을 사용한 학습자들의 결과는 차이가 없었다.

위에서 언급된 모든 연구들은 '수리적 특성을 지닌 문제들'의 해결된 예제를 학습자료로 사용하여 수행되었다. 각종 도형의 특성이 다루어지는 유클리드 기하학 문제에서부터 공식을 토대로 해결해야 하는 문제(예: 물리학의 역학 문제 등)까지 다양한 문제들이 해결된 예제로 사용되었다. 앞서 살펴보았듯이, 이러한 문제들은 주의분산이 제거된 형태로 재구성될 필요가 있다. 그러나, 많은 교수 기법들(instructional techniques)은 그림이나 도표와 결합된 설명 텍스트(explanatory text; 음성 또는 글)를 포함하며, 심지어 기계 작동에 관한 정보를 제공하기 위해 매뉴얼이 사용되는 것처럼, 실제 하드웨어와 함께 텍스트 정보가 제시되기도 한다. 해결된 예제의 사용 유무와 관계없이, 이러한 교수 기법을 활용하여 다루어지는 많은 대부분의 자료들은 주의분산된 형태로 제시되는 경향이 있다. 이때 발생하는 주의분산 효과들은 다음에서 논의될 것이다.

도표와 설명글

주의분산 맥락 안에서 '설명글(explanatory note)'의 효과성에 대한 첫 연구는 Sweller 등(1990)에 의해서 수행되었다. Sweller 등(1990)은 좌표 기하학 분야의 해결된 예제에서 주의분산을 줄이는 것이 얼마나 중요한지를 증명했을 뿐만 아니라, 학습 초기 단계에 있는 학생에게 가장 효과적으로 설명글을 제공하는 방법도 알아냈다. 즉, 그 방법이란 도표 내부에 설명글이 지시하는 대상과 가장 가까운 지점에 바로 그 설명글을 끼워넣는 형태로, 설명글과 도표를 통합하는 것이다. [그림 9.3]이 바로 그 예이다.

[그림 9.3]과 같이, 도표 아래쪽에 설명글을 작성하는 것 대신에, 도표 내부의 적절한 위치에 설명글을 작성하여 끼워넣을 수 있다. $x-y$ 좌표상의 특정한 한 점을 찾아야 하는 이 문제에서, 점의 위치를 기술한 설명글은 찾고자 하는 바로 그 점 곁에 나란히 위치해있다. 따라서, 학습자의 주의력은 도표와 설명글을 내적으로 통합하기보다, 수학 문제 자체에 집중될 수 있다. 이와 같은 '통합적 설명글 형태'에선, 지시대상(좌표상의 한 점)을 찾는 단 하나의 문제해결 탐색(problem solving search)만이 있을 뿐이다. 서로 다른 출처를 지닌 정보를 물리적으로 통합하는 이유는 정보를 내적으로 통합하기 위해서다. 물리적으로 통합된 정보를 제시받는 학습자는 외재적 인지부하를 일으키는 불필요한 정보 통합의 과정을 거치지 않아도 된다. 따라서, 외재적 인지부하의 감소로 인해 작동기억의 용량은 정보를 통합시키기 이전보다 더 확보될 수 있으며, 이 확보된 작동기억 인지자원은 학습과 관련된 스키마 획득에 집중될 수 있다.

Sweller 등(1990)은 [그림 9.3]에서 증명된 정보 제시 형태(즉, 설명글이 완전히 도표와 통합된 형태)의 상대적 효과성에 대하여 실험했다. Sweller 등(1990)의 실험은 도표와 설명글을 물리적으로 통합시킨 형태(즉, 설명글을 도표 안에 위치시킴)가 도표와 설명글을 서로 분리시킨 형태(즉, 설명글을 도표 아래에 위치시킴)보다 더 효과적임을 증명했다. Sweller 등(1990)의 두 번째 실험은 설명글과 해결된 예제를 활용하여 정보의 통합 형태와 분산 형태를 비교했다. 두 개의 학습 국면을 지닌 이 실험의 첫 번째 국면에선, 통합된 형태로 제시된 설명글(도표와 설명글을 통합시킨 형태)과 주의분산된 형태로 제시된 설명글(도표와 설명글을 분리시킨 형태)이 비교되었다. 또한, 실험의 두 번째 국면에선, 통합된 형태로 제시된 해결된 예제(문제와 해결된 예제를 통합시킨 형태)

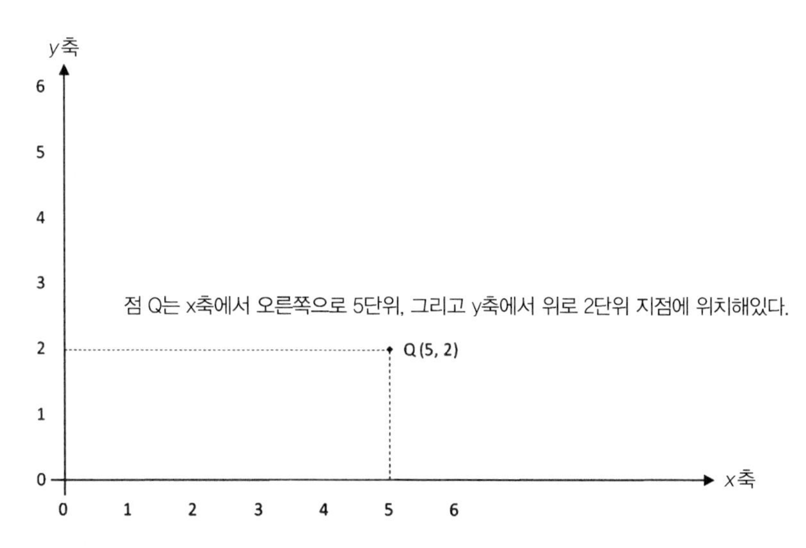

그림 9.3
x–y 좌표에서의 통합적 설명 텍스트(integrated explanatory text)의 예

와 주의분산된 형태로 제시된 해결된 예제(문제와 해결된 예제를 분리시킨 형태)가 비교되었다. 두 국면에서 모두 '통합된 형태로 제시된 정보'를 가지고 학습한 학습자가 '주의분산된 형태로 제시된 정보'를 가지고 학습한 학습자보다 월등하게 우수한 결과를 보였다. 즉, 학습의 첫 번째 국면에서, 통합된 형태의 설명글을 제시받은 학습자가 주의분산된 형태의 설명글을 제시받은 학습자보다 더 적은 시간을 사용했다. 학습의 두 번째 국면에서도 마찬가지로, 통합된 형태의 해결된 예제를 제시받은 학습자가 주의분산된 형태의 해결된 예제를 제시받은 학습자보다 더 적은 시간을 해결된 예제 학습에 사용했다. 또한, 더 적은 시간을 학습에 할애했음에도 불구하고, 통합된 형태로 정보를 제시받은 학습자들은 유사 테스트(similar test problem)와 전이 테스트(a transfer problem)에서도 월등한 결과를 보였다.

또한, Sweller 등(1990)은 수치 제어 시스템(numerical control system)[1]을 활용하는 전산 프로그램 영역으로 실험을 확장했다. 이 새로운 영역에서, 학습자가 해야 할 과제는 산업용 기계를 제어하는 프로그램을 작성하는 것이다. '나무나 쇠붙이 등을 자르는 기계' 같은 대부분의 기계 작동에 대한 제어 프로그램이 '데카르트

역주 1 어떤 점에서 직접 수치 데이터를 삽입함으로써 동작이 제어되는 시스템.

좌표 시스템(cartesian coordinate system)'[2]에 종속적이듯, 이 산업용 기계를 제어하는 프로그램을 작성하는 과제 역시 '좌표 기하학(coordinate geometry)'과 깊은 관련이 있다. 또한, 이 과제는 $x-y$ 좌표를 이용한 초급 수준의 도형 문제보다는 훨씬 더 높은 수준의 요소 상호작용을 가졌다. 현장 실습을 하는 산업 연수생들(trade apprentices)에 의해서 수행된 이 실험에서도, 통합된 형태로 정보를 제시받은 학습자가 주의분산된 형태로 정보를 제시받은 학습자보다 더 적은 시간을 학습하는 데 사용했고, 더 높은 시험성적을 거두었다. 특히, 다수의 복잡한 절차들을 포함하고 있는 엄청난 양의 설명글이 실험에 사용되었다는 것은 주목할 만한 부분이다.

Purnell, Solman과 Sweller(1991)는 지리학(엄청난 양의 표(tables), 도표(diagrams), 설명글이 활용되는 분야)에서 주의분산 효과를 발견했다. 연속적인 네 개의 실험에서, 통합된 형태로 정보가 제시된 지도(표/도표와 설명글을 통합시킨 형태)를 학습한 학습자와 주의분산된 형태로 정보가 제시된 지도(표/도표와 설명글을 분리시킨 형태)를 학습한 학습자가 비교되었다. 그 결과, 통합적 형태로 정보를 제시받은 학습자가 그렇지 않은 학습자보다 지도상의 아주 자세한 부분까지 기억할 수 있었을 뿐만 아니라, 그것들을 월등하게 추론해낼 수 있었다. 또한, Chandler와 Sweller(1991)도 전기배선 설치에 대해 학습하는 전기기사 연수생(electrical apprentices)을 대상으로 주의분산 효과를 성공적으로 증명했다. 전기회로 도표와 설명글이 통합된 형태로 제시된 자료를 학습한 학습자가 기존의 전통적인 방식(도표와 설명글을 분리해 정보를 구성하는 방식)의 자료를 학습한 학습자보다 월등한 결과를 보였다.

Mayer(1989)는 '수압 제동 시스템'을 익히는 학습자를 대상으로 실험을 진행했다. 실험 결과, 학습자가 시스템에 대한 설명글을 시스템을 묘사한 삽화 아래에 위치시킨 자료를 학습한 경우엔 그다지 효과적이지 않았다. 그러나, 설명글이 제시하고 있는 내용과 직접적 관련이 있는 삽화 바로 옆에 설명글을 끼워넣은 자료를 학습한 학습자는 전이 검사에서 탁월한 성과를 보였다.

더 나아가, Mayer, Steinhoff, Bower와 Mars(1995)는 '어떻게 번개는 작동하는가?'에 대해 학습하는 학습자를 대상으로 '통합 전략 집단(an integrated strategy group)'과 '주의분산 전략 집단(a split-attention strategy group)'을 비교하는 일련의 실험(세 번의 실험)을 했다. 통합 전략 집단의 학습자들은 설명 단락을 삽화 옆에 배

역주 2 도표 방정식과 기하학 도형에 사용되는 직각 좌표계.

치하고, 설명 단락 안의 핵심 용어들은 모두 삽화의 해당 부분에 표시를 해둔 소책자를 배부받았다. 반면, 주의분산 전략 집단의 학습자들은 설명 단락과 해당 삽화를 서로 다른 페이지에 배치하고, 핵심 용어도 삽화에 표시하지 않은 소책자를 배부받았다. 실험 결과, 모든 실험의 '전이 과제(transfer tasks)'에서 통합 전략 집단의 학습자들이 주의분산 전략 집단의 학습자들보다 더 높은 학업성취를 보였다. 이와 관련하여, Moreno와 Mayer(1999)는 '컴퓨터 기반의 애니메이션'으로 제작된 '번개 형성과정'에 대한 학습자료를 사용해서 추가적인 증거자료를 제시했다. Moreno와 Mayer는 Mayer 등(1995)이 사용했던 극단적 정보 분리 방법(즉, 삽화와 해당되는 설명 단락을 서로 다른 페이지에 배치)은 사용하지 않았지만 여전히 주의분산 효과를 증명했다. 주의분산 집단을 위한 학습자료에선 설명글을 해당 그림/도표 아래(즉, 화면의 바닥 부분)에 배치했으며, 통합 집단을 위한 학습자료에선 설명글을 관련된 그림/도표 바로 옆에 배치했다. 마찬가지로 통합 집단에 속한 학생들이 전이 과제에서 높은 학업성취를 보였다. 최근에 Austin(2009)도 같은 연구 결과를 보고했다.

그 이후, 주의분산 효과에 대한 연구는 더 다양한 학습 분야로 확장되었다. Rose와 Wolfe(2000)는 회계학을 전공하는 학부 학생을 대상으로 주의분산 효과를 증명했다. Rose와 Wolfe(2000)는 두 종류의 학습정보를 사용하여 세 종류의 학습환경을 구성했다. 두 종류의 학습정보는 세금 계산에 관한 '교수학습자료(instructions)'와 세금 계산에 도움이 되는 '결정적 도움 자료(a decision aid)'이다. 이 두 종류의 정보는, 각각 '통합된 형태(한 화면에 두 종류의 정보를 통합하여 제시)', '두 개의 화면으로 분산된 형태(서로 다른 두 화면에 각기 다른 두 종류의 정보를 분리하여 제시)', '하나의 화면 안에서 분산된 형태(한 화면에 두 종류의 정보를 분리하여 제시)'로 구성되었다. 실험 결과, 통합된 형태로 구성된 학습자료를 학습한 학습자가 그렇지 않은 학습자보다 높은 학업성취 결과를 보였다. 또한, 유사한 연구를 한 Rose(2002) 역시 같은 실험 결과를 보고했다. Ayres와 Youssef(2008)는 경제학 분야의 학습과제를 사용해서 주의분산 효과를 증명했다. 학습자들(학부 학생들)은 수요-공급 곡선에 대해서 학습했는데, 도표와 함께 제시된 문제들을 해결할 때 가장 현저한 학습결과를 보였다.

Pociask과 Morrison(2008)은 실제 교수학습 상황에서 '정형외과적 물리치료(orthopaedic physical therapy)'에 대하여 학습하는 학습자들을 대상으로 주의분산 효과를 검증했다. 본 과목을 수강 신청한 초보 물리치료학과 학생들은 두 개(통합적 정보 제시 집단과 주의분산적 정보 제시 집단)의 집단으로 나뉘어 환자들이 갖을 수 있는 다양한 형태의 통증들이 발생하는 과정에 대하여 학습했다. 그 결과, 정보를 통합된 형태로 학습한 학습자가 그렇지 않은 학습자보다 '실습시험' 뿐 아니라 '필기시험'에서도 낮은 인지부하를 보이며 높은 성취 결과를 보였다. 그러나, 이 연구는 주의분산 효과의 자세한 원인을 해석하는 데 어려움을 주었던 중복적인 자료를 포함하고 있었음에 주목할 필요가 있다. 또한, Cierniak, Scheiter와 Gerjets(2009a, 2009b)는 인간의 '신장구조'와 '신장의 생리적 처리 과정'을 다룬 학습자료를 실험에 사용했다. 아주 자세한 내용까지 다룬 이 자료는 '통합 형태'와 '주의분산 형태'에서 모두 빽빽하게 설명글이 제시되었다. 마찬가지로, 주의분산 효과가 발생했다(Sweller 등, 1990 참조). 즉, 그림들과 관련된 설명글로 빼곡히 채워진 컴퓨터 화면을 학습한 학습자가 보다 높은 학업성취를 보였다.

위에서 언급된 모든 실험들은 확실히 필수적인 정보를 효과적으로 배치하는 방법에 관한 것이다. 도표와 텍스트(즉, 설명글)를 분리해서는 결코 이해할 수 없기 때문에, 학습자는 이 두 정보를 통합해야만 한다. 이때 필연적으로 학습자의 외재적 인지부하는 증가한다. 출처가 다른 두 정보를 통합하는 과정은 학습에 불필요한 외재적 인지부하를 불러일으켜 작동기억 인지자원을 소모시킨다. 그러나, 도표와 텍스트가 통합된 형태로 학습자에게 제시된다면 외재적 인지부하는 제거될 수 있다.

다수의 출처

Sweller 등(1990)은 도표와 설명글을 통합하는 것뿐만 아니라, 서로 다른 주제를 가지고 있는 두 개의 설명글을 통합하는 연구를 했다. Sweller 등은 '수치 제어 프로그래밍(numerical control programming)'에 관한 서로 다른 두 가지 주제의 설명 정보를 통합했다. 한 세트를 구성하는 두 개의 설명 정보 중 첫 번째 것은 특별한 방식으로 금속판을 자를 때 기계의 물리적 이동에 관한 것이다. 두 번째 것은 기계가 필요한 작동을 하도록 프로그래밍할 때 사용되는 '수치 제어 명령'에 관한 것이다. 예를 들면 다음과 같다.

1. 첫 번째 설명서: 절삭을 시작하기 위해서는, 왕복대를 따라 주축대 쪽으로 16밀리미터만큼 움직인다.
2. 해당 NC*설명서: 직선 절삭 NC 명령어는 G01이다.

*NC(Numerical Control): 수치 제어

'수치 제어 프로그래밍'에 대하여 배우고자 하는 학습자라면 이 두 범주의 설명 정보를 반드시 이해해야 한다. 일반적으로 이 두 설명 정보는 두 개의 분리된 '표'로 정리되어 동시에 혹은 연속적으로 학습자에게 제시된다. 그러나 이 두 정보는 물리적으로 통합될 수 있다. 즉, 첫 번째 기계의 사용 설명문만 제시하고 이에 상응하는 수치 제어에 대한 설명은 괄호 표시하여 연이어 제시하면 된다.

절삭을 시작하기 위해서는, 왕복대를 따라 주축대 쪽으로 16밀리미터만큼 움직인다.
(직선 절삭 NC 명령어는 G01이다.)

이와 같은 방식으로, 서로 다른 주제를 가진 두 정보는 통합되어 하나의 설명서로 만들어졌다. 실험에 참여한 두 집단 중에, 한 집단은 이 통합된 설명 정보를 제시받았고, 다른 집단은 두 개로 분리된 형태의 설명 정보를 연속적으로 제시받았다. 실험 결과, 통합된 설명 정보를 제시받은 집단이 설명 정보를 익히는 데 더 적은 시간을 사용했고, 연이어 실시된 시험에서도 더 높은 점수를 얻었다. 도표와 설명글의 경우와 마찬가지로, 주제가 다른 두 설명 정보를 통합하는 경우도 지시대상과 그 지시대상과 상응하는 대상을 탐색하는 데서 오는 외재적 인지부하를 줄일 수 있었다.

두 개 이상의 정보 출처

Chung(2007)은 서로 다른 세 개의 출처로부터 정보를 활용하여 중국어를 제2 언어로 학습하는 영역의 주의분산에 대하여 연구했다. Chung은 동시에 한자(Chinese character), 영어 번역문(English translation), 핀인(pinyin: 중국어의 로마자 표기법)으로 구성된 세 장의 플래시 카드[3]를 학습자에게 제시했다. 세 장의 플래시 카드는 다양한 순서로 배치되어 학습자에게 제시되었는데, 따라서 각각의 카드는 서로 가까이 있기도, 떨어져 있기도 했다. 실험 결과, 영어 번역문 카드 혹은 핀인 카드가 한자 카드와 떨어져 있을 때보다 가까운 위치에 배치되어 학습자에게 제시되었을 때, 학습자는 주의분산 효과를 나타내며 월등한 학업성취(발음 학습 포함)를 보였다.

인지부하 관점에서, Lee와 Kalyuga(2011b) 역시 중국어를 제2 언어로 학습하는 영역에서 핀인의 효과성에 대하여 연구했다. Lee와 Kalyuga는 중국어 어휘학습

• • •
역주 3 그림과 글자 등이 적힌 학습용 카드.

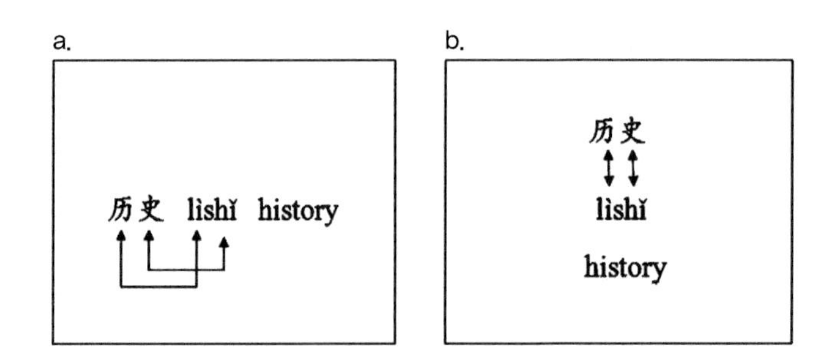

그림 9.4
(a) 주의분산을 일으키는 가로 제시 형태와 (b) 주의분산을 감소시키는 세로 제시 형태를 증명하는 도표들

을 할 때 학습자에게 기존에 일반적으로 사용하고 있는 방법인 가로 배치 형태로 핀인을 제시할 경우 높은 수준의 인지부하를 부여하여 학습을 방해할 것이라고 제안했다. 즉, 학습자는 한자에 대응하는 영어 뜻과 핀인을 동시에 찾아 맞추어야 하는데, 세 개의 서로 다른 정보가 가로 형태로 제시된다면 학습자의 주의분산이 일어나 결국 학습은 방해받을 것이라고 생각했다. 그래서 Lee와 Kalyuga는 대안적 정보 배치 방법으로 세로 배치 형태를 제안했다. Lee와 Kalyuga의 가정에 의하면 핀인을 대응하는 한자 바로 아래에 배치한다면 학습자가 갖을 수 있는 잠정적 주의분산은 감소된다는 것이다. [그림 9.4]는 이 두 정보 배치 형태를 제시하고 있다. 이를 검증하기 위하여, 중국어를 제2 언어로 배우는 고등학생들을 대상으로 실험은 진행되었다. 실험 결과, 세로 형태의 정보 배치 형태가 학습자의 주의분산을 제거하는 중요한 이점을 가졌다는 것이 증명되었다.(세로 형태로 정보를 제시받은 학습자가 가로 형태로 정보를 제시받은 학습자보다 월등한 학업성취를 보였다.)

컴퓨터를 이용한 학습에서의 주의분산 효과

학습자의 주의분산이 발생되는 가장 일반적인 예는 학습자가 기계의 사용법을 익힐 때이다. 그 예 중 하나가 컴퓨터 사용법을 익히는 경우이다. 사용설명서 혹은 최근에 더 많이 활용되는 컴퓨터 모니터로 제시되는 설명을 따라 컴퓨터 사용법을 익힐 때 학습자의 주의분산은 발생된다. 학습자는 정보를 읽고 마우스 사용법, 단축키 사용법, 특정 응용 프로그램(예: 계산기, 녹음기, 메모장 등)을 사용하는 법 등 다양한 컴퓨터 사용법을 익힌다. 주의분산이 발생되는 전형적 시나리오 상황인 이 경우에 거의 예외 없이 학습자의 주의력은 '컴퓨터 기계 자체'와 '사용설명서'로 분산된다.

Sweller와 Chandler(1994) 그리고 Chandler와 Sweller(1996)는 CAD/CAM (Computer Aided Design/Computer Aided Manufacture)의 사용법을 익히는 학습자를 대상으로, 전통적 주의분산 정보 제시 방법(컴퓨터와 매뉴얼)과 통합적 정보 제시 전략(수정된 매뉴얼)을 비교하여 이 현상을 검증했다. 통합된 정보 제시 전략의 학습자들은 설명글과 도표를 물리적으로 통합시킨 형태로 정보들이 정리된 매뉴얼을 사용하여 프로그램의 사용법을 익혔다. 이때 학습자는 일체 컴퓨터 접근이 허용되지 않았고, 대신 컴퓨터 스크린과 키보드 등이 반드시 필요한 모든 명령어들은 모두 소책자에 그림으로 제시되었다. 이와는 대조적으로, 분산된 출처로부터 정보를 제시받은 학습자들은 사용설명 매뉴얼을 읽어가면서 곧바로 실제 컴퓨터를 가지고 다양한 절차들을 시도할 수 있었다. 연이어 실시된 학업성취 검사(학습국면에서 다룬 컴퓨터 지식 및 컴퓨터 사용능력에 대한 검사)에서 통합 전략 집단의 학습자들이 주의분산 효과를 나타내며 더 우수한 성과를 냈다. 놀랍게도, 학습국면 동안 컴퓨터를 사용하지 않고 매뉴얼만 가지고 학습한 학습자들이 실제적으로 컴퓨터를 가지고 실습하며 그 사용법을 익힌 학습자보다 기초적 컴퓨터 사용능력에 관해선 더 능숙하다는 것이 검증되었다.

위의 두 연구는 학습자들이 우선 먼저 컴퓨터를 가지고 실습하게 하는 것보다, 정보들이 통합적 형태로 정리된 사용설명서를 가지고 그 사용법을 먼저 익히게 하는 것이 효과적임을 보여주었다. 매뉴얼 대신 컴퓨터 스크린을 통해서 설명 정보를 제시한 Cerpa, Chandler와 Sweller(1996)의 후속 연구 역시 같은 결과를 보고했다. 스프레드시트(spreadsheets)[4] 프로그램을 학습영역으로 삼았던 Cerpa, Chandler와 Sweller의 연구에서 학습자들은 기초 수학 공식을 셀(cells)에 생성하는 법에 대하여 학습했다. 통합적 정보 제시 형태는, 스프레드시트를 열어놓은 스크린상에서, 수학공식을 셀에 생성시킬 때 사용되는 프로그램 요소의 가장 근접한 위치에 그 사용법에 대한 설명 정보를 배치하여 구성하였다. 이 통합된 정보 제시 전략은 주의분산적 정보 제시 방법('사용설명이 기술된 스크린'과 '프로그램을 열어놓은 스크린'으로 분리된 형태)과 비교되었다. 그 결과, 활용해야 하는 프로그램의 요소와 그 설명 정보를

역주 4 숫자, 문자 데이터가 가로 세로로 펼쳐져 있는 표를 입력하고 이것을 조작하여 데이터 처리를 할 수 있게 되어 있는 컴퓨터 응용 프로그램의 하나.

한 화면에 통합시킨 자료를 학습한 학습자가 주의분산 효과를 검증하며 월등한 학업성과를 보여주었다.

Sweller와 Chandler(1994), Chandler와 Sweller(1996), Cerpa 등(1996)의 연구에서 주목할 만한 점은 주의분산 효과는 오직 높은 수준의 요소 상호작용을 지닌 학습자료의 경우에만 발생된다는 것이다. 가령, 스프레드시트 과제 중 특정한 셀을 찾아 해당 값을 타이핑해 넣는 일은 아주 낮은 수준의 요소 상호작용을 지닌 과제이기 때문에 어렵지 않게 처리될 수 있다. 그러나 복잡한 수학공식을 고안하는 것 등과 같은 과제는 요소 상호작용의 수준이 매우 높다. 즉, 학습자는 공식이 무엇인지 먼저 알아야 할 뿐만 아니라, '그 공식의 구현을 위해 어떤 키보드를 사용해야 하는지', '어떻게 정확한 셀에 해당 공식을 적용시킬 수 있는지', '어떤 셀 표시들이 사용되는지' 등을 알아야 한다. 주의분산 효과는 오직 이렇게 높은 수준의 요소 상호작용을 지닌 학습자료의 경우에만 발생된다. 요소 상호작용의 영향에 대한 내용은 15장에서 더 자세히 논의될 것이다.

본 장은 기계(컴퓨터 등) 사용설명서가 얼마나 주의 깊게 구성될 필요가 있는가에 대하여 잘 보여준다. 우리 모두는 종종 사용설명서를 무시한 채 기계를 작동하곤 한다. 그러나, 많은 경우 이러한 방법은 효과적이지 않다. 사용설명서 안의 '맥락'과 현재 '맥락'의 주의분산, 사용설명서 '자체'와 사용설명서가 기술하고 있는 '기계' 사이의 주의분산은 아주 심한 작동기억 부하를 발생시키며, 따라서 학습자는 사용설명서 혹은 사용설명서가 기술하고 있는 기계 중 하나를 생략시킬 필요를 느낀다. 기계 없이 사용설명서는 이해될 수 없기 때문에, 보통 우리는 사용설명서를 버린다. 우리는 이미 학습자에게 외재적 인지부하를 부여하지 않으면서 정보를 제시하는 방법을 알고 있다. 적절하게 구조화된 사용설명서는 완벽히 이해될 수 있다. 실제 기계와 그 사용설명에 대한 주의분산이 일어나는 교수활동보다, 기계를 실제로 접하지 않은 상태로 더 쉽게 이해될 수 있다.

주의분산 효과와 관련된 인지부하이론 효과

몇몇의 연구들은 주의분산 효과와 다른 인지부하 효과 사이의 관계에 관심을 가졌다. Mwangi와 Sweller(1998)는 해결된 예제에 수반되는 '자기설명(self-explanations)'의 효용에 대한 연구에 '분산된 출처로부터 제시된 정보'와 '통합된 형태로 제시된 정보'의 차이를 비교하는 내용을 포함시켰다. 학습대상자는 수학 과목의 문제해결 방법을 익히는 아주 어린 학생들이었다. 통합된 형태로 정보를 제시받은 학생들이, 분산된 출처로부터 정보를 제시받은 학생보다, 자기설명을 활용하여 문제해결에 중점을 두고 더 많이 학습자료를 읽었을 뿐만 아니라 문제해결과 관련 있는 더 많은 추론을 이끌어냈다.

이러한 결과는 주의분산된 교수자료 때문에 증가되는 작동기억의 부하 관점에서 설명될 수 있다. 추론은 작동기억에 아주 무거운 부담을 준다. 분산된 출처로부터 제시된 학습자료는 학습자가 문제해결과 관련 있는 추론을 하기에 충분하지 않은 작동기억 인지자원을 갖게 한다. 그러나 통합된 형태로 제시된 학습자료는 작동기억 부하를 감소시킨다. 따라서 학습자는 이 감소된 작동기억 부하만큼의 활용 가능한 인지자원을 확보할 수 있으며, 이 확보된 인지자원은 학습자가 문제해결에 중점을 두고 학습자료를 읽을 때, 혹은 문제해결과 관련된 추론을 할 때 사용된다. 학습자가 작동기억 인지자원을 서로 다른 출처로부터의 정보들을 통합하는 데 사용한다면, 문제해결에 사용될 인지자원은 거의 없을 것이다.

Yeung, Jin과 Sweller(1998)는 영어 독해과제에서 설명글(explanatory notes)의 효용에 대하여 연구를 했으며, 또한 주의분산 효과가 학습자의 선수지식에 얼마나 민감한가를 검증했다. '정보의 통합 형태'에선 독해과제의 본문(text) 내 관련된 부분 바로 위에 설명글이 배치되었고, 반면 '정보의 주의분산 형태'에선 본문 맨 뒤에 모든 설명글이 한꺼번에 배치되었다. 영어가 제2 언어인 초보 수준의 초등학교 학생들을 대상으로 한 일련의 실험에서, 높은 수준의 요소 상호작용을 지닌 어려운 과제를 학습자가 접했을 경우에 '정보의 통합 형태'는 학습자의 이해력을 향상시켰다. 그러나 낮은 수준의 요소 상호작용을 지닌 상대적으로 쉬운 과제에선 학습자의 이해력 및 어휘 획득은 향상되지 않았다. 즉, 쉬운 과제의 경우엔, 학습자에게 본문과 함께 제시된 설명글은 중복되었으며 따라서 이 설명글이 본문 끝에 위치해있을 경우엔 아주 쉽게 무시되었다. 높은 수준의 요소 상호작용을 지닌 복잡한 문제에 대해선 주의분산을 줄이는 것이 중요했으나, 낮은 수준의 요소 상호작용을 지닌 단순한 문제에 대해선 그렇지 않았다. 그러나 이 결과는 좀더 숙련된 성인 학습자의 경우에 '전문성 역효과(expertise reversal effect)'를 보이며 반대로 바뀌었다. 전기회로(electrical circuits)에 관한 문제들을 학습과제로 활용하여 실험을 진행한

Kalyuga, Chandler와 Sweller(1998) 역시 비슷한 연구 결과를 보고했다. '주의분산 효과(split-attention effect)'와 '중복 효과(redundancy effect)' 및 '전문성 역효과(exptertise reversal effect)'의 관계에 대한 연구는 각각 11장과 12장에서 더 자세히 논의될 것이다.

시간적 주의분산

지금까지, 우리는 학습자들이 공간적으로 분리되어 있는 정보를 내적으로 통합하는 것을 다루는 '공간적 주의분산(spatial split-attention)'에 대하여 논의했다. 서로 다른 출처로부터의 정보를 물리적으로 통합함에 따라 학습자의 학습결과는 향상되고, 이 현상은 결과적으로 주의분산 효과를 야기시킨다. 그러나 공간적 주의분산이 주의분산의 유일한 유형은 아니다. 주의분산 효과는 정보가 공간적으로 분리되었을 때뿐만 아니라 시간적으로 분리되었을 때도 발생한다. 서로 다른 출처를 지닌, 통합될 필요가 있는 정보가 서로 다른 시간대에 제시될 때 역시 '공간적 주의분산'에서 발생하는 것과 동일한 '주의분산 효과'가 발생한다.

시간적 주의분산 효과와 관련된 과제는 공간적 주의분산과 관련된 과제와 밀접하게 결부될 수 있다. 학습자는 시간적 간격을 가지고 서로 다른 각 정보 출처들이 지시하는 대상을 찾아야 한다. 시간적으로 분리되어 있는 서로 다른 출처의 정보들로부터 특정 지시대상을 찾는 일은, 공간적으로 분리되어 있는 정보들을 다룰 때와 마찬가지로, 필수적으로 탐색의 과정을 수반한다. 이 탐색의 과정을 통하여 획득된 정보들을 이해하기 위해서, 학습자는 서로 다른 출처를 지닌 탐색된 정보들을 통합해야 한다. 결론적으로 말해서, 물리적으로 분리된 정보들을 통합할 때와 마찬가지로, 이 과정은 엄청난 양의 외재적 인지부하를 발생시킨다. 요약하면, 시간 간격을 두고 제공되는 학습정보들은 학습자에게 상당량의 외재적 인지부하를 부여한다. 이 외재적 인지부하를 완화시키기 위해서 학습자료의 언어 정보와 시각 정보는 시간적으로 통합된 형태로 동시에 제시되어야 한다(Mayer, 2009 참조).

Mayer의 '시간적 주의분산 원리(temporal split-attention principle)'를 뒷받침하는 상당한 양의 실증적 증거들이 있다. 최초의 연구는 Baggett(1984)에 의해서 수행되었다. Baggett은 학습자들에게 서로 다른 버전의 교육용 영화를 제시했다. 첫 번째 버전에선 학습자에게 서사적 설명(narrative)을 그에 대응하는 장면이 나오기 이전(7초, 14초, 21초 이전) 또는 지나간 이후(7초, 14초, 21초 이후)에 제시했다. 또 다른 버전에선, 정보를 물리적으로 통합하는 방법과 유사하게, 학습자에게 시각 정보와 언어 정보를 동시에 제시했다. 실험 결과, 회상시험(recall tests)에서 '시각 정보와 언어 정보를 동시에 제시받은 학습자들'과 '시각 정보를 제시받고 7초 이후 언어 정보를 제시받은 학습자들'이 그렇지 않은 않은 학습자들보다 월등한 결과를 보였다.

Mayer와 Anderson(1991, 1992)은 '자전거의 공기펌프가 어떻게 작동하는가'에 관한 '애니메이션(즉, narrated animation)'을 학습자료로 사용한 두 개의 연구를 통해서 주의분산 원리를 증명하는 더 많은 증거들을 수집했다. 첫 번째 연구에서, 애니메이션의 시각 정보(visual animation)를 제시받기 전에 그 시각 정보에 대한 언어 정보(narration)를 먼저 제시받은 학습자들이 애니메이션의 언어 정보와 시각 정보를 동시에 제시받은 학습자들과 비교되었다. 실험 결과, 애니메이션의 언어 정보와 시각 정보를 동시에 제시받은 학습자가 이 두 정보를 순서대로 제시받은 학습자보다 문제해결 과제에서 더 높은 성과를 거두었다. 두 번째 연구에서, Mayer와 Anderson(1992)은 애니메이션의 언어 정보와 시각 정보를 시간적으로 분산시켜 제시한 집단의 시각 정보 제시 횟수를 늘렸다. 즉, 학습자에게 애니메이션의 시각 정보를 언어 정보를 제시하기 이전뿐만 아니라 이후에도 제시했다. 이 새로운 형태로 분신된 정보를 제시받은 집단과 통합된 정보를 제시받은 집단은 비교되었다. 실험 결과, 시간적으로 통합된 정보를 제시받은 집단이 분산된 과제를 제시받은 집단보다 문제해결 과제에서 더 높은 성과를 거두었다.

Mayer와 Anderson은 추가적으로 몇 가지 흥미로운 사실들을 관찰했다. 첫째, 위 실험의 모든 결과들은 과제를 처음 접하는 초보 학습자를 대상으로 했을 경우이다(만약 실험 대상자가 학습분야에 대해 선수지식이 높았다면 위와 같은 결과는 나오지 않았을 것이다). 둘째, 실험에서 사용된 학습내용은 '기계는 어떻게 작동하는가?' 등과 같이 '기계적 체계'에 초점이 맞추어져 있다(그렇기 때문에, 기계적 작동을 설명하는 것 이상의 학습결과를 기대하기 힘들다). 셋째, 학습효과는 '단순 기억검사(retention test)'에선 나타나지 않았지만 '전이 검사(transfer test)'에선 나타났다. 이 관찰들로부터 만들어진 가설들은 그럴듯해 보이지만 아직 검증된 것들은 없다. Mayer, Moreno, Boire와 Vagge(1999), Mayer와 Sims(1994), Moreno와 Mayer(1999) 등은 시간적 주의분산 효과를 검증했다. 특히, Mayer 등(1999)은 애니메이션을 구성하는 언어 정보(narration)와 시각 정보(visual animation)의 길이(length)가 학습결과에 어떤 영향을 주는가에 대하여 연구했다. 애니메이션를 구성하는 언어 정보와 시각 정보의 길이가 짧을 경우엔, 두 정보를 통합한 형태의 정보를 제시받은 학습자와 분리된 형태를 제시받은 학습자 사이에 차이는 없었다. 그러나 언어 정보와 시각 정보의 양이 많을 경우엔 두 정보를 통합한 형태로 제시받은 학습자가 훨씬 월등한 학습결과를 보고했다. Mayer 등은 이 결과를 작동기억 부하 측면에서 다음과 같이 설명했다. 작동기억이 애니메이션을 구성하는 대부분의 많은 양의 언어 정보를 계속해서 보유하는 것은 작동기억을 쉽게 과부하시킬 수 있으므로, 이 경우 정보의 시간적 주의분산을 제거하여 작동기억의 인지부하를 줄이는 것은 매우 중요하다. 그러나, 아주 적은 양의 언어 정보는 작동기억에 부담을 주지 않으며 쉽게 다루어질 수 있기 때문에, 이 경우 정보의 주의분산을 제거하여 작동기억의 인지부하를 줄이는 일은 정보의 양이 클 때만큼 중요하지 않다.

Owens와 Sweller(2008) 역시 음악교육 분야에서 시간적 주의분산 효과를 보고했다. 공간적으로 분리된 정보 형태('글로 표현된 설명글(written explanation)' 위에 '시각적 음악기호(visual musical notation)'를 배치한 형태)와 시간적으로 분리된 정보 형태('음성으로 먼저 설명(verbal explanation)'한 이후에 '시각적 음악기호'를 제시한 형태)를 다룬 Owens와 Sweller의 연구에서 '시간적 주의분산 효과'와 '공간적 주의분산 효과' 모두 검증되었다.

주의분산을 극복하기 위한 대안

지금까지 보고된 연구들은 서로 다른 출처로부터 주의분산된 형태로 제시되는 정보와 관련된 문제들을 상쇄하기 위해서 정보의 통합 전략을 사용했다. 그 외의 많은 대안적 방법들 또한 연구되어 왔다.

학습자의 주의력 안내하기와 주의분산 효과

Kalyuga, Chandler와 Sweller(1999)는 주의분산된 형태로 제시되는 정보를 물리적으로 통합하는 전략을 사용하는 것 대신에 학습자의 주의력을 적절한 정보쪽으로 안내하여 학습을 돕는 대안적 전략을 개발했다. 즉, Kalyuga, Chandler와 Sweller는 전기회로에 대하여 학습하는 전기기사 연수생들을 대상으로 하는 실험에서, 학습본문의 내용을 직접적으로 도표의 관련된 부분과 연결시키기 위한 방법으로서 학습자료에 '색 부호화 시스템(a colour coding system)'을 사용했다. 컴퓨터 기반으로, 학습자가 학습본문의 특정한 단락을 클릭하면 그 단락에 대응되는 도표상의 전기회로 부분이 특정한 색깔로 변하도록 학습자료는 제작되었다. 따라서 이 학습자료를 사용하는 학습자들은 본문내용이 도표의 어느 부분을 설명하는 것인지 스스로 탐색하는 수고를 하지 않아도 된다. 이 학습자료를 사용한 학습자들은 주의분산된 형태로 정리된 학습자료(학습본문을 대응하는 도표 바로 아래쪽에 배치한 형태)를 사용한 학습자들과 비교되었고, 그 결과 월등한 학습결과 및 학습 효율성을 나타냈다. Tabbers, Martens와 van Merriënboer(2000)도 학습자의 시각적 탐색(visual search)을 줄이기 위해 학습자료에 '단서주기(cuing)' 전략을 사용하였고 그 효과성 검증을 시도했다. Tabbers 등이 사용한 시각적 단서주기(visual cuing) 전략을 사용한 학습자료 역시 학습본문(글 또는 음성)이 언급하는 도표의 해당 부분들이 붉은색으로 변하도록 제작되었다. 실험 결과, 회상 시험(recall tests)에선 그 효과성이 검증되었지만, 전이 시험(transfer test)에선 검증되지 않았다.

또한, Florax와 Ploetzner(2010)도 '분할(segmentation)'과 '신호주기(signalling)' 테크닉을 합하는 전략을 사용하여 서로 다른 출처를 지닌 두 정보를 보다 더 명시적이고 분명하게 통합했다. 도표에 수반된 하나의 긴 설명글(substantial explanotory text)은 부분들로 나뉘었고, 부분들로 나누어진 각각의 짧은 설명글에 이 설명글이 가리키는 도표의 해당 부분에 표시된 번호와 같은 번호가 표시되었다. 실험 결과, 이 전략은 도표 안에 해당되는 설명글을 끼워 넣는 전략과 비교했을 때에는 차이가 없었다. 그러나, 이 두 전략을 긴 설명글을 부분으로 나누지 않고 그대로 도표와 나란히 배치하는 전략과 비교했을 때에는 통합 전략과 분할과 신호주기 전략이 모두 월등하게 우수했다. 좀더 구체적으로 실험 결과를 분석해보니, 표시하기(labelling)보다는 분할(segmentation)이 더 강력한 효과를 보였다. 작은 부분으로 나누어진 정보들이 정보 간의 내적 통합(mental integration)을 촉진시키면서 더 쉽게 작동기억에 수용된다는 점에서, 이 연구는 인지부하이론 측면에서 설명될 수 있다. 뿐만 아니라, 작은 부분으로 나누어진 각각의 정보에 붙여진 표식들과 그리고 이 표식들이 가리키는 도표 내의 특정한 지점들은 학습자가 수행해야 하는 탐색의 과정을 줄여 학습시 발생되는 학습자의 인지부하를 줄인다. 이 조합(즉, 정보의 분할과 표시하기)은 학습자의 인지부하를 충분히 줄여 학습자가 주의분산된 정보의 부정적 영향으로부터 벗어날 수 있게 한다. 이 연구의 결과는 Mayer와 그의 동료들(Mayer 등, 1990; Moreno & Mayer, 1999)에 의해서 수행된 이전의 연구들(즉, 작은 부분으로 나누어진 정보가 주의분산 효과를 제거할 수 있다는 결과를 보고하는 연구들)의 결과를 지지한다.

텍스트 통합에 대한 대안적 팝업창

위에서 살펴보았듯이, 텍스트-그림/도표 통합의 가장 일반적인 형태는 텍스트를 그림/도표 안에 끼워 넣는 것이다. 좀더 구체적으로 말해서, 텍스트를 그 텍스트가 설명하는 내용과 관련 있는 그림/도표 내의 지시대상과 가장 가까운 위치에 배치하는 것이다. 몇몇의 연구자들은 학습자가 정보의 양을 스스로 조절할 수 있게 하는 대안적 장치로서 하이퍼링크(hyper linking procedure)를 사용했다. Betrancourt와 Bisseret(1998)는 많은 양의 텍스트를 그림/도표 안에 끼워 넣었을 때, 제시되는 정보는 오히려 더 복잡하고 어수선해질 수 있다는 사실에 주목했다. 이러한 텍스트 과밀로 발생하는 문제를 해결하기 위하여, Betrancourt와 Bisseret는 '팝업창'이라는 대안적 정보 제시 장치를 고안했다. 텍스트를 그림/도표 내의 관련 있는 위치에 배치하기는 하되, 학습자가(마우스 클릭을 이용하여) 활성화시키기 전까지 텍스트를 볼 수 없는 형태로 만듦으로써 정보 제시를 조절하는 방법이다. Betrancourt와 Bisseret는 '분산된 정보 제시' 형태(그림/도표의 오른쪽에 텍스트를 배치한 경우)와 '전통적 정보 통합' 형태(텍스트를 도표 안에 끼워 넣은 경우)뿐만 아니라, 이 두 정보 제시 형태에서의 '팝업창'도 비교했다. 실험 결과, '팝업창' 사용에 관계없이, 정보를 통합된 형태로 제시받은 학습자가 분산된 형태로 제시받은 학습자보다 월등히 우수한 결과를 보고했다. 또한, 통계적으로 유의한 수준은 아니었지만, '전통적 정보 통합' 형태에서 '팝업창'을 사용하여 학습한 학습자가 '팝업창' 없이 학습한 학습자보다 더 빨리 문제를 해결했고, 더 낮은 문제 실수율을 보였다. 또한, 주의분산 효과를 검증하는 Betrancourt와 Bisseret의 연구에서 '사용자 제어' 장치가 연구의 범위를 더욱 넓혔다는 것은 주목받을 만하다. (즉, '팝업창' 장치는 학습자에게 더 많은 정보 사용 제어 기능을 주었다.)

'팝업창' 장치의 구체적인 효과성은 Erhel과 Jamet(2006) 연구에서 확인되었다.

Betrancourt와 Bisseret(1998)의 실험과 유사하게 설계된 Erhel과 Jamet의 실험에서, '팝업창'을 사용한 학습자료(도표/그림 가까운 위치에 텍스트가 팝업창으로 제시된 경우)는 '통합된 형태(텍스트가 도표 안에 배치되어 제시된 경우)' 및 '분산된 형태(텍스트가 도표와 분리되어 제시된 경우)'로 정리된 학습자료와 비교되었다. 실험 결과, 수많은 학습결과 측정에서 '팝업창'과 '통합된 형태'의 정보를 학습한 학습자가 '분리된 형태'로 제시된 정보를 학습한 학습자보다 월등히 우수한 결과를 보고했다. 그러나, '추론' 과제 혹은 '텍스트와 그림을 맞추는' 과제에 대해서는 '팝업창'을 사용하여 학습한 학습자가 '통합된 형태'로 정보를 제시받은 학습자보다 우수한 결과를 보고했다.

또한, Crooks, White, Srinivasan과 Wang(2008)도 주의분산 원리의 수정된 정의를 사용한 '사용자와 상호작용하는 쌍방향 지도(interactive geography maps)'와 관련한 연구에서 '팝업창'을 사용했다. 학습자가 지도의 특정 부분을 선택하여 클릭하면 이를 뒷받침하는 텍스트가 즉시 나타나는 상황에서, 두 동작 간의 시간 차이는 아주 미미하기 때문에, 학습자는 실질적으로 '시간적 분리(temporal separation)'를 거의 경험하지 않는다. Crooks 등(2008)은 '팝업창' 전략을 사용하여 텍스트를 지도의 관련된 부분과 멀리 떨어뜨려 배치해도 여전히 효과적일 수 있다는 것을 보여주었다. 또한, 지도의 특정 부분을 마우스 클릭하면, '분리된 새 창(separate screen)'을 통해서 활성화되는 텍스트가 두 개의 창에 주의분산된 형태로 제시되는 텍스트보다 훨씬 더 학습자의 학습을 촉진시켰다. 전통적 주의분산 정보 제시 형태에서와 마찬가지로, 팝업창을 통한 정보 제시 형태가 정보의 주의분산의 형태를 양산했다. 하지만, 지도의 '특정 부분'과 이에 대응하는 '설명글'을 연결하는 링크 시스템이 정보의 주의분산이라는 부정적 특성을 중화시켰다. Crooks 등은 '시간적 주의분산' 외에 '공간적 주의분산' 역시 학습에 영향을 주지 않는다고 주장했다. 그러나 그림/도표 안의 특정 표시(labels)와 설명글을 연결하는 링크는 사용자와 상호작용하는 학습자료의 쌍방향성 효과를 반영할 뿐만 아니라, 단서주기 전략의 형태로 간주될 수도 있기 때문에, Crooks 등의 주장은 신중하게 다루어져야 한다.

절차적 정보와 주의분산 효과

Kester, Kirschner와 van Merriënboer(2005)는 고등학교 학생들이 전기회로 문제를 해결해야 하는 컴퓨터 가상환경에서 '절차적 정보'의 사용에 대하여 연구했다. 이

가상 환경에서 전기회로 문제해결에 필요한 '지원적 정보(supportive information)'와 '절차적 정보(procedural information)'는 통합된 형태 및 분산된 형태로 학습자들에게 제시되었다. 적시에 정보를 제공하는 전략(Just-In-Time Strategy)에 따라(Kester, Kirschner, van Merriënboer, & Baumer, 2001 참조), 문제해결에 필요한 필수적인 '지원적 정보'는 설명의 형태로 학생들이 문제를 해결하기 전에 제공되었다. 뿐만 아니라, 학습자들이 전기회로를 구성하는 요소들을 학습할 수 있게 하며, 주어진 문제 상황에서 어떤 조치를 취해야 하는지를 제시하는 핵심적인 '절차적 정보'는 문제해결 수행 중에 제시되었다. 분산된 정보 제시 형태에서 '절차적 정보'는 전기회로 그림과 분리되어 제시된 반면, 통합된 정보 제시 형태에서 '절차적 정보'는 그림 내부의 적당한 위치에 배치되어 제시되었다. 실험 결과, 통합된 형태로 정보를 제시받은 학습자가 그렇지 않은 학습자보다 문제해결에 더 짧은 시간을 사용했으며 전이 과제에서 더 높은 점수를 획득했다.

주의분산된 학습자료의 학습자 통합

Bodemer, Ploetzner, Feuerlein과 Spada(2004)는 주의분산이 제거된 교수자료 측면보다는, 학습자 스스로가 주의분산을 제거하는 능동적 학습자 측면에 초점을 맞추어 연구했다. Bodemer 등은 '어떻게 자전거 펌프가 작동하는가?'에 대한 교수자료를 가지고, 일반적으로 교수자료의 주의분산 효과를 검증하는 실험에서 그러하듯이, '통합된 정보 제시' 형태와 '분산된 정보 제시' 형태로 집단을 구분했다. 그러나 Bodemer 등은 여기에서 그치지 않고, 부가적인 조건을 지닌 두 집단을 더 실험에 포함시켰다. 부가적인 조건이란 학습자 스스로가 교수자료를 물리적으로 구성할 수 있도록 한 것이다. 사용자와 상호작용하는 컴퓨터의 쌍방향 명령기능을 사용해서, 학습자들은 스스로의 결정에 따라 다양한 설명글을 '통합된 형태로 제시된 교수자료' 또는 '분산된 형태로 제시된 교수자료' 내에 배치했다. 분산된 정보 제시 형태의 경우, 학습자는 처음에 설명요소와 그림이 분리된 형태의 학습자료를 제시받았고, 설명요소와 그림이 분리된 형태를 유지하면서 설명요소들의 위치를 바꿔야 했다. 반면, 통합된 정보 제시 형태의 경우, 학습자는 설명요소와 그림이 분리된 형태의 학습자료를 제시받았지만, 설명요소와 그림을 통합시킨 형태로 설명요소들을 재배치해야 했다. 즉, 정보 제시 형태(통합된 정보 제시 형태 혹은 분산된 정보 제시 형태)에 관계없이, 학습자는 서로 다른 출처를 지닌 두 정보를 내적으로(mentally) 통합해야 할 뿐만 아니라, 물리적으로도(physically) 통합해야 했다. 실험 결과, 통합된 형태로 정보를 제시받은 학습자가 그렇지 않은 학습자보다 이해도 검사 과제(understanding test tasks)에서 월등하게 우수했고, 정보의 '내적 통합과 물리적 통합의 결합 형태'가 '내적 통합만의 형태'보다 훨씬 더 효과적인 정보 제시 형태로 제안되었다. 좀더 복잡한 학습과제를 사용한 두 번째 실험에서도 이 제안은 검증되었다. 정보 제시 형태(통합된 정보 제시 형태 혹은 분산된 정보 제시 형태)에 관계없이, 정보의 '내적 통합과 물리적 통합의 결합'이라는 접근이 정보를 '내적으로만 통합'하는 전략보다 훨씬 더 월등한 학습결과를 보고했다. 이 실험은 서로 다른 출처를 지닌 정보의 통합적 제시가 지닌 긍정적 효과보다는, 통합적 형태로 학습자 스스로 정보를 구성하는 '학습자 상호작용성(learner interactivity)'을 보여준다. 그럼에도 불구하고, 이 두 번째 실험에서는, 첫 번째 실험과는 달리, '내적으로만 통합된 정보 제시' 형태와 '내적으로만 주의분산된 정보 제시' 형태의 비교에서 통상적으로 나타나는 주의분산 효과가 나타나지 않았다.

주의분산 효과의 메타분석

Ginns(2006)는 주의분산 효과에 대한 메타분석을 했다. 이 메타분석에는 40개의 연구가 포함되었는데, 그 중 37개는 공간적 주의분산에 대한 연구이며, 13개는 시간적 주의분산에 대한 연구이다. 전반적으로 효과크기(effect size)는 Cohen's d 값 0.85로 큰 효과를 나타냈다(Cohen, 1988). 공간적 주의분산($d=0.72$)과 시간적 주의분산($d=0.78$) 사이에 유의한 수준의 효과크기 차이는 없었다. 이미 예상했듯이, 낮은 수준의 상호작용을 지닌 학습자료들은 낮은 효과크기를 보고한 반면($d=0.28$), 높은 수준의 상호작용을 지닌 학습자료들은 매우 높은 효과크기를 보고했다($d=0.78$). 일관적으로, 높은 효과크기는 수학, 과학과 같은 구조화된 학습영역의 정적(static) 혹은 동적(dynamic) 정보 제시 상황뿐 아니라, 다양한 연령대의 학습자집단에서 실시된 유사문제 및 전이문제 검사에서 보고되었다. 이 메타분석은 주의분산 효과가 다양한 학습영역과 다양한 교수상황에서 분명하게 발생되는 교수효과임을 증명했다. 통합된 형태로 정리된 자료를 학습하는 것은 분산된 형태로 정리된 자료를 학습하는 것보다 많은 장점이 있다.

적용 조건

주의분산 효과는 서로 다른 출처를 지닌 학습정보를 물리적으로 통합하여 제시하는 학습전략이 물리적으로 분리하여 제시하는 학습전략보다 효과적일 때 발생된다. 서로 다른 출처를 지닌 각각의 정보는 필수 불가결한 것들로서 서로 중복되는 내용이 없어야 한다는 것은 주의분산 효과가 발생되기 위한 가장 중요한 조건이다. 가령, 학습자가 하나의 출처로부터 제공되는 정보만으로도 충분히 학습이 가능하다면, 정보는 물리적으로 통합될 필요가 없다. 위에서 보고된 연구들은 주의분산 효과는 공간적 그리고 시간적 요인들을 토대로 발생될 수 있다는 것을 증명한다. 주의분산 효과는 텍스트(글 또는 음성), 그림, 도표, 그래프, 그리고 컴퓨터 같은 학습도구들의 다양한 결합을 기저로 하는 다양한 학습영역에서 발생하며, 높은 수준의 요소 상호작용을 지닌 학습자료에서 더 분명하게 발생한다(15장 참조).

교수활동 시사점

주의분산 효과에 대한 연구는 교수설계자들에게 분명한 메시지를 제공한다: 서로 다른 다수의 출처들로부터 제공되는 정보를 제대로 이해하기 위해서 정보들은 동시에 고려될 필요가 있으며, 또한 효과적인 학습을 위해서 정보들은 가능한 한 통합되어야 한다. 이 장에서 살펴보았듯이, 공간적 혹은 시간적으로 분리되어 있는, 서로 다른 출처를 지닌 정보들을 학습자 스스로가 내적으로 통합하게 하는 것은 학습에 이롭지 못하다. 설명 자료(written text)가 학습자료에 사용되었다면, 이 설명자료는 반드시 지시대상 바로 옆에 배치되어야 할 것이다. 또한, 음성 자료(spoken text)가 학습자료에 사용되었다면, 이 음성자료는 시각적 학습자료와 동시에 처리되어야 할 것이다. 이와 같은 학습자료의 통합 없이 학습은 성공적일 수 없다.

결론

주의분산 효과는 다음과 같은 이유 때문에 중요하다. 첫째, 주의분산 효과는 빈번하게 무시되는 중요한 교수설계 원리를 제공한다. 효과적 이해를 위해서 동시에 고려될 필요가 있는 서로 다른 출처를 지닌 정보들은 공간적 시간적 분산을 지니지 않는 형태로 제시될 필요가 있다. 둘째, '주의분산 효과'는 '해결된 예제 효과'가 항상 효과적이지 않은 이유를 제시한다. 단지 '해결된 예제'를 제시한다고 해서, 모든 상황에서 외재적 인지부하 감소를 보증할 수 없다. '해결된 예제'는 그 자체가 높은 외재적 인지부하를 발생시키는 것을 막기 위하여 철저하고 계획적으로 구조화되어야 한다. 셋째, 주의분산 효과는 직접적으로 '인지부하이론'으로부터 기인한다. 즉, 정보의 주의분산은 작동기억에 정보를 보유한 채, 또 다른 지시대상을 탐색할 때 발생하며, 이것은 작동기억에 높은 외재적 인지부하를 부여한다.

이와 같은 이유들 때문에, 주의분산 효과는 가장 중요한 인지부하 효과들 중 하나이다. 사실상, 주의분산 효과의 중요성은 위에서 제시된 이유들 때문만은 아니다. 더 넓고 다양한 함축을 지니고 있으며, 특히, 다른 인지부하 효과들에 끼치는 영향으로 인해 주의분산 효과는 더욱 중요하게 여겨진다. '주의분산 효과'에 의존적인 '감각양식 효과'는 다음 장에서 논의된다.

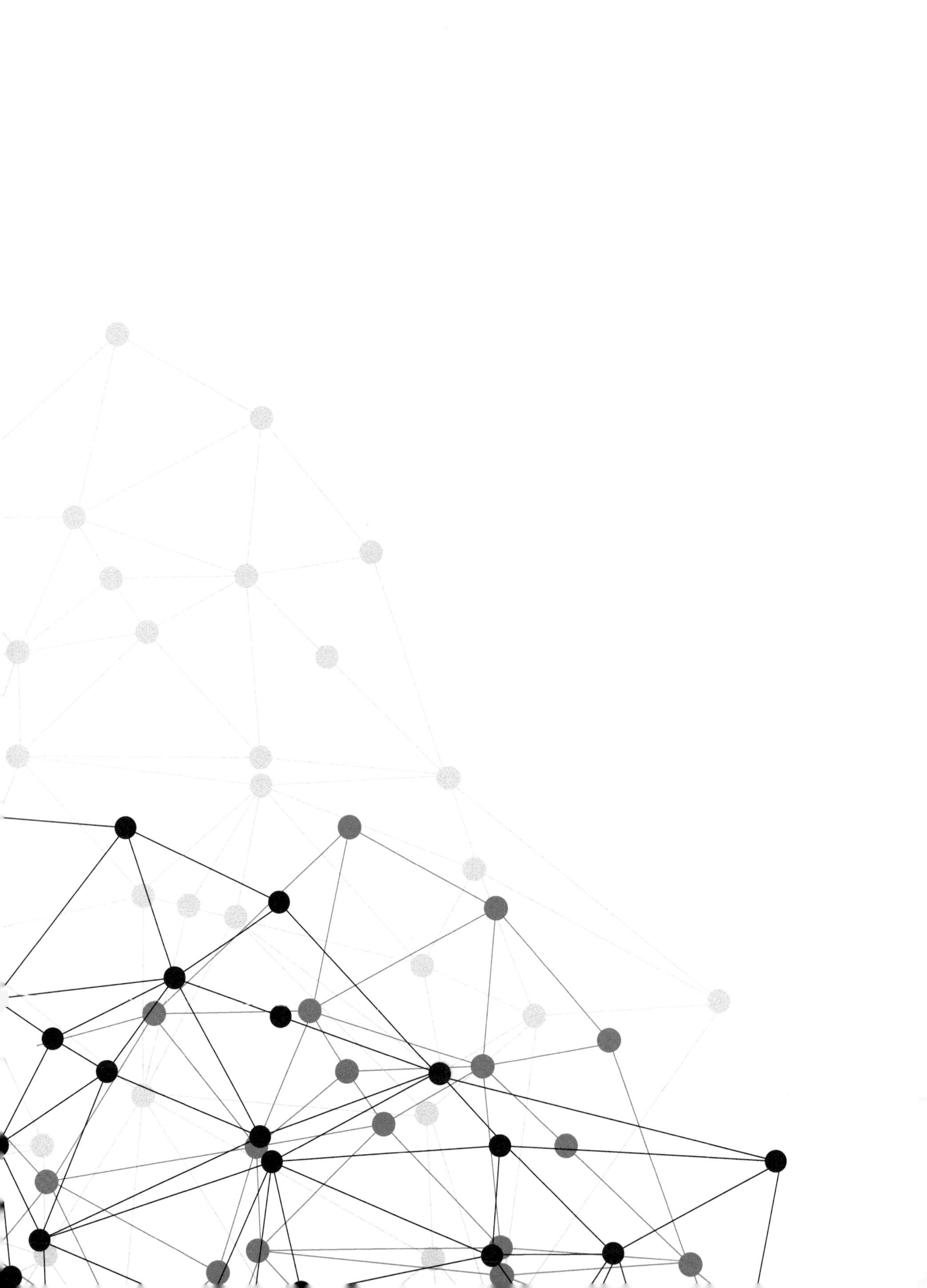

감각양식 효과

감각양식 효과는 주의분산 효과(9장)와 밀접하게 연관되어 있다. 인지부하이론에 의하면, 주의분산 효과는 학습자가 분리되어 있지만 정보(내용)의 원천이 관련되어 있어서 정신적으로 통합하지 않으면 이해할 수 없을 때 발생한다. 그러한 통합을 하는 데 필요한 인지자원이 이용 가능하지 않거나 작동기억의 용량을 초과할 수도 있다. 이 장에서는 단순히 시각 채널만을 사용하기보다는 작동기억 안의 정보에 대해 청각 채널과 시각 채널을 모두 개입시킴으로써 주의분산 조건을 다루는 대안적인 방법에 대해 소개하고자 한다. 예를 들면, 완전히 시각 채널에 의존하는 방식으로 문자 텍스트와 다이어그램을 제시하기보다는 청각 양식과 시각 양식을 함께 사용하는 다이어그램과 음성(spoken) 텍스트가 사용되는 것이다.

주의분산 효과가 발생하는 것과 마찬가지로, 감각양식 효과도 두 가지 정보 원천이 분리되어서는 이해되지 않을 때에만 발생한다는 것을 강조할 필요가 있다. 음성 형식으로 제시되는 문자 정보가 다이어그램이나 내용에 대한 여러 다른 형식을 단순히 재설명할 경우에는 감각양식 효과를 발생시키지 않을 것이다. 다이어그램과 텍스트가 사용되고 있다면, 각각은 학습자가 이해하기 위해 필요한 서로 다른 내용을 담고 있다. 예를 들어, 어떤 다이어그램이 독립적으로 이해될 수 있고 모든 필요한 정보를 포함한다면, 그 다이어그램에 음성으로 된 설명을 제공하는 것은 더 이상 감각양식 효과를 발생시키지 않을 것이고, 그 다이어그램에 문자로 된 설명을 제공하는 것은 주의분산 효과를 발생시킬 것이다.

이 장에서 다루는 감각양식 효과는 정보 입력과 표상에 대한 다중 감각양식을 사용하는 멀티미디어 교수–학습과 관련이 있다. 멀티미디어 학습에 대한 기존의 모형에 의하면(Mayer, 2009; Schnotz, 2005), 애니메이션과 시뮬레이션처럼 역동적인 시각화 자료를 포함하는 텍스트와 그림들의 인지적 처리는 시각 정보와 청각 정보가 각각 표상되는 정보를 선택하고 조직화하는 것이다. 그러한 처리들은 학습자의 작동기억 안에서 일어난다.

이 책의 앞부분 장들에서 언급된 인지구조는 한 가지 부가적인 비판적 관점에서 주의분산 효과와 감각양식 효과 양쪽에 비슷하게 적용된다. 우리는 사물, 그림 혹은 다이어그램과 같은 시각 정보를 설명하는 문자 텍스트를 다룰 수 있게 진화되지 않아서 그러한 정보를 처리하는 방법을 학습할 필요가 있기 때문에 사물들을 보는 동안에 말소리에 주의를 기울이도록 진화되었을 것이다. 그렇다면, 이중 감각의 양식으로 정보를 제공하는 것은 생물학적 일차적인 지식을 활용하여 문자 텍스트와 사물, 그림과 다이어그램 등과 같은 시각자료만의 한계를 극복하는 장점으로 귀결되도록 해줄 것이다. 그러한 시각자료로만 된 정보를 접할 때 우리는 그와 관련된 생물학적 이차적인 정보를 습득해야 할 필요가 있다.

2부의 일반적인 인지구조와 관련하여 정보의 제시는 변화의 제한성 원리가 시사하듯이 작동기억의 제한성을 감안하여 정보가 구조화될 필요가 있는 장기기억 정보 저장소로 정보의 전송을 촉진하기 위하여 차용과 재조직 원리에 의지하는데, 지식이 일단 장기기억에 저장되면 환경의 조직과 연결 원리로 정의된 활동을 관장하는 데 사용될 수 있다. 만약 이중 감각양식의 표현이 생물학적 일차적인 능력을 이용한다면, 학습에 효과적으로 작용하면서 자동적으로 작동기억 부하를 줄일 것이다.

음성 텍스트로 문자 텍스트를 대체하는 것의 효과

작동기억은 종종 단일 구조물인 것처럼 취급되기도 하였지만, 사실 그것은 처리될 정보가 제시되는 감각양식에 상응하는 다중 프로세서를 포함한다. 작동기억에 대해 잘 정립된 몇 가지 모형들은 그것의 기능이 보통 청각적/언어적 혹은 시각적/회화적 정보 처리와 관련되는 부분적으로 독립적인 요소들로 분포되어 있음을 가정한다(Bandura, 1986; Penney, 1989; Schneider & Detweiler, 1987). 예를 들면, Baddeley(1986)에 의해 제시된 모형은 세 개의 하위체계, 즉 음운고리(phonological loop), 시공간적 스케치패드(visuospatial sketchpad), 중앙처리장치(central executive)를 포함한다. 음운고리는 청각 정보를 처리하는 반면, 시공간적 스케치패드는 회화적 혹은 문자로 된 시각 정보를 처리한다. Penney(1989)의 작동기억에 관한 '개별 전달(separate streams)' 모형에서, 청각 양식과 시각 양식으로 제시된 언어적 내용(item)의 처리는 각각 청각 처리기 및 시각 처리기에 의해 독립적으로 수행된다.

따라서, 작동기억에 관한 가장 공통적인 이론에 의하면 우리는 두 개의 다른, 즉 시각 정보와 청각 정보를 다루기 위한 부분적으로 독립적인 처리기를 가지고 있다. 그리고, 이들 각각의 처리기는 용량과 지속 기간에 제한이 있다고 가정할 것이다. 어떤 상황에서는, 두 가지 처리기들을 함께 사용함으로써 작동기억 용량의 효과가 증가될 수 있고, 이러한 가능성은 내용의 제시와 관련해서 중요한 교수활동 시사점을 제공한다. 제시 형태(presentation formats)는 학습자가 하나의 처리기만 사용하기보다는 두 개의 처리기를 함께 사용함으로써 불필요한 인지적 과부하를 피하도록 도울 수 있는 방식으로 설계되어야 한다. 그러한 방식으로, 인지적 부하가 두 개의 처리기에 걸쳐 분산되고, 따라서 하나의 처리기에 주는 부하를 줄일 수 있게 되는 것이다.

예를 들어, 설명하는 문자 텍스트가 함께 제공되는 다이어그램과 같이, 시각적 형태로 제시되는 두 가지 서로 관련된 정보의 자원이 있다고 상상해 보자. 우선, 그 두 가지 내용의 자원들은 작동기억의 시각 채널 안에서 처리될 것이다. 그 다음으로, 그 시각적 텍스트는 후속 처리를 위해서 부분적으로 혹은 완전히 청각적 형태로 재부호화될 것이다. 하지만 문자 텍스트를 처리할 경우에는 그 텍스트가 시각 처리기를 거쳐서 청각적 형태로 재부호화되고 난 후에 비로소 청각적 처리가 일어날 수 있다. 만약 정보의 이 두 가지 자원을 처리하고 통합하는 데 있어서 높은 수준의 요소상호작용성이 관련되어 있다면 작동기억의 시각 채널은 과부화될 수 있는데, 특히 그 자원들이 공간적으로 분리되어 제시된 경우에는 더욱 그러할 것이다.

그러나, 다이어그램과 텍스트를 함께 처리할 때 텍스트와 같은 정보 원천 중 하나가 청각적 형태로 제시되면, 다이어그램과 같은 시각 정보가 시각 채널에서 처리되는 동안 그것은 시각 채널에 인지부하를 주지 않고 작동기억의 청각 채널에서 즉각적으로 처리될 수 있다. 두 개의 채널을 함께 사용하는 것은 그것들이 부분적으로 독립적이기 때문에 두 채널의 용량 중 어느 하나에 부가적인 합산을 구성하지 않으면서도 작동기억의 용량을 증가시킨다. 그럼에도 불구하고 청각 채널과 시각 채널을 함께 사용해서 처리될 수 있는 정보의 양은 어떤 한 개 채널의 처리 용량을 분명 초과한다. 뿐만 아니라 이중 감각양식을 사용한 제시방법은 시각 정보 원천들로만 제시될 경우에 일어날 수 있는 시각적 주의분산을 제거해준다.

그러므로, 제한된 작동기억은 하나 이상의 표현 감각양식을 사용함으로써 효과적으로 확장될 수 있다. 감각양식 효과는 같은 정보에 대해 한 가지 감각양식의 제시방법에 비해 이중 감각양식의 제시방법이 더 효과적일 때 일어난다. 관련 있는 정보 원천들에 대해 이중 감각양식으로 제시된 교수자료들은 동일한 하나의 감각양식 형태로는 실패할 수 있는 상황에서 인지적 과부하를 제거해줄 수 있다. 학습에 대해 그것이 미치는 효과는 주의분산의 문제를 해결하기 위해 정보에 대한 별도의 자원들을 물리적으로 통합하는 방법의 효과와 유사하다.

수많은 연구들이, 문자 텍스트나 스크린 위에 제시되는 텍스트를 음성으로 설명된 텍스트로 대체한 것이, 교수-학습 도중에 낮은 인지부하에서 높은 사후 점수로 통합되었다는 점(Kalyuga, Chandler, & Sweller, 1999, 2000; Tindall-Ford, Chandler, & Sweller, 1997), 후속되는 문제해결에서 더 적은 시간이 필요했다는 점(Jeung, Chandler, & Sweller, 1997; Mousavi, Low, & Sweller, 1995), 높은 파지, 전이, 관련 시험 점수(Mayer & Moreno, 1998; Moreno & Mayer, 1999; 개관을 위해서는 Mayer, 2009 참조) 등 몇 가지 지표를 사용해서 학습자의 학습을 증진시켰음을 보여주었다.

Mousavi 등(1995)은 기하학 자료를 사용하여 첫 번째로 교수활동 상황에서 감각양식 효과를 제시하였다. 그들은 만약 작동기억이 시각 자료와 청각 자료를 다루기 위한 부분적으로 독립적인 처리기를 가지고 있다면, 단일한 감각양식보다는 혼합된 감각양식으로 자료를 제시함으로써 효과적인 작동기억을 증진시킬 수 있으리라고 가정하였다. 따라서 기하학의 진술을 시각적 형태보다는 청각적 형태로 제시함으로써 기하학에서 나타나는 주의분산의 부정적인 결과를 피할 수 있게 될 것이다. 일련의 실험 결과는 이 가설을 지지하였다. 그들은 청각적 형태로 제시된 진술을 포함한 기하학의 다이어그램이 시각적으로만 제시된 것과 비교해서 학습을 증진시켰음을 보여주었다. Tindall-Ford 등(1997)은 초등학교의 전자 공학에서 청각적 텍스트와 시각적인 다이어그램 혹은 테이블을 순전히 시각적으로 제시된 교수자료와 비교함으로써 Mousavi 등(1995)의 초기 결과를 되풀이하였다. 뿐만 아니라, 그들은 자기평가 척도를 사용해서 인지부하 지표들을 비교함으로써 연구 결과에 대한 인지부하 해석을 위한 증거를 제공하였다.

감각양식 효과에 대한 대안적 설명이 Tabbers, Martens와 van Merriënboer (2004)에 의해 제공되었다. 그들은 그 효과가 작동기억 용량의 효과적인 확장 때문이라기보다는 이중 감각양식 형태 안에서 회화적 정보와 음성적 정보의 동시 제시로 외재적 인지부하의 감소로 인해 일어난 것이라고 주장하였다. 다이어그램을 보는 동안 동시에 음성 텍스트를 들을 수는 있지만, 다이어그램을 보면서 동시에 문자 텍스트를 읽기는 어렵거나 불가능하다. 특히 정보자원들이 분산된 조건하에서는 더욱 그러하다는 것이다. 그럼에도 불구하고, Mousavi 등(1995)은 기하학적 다이어그램을 순수한 시각적 형태와 이중 감각 형태로 제시된 텍스트 설명과 연합하고, 순차적 제시와 동시적 제시를 비교함으로써 감각양식 효과 안에서 시간적 연속성(temporal contiguity)의 역할을 연구하였다. 텍스트 정보가 다이어그램과 동시에 제시되든 다이어그램 이전에 제시되든 효과에는 무관한 것이 밝혀졌다. 이러한 연구 결과는 감각양식 효과에 대한 시간적 연속성 설명이 가능하지 않음을 보여준다.

멀티미디어에 관한 인지이론(Mayer, 2005, 2009; Mayer & Moreno, 2002, 2003)은 인지부하 설명과 연계하여 감각양식 효과를 효과적으로 지지했던 자세한 이론적 주장들을 제공해왔다. Mayer와 동료들의 연구는 감각양식 효과를 교수적 애니메이션과 같은 역동적 시각화 자료에 적용하였다. 멀티미디어 학습에 대한 인지이론에 의하면 구어적 정보와 회화적 정보에 따라 서로 다른 정신적 표상이 구성되고, 학습자가 이러한 표상들 간에 적극적으로 연계성을 정립할 때 유의미한 학습이 일어난다.

멀티미디어에 대한 인지이론의 프레임워크 안에서, Mayer와 Moreno(2003)는 감각양식을, 시각 채널에서 청각 채널로 일부 처리 부담을 덜어주는 방법으로 보았다. Mayer와 동료들(Mayer, 1997; Mayer & Anderson, 1991, 1992; Mayer & Moreno, 1998; Moreno & Mayer, 1999; Moreno, Mayer, Spires, & Lester, 2001; 개관을 위해서는 Clark & Mayer, 2003; Mayer, 2009 참고)은 유의미한 학습을 위해서 이중 감각양식 교수자료의 우월성을 보여주는 많은 실험들을 수행하였다. 대부분의 사례에서, 연구자들은 애니매이션 시각자료에 대한 과학 분야의 내레이션 설명을 실험 자료로 사용하였다. 연구 결과 중 하나는 감각양식 효과가 파지보다는 전이를 측정하는데 더 유력하다는 것이었다. 이중 감각양식 제시방법은 시각 채널로부터 정보의 부하를 줄이고 외재적 부하를 감소시키는데, 그리하여 본유적 인지처리를 위한 더 많은 자원을 확보하게 해준다는 것이다(Harskamp, Mayer, & Suhre, 2007).

상호작용적 학습 환경에서 감각양식 효과

감각양식 효과에 관한 많은 초기 연구들은 '절차(procedures)'를 설명하는 잘 구조화된 시스템에 의해 통제되는 형태의 교수자료를 사용하였다. 반면, 상호작용적 환경은 학습자들이 정보 접근의 순서를 결정하고, 학습내용과 제시 형태를 선택할 수 있게 하는 비선형적 특징을 지닌다. 학습자들은 그들의 상호작용에 따라 시스템을 가지고 다양한 학습 경로를 선택할 수도 있고 그냥 시스템의 제안을 따를 수도 있다. 예를 들어, 환경에 대해 학습하는 전자적 하이퍼미디어는 하이퍼링크로 상호 연결되고 다양한 감각양식으로 제시된 내용 요소들을 포함한다. 그러한 환경들은 일반적으로 전통적인 시스템 통제보다는 학습자 통제의 멀티미디어 학습 환경을 제공한다.

대부분의 멀티미디어 학습 원리들은 멀티미디어 학습 환경에 적용될 수 있는 것으로 여겨진다(Dillon & Jobst, 2005). 그러나, Gerjets, Scheiter, Opfermann, Hesse와 Eysink(2009)는 그들의 연구에서 사용된 확률 문제해결에서 하이퍼미디어 기반 교수자료가 비교적 낮은 수준의 학습자 통제에 해당됨에도 불구하고 감각양식 효과를 위한 증거를 발견하는 데 실패했다.

학습자들이 애니메이션이나 음성 설명을 포함한 청각적 텍스트 파일과 같은 잘 정의된 정보 자원들을 검색하고, 제시되는 정보를 건너뛰고 교수자료의 속도를 선정하는 등 그 밖의 모든 측면에서 선택할 수는 있지만, 내용에 대해서는 선형적 접근 방식을 지닌다. Gerjets 등(2009)은 학생들이 애니메이션 시각자료에서 과연 문자 설명보다 음성 설명을 사용해야 하는지에 대한 적절한 정보를 제공하지 않는 하이퍼미디어 학습 환경을 설계할 경우 감각양식 효과가 적용되지 않을 것이라고 결론지었다. 학생들은 적절한 외부 표상을 사용하도록 설득될 필요가 있을 것이다(Gerjets, Scheiter, & Schuh, 2008). 뿐만 아니라, 속도에 대한 학습자 통제는 Tabbers 등(2004)의 연구 결과와 같이 순수한 시각적 표상의 사례에서 주의분산과 관련된 인지부하를 감소시켰을 것이다. 문자 자료를 읽을 시간이 충분했기 때문에 일시적인 음성 텍스트와 비교해서 문자 텍스트가 비슷하거나 심지어 더 높은 수행 결과를 보여주었다. 이러한 연구들은 감각양식을 고려할 때 학습자 통제가 학습과 관련된 변인임을 가리키지만, 음성 정보의 길이와 복잡성도 또한 충분히 연구 결과에 대한 설명을 제공할 수도 있을 것이다(17장 일시적인 정보 효과 참조).

협력적 상호작용 학습에서 인지부하를 줄이기 위한 이중 감각양식 제시방법의 효과적인 사용 예가 컴퓨터 기반 협력적 문제해결 환경에서 활동 후 검토(After Action Review: AAR) 절차에 의해 제공되었다(O'Neil & Chuang, 2007). 시각 채널과 청각 채널이 모두 상호적인 방식으로 개입될 수 있도록 몇 가지 음성 피드백이 청각 양식으로 학습자들에게 제시되었다. 연구 결과 이러한 상보적인 청각 및 시각 텍스트 피드백이 순수한 시각 텍스트와 비교해서 학생의 내용 이해 및 의사소통 점수를 유의미하게 향상시킨 것으로 나타났다.

애니메이션 교육 에이전트(pedagogy agent)는 발성, 몸동작, 움직임, 그 밖의 인간과 같은 행동 표현이 가능한 시각 캐릭터다. 애니메이션 교육 에이전트는 최근 상호작용적 멀티미디어 학습 환경에서 매우 자주 적용된다. 그러한 에이전트의 사용은 정보의 음성적 형식과 비음성적 형식을 혼합시키는 가능성을 향상시킨다(Atkinson, 2002; Atkinson, Mayer, & Merrill, 2005). 사회적 에이전트 이론에 의하면(Atkinson 등, 2005; Mayer, Sobko, & Mautone, 2003; Moreno 등, 2001) 자연스러운 인간 대 인간 상호작용을 구현함으로써 학습자 개입을 강화할 수도 있다.

Atkinson(2002)과 Moreno 등(2001)은 교육 에이전트를 가지고 감각양식 효과를 실험적으로 보여주었다. Mayer, Dow와 Mayer(2003)는 상호작용적 에이전트 기반 환경에서 그 효과를 되풀이하였다. 학생들은 전기 모터에 관한 다이어그램 옆에 서있는 스크린상의 교육 에이전트로부터 질문을 하고 답변을 받음으로써 전기 모터에 대해 학습하였다. 사후 전이과제 검사 결과, 학생들은 스크린상의 텍스트보다 에이전트의 설명이 내레이션으로 전달될 때 더 높게 수행한 것으로 나타났다.

에니메이션화된 상호작용적 교육 에이전트를 사용한 부정적인 연구 결과도 있다. 대학생들을 대상으로 인간의 심폐소생체계와 관련된 교수자료를 사용해서 Dunsworth와 Atkinson(2007)은 내레이션의 에이전트와 텍스트 에이전트를 비교하는 교육 에이전트의 감각양식 효과를 증명하는 데 실패하였다. 그러나 그들은 음성으로 교수내용을 전달하는 애니메이션 에이전트가 순수한 스크린상의 텍스트보다 효과적이었다는 중대하고 유의미한 에이전트 효과를 발견하였다. 그들은 또한 음성으로 전달되는 교수내용을 지닌 에이전트가 음성적 교수내용뿐인 것보다 더 효과적인 영상 효과를 발견하였다. Dunsworth와 Atkinson(2007)이 사용했던 학습 자료들은 시각 정보와 연계되어야 하는 많은 새로운 과학적 용어들을 소개하였음에 주목해야 한다. 우리는, 인간의 심폐소생체계에 관한 선수지식이 적거나 없는 학생들을 대상으로, 감각양식 효과 획득의 실패에 대해 일시적인 청각적 정보와 관련된 매우 높은 수준의 인지부하를 예상할 수 있을 것이다(17장).

감각양식 효과를 매개하는 요인

감각양식 효과에 대한 대부분의 초기 연구들은 수학(Jeung 등, 1997; Mousavi 등, 1995), 과학(Mayer & Moreno, 1998, 1999), 공학(Kalyuga 등, 1999, 2000; Tindall-Ford 등, 1997)과 같이 잘 정의된 기술적 영역의 자료를 사용하고 비교적 짧은 교수시간 안에 엄격하게 통제된 실험실 상황에서 수행되었다. 이러한 자료들은 제한적인 학습자 통제가 허락된 수준에서 기술적 혹은 과학적 처리와 절차에 대한 설명을 제공하였다. 위 연구들은 대부분 고등학교 고학년, 고등교육 단계의 학생들, 기술 훈련가 등을 대상으로 수행되었다. 다른 특징을 지닌 학습 영역 및 학습 환경에서는 효과의 적용 가능성에 대해 후속 연구가 필요하다.

예를 들어, De Westelinck, Valcke, De Craene과 Kirschner(2005)는 사회과학 학습자료를 사용해서 이중 감각양식 제시를 포함한 몇 가지 멀티미디어 설계 원리를 연구하였다. 이 연구는 몇 가지 사례에서 예상했던 것에 반하는 통계적으로 유의한 차이를 발견하면서 멀티미디어 원리, 주의분산 원리(9장 참고), 감각양식 효과를 확인하는 데 실패하였다. 몇 가지 다른 연구들도 어떤 조건에서는 감각양식 효과를 확인하는 데 실패했음을 보고하였다(Brünken, Plass, & Leutner, 2004; Dutke & Rinck, 2006; Goolkasian, 2000; Lowe, 1999; Moreno & Durán, 2004; Schnotz & Bannert, 2003). 따라서 감각양식 효과의 적용 가능성에 대한 범위 및 조건을 정립하는 것은 중요한 연구 주제가 된다.

Ginns(2005b)는 교수자료, 나이, 성과 측정 등의 영역과 관련된 43편의 실험 연구들을 대상으로 감각양식 효과에 대한 메타분석을 수행하였다. 메타분석 결과, 대체로 이중 감각양식 제시방법에 대한 긍정적인 효과뿐만 아니라 요소 상호작용성 수준과 제시 속도라는 두 가지 주요 요인의 효과도 지지하였다.

우리는 내용이 이해되기 위하여 정보의 다양한 자원들이 함께 처리되어야 할 때에만 감각양식 효과를 예상할 수 있다는 것을 앞에서 지적한 바 있다. 감각양식 효과를 위해 필요한 몇 가지 조건들이 있다.

요소 상호작용성 수준

Tindall-Ford 등(1997)은 높은 수준의 요소 상호작용성을 지닌 자료에 대해서만 이중 감각양식 형태의 지원에 강한 효과가 있음을 발견하였다. 낮은 수준의 요소 상호작용성 교수자료에 대해서는 감각양식 간에 차이가 없었다. 학습자료에서 충분히 높은 수준의 요소 상호작용성은 감각양식 효과를 생성하는 중요한 요인이 된다. 요소 상호작용성 원리(15장 참조)에 의하면, 매우 낮은 수준의 요소 상호작용성이나 내재적 인지부하의 경우에는 이중 감각양식 제시방법을 비롯한 어떤 다른 인지부하의 효과도 나타나지 않을 것이다.

만약 학습자료가 높은 수준의 요소 상호작용성의 특성이 있다면 그 자료들은 애초부터 시각 채널을 과부하시킬 것이다. 그 과부하는 서로 연계된 정보들이 시각적으로 제시되는 자원들 간의 주의분산으로 인해 급상승한다. 이런 상황에서 이중 감각양식 형태를 사용하는 것은 과부하를 효과적으로 줄이고 학습을 위해 사용할 수 있는 인지자원을 확장하고, 따라서 감각양식 효과를 보여줄 수 있을 것이다. 한편, 만약 학습자료가 낮은 수준의 요소 상호작용성을 지녔다면 비교적 높은 수준의 외재적 인지부하가 발생하더라도 여전히 작동기억의 제한범위를 넘지 않을 것이기 때문에 학습을 방해하지는 않을 것이다.

그러나 지나치게 높은 요소 상호작용성 수준도 이중 감각양식 제시방법의 장점을 살리지 못할 것이다. 복잡하고, 익숙하지 않거나 추상적인 표상을 다룰 때, 학습자들은 매우 높은 수준의 내재적 인지부하를 경험하게 되는데, 특히 그 표상과 관련된 충분한 선수지식이 없을 경우에는 더욱 그러하다. 애초에 작동기억의 용량을 초과한 복잡한 음성 학습내용은 감각양식 효과를 보여주는 데 실패하게 된다(17장 참조).

제시 속도

Ginns(2005b)에 의해 수행된 메타분석은 시스템 주도의 조건에서만 이중 감각양식 제시방법에 강한 효과가 있음을 제시하였다. 초기에 감각양식 효과를 정립한 대부분의 실험들은 시스템 통제 속도를 사용하였으며, 따라서 이중 감각양식 조건에서 내레이션의 속도에 의해 고정된(fixed) 교수 시간이 결정되었다. Tabbers 등(2004)은 학습자 통제의 제시 속도하에서 감각 양식을 관찰하는 어려움에 주목하였다. 그들은 비교적 장시간(한 시간 이상) 동안 교수설계에 관한 웹 기반 멀티미디어 수업을 공부하는 대학 2학년 학생들을 대상으로 실제적인 교실 상황에서 감각양식 효과를 연구하였다. 교수자료는 학습자 기반 속도였다(예: 청각 조건에서 학생들은 내레이션 텍스트를 반복해서 들을 기회를 가졌다). 연구 결과, 시각 조건의 학생들이 청각조건의 학생들보다 파지와 전이 검사 모두에서 더 나은 수행을 보여주었다. 비록 느린 오디오 다운로딩 속도 때문에 청각 조건에서 학생들의 파지와 학습에 부정적으로 영향을 미쳤을 가능성이 있긴 하지만, 시간 조건의 학생들이 교수 시간도 유의미하게 적게 걸렸다. 이러한 '감각양식 역효과'를 발생시킨 주요 이유로 초기 연구에서 사용된 시스템 통제 교수자료와 다른 학습자 중심 학습 환경이 제시되었다.

시스템 통제 조건에서는, 학습자들에게는 시각 텍스트가 제시되어 일부 고정된 교수-학습 시간을 시각적 검색에 사용해야 하는데, 즉 언어적 요소와 회화적 요소 간에 끊임없이 앞뒤로 주의를 바꾸면서 시스템에 의해 강제로 부여된 시간 안에 그것들을 정신적으로 통합해야 한다. 이러한 처리들은 높은 외재적 인지부하를 유발할 것이다. 학습자 속도 기반의 제시방법에서, 학생들은 자신들의 속도에 맞추어 자료를 검토함으로써 그러한 부하를 감당할 수 있는 부가적인 시간을 갖게 될 것이다. 이런 경우, 이중 감각양식 형태의 장점은 감소되거나 사라지게 될 수 있다. 텍스트를 그림에 관련시키는 것과 처리를 위하여 더 많은 시간이 주어지면 아마도 외재적 인지부하를 상쇄시키게 될 것이다. 예를 들어, 학습자들은 일시적인 내레이션 정보의 중요한 요소들을 놓칠 위험이 없이 인쇄된 텍스트의 부분들을 반복적으로 읽을 수 있는 것이다. 그러나, 현실적 상황에서는 특정 자료에 대한 학습을 위해 학습자들이 시간을 무제한으로 사용하기 어렵고 스스로 페이스를 조절하는 학습이 항상 가능하지는 않기 때문에, 실험실 기반의 시스템 통제 조건에서 정립된 감각양식 효과가 교육 실천의 현장과 동떨어진 것은 아니라고 할 수 있다.

Harskamp 등(2007)은 정규 학교 환경에서 학습자 기반인 웹 기반 멀티미디어 과학 수업을 대상으로 감각양식 효과를 제시하였다. 실험 결과, 효과는 학습을 위해 더 적은 시간이 주어진 학생들에게서만 일어났고 학습할 더 많은 시간을 가진 학생들에게서는 일어나지 않았음을 보여주었다. 따라서, 감각양식 효과의 적용 가능성에 대한 조건을 분석할 때는 학생들 간의 학습에 소요되는 시간상의 차이를 고려할 필요가 있을 것이다.

감각양식 역효과에 대한 대안적 설명

자기 속도에 맞춘 제시방법의 사용이 감각양식 효과의 소거에 대한 설명을 제공할 수 있지만, 순수한 시각 자료가 청각과 시각이 혼용된 자료보다 우세함을 보여주는 감각양식 역효과를 설명하기는 어려울 것이다. Leahy와 Sweller(출판 중)는 부수적인 데이터를 가지고 대안적 설명을 제공한다. 그 이론과 데이터는 일시적인 정보 효과(transient information effect)에 대해 다루는 17장에서 좀더 자세히 소개하겠지만, 마무리를 위하여 여기서 간략한 설명을 제공하고자 한다.

감각양식 효과의 성공적인 시연을 위해서는 비교적 간단하고, 비교적 단순한 텍스트 정보가 필요할 것이다. 만약 그 텍스트 정보가 길고 복잡하다면 그것을 음성 형태로 제시하는 것은 인지부하 요인으로 인해 부정적인 결과가 될 것이다. 우리는 새로운 정보를 위한 작동기억이 유지기간상 극도로 제한되어 있음을 알고 있고, 음성 정보가 일시적임도 알고 있다. 길고 복잡하고 요소 상호작용성이 높은 음성 텍스트는 작동기억의 한계를 초과할 것이다. 문자 형태로 제시된 그와 같은 텍스트는 쉬운 부분은 빨리 뛰어넘고 복잡한 부분에 더 많은 시간을 사용할 수 있기 때문에 처리하기 훨씬 쉬울 것이다. 우리는 감각양식 역효과가 길고 복잡한 청각 자료를 과도하게 사용하면서 나타났음을 제안하였다. 긴 청각 자료는 작동기억의 범위를 압도하여 시청각 제시방법으로 가능한 장점을 뒤엎을 것이다. 그 결과, 감각양식 역효과를 만들면서 순수한 시각적 제시방법이 더 효과적이게 될 것이다.

Leahy와 Sweller(출판 중)는 두 가지 실험을 통해 이러한 가설을 검증하였다. 긴 텍스트를 사용한 한 실험에서, 순수한 시각 정보가 시청각 제시방법보다 높은 결과를 제공하면서 감각양식 역효과가 나타났다. 다른 실험에서는 같은 자료이지만 훨씬 작은 조각으로 나뉜 자료를 사용했는데, 시청각 제시방법이 순수한 시각적 제시방법보다 높은 결과로 전통적인 감각양식 효과가 나타났다.

Tabbers 등(2004)의 연구 결과에도 불구하고, 지금은 학습자 중심 속도 조건 혹은 시스템 중심 속도 조건의 사용이 감각양식 효과에 효력을 발생시키지 않는다는 연구 증거가 상당히 많다(Harskamp 등, 2007; Schmidt-Weigand, Kohnert, & Glowalla, 2009; Wouters, Paas, & van Merriënboer, 2009). 속도에 대한 통제가 감각양식 역효과로 귀결되어야 함을 지지하는 어떠한 이론적 근거도 역시 없다. 반면, 인지부하이론 고찰에 의하면 텍스트 자료의 길이가 감각양식 효과에 영향을 미치는 것이다. 효과 발견에 실패한 몇몇 연구들과 감각양식 역효과를 발견한 모든 연구들이 감각양식 효과의 획득에 성공한 연구들보다 훨씬 더 길고 복잡한 청각자료를 사용한 것 같다. 긴 청각자료가 작동기억의 범위를 초과할 수 있다는 제안은 인지부하이론과 매우 일치한다. Leahy와 Sweller에 의해 제공된 데이터(현 편집본상)도 이 가설을 지지한다.

시각적 검색 노력의 감소 효과

다이어그램이 음성 설명을 수반할 때, 학습자들은 보통 청각적 텍스트에서 언급되고 있는 부분을 찾기 위하여 다이어그램 안에서 여전히 검색을 해야 한다. 이중 양식 제시방법은 종종 단일 감각양식 형태보다 높은 성취 결과를 보이는데, 다이어그램에서 관련되는 부분에 학습자가 적절하게 주의집중할 경우에 한해서 그렇다(Jeung, Chandler, & Sweller, 1997; Mayer & Moreno, 2002, 2003). Jeung 등(1997)은 순수한 시각, 시청각, 그리고 청각적 진술에 의해서 언급될 때마다 다이어그램의 관련 부분이 반짝이는 플래시 기능이 포함된 시청각의 세 가지 조건을 비교하였다. 시각적 검색의 복잡성 수준이 두 가지로 나누어지는 기하학 과제가 사용되었다. 플래시 기술이 단서로 사용되었을 때만, 그리고 복잡한 시각적 검색의 경우에만 감각양식 효과가 발견되었다. 연구 결과는 플래시 기능이 포함된 시청각 형태가 서로 간에 차이가 없었던 순수한 시각자료 그리고 순수한 청각 조건에 비해 높은 결과를 보여주었다.

학습자들은 스크린 위에서 관련된 시각 정보를 찾는 동안에 청각 정보에 주의를 기울여야 함이 제시되었다. 만약 이러한 검색이 너무 복잡해서 음성 설명과 동시에 성취될 수준을 넘는다면, 시각 정보와 청각 정보를 조화시키기 위해 사용되는 적절한 시각적 신호가 사용되어서 학습자가 관련 정보에 접근하고 처리하도록 도와주지 않는 한 이중 감각양식 형태의 장점은 획득될 수 없을 것이다. 반면, 만약 자료가 너무 간단해서 관련 부분을 찾는 데 도움이 필요하지 않다면, 요소 상호작용성이 너무 낮아서 감각양식 효과를 생성하지 못할 것이다. 이중 감각양식 제시방법은 음성 텍스트와 복잡한 시각적 표상 자료에서 상응하는 요소들을 관련시키기 위해 적절한 시각적 단서가 사용될 때에만 학습을 강화할 수 있을 것이다.

Mayer와 Johnson(2008)은 그래픽의 해당되는 부분 옆에 위치해서 핵심 내용을 반짝이게 하는 내레이션 텍스트의 짧은 스크린 버전이 적절한 시각적 신호임을 제시하였다. 조명의 구조와 자동차 브레이크 시스템이 어떻게 작동하는지 설명하는 일련의 내레이션으로 된 정지 슬라이드를 사용한 두 가지 연구에서, 각 슬라이드는 8 ~ 10개가 나오고 간단한(1~2문장) 내레이션이 있는 다이어그램 하나씩을 포함한다. 한 형태에서, 각 슬라이드는 또한 내레이션에서 설명하는 주요 특징을 표현한 다이어그램의 해당되는 부분 옆에 위치한 2 ~ 3개의 인쇄된 단어를 포함하는데, 그것은 내레이션에서 나오는 단어와 같은 것이다. 연구 결과, 짧은 문구(라벨)가 내장된 형태가 문구가 없는 형태보다 사후 파지 검사 점수가 높았으며 전이 검사에서는 차이가 없는 것으로 나타났다. 내장된 스크린상의 단어들이 관련된 그래픽 정보로 학습자들의 주의를 안내했음이 제시되었다.

Lee와 Kalyuga(2011)는 최근에 이 가정을 지지하는 부가적인 증거를 제공하였다. 그들은 전통적인 중국어 문자와 발음 교수법을 동시에 제시하는 방법이 학습자들의 주의를 끌기 위하여 문장에서 새로운 핵심 글자 옆에 문자 발음 정보를 제공했을 때 발음 학습에 더 높은 결과가 있었음을 보여주었다. 다시, 문자 정보의 제공 위치가 시각자료에서 적절한 부분에 주의를 기울이도록 하였다(주의분산 효과에 대해서는 9장 참조).

적용 조건 요약

인지부하이론에 의해 정의된 바와 같이 적절한 조건에서 감각양식 효과는 안정적이며 강건하다. 그럼에도 불구하고, 모든 외재적 인지부하 효과와 마찬가지로, 어떤 특정한 교수 – 학습의 범주가 사용되었는지가 문제가 아니라 과연 외재적 인지부하가 포함되었는지가 항상 중요한 이슈가 된다. 단순히 시청각 교수자료를 사용하는 것만으로는, 만약 그 시청각 자료가 외재적 인지부하를 줄여주지 않는다면 결코 학습의 향상을 보증할 수 없을 것이다. 우리는 감각양식 효과의 획득에 필요한 몇 가지 조건을 다음과 같이 정의하였다.

(a) 주의분산 효과의 경우와 마찬가지로 다이어그램 정보와 텍스트 정보가 반드시 서로 의존되어야 하고 그것들이 함께 처리되지 않으면 이해될 수 없는 것이어야 한다.
(b) 요소 상호작용성이 반드시 높아야 한다. 만약 요소 상호작용성이 낮다면, 감각양식 효과뿐만 아니라 다른 모든 인지부하 효과도 획득될 수 없다.
(c) 청각적 텍스트는 반드시 제한적이어야 한다. 길고 복잡한 텍스트는 음성 형태가 아니라 문자 형태로 제시되어야 한다. 작동기억 안에서 담을 수 없거나 처리될 수 없는 긴 음성 텍스트는 감각양식 효과를 막고 감각양식 역효과를 생성할 수 있다.
(d) 다이어그램이 매우 복잡하다면, 학습자들이 청각 정보에 의해 언급되고 있는 시각자료의 해당 부분에 집중할 수 있도록 단서나 신호를 제공할 필요가 있을 것이다.

감각양식에 영향을 주는 유명한 것이지만 이 장에서 다루지 않은 조건이 하나 있다. 학습자 전문성의 수준도 그 효과에 영향을 줄 수 있다. 감각양식 효과를 연구하는 대부분의 연구들이 초보 학습자를 대상으로 수행되긴 하였지만, 그 효과가 비교적 많은 경험을 가진 학습자들을 대상으로 할 때는 소거되거나 역효과를 낼 수도 있다는 증거가 있다(Kalyuga et al., 2000). 지식 수준이 높은 학습자를 대상으로 할 때 인지부하 효과가 왜 발생하지 않는지에 대해 설명해주는 전문성 역효과는 12장에서 자세하게 다룰 것이다.

교수활동 시사점

감각양식 효과로부터 나온 주요 교수활동 시사점은 이중 양식, 즉 순수한 시각적 형태보다 시청각 형태로 정보를 제시할 때 상당히 많은 장점을 얻을 수 있다는 것이다. 단, 시청각 교수자료의 장점이 적용되는 조건을 정확하게 고려할 필요가 있다. 모두 인지부하이론으로부터 나온 것으로, 가장 중요한 조건들은 정보의 청각적 원천과 시각적 원천은 이해가 되려면 반드시 서로 의존해야 한다는 것, 요소 상호작용성이 높아야 한다는 것, 그리고 청각 요소는 작동기억에서 처리될 수 있도록 충분히 짧아야 한다는 것이다. 이러한 조건들이 충족될 수 있는 교육과정 영역이 많다. 수학과 과학의 많은 내용들은 관련 예들을 제공한다. 기하학적 다이어그램과 연합된 '각 ABC는 각 XBZ와 같다(직각으로 반대편에 위치한 각은 서로 같다)'와 같은 진술문은 텍스트 형태보다 음성 형태로 제시되는 것이 훨씬 좋을 것이다. 다이어그램과 텍스트를 통합해서 처리해야만 하고, 기하학의 요소 상호작용성이 일반적으로 매우 높으며, 그 진술문을 작동기억 안에 포함해서 처리할 수 있기 때문에 시청각 제시방법이 도움이 될 것이다. 시각적 텍스트보다 청각적 텍스트를 사용함으로써, 청각 기억이 텍스트를 처리하기 위해 사용되는 동안 시각 기억 자원은 그 다이어그램에 완전히 투입될 수 있다. 청각 처리기와 시각 처리기 간에 인지부하를 공유함으로써, 시각 처리기의 과부하를 줄이고 그렇게 해서 학습이 촉진되는 것이다.

마찬가지로, 이중 양식 제시방법이 매우 부적절한 교육과정 영역도 많이 있다. 다이어그램 혹은 그 밖의 어떤 것과도 통합하여 처리될 필요가 없는 긴 텍스트는 감각양식 효과를 이끌어내지 못할 것이다. 단순히 시청각 형태로 정보를 제시하는 방법은 감각양식 효과로부터 생성되는 장점을 보장할 수 없다. 궁극적인 기준은 시청각 형태가 사용되는지의 여부가 아니라 과연 외재적 인지부하가 감소되는가에 있다. 만약 외재적 인지부하가 감소되지 않는다면, 시청각 형태는 학습을 도와주지도 못하고 심지어 방해할 수 있게 될 것이다.

결론

그림, 애니메이션 혹은 시뮬레이션을 수반하는 텍스트 정보가 시각적 형태보다는 청각적 형태로 제시될 때, 모든 정보를 시각 채널에만 불러오는 것이 아니라 작동기억의 시각 채널과 청각 채널의 혼합된 자원을 사용함으로써 작동기억 용량이 효과적으로 증가될 것이다. 이중 감각양식 제시방법은 시각적 주의분산으로 인한 외재적 인지부하를 줄이는 데 사용될 수 있다. 인지부하이론 틀 안에서 감각양식 효과는 사용 가능한 인지자원의 좀더 효율적인 사용으로 설명된다. 언어 정보가 청각 양식으로 제시될 때 작동기억의 두 가지 채널에 개입함으로써 그리고 관련된 주의분산 상황과 시각적 검색을 줄임으로써 학습이 촉진될 수 있다.

동일한 언어 정보를 청각 양식과 시각 양식으로 함께 제시하는 것은 학습을 강화할 수 있음이 자주 제시되었다. 감각양식 효과에 대한 표면적인 해석은 이러한 결론을 급격하게 양산할 수 있다. 그러나, 인지부하이론 프레임워크 안에서 얻어진 적용 가능한 증거는 동일한 정보를 음성 형태와 텍스트 형태로 동시에 제시하는 것은 장점이 되지 못한다는 것이다. 다음 장에서는 중복 효과의 맥락 안에서 이러한 연구 결과에 대해 다룰 것이다.

중복 효과

중복 효과(redundancy effect)는 표면적으로 주의분산 효과(split-attention effect)와 관련된 것으로 보이지만 실제로는 그렇지 않다. 두 효과 모두 시각자료나 텍스트와 같은 복수의 정보원(multiple sources of information)을 다루기 때문에 유사성이 있다. 주의분산 효과 사례에서와 마찬가지로 다이어그램, 그림, 애니메이션과 음성언어 정보 또는 문자언어 정보의 결합은 외재적 인지부하를 초래할 수 있다. 표면적인 유사성에도 불구하고, 중복 효과는 주의분산 효과와는 매우 상이한 특성을 가지고 있다. 필수적인 전제조건으로 요구되는 복수의 정보원 간의 논리적 관계 때문에 두 효과는 서로 다르다. 그 차이는 중요하며 무시되어서는 안 된다.

9장에서 논의된 바와 같이, 주의분산 효과는 학습자들이 별개로는 이해할 수 없지만, 독립적으로 제시된 복수의 관련 정보원들을 작동기억에서 통합해야 할 때 발생한다. '∠ABC는 ∠XYZ와 같다'와 같은 기하학 진술문은 다이어그램 없이는 온전히 이해할 수 없다. 두 정보원인 다이어그램과 진술문은 함께 제시되어야 하며, 물리적으로 분리된 형태로 제시된다면 그것들은 서로를 참조하기 때문에 인지적으로 통합되어야 한다. 이들을 통합하기 위해 사용되는 작동기억 자원은 학습에 사용할 수 없게 되며, 가용한 작동기억 용량을 초과할 수 있다.

이 장은 복수의 정보원 간의 상이한 논리적 관계를 기술한다. 중복 효과는 복수의 정보원이 인지적 통합에 대한 요구 없이 분리되어 이해되어야 할 때 발생한다. 문자 없이도 완전히 이해될 수 있는 다이어그램을 단순히 재기술한 음성 텍스트(spoken text)와 문자 텍스트(written text)가 그 예이다. 이러한 상황에서 문자 텍스트와 다이어그램의 물리적 통합은 유익하리라고 믿기 어렵다. 내용 이해에 불필요한 텍스트를 다이어그램에 물리적으로 통합하면 학습이 향상될 것이라는 주장을 뒷받침하는 근거는 존재하지 않는다. 사실, 그러한 조건은 외재적 인지부하를 부과함으로써 학습에 해로울 수 있다. 따라서 학습자들이 불필요한 정보에 주의를 기울이고, 필수적인 정보에 그것을 물리적으로 통합할 때 야기되는 외재적 인지부하의 증가를 방지하기 위해 중복 정보는 제거되어야 한다.

자기설명(self-explanatory) 다이어그램과 다이어그램을 단순히 재기술한 언어 설명(음성 텍스트, 문자 텍스트 또는 둘 다)을 사용할 때는 설명 텍스트 없이 다이어그램만을 제시한 경우보다 유익해야 한다.

가장 보편적인 중복 형태는 동일한 정보가 상이한 형태로 제시될 때 발생한다. 다이어그램을 단순히 재기술한 문자와 다이어그램이 함께 제시되거나, 문자 형태와 음성 형태가 동시에 제시되는 경우가 바로 그런 사례이다. 그럼에도 불구하고, 인지부하이론에서는 학습에 필요하지 않은 부가 정보는 중복으로 분류된다는 사실에 주목할 필요가 있다. 텍스트와 결합된 카툰은 텍스트를 재기술하지는 않지만, 텍스트를 이해하는 데 필요하지 않다면 여전히 중복에 해당된다. 학습자들이 불필요하게 처리해야 하는 정보는 중복이다. 인지부하이론은 중복 정보가 부정적인 영향을 미치기 때문에 중복 정보의 유형을 따로 구분하지는 않는다.

중복 효과는 중복 자료를 포함한 정보가 중복 정보가 제거된 정보보다 학습을 감소시킬 때 발생한다. 중복 효과는 외재적인 상호작용 요소들의 명백한 사례를 제공한다. 불필요한 정보와 필수적인 정보가 함께 제공된다면, 불필요한 정보와 결합된 요소들은 외재적인 작동기억 부하를 초래하기 쉽다. 외재적인 작동기억 부하는 작동기억 부하를 최소화시키는 데 필요한 변화의 제한성 원리를 침해하게 된다. 장기기억의 정보 저장소에 전송되는 정보가 줄어들면, 행동을 생성하는 데 사용되는 중요한 원리인 환경의 조직과 연결 원리의 효과적인 사용이 어렵게 된다. 학습자들이 정보를 획득할 때 차용과 재조직 원리의 사용을 극대화하도록 필수적인 정보만이 제공되어야 한다.

중복 효과에 대한 실증적 근거

Chandler와 Sweller(1991)는 인지부하 프레임워크에서 중복 효과를 입증하기 위하여 따로 따로 이해가 가능한 텍스트와 다이어그램으로 구성된 학습자료를 사용하였다. 전기공학 학습자료로 실행한 수차례의 실험에서, 문자와 그림을 통합하도록 명백하게 지시받은 학습자들보다 문자와 그림을 통합하도록 명백하게 지시받지 않은 학습자들이 학습에 적은 시간을 필요로 했으며, 높은 성취를 나타냈다. 또한 자기설명 다이어그램만을 제공한 수업이 텍스트와 다이어그램을 함께 제공한 수업보다 높은 성취를 나타냈다.

이러한 결과는 인체의 혈류(blood flow) 다이어그램을 사용한 생물학 실험에서도 동일하게 나타났다. 예를 들면, 다이어그램은 심장의 혈액이 좌심실로부터 대동맥으로 흘러가는 모습을 보여준다. 상응하는 진술문은 '또한 혈액은 좌심실로부터 대동맥으로 흘러간다'이다. 다이어그램에 대한 이 진술문의 관계는 주의 깊게 논의되어야 한다. 이 진술문은 기하학 다이어그램과 관련된 '∠ABC = ∠XYZ'와 같은 진술문의 관계와는 매우 다르다. 심장, 폐, 신체의 혈류 다이어그램은 별개로 쉽게 이해될 수 있다. 진술문은 다이어그램에서 명료한 정보를 단순히 반복한다. 기하학 문제해결 사례에서 관찰되는 것처럼, 문제에 대한 해결책을 이해하는 데 필수적인 어떤 정보도 얘기해주지 않는다. 또한 혈류 사례에서, 설명 텍스트 부분은 중복이며 학습을 방해한다.

다이어그램과 통합된 진술문에서 통합된 형태는 분리된 다이어그램과 텍스트로 진행하는 전통적인 수업보다 훨씬 더 비효과적이다. 다이어그램만 단독으로 제시한 집단이 높은 학습결과를 얻은 것으로 나타났다. 중복 텍스트 처리가 외재적 인지부하를 부과하여 부가적인 작동기억 자원을 요구하는 것으로 추론된다. 학습자들은 전통적인 정보원 분할 제시에서 텍스트를 무시함으로써 이러한 부하를 부분적으로 감소시킬 수 있다(Chandler & Sweller, 1991). 텍스트가 다이어그램과 물리적으로 통합되어 있을 때 텍스트를 무시하기는 훨씬 어렵다. Bobis, Sweller와 Cooper(1993)는 초등학생을 대상으로 종이접기 학습과제를 사용하여 중복 효과를 재검증하였다. 이 연구에서 다이어그램은 중복적이었으며, 텍스트만 제시한 집단이 높은 학습결과를 얻은 것으로 나타났다.

중복 효과는 광범위하게 관찰된다. 다이어그램이나 텍스트와 관련되지 않은 다양한 수업 상황에서 관찰될 수 있다. 예를 들면, 매뉴얼과 같은 전통적인 설명서나 소프트웨어 패키지나 기계장치와 함께 제공되는 스크린 설명서는 일반적으로 설명서를 따라갈 때 실제 하드웨어나 기계장치를 사용하도록 요구한다. 주의분산 효과에 대해 9장에서 기술한 바와 같이, 그러한 설명서의 내용이 필수적이라면, 설명서는 학습자의 주의를 매뉴얼, 컴퓨터 스크린과 키보드 또는 기계장치에 분산시켜 과중한 외재적 인지부하를 초래할 수 있다. 설명서가 다른 형태로 정보를 반복하고 있다면, 중복 효과를 고려해야 한다. 예를 들면, 하드웨어와 하드웨어의 다이어그램을 함께 제시하는 것은 중복이 될 수 있다. 설명서의 초기 단계에서 컴퓨터 하드웨어나 기계장치를 제거하고 컴퓨터 스크린과 키보드 또는 기계장치의 다이어그램을 사용하는 것이 학습에 유익할 수 있다. 다이어그램과 하드웨어를 모두 포함하는 것은 중복으로 이끌고, 학습을 방해하는 과중한 외재적 인지부하를 초래할 수 있다.

일련의 실험에서 하드웨어와 함께 매뉴얼을 제시한 집단과 하드웨어 없이 다이어그램과 통합된 텍스트 매뉴얼을 제시한 집단을 비교하였다(Sweller & Chandler, 1994; Chandler & Sweller, 1996). 학습시간이 축소되었고, 검사 전 하드웨어를 사용한 연습 기회가 별도로 제공되지 않았음에도 불구하고 하드웨어의 제시 없이 통합된 매뉴얼 설명서의 긍정적 효과가 나타나는지 지필 검사와 기능 검사를 통해 검증되었다. 연구 결과, 하드웨어는 중복적이었으며, 매뉴얼 설명서만으로도 학습자들에게 자명하였다.

이러한 결과는 소프트웨어의 기능에 대한 접근 없이 소프트웨어 사용 방법을 배우는 것이 효과적이라고 해석해서는 안 된다. 이러한 결과는 둘 다를 가지고 배우는 것이 아니라, 소프트웨어(또는 하드웨어)를 가지고 배우거나 소프트웨어와 하드웨어를 표상하는 다이어그램과 통합된 텍스트를 가지고 배우는 것이 효과적임을 의미한다. Cerpa, Chandler와 Sweller(1996)는 스크린과 매뉴얼 모두에 설명서를 제시하는 것보다 스크린에만 설명서를 제시하는 것이 효과적이라고 주장했다. 이를 매뉴얼과 기계장치를 함께 제시한 집단보다 매뉴얼만 사용한 집단이 더 잘 학습했다는 연구 결과와 결합하면, 설명서가 스크린에 제시되는가 또는 매뉴얼에 제시되는가는 별다른 문제가 되지 않는다고 결론지을 수 있다. 중요한 사실은 두 가지 형태로 동시에 제시되어서는 안 된다는 것이다. 학습자들이 유사한 자료를 스크린과 매뉴얼에서 동시에 처리해야 한다면 중복과 결부된 외재적 인지부하가 학습을 방해할 것이다. 학습자료가 두 가지가 아니라 한 가지 형태로 제시된다면 학습이 향상될 것이다.

Pociask와 Morrison(2008)은 실제 교실 상황에서 1학년 물리치료과 학생들을 대상으로 복잡한 물리치료의 인지적, 심동적 기능을 가르치는 수업자료를 사용하여 중복 정보 제거 효과를 검증하였다. 지필 검사와 기능 검사 결과, 수정된 수업자료를 사용한 집단이 인지부하가 감소했으며 유의미하게 높은 학업 성취를 나타냈다.

문자 텍스트와 음성 텍스트의 동시 제시 효과

앞 절에 기술된 바와 같이, 주의분산 효과와 중복 효과는 모두 복수의 정보원을 특징으로 하기 때문에 서로 관련되어 나타난다. 비슷한 이유로, 앞 장에서 살펴본 감각양식 효과와 이 절에 기술된 멀티미디어 중복 효과도 관련되어 나타난다. 정보원들 간의 관계가 감각양식 효과 또는 중복 효과가 발생하는지를 결정한다. 자료를 시청각 형태로 제시할지 시각 형태로만 제시할지 여부는 복수의 정보원 간의 관계에 의해 결정된다. 둘 또는 그 이상의 정보원이 서로 관련되어 있고 결합될 때만 이해될 수 있다면, 그것들은 가능한 한 시청각 형태로 제시되어야 한다. 이와 대조적으로, 두 정보원이 별개로 이해될 수 있다면, 시각 형태 또는 청각 형태 한 가지로만 사용되어야 한다. 두 가지가 함께 사용된다면 한 가지 형태는 중복이 되어 외재적 인지부하를 초래할 것이다.

따라서 두 가지 정보원을 사용할지 또는 한 가지를 사용할지 여부는 두 정보원 간의 관계에 달려있다. 다이어그램에 대한 참조 없이 이해할 수 없는 기하학 진술문은 음성 형태 또는 물리적으로 통합되어 제시되어야 한다. 이와는 대조적으로, 이해하기 쉬운 다이어그램을 단순히 재기술하는 혈류에 대한 서술은 음성 형태나 문자 형태로 제시되어서는 안 된다. 그것들은 제거되어야 한다. 다이어그램과 텍스트의 존재가 아니라, 다이어그램과 텍스트의 논리적 관계가 중요하다.

많은 멀티미디어 수업 자료들이 문자 텍스트와 함께 내레이션 설명을 사용한다. 인지부하 관점에서 본질적으로 동일한 정보를 두 가지 다른 형태로 중복하는 것은 작동기억에 과부하를 일으키며, 부정적인 학습효과를 초래한다. 음성 설명이 동일한 문자 텍스트와 동시에 사용될 때, 학습자들은 문자 정보와 상응하는 음성 정보의 요소들을 연결시키거나 조절하도록 요구받게 된다. 이러한 외재적인 처리과정은 부가적인 작동기억 자원을 소비하게 된다. 따라서 중복 정보원을 제거하는 것이 학습에 도움이 된다.

Kalyuga, Chandler와 Sweller(1999)는 컴퓨터 기반의 기계공학 수업을 사용하여 애니메이션 다이어그램과 함께 제시되는 세 가지 형태(문자 텍스트, 음성 텍스트, 음성과 문자 텍스트)의 텍스트 설명을 비교하였다. 연구 결과 멀티미디어 중복 효과가 관찰되었다. 음성 텍스트 집단이 문자 텍스트와 음성 텍스트를 함께 제시한 집단보다 사후검사에서 높은 성취를 나타냈으며, 상호작용 훈련에서 재시도 횟수가 낮았고, 인지부하에 대한 주관적 측정 점수도 낮게 나타났다. 인지부하에 대한 주관적 측정 결과, 스크린에 다이어그램의 텍스트 설명을 제시할 때 동일한 내용의 음성 설명을 함께 제시하는 것은 부가적인 인지부하를 초래하였다.

Mayer, Heiser와 Lonn(2001)은 대학생을 대상으로 번개의 형성과정을 과학적으로 설명하는 애니메이션 시각자료를 사용한 두 실험에서 내레이션이 제공되는 애니메이션으로 학습한 집단이 내레이션과 내레이션을 요약하거나 내레이션과 중복되는 텍스트가 스크린에 동시에 제시된 애니메이션으로 학습한 집단보다 파지검사와 전이검사에서 높은 성취를 얻은 것으로 나타났다. Craig, Gholson과 Driscoll(2002)은 말투, 몸짓, 움직임 등의 인간 행동들을 수행하는 교육 에이전트를 사용하여 유사한 효과를 입증하였다.

Kalyuga, Chandler와 Sweller(2004)는 음성 텍스트와 문자 텍스트를 함께 제시하는 집단보다 음성 텍스트를 따라가는 학습이 효과적이라고 주장했다. 수업이나 다른 맥락에서 동일하거나 유사한 언어 정보를 음성 형태와 문자 형태로 동시에 제공되는 경우가 빈번하다.

이러한 경향은 오버헤드 프로젝터의 등장과 파워포인트의 도입으로 증가하고 있다. 이들 테크놀로지는 모두 음성 텍스트와 문자 텍스트의 동시 제시를 촉진하기 때문이다. 중복 효과에 근거하여, 동일한 정보를 두 가지 양식으로 동시에 제시하면 학습이 방해를 받을 것이라고 예측할 수 있다. Kalyuga 등(2004)은 다이어그램이 없는 텍스트 기반의 기술 수업(실험 3)을 사용하여 정확하게 이 효과를 획득하였다. 수업에서 음성 형태와 문자 형태를 동시에 제시받은 집단보다 음성 형태만 제시받은 집단의 학습이 촉진되었다.

Jamet와 Le Bohec(2007)은 학습자에게 기억 모형의 발달에 대한 정보 제시 효과를 검사하였다. 한 집단에게는 다이어그램과 함께 음성 정보를 제시했다. 다른 두 집단에게는 동일한 다이어그램과 음성 정보를 따라가면서 다이어그램의 다음 블록에 순차적인 문장 단위로 문자 텍스트를 제시하거나 전체 텍스트를 한꺼번에 제시하였다. 여러 후속 검사에서 음성 텍스트 집단이 음성 텍스트와 문자 텍스트를 함께 제시한 집단보다 높은 학업성취를 나타냈다. 이로써 문자 텍스트가 중복적이었음을 입증하였다.

Gerjets, Scheiter, Opfermann, Hess와 Eysink(2009)는 하이퍼미디어 학습에서 멀티미디어 중복 효과를 밝혀냈다. 하이퍼미디어는 멀티미디어 학습 환경으로 학습자의 상호작용성을 증가시키기 위해 하이퍼링크 네트워크로 상호 연결된 정보 요소들로 구성되어 있다. Gerjets(2009)는 산술적 정보(arithmetical information)를 제공할 때, 음성 설명과 문자 설명을 동시에 제공한 경우가 문자 텍스트만을 제공한 경우보다 비효율적임을 보고하였다. 또한 이 연구에서 음성 설명만을 제공한 집단은 두 가지 중복 형태로 제공한 집단보다 학업성취 결과가 높지 않았다. 이러한 결과는 길고 복잡한 음성 정보는 본질적으로 과중한 작동기억 부하를 초래하기 때문에 어떤 결합(다이어그램, 문자 텍스트 또는 둘 다)에서도 학습을 향상시키기 어려움을 의미한다(일시적 정보 효과에 대해서는 17장 참조). 단위 수업 길이의 역할은 아래의 중복 효과의 적용 조건을 다루는 부분에서 논의될 것이다.

외국어 학습에서의 중복 효과

동일한 정보를 음성 형태와 문자 형태로 동시에 제시하는 학습의 부정적 효과는 외국어를 학습할 때 특정한 관련성을 가질 것으로 기대된다. 중복 효과는 대부분 기술 영역(예: 수학, 과학, 공학)에서 상대적으로 구조화된 문제(well-structured problems)를 가지고 연구되었다. 사회과학이나 인문학의 전형적인 비구조화된 과제 영역에서도 중복 효과의 적용 가능성 조건을 조사하고 동일한 결과를 입증하는 것은 중요하다. 외국어 획득은 인지부하이론 연구의 확장을 위한 중요한 영역이다. 수업설계에 대한 인지부하이론의 시사점을 탐색하는 최근의 많은 연구들이 이 영역에서 실행되어 오고 있다. 예를 들면, Moussa, Ayres, Sweller(출간 준비 중)는 외국어로서의 영어 학습에서 중복 효과를 보고했다. 그들은 구두 자료와 문자 자료의 동시 제시가 학습을 방해하며, 역설적으로 읽기와 듣기를 동시에 실시하는 것보다 읽기만으로 보다 효율적인 듣기 학습이 가능하다고 주장하였다. 이러한 결과는 학습자들이 어느 정도 듣기에 숙달되어 있을 경우에만 성취 가능하다. Plass, Chun, Mayer와 Leutner(2003)는 그림 주석(pictorial annotations)이 외국어 학습자의 독해 학습에는 중복이라고 주장했다.

Diao, Chandler와 Sweller(2007), Diao와 Sweller(2007)는 고등학교 1학년 학생을 대상으로 문자만 제시한 집단과 문자와 음성을 함께 제시한 집단을 비교하여 중복 효과가 외국어로서의 영어 독해 학습에 적용되는지를 조사했다. 그들은 외국어 숙달 수준이 높지 않은 학습자들의 경우 청취율이 독해율보다 훨씬 뒤져서(Hirai, 1999) 빈약한 시청각 대응(audio-visual correspondence)을 초래한다고 주장했다. 동일한 텍스트가 상이한 양식으로 제시될 때, 학습자들은 이들 두 정보원을 동시에 처리해야 하며, 그들 간에 참조 관계(referential relation)를 구축해야 한다. 초보 외국어 학습자에게는 단일 양식으로 제시된 텍스트 해독만으로도 과중한 작동기억 부하를 부과할 수 있기 때문에, 작동기억을 읽기와 듣기에 동시에 사용할 수 없으므로 중복 효과가 발생할 수 있다.

연구 결과는 문자와 음성을 동시에 제시한 수업이 문자만 제시한 수업에 비해 비효과적이었음을 보여주었다. 어휘 수준에서는, 동시 제시 집단이 문자만 제시한 집단에 비해 적은 어휘를 획득한 것으로 나타났다. 텍스트 이해의 경우, 동시 제시 집단이 높은 인지부하를 보고했고, 핵심 아이디어 이해와 회상 수준이 낮게 나타났다. 요소 상호작용성 효과(15장)에서 예측된 바대로, 문자 자료에 음성을 동시에 제시함으로써 발생되는 간섭은 높은 수준의 내재적 인지부하를 초래하는 복잡한 문법과 문장 구조로 이루어진 구절에서 더욱 명백하게 나타났다.

이러한 결과는 교사가 텍스트를 소리 내어 읽어주고 학생들이 교재를 보며 따라가는 일반적인 관습과는 모순된다. 외국어 이해에 대한 연구에서 문자 텍스트와 음성 텍스트의 동시 제시의 긍정적 효과를 지지하는 광범위한 근거들이 있음을 주목할 필요가 있다(Borrás & Lafayette, 1994; Garza, 1991; Markham, 1999). 거의 예외 없이, 이러한 결과는 사용된 실험 설계의 보편적인 특정 결함 때문이다. 이해력(comprehension)과 학습(learning)에는 차이가 있다. 학습자들이 텍스트를 제시받고, 이해력 검사를 받게 된다면, 그들은 거의 항상 그 검사에서 높은 점수를 받게 될 것이다. 정보가 단일 양식보다 이중 양식으로 제시된다면 읽기 또는 듣기에 집중하도록 선택할 수 있기 때문에 어느 쪽을 선택하든 이해력을 향상시킬 것이다. 그럼에도 불구하고, 수업 상황에서 이해력 증가는 학습의 증가보다 중요하지 않으며, 이해력의 증가가 더 많이 학습되었음을 의미하지도 않는다. 더 많이 학습했는지를 판단하기 위해, 단일 양식 또는 이중 양식의 자료가 제시되는 후속 단계에서 새로운 자료를 제공받아야 한다. 그들은 원자료가 아닌 새로운 자료에 대한 이해력을 검사받아야 한다.

그들이 원자료의 단일 양식 또는 이중 양식 제시를 따라 잘 학습했다면, 새로운 자료에 대한 이해력은 향상되어야 하며, 새로운 자료의 이해력 검사는 단일 양식이나 이중 양식 조건하에서 구자료(old material)의 최초 제시 동안 학습이 얼마나 일어났는지를 입증해야 한다. 이러한 실험 설계를 사용할 경우, 보편적인 결과는 단일 양식 제시가 이중 양식 제시보다 학습에 효과적이라는 결론에 이르게 된다(Diao & Sweller, 2007; Diao, Chandler, & Sweller, 2007; Moussa, Ayres, & Sweller, 출간 준비 중).

따라서 인지부하이론은 외국어 초보 학습자에게 읽기나 듣기를 가르칠 때, 음성 언어와 문자 언어를 동시에 함께 제시하는 보편적인 절차는 부적절하다고 주장한다. 수업의 목적이 초보 학습자에게 읽기를 가르치는 것이라면, 읽기와 함께 듣기를 포함하는 수업은 학습을 촉진하기보다 방해할 수 있다. 또한 초보 수준을 넘어서면, 듣기 학습이 듣기와 읽기보다는 읽기만으로도 촉진될 수 있다.

인지부하이론 이전의 중복 효과에 대한 근거

인지부하이론이 개발되고 중복에 적용되기 전에 중복 효과와 관련 지을 수 있는 몇 가지 사례들이 관찰되었다. 이 사례들은 다양한 학문분야와 절차라는 측면에서 주목할 만하고 중복 효과의 근거를 제공하지만, 이론적 설명에 일관성이 없다. 그리고, 작동기억의 부하 관점에서 설명하지 않았다.

특히 흥미로운 중복 사례로 Reder와 Anderson(1980, 1982)은 교재의 전문(full chapters)보다는 요약문으로 더 잘 학습한다는 사실을 발견했다. 대다수 교재 작가들은 학습자에게 부가적인 정보를 제공하는 것이 유익하며 최악의 경우에도 중립적일 것이라는 전통적인 관점을 보유하고 있다. 정보가 상당히 길게 제시될 뿐 아니라, 카툰이나 관련성이 없는 그림 정보 같은 중복적인 자료들이 빈번하게 포함된다. 이것들을 처리하기 위해서는 부족한 작동기억 자원이 요구된다. 인지부하이론 관점에서 보면, Reder와 Anderson의 연구 결과와 마찬가지로 전문보다 요약문에서 더 잘 학습할 수 있다는 것은 놀라운 일이 아니다.

Schooler와 Engstler-Schooler(1990)는 시각적 자극을 말로 표현하도록 하는 요구는 추후 그것을 다시 인식하기 어렵도록 만든다는 사실을 발견했다. 시각 정보의 언어화는 어려울 수 있으며, 작동기억에 상당한 부하를 부과할 수 있다. 또한 중복과 인지부하 관점에서 Schooler와 Engstler-Schooler의 연구 결과를 설명하자면, 그 부하는 추후 그 시각 자료를 재인식하는 능력을 떨어뜨린다.

Lesh, Behr와 Post(1987)는 수학 문장제 문제에서 부가적인 구체적 정보가 문제 진술문에 포함된다면 문제를 해결하기 어렵다고 주장했다. 많은 수학 교육자들은 문장제 문제해결 학습에서 학습자들이 겪는 어려움은 문제의 구체적인 물리적 표상을 포함시킴으로써 개선될 수 있다고 주장한다. 이들 주장의 일부는 구체적 조작기와 형식적 조작기를 구분하는 피아제의 관점으로부터 찾아볼 수 있다. 피아제의 인지발달이론은 추상적이고 형식적인 개체를 조작하는 학습에 앞서 구체물을 조작하는 학습을 해야 한다고 주장한다. 사실, 우리가 구체물 조작 방법을 아는지 모르는지에 관계없이, 우리는 여전히 여러 문장제 문제에 통합된 개체의 추상적인 표상을 처리할 수 있어야 한다. 작동기억 자원이 구체물 조작에 모두 사용된다면, 추상적인 개체 처리방법을 학습하는 데 사용할 작동기억 자원이 부족하게 된다. 구체물에 대한 지각은 추상적인 표상의 조작법 학습을 방해하는 중복이 된다.

Holliday(1976)는 고등학교 학생을 대상으로 질소, 물, 산소, 이산화탄소의 순환에 관한 학습 실험에서 다이어그램만을 사용한 학습자들이 텍스트만 제시한 집단이나 다이어그램과 중복되는 텍스트를 함께 제시한 집단보다 이해력에서 높은 성취를 얻었다고 보고했다. 텍스트와 다이어그램을 함께 학습한 집단은 텍스트만 학습한 집단보다 더 뛰어나지 않았다. 다이어그램에는 자료를 학습하는 데 필요한 모든 것이 담겨 있었다. 그러나 텍스트는 단독으로 충분한 정보를 담고 있지도 않을 뿐 아니라, 처리하기 어려운 형태이므로 다이어그램에 텍스트를 부가하는 것은 불필요하다.

Miller(1937)는 어린이에게 읽기를 가르칠 때, 그림과 결합된 단어를 제시하는 것은 단어만을 제시하는 경우보다 비효과적이라고 주장했다. 읽기 학습을 위해서는 작동기억 자원이 텍스트에 집중해야 한다. 인지부하이론과 중복 효과에 근거하면, 텍스트뿐 아니라 그림에 작동기억 자원을 집중해서 얻을 수 있는 것은 아무것도 없다. 대다수 초보 독자들은 고양이가 어떻게 생겼는지 알고 있으며, 고양이 그림을 볼 필요도 없다. 그들의 작동기억 자원은 문자 단어 'cat'을 구성하는 그래픽에 집중되어야 한다. Miller의 연구 결과는 단어와 그림을 함께 제시하는 것이 학습을 방해한다고 주장한 Saunders와 Solman(1984)의 연구 결과와 일치한다.

이 그림-글 효과는 개별 단어뿐 아니라, 전체 문장 읽기 학습에도 적용될 수 있다. Torcasio와 Sweller(2010)는 이 연구를 구(phases)와 문장(sentences) 읽기 학습으로 확장시켰다. 그들은 어린이들에게 읽기를 가르치기 위해 그림책을 사용한 실험에서, 한 페이지에는 문장들이 있고 반대 페이지에는 이에 상응하는 그림들로 구성되어 있는 그림책이 그림 없이 문장만 제시된 경우보다 학습에 비효과적이었다고 주장했다. 어린이들의 경우, 읽기 학습은 'Smith 부인은 언덕 위의 집에 살고 있었다'와 같은 문장에 주의를 기울이도록 요구한다. 하지만, 그들이 Smith 부인과 언덕에 있는 집이 그려진 그림을 본다면 텍스트보다 그림에 작동기억 자원이 집중되어 텍스트만을 본 학습자보다 비효과적인 학습을 하게 된다.

중복 효과를 실증하는 다양한 연구들을 찾아볼 수 있다. 인지부하이론이 등장할 때까지 이들 연구의 대부분은 개별적이고 관련되지 않은 연구 성과들로 다루어졌기 때문에 영향력이 적었다. 다행스럽게도 인지부하이론의 등장과 중복 효과에 대한 지식은 이들 중요한 연구 성과들을 재고시켜 줄 것이다.

중복 효과를 매개하는 요인

중복 효과로 해석되는 영역을 조사하는 것은 중요한 연구 이슈이다. 중복 효과에 필요한 조건들은 아래에 기술되어 있다.

정보원의 독립성

이 절의 앞부분과 이전 절에서 주의분산 효과와 감각양식 효과는 관련 정보원이 별개로는 이해될 수 없을 때 얻을 수 있다고 강조하였다. 반대로, 이 장은 정보원들이 별개로 이해될 수 있는 조건에 관심을 두고 있다. 다이어그램, 표 또는 텍스트의 다른 부분을 단순히 다시 기술하는 문자 형태나 음성 형태로 제시되는 정보가 바로 그 사례이다. 다이어그램, 표 또는 텍스트가 별개로 이해될 수 있고, 필요한 정보를 모두 포함하고 있다면, 음성이나 문자로 다시 기술할 필요가 없다. 우리는 이러한 점들이 연구에서 빈번하게 무시되고 있기 때문에 강조하는 것이다.

중복 효과가 발생하기 위해서는 정보원은 별개로 이해될 수 있어야 한다. 정보원(문자 또는 그래픽)이 그 자체로 온전히 이해될 수 있다면 부가적인 중복 정보원은 수업자료에서 제거되어야 한다.

요소 상호작용성 수준

다른 인지부하 효과들과 마찬가지로, 중복 효과가 관찰되려면 학습자료의 높은 요소 상호작용성 수준이 필수적이다. 요소 상호작용성 효과(5장 참조)에 따르면, 낮은 수준의 상호작용성을 가지고 있어서 낮은 내재적 인지부하를 초래하는 수업자료는 중복적인 정보 요소를 제거한다고 해서 뚜렷한 이점을 얻기는 어렵다. 비교적 높은 수준의 외재적 인지부하가 발생할지라도, 여전히 작동기억 한계 내에 있기 때문에 학습을 방해하지 않을 것이다. 이와는 달리, 학습자료가 높은 수준의 요소 상호작용성을 가지고 있어서 과중한 내재적 인지부하를 초래한다면, 중복 정보를 처리함으로써 야기되는 부가적인 외재적 인지부하는 학습에 해로울 수 있다.

예를 들면, 하드웨어를 참조하지 않고도 충분히 설명이 가능한 수정된 매뉴얼은 높은 수준의 요소 상호작용성을 갖는 과제에서만 하드웨어와 매뉴얼을 함께 사용하는 경우보다 유익할 수 있다(Chandler & Sweller, 1996). Chandler와 Sweller(1996)의 연구에 따르면, 낮은 요소 상호작용성 자료에서는 중복 효과가 관찰되지 않았다. 인지부하의 측정은 중복 효과에 대한 요소 상호작용성의 중요성을 확인해 주었다. 높은 요소 상호작용성 영역에서만 매뉴얼과 하드웨어를 동시에 사용해야 하는 집단보다 통합된 수정 매뉴얼을 사용한 집단이 낮은 인지부하와 유의미하게 높은 검사 결과를 나타냈다.

한편, 학습자들은 충분한 사전지식을 가지고 있지 않은 매우 복잡한 자료를 처리할 때, 매우 높은 수준의 내재적 인지부하를 경험하였다. 그러한 자료의 경우, 중복된 정보원을 제거해도 경험한 인지 과부하를 감소시키지 못함으로써 중복 효과를 입증하는 데 실패하였다.

제시 속도

멀티미디어 중복 효과를 연구한 대부분의 시청각 학습 실험에서 시스템이 학습 속도를 통제하였으며, 내레이션의 속도에 맞추어 수업 시간이 결정되었다. 그러한 조건에서, 문자 언어(visual text)와 음성 언어(auditory form)를 함께 제공받은 학습자들은 시스템이 허용하는 제한된 시간 범위 내에서 화면상의 텍스트와 그림 요소들 사이에서 자신의 주의를 전후로 옮겨가면서 시각적 탐색활동에 참여해야 했다. 이들 처리과정은 높은 외재적 인지부하를 초래할 수 있다. 학습자가 학습 속도를 통제하는 경우에는 학습자들이 잠재적인 과부하를 관리하면서 여분의 시간 동안 자신의 학습 속도에 맞추어 학습자료를 고찰할 수 있었다. 이에 따라 비중복 제시(non-redundant presentations)의 이점은 감소했다. 물론, 내레이션이 사용될 때 학습자가 속도를 통제하기 어렵거나 사용하기 어려울 수 있다.

Kalyuga, Chandler와 Sweller(2004)는 기술 도제를 활용한 두 개의 실험에서 동일한 정보를 문자 형태와 청각 형태로 동시에 제시한 수업과 내레이션이 끝난 후에 중복되는 문자 텍스트를 제시하여 일시적으로 정보원이 분리된 수업을 비교했다. 실험 결과, 다이어그램에 대한 청각 설명과 시각 설명을 순차적으로 제시한 집단이 동시에 제시한 집단에 비해 사후검사에서 높은 성취를 나타냈으며, 낮은 인지부하를 초래한 것으로 나타났다. 그러나 이 효과는 수업시간이 시스템 통제 조건으로 제한될 때만 나타났다(실험 2). 학습자 통제 조건에서는 두 집단 간에 유의미한 차이가 나타나지 않았다(실험 1). 제한되지 않은 시간은 순차적 제시에 비해 동시적 제시 동안 증가된 외재적 부하를 처리하기 위해 필요한 인지자원의 소모를 부분적으로 보상하였다. 이와는 달리, 시스템 통제 조건에서는 동시 제시된 문자 언어와 음성 언어를 적절히 처리하지 못하여 작동기억에 과부하를 일으켰다. 문자 언어를 지연하여 제시하는 효과적인 중복 제시로 앞선 음성 언어의 긍정적 효과를 향상시켰다.

수업단위 길이

감각양식 효과 사례와 마찬가지로, 문장의 길이가 중복 효과에 영향을 미치는 요인이 될 수 있다. 연속적으로 장문의 설명이 시각 양식과 청각 양식으로 동시에 제시될 때, 학습자는 제한된 시간 내에 너무 많은 정보 요소를 관련 짓고, 조정해야 한다. 텍스트 분할은 언어 중복의 부정적인 효과를 제거할 수 있다.

다이어그램이 없는 장문의 기술 텍스트 자료(technical textual materials)를 사용한 Kalyuga 등(2004)의 실험 3은 청각 자료만 제시한 집단에 비해 시각 자료와 청각 자료를 동시에 제시한 집단에서 중복 효과가 나타났다. 이 실험에서 다이어그램을 제거함으로써 시각적 주의분산의 영향은 배제되었다. 그러나 Moreno와 Mayer(2002)는 시각적 다이어그램이 포함되지 않았을 때, 음성 언어(anditory text)와 문자 언어(visual text)의 동시 제시가 청각 텍스트만을 제시한 경우보다 높은 성취를 얻었다고 주장하였다. 이는 중복 효과와 반대되는 결과이다. 이러한 결과의 차이는 연속적으로 처리되는 텍스트 단위의 길이에 기인할 수 있다. Kalyuga 등(2004)의 연구에서 참가자에게 연속적으로 제시된 텍스트는 350단어 가량의 중단 없는 단일 문단으로 구성되었다. 반대로 Moreno와 Mayer(2004)는 몇 개의 작은 단위로 이루어진 텍스트를 제시하였다. 텍스트 사이에는 적절하게 단절이 포함되어 있었다. 그러한 단절은 학습자들이 다음 텍스트로 옮겨가기 전에 텍스트의 각 부분으로부터 구성한 부분적 인지모형을 통합하도록 해주었다.

텍스트가 논리적으로 완전하고 쉽게 처리되는 연속 단위로 텍스트 간에 시간적 단절이 이루어진다면, 문자 언어와 동시에 제시되는 내레이션은 부정적인 언어 중복 효과를 제거할 뿐 아니라, 학습을 촉진할 수 있다. 예를 들면, 그러한 형태는 문자 언어의 지원 없이는 음성 언어를 이해하는 데 어려움이 있는 외국어로 된 설명문을 학습하는 학습자에게 효과적일 수 있다. 반대로, 장문의 내용 제시는 학습자가 제한된 시간 내에 많은 음성 요소와 문자 요소들을 관련 짓고 조절하도록 요구함으로써 수업자료의 내재적 복잡성을 높이게 된다.

감각양식 효과 연구는 간단하고 단순한 텍스트 정보를 요구하는 반면에, 멀티미디어 중복 효과는 일반적으로 텍스트 정보가 길고 복잡할 때 발생한다. 동일한 정보를 시각 형태와 음성 형태로 동시에 제시하면 인지 과부하를 초래할 수 있으며, 감각양식 역효과(reverse modality effect)와 마찬가지로 부정적인 학습 결과를 나타낼 수 있다(10장, 17장 참조). 일시적인 장문의 음성 언어는 작동기억 용량의 한계를 초과할 수 있다. 감각양식 효과와 마찬가지로 텍스트 단위의 길이는 제시 속도보다 멀티미디어 중복 효과의 적용 가능성에 영향을 미치는 더 중요한 요인일 수 있다.

적용 조건 요약

중복 효과가 발생하는 조건은 다음과 같다.

(a) 인지적 통합이나 동시적 처리과정 없이 상이한 정보원들을 독립적으로 이해해야 하는 경우
(b) 학습자료의 요소 상호작용성이 높은 경우
(c) 멀티미디어 중복 효과의 경우, 텍스트가 문자 형태와 음성 형태로 동시에 제시되고 높은 수준의 작동기억 부하를 일으키는 텍스트 길이와 복잡성

중복의 개념이 학습자의 전문성 수준에 영향을 받을 수 있는 것처럼, 학습자의 전문성 수준은 결과에도 영향을 미칠 수 있다. 초보자에게는 필수적이고 중복이 아닌 정보가 전문가에게는 중복 정보일 수 있다. 그러한 상황에서 관찰되는 전문성 역효과(expertise reversal effect)는 중복 효과에 종속되어 있으며, 다음 장에서 상세히 고찰할 것이다.

교수활동 시사점

중복 효과가 주는 교수활동 시사점은 많은 수업 상황에서 상이한 표상양식이나 불필요한 정보 제공과 같이 본질적으로 동일한 정보를 다양한 형태로 동시에 제시했을 때, 얻을 수 있는 이익보다 더 많은 비용을 지불할 수도 있다는 것이다. 인지부하 이론에 근거하여 중복 효과가 발생하는 최상의 조건은 정보원의 내용이 독립적으로 이해 가능하며, 요소 상호작용성이 높고, 상이한 언어 양식이 포함되어 있으며, 청각 요소가 작동기억에 높은 처리과정을 부과할 만큼 충분히 복잡한 경우이다.

이러한 조건들과 부합하는 수업 상황은 많다. 예를 들면, 대량의 문자 정보가 스크린에 제시되고 동시에 프레젠터가 그 정보를 읽는 파워포인트 프레젠테이션 과정에서 나타난다. 이러한 상황에서 청중은 스크린에 제시된 그래픽 정보에 주의를 기울이면서 스크린의 텍스트와 프레젠터의 음성 설명을 관련시켜야 한다. 이러한 처리과정은 과도한 작동기억 자원을 필요로 할 수 있으며, 필수적인 정보를 이해하고 학습하는 데 작동기억 자원을 사용할 수 없게 된다. 가장 중요한 내용 중심의 간결한

목록으로 스크린의 텍스트를 단순화하고, 구두로 상세히 설명하는 방법이 효과적인 프레젠테이션 기법이다.

반복적으로 관찰되는 중복 사례는 지도, 거리표지판, 원그래프, 텍스트 부연 설명이 함께 제시되는 다이어그램에서 찾아볼 수 있다. 다이어그램이 자족적(self-contained)일 때, 부가적인 언어 설명은 통합된 시각 형태, 통합된 청각 형태 또는 두 가지 형태로 함께 제시되는가에 관계없이 불필요하게 학습자의 주의를 분산시키고 외재적인 인지부하를 초래할 수 있다.

소프트웨어나 기계장치의 사용법을 가르쳐주는 전통적인 매뉴얼들은 학습자에게 매뉴얼의 설명, 사례 설명, 스크린 샷이나 사진의 설명과 동시에 컴퓨터 스크린이나 기계장치에 주의를 기울이도록 요구하며, 데이터를 입력하거나 키보드를 사용하여 명령어를 입력하도록 요구한다. 일반적인 주의분산 외에도, 이러한 설명서가 컴퓨터나 기계장치에 중복적으로 포함되어 있을 수 있다. 앞서 기술한 바와 같이, 학습의 초기 단계에서 일시적으로 컴퓨터나 중복된 하드웨어를 제거하여 학습을 촉진해야 한다. 상호작용적인 설명으로 이루어진 자족적인 매뉴얼은 초보 컴퓨터 사용자들에게 효과적인 것으로 나타났다(Sweller & Chandler, 1994; Chandler & Sweller, 1996). 인지부하 관점에서 매뉴얼을 제거하고 모든 정보를 스크린에 두는 것도 효과적일 수 있다. 이 경우, 학습의 초기 단계에서 컴퓨터의 유일한 역할은 스크린 페이지를 넘기는 것이다. 학습자들이 애플리케이션이나 하드웨어에 대해 어느 정도 지식을 획득하게 되면, 친숙한 정보를 처리할 때 효과적인 작동기억 용량이 유의미하게 증가하기 때문에 높은 수준의 인지부하를 처리할 수 있을 것이다(4장 참조). 따라서 컴퓨터는 학습의 다음 단계에서 보다 상호작용적인 학습 방식으로 사용될 수 있다. 그러나 운동 요소와 공간-운동 요소들의 조절이 필수적인 영역(예: 타이핑)에서는 학습의 초기 단계에서 실제 장비를 가지고 실시하는 많은 연습이 필수적이다.

결론

상식적인 관점은 동일한 정보를 시각 양식과 청각 양식의 두 가지 형태처럼 다양한 형태로 제시하면 학습자의 학습이 향상될 것이라고 주장한다. 이러한 직관과 반대로, 인지부하 프레임워크에서 얻어진 실험 근거는 이러한 관점이 본질적인 오류를 함유하고 있으며, 중복 정보 제시는 학습을 향상시키기보다는 방해한다고 주장한다. 이 장은 중복 효과가 발생하는 조건을 개괄하면서 이론과 경험적 근거를 고찰하였다.

인지부하 프레임워크에서 중복 효과는 중복 정보 처리에 요구되는 외재적 인지부하를 증가시킨다. 문자 텍스트와 음성 텍스트와 같이 본질적으로 동일한 몇 개의 정보원을 동시에 제공받은 학습자는 그것들을 조정하려고 시도할 것이다. 학습목표와 관련되지 않은 상이한 정보원으로부터 온 요소들 간의 연결을 위한 무작위 검색은 작동기억에 과중한 요구를 부과함으로써 학습에 해롭게 된다. 배경음악, 대화나 움직임과 같이 부가적인 정보원이 주요 출처와 관련되지 않을 때에도, 그것들이 주의를 획득하고, 과제로부터 작동기억 자원을 다른 곳으로 돌림으로써 중복으로 인해 학습이 감소하게 된다. 관련 없고, 불필요한 정보가 쉽게 작동기억 자원을 점유할 수 있으며 학습을 감소시킬 수 있다. 불필요한 정보는 제거되어야 한다.

중복의 개념은 학습자의 전문성 수준에 달려있다. 초보자에게는 필수적이고 중복이 아닌 정보가 전문가에게는 중복 정보가 될 수 있다. 따라서 학습자들이 특정 영역에서 전문성을 획득해감에 따라 이전에 필수적이고 중복이 아니었던 정보가 중복되어 학습자의 외재적 인지부하를 증가시킬 수 있다. 다음 장에서는 전문성 역효과를 상세히 고찰할 것이다.

전문성 역효과

전문성 역효과는 인지부하이론에서 중복 효과의 한 유형으로 초기에 언급되었다. 11장에서 살펴본 중복 효과는 초보 학습자들에게 유용한 내용이 지식이 많은 학습자들에게는 중복 내용이 됨으로써 일어난다. 이 효과는 기초적인 인지부하 효과(예: 중복 효과)와 다른 요인들(예: 전문성 역효과)과의 상호작용이 일어나는 몇몇의 인지부하 효과 중 하나이다. 전문성 역효과의 예로는, 글로 된 상세한 설명 중에서도 특히 다이어그램 안에 포함되었을 경우 이 글을 간과할 가능성이 줄어들기 때문에 초보자들에겐 필수적일 수 있지만 전문가에게는 내용이 중복될 수 있다.

중복 효과에 대해 논의할 때 학습내용에 대해서 다루었는데, 제시되는 학습내용이 부가적 정보가 되는 학습자들에게는 중복 효과가 발생한다. 전문성 역효과의 경우 학습내용과 학습자 특성의 조합에 관심을 두었고, 초보자들에게는 부가적 학습내용이 필수적이지만, 전문가에게는 중복이 된다는 것이다. 초보자들은 자신의 지식수준 때문에 글로 제시된 부가적 학습내용이 포함되지 않을 경우, 다이어그램에 있는 내용을 처리할 수 없을 수 있다. 이러한 상황에서는 초보자들에게는 글로 된 설명 혹은 다이어그램 그 어느 것도 중복되지 않는다.

전문성 역효과는 인간의 인지구조의 몇몇 근본적인 특징들로 인해 논리적으로 나타난 결과이다. 장기기억에 있는 학습자의 지식이 가지는 주요 역할은 인간의 인지에서 중추적이다. 2부에서 살펴본 대로 장기기억은 정보 저장소와 이 저장고에서 환경 조직 및 연결 원리를 통해 적합한 조치를 이끌어낼 수 있는 정보를 제공한다. 따라서 학습자의 지식수준(학습자의 전문성 수준)은 모든 인지부하 효과의 발생에 영향을 끼쳐야 한다는 것을 기대하는 것이 타당하다. 만일 학습자들이 이미 정보를 획득했을 경우, 이들에게 차용 및 재조직 원리를 통해 다시 정보를 처리하도록 요구하는 것이 변화의 제한성 원리 때문에 외재적 인지부하를 초래할 수 있다. 이미 정보를 획득한 학습자들은 과잉의 상호작용적 요소들을 불필요하게 처리할 것이다. 이와 대조적으로 필수적 정보를 가지고 있지 않은 학습자들은 그러한 요소들을 처리할 필요가 있을 것이다. 이렇게 서로 다른 인지 상태들을 교수 절차에 반영할 필요가 있다. 초보 학습자들에게는 최적인 교수 기법 및 절차가 특정 영역에서 전문성을 획득해감에 따라 점차 차선책이 될 수 있다.

이전 장에서 검토된 대부분의 연구들은 관련 부분의 특정 지식을 보유하지 않은 초보 학습자들을 대상으로 수행되었다. 초보자들은 전문성이 높은 학습자보다 많은 수업을 필요로 하는 반면 이들의 전문성이 증가되면서 여전히 수업을 필요로 하지만 그 수업은 초보자들이 필요로 하는 그것과는 상당히 다를 것이다. 학습자들이 특정 영역의 지식에서 전문성을 많이 획득하면, 이전의 중요했던 정보 혹은 활동들은 중복될 것이고, 외재적 인지부하의 수준을 높이게 된다. 결과적으로 초보자에게 효과적인 교수 기법은 중복성 때문에 전문성이 높은 학습자에게는 비효과적일 수 있다. 전문성 수준에 따른 교수 절차의 상대적 효과성에 있어서 이러한 변화는 전문성 역효과에 기반을 둔다. 이 장에서는 전문성 역효과와 관련된 실증적 연구들, 인지부하이론 프레임워크 내에서 결과들의 해석, 전문성 역효과의 적용 가능한 조건들, 마지막으로 교수활동 시사점에 대해 다루고 있다.

전문성 역효과에 대한 실증적 근거

본서의 2부에서 설명한 인지구조 내에서 장기기억에 있는 지식 구조는 학습자의 주의를 적절하게 이끌고 수행을 관리함으로써 복잡한 인지 과정에서 집행 기능을 수행한다(4장 참조). 해당 지식이 없는 상태에서 과제를 다루기 위해서 학습자는 대부분 무작위적이면서 인지적으로 비효율적인 검색 과정을 수행해야 하는데, 부득이하게 자주 작동기억의 자원을 많이 사용하면서 자신들의 효과성을 검증하게 되어 결국 인지부하가 초래된다. 지식이 부재할 때는 명시적 수업이 학습자들이 가지고 있지 않은 지식 기반의 집행 기능을 효과적으로 대체해줄 수 있다. 초보 학습자의 경우 외부에서 제공된 수업은 집행 기능으로 사용 가능한 유일한 자원일 수 있다. 반면 보다 지식이 많은 학습자의 경우 필요한 대부분의 지식은 장기기억에 사용 가능하다. 전문성의 수준이 중간 정도인 경우 이런 두 개의 자원은 서로 상보적인데, 친숙한 내용요소들을 다룰 때에는 장기기억에 있는 지식에 기반하여 집행하고 낯선 내용요소들을 다룰 때에는 직접교수 자원으로부터 집행하기 때문이다.

직접교수적 안내가 새로운 정보들을 다루는 초보자들에게 제공되지 않을 때, 예를 들면 안내되지 않는 발견학습을 하는 동안 학습에 사용 가능한 인지자원을 감소시키는 외재적 인지부하가 발생할 수 있다. 반면에 외재적 부하는 직접교수 안내가 제공된 내용을 다루는 데 충분한 지식 기반을 이미 가지고 있는 학습자들에게 제공될 경우에도 발생할 수 있다. 이런 학습자들은 장기기억에 있는 가용한 정보들을 외부에서 제공되는 안내와 조화를 이룰 필요가 있을 것이다. 작동기억의 자원을 소모시켜 외재적 인지부하를 발생시키는 동일한 정보의 서로 다른 두 가지 자원들을 조화시킬 필요가 있다. 따라서 특정 영역에서 학습자의 지식수준이 올라갈 때 수업하는 동안 동일한 정보의 제공은 중복될 수 있어서 초보자에게 비교적 효과적인 교수 기법은 보다 지식이 있는 학습자에게는 상대적으로 비효과적일 수 있다. 초보자에게 최적의 수업은 보다 지식이 있는 학습자에게는 이미 학습한 절차를 유창하게 실행하고, 가용한 지식 기반의 장점을 충분히 이용하는 것에서부터 혼란을 느끼게 하여 수행을 방해할 수 있다. 실증적으로 연구되고 있는 전문성 역효과의 여러 범주들이 있는데 이에 대해 논의해보기로 하자.

종단연구

효과에 대한 초기 연구들은 일련의 종단연구들로 수행되었다. 공학 분야에서 기술도제를 하는 집단들을 초보자에서 전문가의 지식 상태로 집중적으로 훈련시켰다(Kalyuga, Chandler, & Sweller, 1998). 학습자의 성과와 인지부하 수준은 서로 다른 교수방법이 가지는 상대적 효과의 변화를 관찰하기 위해 다양한 시점에서 측정되었다.

첫 번째 실험에서는 전선이 그려진 다이어그램을 화면상에서 텍스트로 설명해주는 수업자료를 활용하여 주의분산 효과(9장)에서 전문성의 변화에 어떤 결과가 초래되는지를 관찰하였다. 다이어그램 내에 포함된 텍스트로 된 섹션은 초보자에게 효과적인 물리적으로 통합된 형태와 학습자가 특정 영역에서 보다 많은 지식을 획득할 때 비효과적이 되는 소스가 분리된 형태를 비교해보는 것을 증명하였다(Kalyuga et al., 1998). 특정 영역에서 집중 훈련을 한 후에 다이어그램과 텍스트가 통합된 형태의 효과성은 줄어들었고, 다이어그램만 제공한 조건에서의 효과성은 높아졌다. 인지부하의 주관적 척도 또한 다이어그램 단독으로 제공한 것이 지식이 많은 학습자들에게는 처리하기가 수월한 반면, 지식이 적은 학습자들에게는 다이어그램과 텍스트가 통합된 형태의 경우를 처리하기가 더 수월하다고 나타내고 있다. 따라서 초보자들에게는 텍스트가 다이어그램을 이해하는 데 필수적이어서 통합된 형태로 제시될 필요가 있다. 다이어그램만으로는 비효과적인데, 이는 초보자가 텍스트를 필요로 하기 때문이다. 전문성이 증가될수록 텍스트는 점차 중복성을 띠게 되고 통합되기보다는 제거될 필요가 있다. 다이어그램과 텍스트가 통합된 형태에서 가장 효과적인 것에서부터 거의 효과적이지 않은 역전 상황과 아울러 증가되는 전문성을 보이는 다이어그램만 제공되는 조건에서 동반되는 도치상황인 역전은 전문성 역효과의 예를 보여준다.

후속 연구에서(Kalyuga et al., 2000, 2001; Kalyuga, Chandler, Tuovinen, & Sweller, 2001), 앞서 살펴본 인지부하와 전문성의 상호작용에 대한 보다 많은 증거들이 확보되었다. 예를 들면, 초보 학습자의 경우 기계공학 분야에서 다이어그램의 특정 유형들의 사용법에 대해 내레이션으로 상세하게 설명됨과 동시에 애니메이션 다이어그램으로 제시되는 것은 글자로 제시되는 설명과 비교해서 효과적이며, 이는 감각양식 효과를 보여준다(10장). 그러나 집중적으로 일련의 훈련기간을 거친 후에 동일한 학습자는 보다 높은 전문성 수준에 도달하게 되고 내레이션으로 상세한 설명이 덧붙여진 다이어그램을 제시받는 것은 다이어그램만으로 받는 수업과 비교해서 학습을 방해한다(Kalyuga et al., 2000). 지식수준이 높아지면서 다이어그램만 제공되는 수업에 비해 내레이션이 있는 다이어그램 조건이 가진 장점은 점차적으로 사라지고, 결국 초보 학습자가 얻을 수 있는 결과와 비교했을 때 역전된다. 보다 전문가인 학습자의 경우 다이어그램만 있을 때 내레이션이 있는 동일한 다이어그램보다 좋은 결과가 나온다. 인지부하에 대한 주관적 측정치 또한 인지부하 현상을 설명하는 근거를 제공한다.

Kalyuga, Chandler, Tuovinen 등(2001)은 문제해결 학습을 하는 동안 산업 장비를 프로그램하는 방법에 대한 해결된 예제가 가지는 장점이 훈련생들이 해당 과제 영역에서 점점 지식을 획득하게 되면서 사라짐을 연구에서 보여주었다(8장 해결된 예제 효과). 추가 실험에서 릴레이 회로에 대한 논리 전환식 작성을 배우는 학생들을 대상으로 해결된 예제와 문제해결 수업을 비교하였다. 실험 초기에는 덜 숙련된 학습자를 대상으로 하였고 이후에는 두 개의 연속된 훈련기간을 가졌다. 실험 전반에 걸쳐 회로에서 요소의 수를 다양하게 함으로 과제 난이도 수준을 점점 높이고, 해당 영역에서 학습자의 전문성이 계속해서 발달하는지를 관찰할 수 있었다. 학습자들이 실험 초기에 충분한 지식을 가지고 있었기 때문에 해결된 예제들은 문제해결 절차와 비교해서 아무런 장점을 가지고 있지 않았다. 추가 훈련에서 해결된 예제들은 중복되었고, 문제해결 연습과 비교해서 부적 효과를 초래하였다. 따라서 이 실험에서는 해결된 예제와 문제해결 간의 아무런 차이가 없다는 것을 보여주는 초기 연구 결과가 전문성이 증가하면 문제해결 방식이 효과적으로 바뀜을 보여주고 있다.

Kalyuga, Chandler, Sweller(2001)의 연구에서 해결된 예제 효과에서 해결된 예제 역효과로 완전히 바뀌는 것을 보여주었다. 연구자들은 릴레이 회로 전환식을 작성하는 것에 대한 해결된 예제와 탐색기반 수업을 비교하였다. 해결된 예제 집단이 초반부에는 탐색 집단보다 성과가 뛰어났으나 훈련기간 후반부로 갈수록 전문성이 증가하면서 종국에는 탐색 집단이 해결된 예제 집단보다 성과가 좋았다. 이 실험에서는 전문성이 증가하면서 안내 소거 효과가 중요해지면서 해결된 예제의 장점이 문제해결 학습에 비교했을 때 줄어들고 종국에는 뒤바뀌는 것을 입증해주었다.

Nückles, Hübner, Dümer, Renkl(2010)은 학습일지 작성기술을 배우는 데 있어서 전문성 역효과의 증거를 제시하였다. 일지 작성은 강의 혹은 세미나 후에 공부한 자료들에 대해 성찰해보도록 학생들에게 요구하는 메타인지적 전략의 사례를 제공하였는데, 이는 효과적인 사후 활동이었다. 두 개의 연구에서 학습일지 작성을 위한 적절한 인지적, 메타인지적 전략을 적용하기 위한 프롬프트 형태를 제공해주는 교수적 지원의 장기적 효과를 알아보았다. 학생들은 전체 기간 동안 매주 세미나에서 일지를 작성하였다. 한 집단은 프롬프트를 제공받았고, 다른 집단은 제공받지 않았다. 기간 중반부에는 학생들이 여전히 초보 수준이지만 프롬프트 제공 집단은 제공받지 못한 집단에 비해 학습일지를 작성하는 데 있어서 많은 전략을 적용하고, 학습 성공률이 더 높게 나타났다. 후반부로 갈수록 전문성이 증가했는데, 프롬프

를 제공받지 못한 집단이 적용한 인지 전략의 개수는 증가한 반면 프롬프트 집단에서 도출된 인지적, 메타인지적 전략의 양은 줄어들었다. 따라서 기간 종료 후 학습 성공 여부를 재측정해 보았는데, 프롬프트 집단이 프롬프트 미제공 집단보다 성과가 좋지 않았다. 이러한 프롬프트의 장기간에 걸친 부적 효과를 피하기 위해서 이후에는 점진적이면서 적응적인 프롬프트 소거가 도입되었다(소거 효과는 다음 장에서 다룬다.).

Brunstein, Betts, Anderson(2009)은 대수 수업에서 최소한의 안내(Kirschner, Sweller, & Clark, 2006)에 대한 효과를 연구하였다. 이들은 충분한 연습을 하면서 최소한의 안내가 명시적 수업보다 좋고, 거의 연습이 없는 최소한의 안내는 명시적 수업보다 열등함을 알아내었다. 이러한 결과들은 전문성 역효과와 일치한다. 학생들은 연습기간에 충분히 배우기만 하면 더 이상의 안내는 실제로 필요로 하지 않으며, 중복된 안내는 부정적 영향만 준다. 명시적 수업에서 안내는 충분치 못한 연습과 극히 제한된 경험을 가진 학습자에게 필요하다. 이러한 연구 결과는 다음 장에서 논의될 안내 소거 효과와 일치한다.

해결된 예제 및 안내 형태에 대한 횡단연구

지금까지 종단연구로 이루어진 전문성 역효과와 해결된 예제의 연구를 살펴보았다(Kalyuga, Chandler, & Sweller, 2001; Kalyuga, Chandler, Tuovinen, et al., 2001). 이러한 연구들에서 학습자들은 그들의 전문성 수준이 증가할 정도로 충분하게 훈련을 받았다. 횡단연구는 서로 다른 전문성 수준을 가진 학습자들을 대상으로 하여 동일한 목표를 달성하게 하였다.

종단연구에서 보여진 전문성 역효과에 기초하여 초보 학습자들은 적합한 해결책 단계들을 무작위로 검색할 필요성을 줄여주는 잘 안내된 수업에서 도움을 받을 것으로 기대된다. 반면, 보다 숙련된 학습자의 경우, 상세한 교수 안내를 제공받고 이를 본질적으로 동일한 장기기억의 지식과 통합하는 것은 불필요한 외재적 인지부하를 발생시킬 수 있다. 많은 연구에서 비교적 적은 지식을 가진 학습자는 안내가 거의 없는 문제해결보다 상당한 안내를 제공하는 해결된 예제에서 많은 혜택을 얻는 반면, 비교적 많은 지식을 가진 학습자의 경우에는 최소한으로 안내되는 수업이 더 효과적이다. 예를 들면 Tuovinen과 Sweller(1999)의 연구에서 데이터베이스 프로그램 사용법에 대한 최소한으로 안내되는 탐구기반 수업과 해결된 예제를 비교하였다. 지식수준이 낮은 학습자의 경우 해결된 예제가 탐구기반 수업보다 효과적인 반면, 높은 지식수준을 가진 학습자의 경우 그러한 차이점이 사라졌다.

Kalyuga와 Sweller(2004)의 연구에서 동일한 유형이 나타났는데, 좌표 기하학을 배우는 고등학생들을 사전검사 결과로 지식수준에 따라 상하집단으로 구분하였다. 사후검사 결과 지식수준과 교수 유형 간의 주요한 상호작용이 나타났다. 지식이 비교적 적은 학습자의 경우 안내가 있는 해결된 예제가 주는 이득이 많은 반면, 지식이 많은 학습자의 경우 문제해결 수업의 효과가 명백하게 나타났다.

Reisslein, Atkinson, Seeling, Reisslein(2006)은 영역의 전문성 수준이 다른 공대생들을 대상으로 다양하게 계열화한 교수 안내를 제공하였고, 그 효과성을 비교해보았다. 초보자들은 해결된 예제에서 더 많은 이점을 얻은 반면 숙련된 학습자는 다양한 버전의 문제해결을 해보는 것에서 더 많은 이점을 얻었다.

Kyun, Kalyuga와 Sweller(준비 중)는 영문학을 공부하는 데 있어서 전문성 역효과를 증명하였다. 세 개의 실험에서 영어를 외국어로 배우는 한국의 대학생들에게 서술형으로 응답하게 하였다. 실험 설계는 8장에서 다룬 전통적인 해결된 예제 효과에 기반한다. 문제해결 조건에 속한 절반의 학습자에게는 전통적인 서술형 문제를 주고 답하게 하였다. 해결된 예제 조건에 속한 나미지 학생들에게는 모범 답안을 공부하도록 하였고 이와 함께 동일한 질문을 제공받았으며, 이후 스스로 답해야 하는 유사한 질문이 나왔다. 이후에 모든 학생들은 파지 및 근전이·원전이 검사를 하였다. 실험1과 2는 보다 지식수준이 높은 학생들로 구성하였고, 실험3은 주제에 대한 최소한의 지식을 가진 학생들로 구성하였다. 파지 검사 및 근전이·원전이 검사 결과 실험1의 학생들의 경우 유의미한 차이가 나타나지 않은 반면 실험2의 경우 해결된 예제 집단이 파지 검사에서 유의미하게 우수하게 나왔고, 근전이 검사에서는 미미하지만 유의미하게 우수하게 나왔다. 뿐만 아니라 효율성 측정치를 사용해보면(6장 참조), 실험3의 지식이 비교적 적은 학생들은 모든 검사치에서 우월하게 나온 반면 실험1과 실험2의 지식수준이 높은 학습자들은 실험2의 경우 파지 검사를 제외한 어떤 검사치에서도 우월하게 나타나지 않았다. 요약하면, 기술 훈련 영역에서 Kalyuga, Chandler, Tuovinen, Sweller(2001)와 Kalyuga, Chandler, Sweller(2001)의 연구 결과와 유사하게 이러한 어학 공부에 있어서 보다 지식이 많은 학습자들은 해결된 예제 같은 도움을 필요로 하지 않은 반면, 지식이 적은 학습자는 해결된 예제를 필요로 하였다.

Seufert(2003)는 과학적 글과 그림을 공부하는 데 있어서 두 종류의 도움과 아무 도움도 제공되지 않은 무도움 조건을 비교하였다. 첫 번째 도움 유형은 학생들에게 특정 안내를 제공해주는 지시적 지원으로 이루어졌으며, 두 번째 유형은 학생들에게 구체적 힌트를 제공하지 않고 질문을 던지는 비지시적 지원으로 이루어졌다. 사전지식 수준이 낮은 학습자의 경우 무도움 조건보다 지시적 · 비지시적 조건이, 무도움 조건보다 지시적 도움이 유의미하게 좋았다. 반면 사전지식 수준이 높은 학습자는 이러한 조건들 간에 아무런 차이를 보이지 않았다.

전문성 역효과를 증명한 가장 초기 연구 중 하나인 Yeung, Chandler, Sweller (1998)는 생소한 용어를 글 말미에 두는 전통적 기법과 용어 정의를 정의된 단어 위에 두어 글에 직접 통합하는 기법을 비교하였다. 예상대로, 용어와 그 정의가 분리된 형태는 초보 학습자들(초등학생)에게 주의분산 효과를 일으켰고, 용어와 정의가 통합된 형태는 보다 나은 이해도를 가져왔다. 그러나 보다 숙련된 학습자들(대학생)은 분리된 형태에서 보다 나은 이해도를 나타내었다. 이와 동일한 결과가 제2외국어로 영어 수준이 다른 8학년 학생들을 대상으로 한 실험에서 얻어졌다. 지식수준이 낮은 학습자는 통합된 수업에서 혜택을 받은 반면 보다 숙련된 학습자는 분리된 형태에서 혜택을 받았다(Yeung et al.). 초보 학습자들은 용어 풀이가 필요하기 때문에, 주의분산 효과가 제거된다면 보다 효과적으로 이를 이용할 수 있다. 숙련된 학습자들은 용어 풀이가 필요하지 않기 때문에, 문장의 끝에 제시되었을 때 이를 무시할 수 있다. 용어가 문장 내에 통합되면 중복된 정보를 무시하기가 더 어려워지고 인지적 처리를 방해한다.

Oksa, Kalyuga, Chandler(2010)는 설명글이 셰익스피어의 희곡 이해도에 미치는 효과를 알아보았다. 이 희곡은 현대 영어와는 확연히 다른 고전 용어들로 가득하다. 그러한 각주를 제공하는 전통적 형태의 글은 높은 외재적 인지부하를 부과할 수 있는데, 학생들이 주석을 찾아보고 각주를 참고하면서 읽어서 주의가 분산되기 때문이다. 셰익스피어 희곡 작품의 이해를 도와주기 위해 고전 영어로 된 원문과 이를 현대 영어로 해석한 희곡 발췌문 한줄 한줄을 통합하여 교수설계하였다. 두 개의 실험에서, 서로 다른 희곡에서 발췌한 내용(오셀로, 로미오와 줄리엣)을 그 원문에 대한 아무런 사전지식이 없는 고등학생 집단인 초보자들에게 제공하였다. 예상대로, 원문에 통합된 설명을 제공받은 집단이 각주를 제공받은 전통적 형태의 집단보다 더 낮은 인지부하를 보이고, 이해도 검사에서도 좋은 점수를 받았다는 것이 결과로 증명되었다. 또 다른 실험에서, 원문을 해석하는 데 전문가인 셰익스피어 작품 전문 연기자 집단에게 동일한 자료를 제시하였다. 각주를 제공하는 전통적인 형태를 제공받은 집단이 통합된 설명을 제공받은 집단보다 좋은 성과를 내었는데, 이는 전문성 역효과가 나타난 것이다. 지식수준이 높은 독자에게는 제공되는 설명들이 중복됨을 언어적 보고와 시험 점수를 통해서 증명하였다. 그러한 부가적 설명은 말미에 제공되었을 때는 무시될 수 있지만 본문에 통합되었을 때는 처리를 방해할 수 있다. 따라서 전문성 역효과가 문해 영역에서도 증명되었다.

고등학교 생물 교과서를 사용한 McNamara, Kintsch, Songer, Kintsch(1996)는 지식수준이 낮은 학습자의 경우 모든 것을 상세하게 설명하고 있는 매우 응집된 형태의 교과서가 유익했던 반면 지식수준이 높은 학습자는 최소한으로 응집된 형태의 내용에서 유익하였다. 인지부하 관점에서 보면, 지식수준이 높은 학습자들은 작동기억 부하를 증가시킬 수 있는 설명이 포함된 부가 정보 없이도 최소한의 응집력 있는 내용을 이해하였다. 이 내용은 가용한 지식 기반이 되기 때문에 지식수준이 높은 학습자들에게는 응집력이 있었지만, 완전히 상세한 내용은 오히려 중복이 된다. 그러나 비교적 지식이 적은 학습자들의 경우 분량을 줄인 내용이 적절하게 처리되기에 불충분한 정보를 담고 있을 때 이들은 설명이 담긴 부가 정보를 필요로 하게 된다. 전문성 수준과 내용의 상세성 간의 상호작용은 전문성 역효과의 사례를 제공해준다.

Pawley, Ayres, Cooper, Sweller(2005)는 해결된 예제에 점검 전략을 제공한 것과 관련된 연구에서 전문성 역효과를 발견하였다. 학생들은 간단한 대수식을 만들어 푸는 방법을 배울 때 또한 자신의 답의 정확성을 점검하는 방법을 제공받았다. 이 추가적 도움은 일반적인 수학 능력이 낮은 학생들에게 유리하였지만, 높은 학생들은 그렇지 않았으며, 점검 방법을 배웠어도 시험에서 낮은 점수를 받았다. 보다 유능한 학습자는 자신의 답을 점검해보는 수업은 중복되어 불필요함을 보여주었다.

Lee와 Kalyuga(2011)는 병음(倂音)으로 불리는 중국어 발음기호를 사용하여 중국어를 배우는 데 있어서 인지부하 측면을 알아보았다. 한자는 음성 정보가 아닌 그림 정보를 제공하기 때문에 병음이 가지는 음성적 속성은 한자의 발음 정보를 제공하기에 유용하다고 여겨지고 있다. 또한 중국어를 연습할 때 병음과 발음 지시사항을 동시에 제시하는 것이 흔한 일이다. 연구 결과, 그러한 동시 제시는 초급 수준 이상의 학습자에게만 발음을 학습하는 데 보다 나은 결과를 초래함이 증명되었다. 초보 학습자들의 경우 병음 기재 조건과 병음 미기재 조건 간의 유의미한 차이가 발견되지 않았다. 이 학습자들의 경우 병음 및 발음을 동시에 제시한 수업은 과도한 정보를 제시해주어 작동기억을 압도해버렸다. 잠재적으로 유용하지만 부가적인 정보는 학습자들이 충분한 지식이 획득된 후에야 사용될 수 있다. 보다 숙련된 학습자들은 충분한 지식을 가지고 있어서 인지 과부하 없이 부가 정보를 사용할 수 있다. 숙련된 학습자들의 경우, 병음 미기재 조건보다 병음 기재 조건에서 성과가 더 좋다.

전문성 역효과와 분절 요소 효과

16장에서 다룰 분절 요소 효과에 따르면, 학습 초기 단계에서 요소들 간의 관계들을 무시하는 분절 요소들로 복잡한 내용을 제시하는 것은 과도한 내재적 인지부하를 줄여준다. 학생들이 요소들 간의 필요한 상호작용을 배우지 않는 반면 그러한 학습은 이후에 남을 수 있다. 분절 요소들을 배우는 것은 학습자들로 하여금 요소들 간의 상호작용을 강조하는 추가적인 수업으로 완전한 스키마로 전환될 수 있는 부분 스키마를 구축하게 해준다(Pollock, Chandler, & Sweller, 2002). 그러한 분절 요소들로 된 학습 과제 이후에 완전히 상호작용하는 요소들로 수업하는 것은 지식 수준이 낮은 학습자들에게 혜택이 있다. 그러나 이러한 방법은 높은 수준의 사전지식을 가진 학습자들에게는 장점을 제공하지 않는다. 지식수준이 높은 학습자는 상호작용 요소들을 처리할 수가 있어서 분절된 형태로 내용들이 제시될 필요가 없다.

Blayney, Kalyuga, Sweller(2010)는 대학생들을 대상으로 회계 훈련 프로그램 영역에서 전문성 역효과에 대해 알아보았다. Blayney 등은 발생한 내재적 인지부하의 수준이 다른 두 개의 교수 형태(일부는 분리되고 일부는 상호작용하는 형태와 완전히 상호작용 형태)를 비교하였다. 연구 결과는 예상했던 전문성 역효과를 지지하였다. 학습자의 전문성 수준은 분절된 내용 요소 혹은 상호작용 내용 요소들을 사용하는 수업 형태와 상호작용하였다. 예상대로, 초보 학습자는 분절된 요소들로 공부하는 것에서 우선 혜택을 받았다. 이와 대조적으로 보다 숙련된 학습자는 자신의 지식 기반의 장점을 이용할 수 있도록 해주는 완전한 상호작용적 요소들로 하는 수업에서 주로 혜택을 받았다. 숙련된 학습자는 분절된 요소들을 제공받았을 때, 단순화된 내용을 상호 통합하고 참조해야 하고, 이러한 과정은 불필요한 인지자원을 부가적으로 소비하게 한다. Blayney 등(2010)은 수학 지식이 거의 없는 학생들이 기초적인 대수 과제를 배우는 데 분절된 요소 형태로 된 해결된 예제에서 도움을 받았던 반면 보다 많은 수학 지식을 가진 학생들은 보다 완전하게 상호작용적 요소들을 보여주는 해결된 예제에서 도움을 받았다는 Ayres(2006b)의 연구 결과를 반복 연구하였다.

전문성 역효과와 다양성 효과

다양성 효과는 학생들이 보다 유사한 특징들을 가진 해결된 예제가 아닌 굉장히 다양한 해결된 예제로 공부함으로써 보다 많이 배울 때 일어난다(16장 참조). Scheiter와 Gerjets(2007)는 다양성을 두 가지 형태로 구분하였는데, 문제의 표면적 특징이나 구조적 특징에 따라서 분류된 대수 문장 문제를 학습자들에게 제공하였다. 예를 들면, 표면적 특징에 따른 분류는 모든 운동 문제들이나 모든 재정 문제들로 함께 묶여졌다. 구조적 특징에 따른 분류는 해결책으로 대수식이라는 동일한 형태를 필요로 하는 모든 문제들을 함께 두었다.

Scheiter과 Gerjets는 첫 번째 실험에서 표면적 특징으로 분류한 것이 구조적 분류보다 성과를 더 많이 높여주었다. 동일하게 보이지만 구조적으로 다른 문제들을 함께 두는 것은 학생들에게 문제의 중요한 구조적 특징들을 변별하고 무관한 표면적 특징들을 무시하는 방법을 가르쳐준다. Scheiter과 Gerjets의 두 번째 실험은 구조에 따른 문제 범주에 대한 지식이 적은 학습자를 나눈 것을 제외하고 첫 번째 실험과 유사하였다. 지식이 적은 학습자의 경우, 첫 번째 실험에서 얻은 결과와 유사하였다. 표면적 특징에 따라 집단을 나눈 것은 더 좋았는데, 이 학생들은 구조적 특징들을 정의한 것을 배울 필요가 있었기 때문이다. 그러한 구조적 특징을 가진 문제와 표면적 특징을 가진 문제는 다르다. 구조적 특징에 대한 지식이 많은 학습자의 경우 반대의 결과가 나왔는데, 이는 전문성 역효과의 예를 제공해준다. 표면적 특징이 아닌 구조적 특징에 따라 문제를 분류할 때 전문가 학습자는 더 잘 수행한다. 문제 구조를 이미 구분할 수 있는 학습자들은 이 특징을 어떻게 구별하는지를 배울 필요가 없다. 그것은 중복된 활동이다. 이들은 단지 다양한 범주의 문제들을 풀기 위해 필요한 절차 연습이 필요할 뿐이다. 동일한 해결책을 가진 문제들을 함께 두는 것은 학습자들로 하여금 서로 다른 문제 범주에 의한 간섭 없이 각 문제 범주들을 푸는 방법을 배우는 데 자신의 작동기억 자원을 사용하도록 해준다.

Scheiter과 Gerjets는 자신의 연구 결과에 대한 이러한 해석이 유효하다면, 문제 범주들을 구분해내는 것을 배우지 못한 학습자들은 관련된 특징들을 배워야 함을 제안하고 있다. 문제들을 분류하는 것은 이러한 지식을 습득하도록 도와준다. 어떻게 문제들을 분류해야 하는가는 전문성 수준에 달려있다. 이러한 연구 결과들이 가능성 있을 때 이 연구들은 여전히 반복 연구될 수 있다.

사전훈련과 전문성 역효과

해결된 예제 및 분절된 요소를 초창기에 활용하는 것은 사전훈련의 한 형태를 만들어낸다. 해결된 예제 혹은 분절된 요소들에 명확하게 의존하지 않는 사전훈련 및 전문성 역효과의 다른 예들이 있다.

Clarke, Ayres, Sweller(2005)는 수학을 배우기 위한 스프레드시트 활용에 대해 연구하였다. 스프레드시트를 활용하여 수학을 배우기 전에, 학습자들은 스프레드시트 사용법을 배워야 한다. 이들은 수학과 스프레드시트 사용법을 동시에 배우거나 스프레드시트 사용법을 먼저 배운 후 스프레드시트를 활용하여 수학을 배웠다. Clarke 등은 스프레드시트 기능을 익히는 타이밍과 학습자의 전문성 수준 간의 상호작용을 알아보았다. 순차적 조건에서, 스프레드시트 사용법 수업은 수학을 배우는 데 있어서 이 지식을 적용하기 전에 제공되었다. 동시적 조건에서는 스프레드시트 사용법과 수학 개념에 대한 수업이 통합된 형태로 동시에 제공되어서 수학 개념에 대해 배우는 동안 필요한 새로운 스프레드시트 기술이 습득되었다. 연구 결과, 스프레드시트의 지식수준이 낮은 학생들은 순차적 조건에서 보다 효과적으로 수학을 배웠음을 보여주었다. 반면 스프레드시트를 사용한 경험이 있는 학생들은 통합된 형태에서 보다 혜택을 봤다. 주관적 평정법으로 측정한 인지부하 결과는 전문성 역효과에 대한 인지부하 해석을 뒷받침해준다. 스프레드시트 적용과 수학에 대한 내용의 동시적 제시는 초보 학습자에게 과부하가 될 수 있어서 순차적 제시와 비교했을 때 학습을 방해한다. 이와 대조적으로, 이미 스프레드시트의 기초적인 기능을 습득한 보다 숙련된 학습자의 경우, 이런 내용은 중복적일 수 있다. 따라서 학습자들이 기술적으로 비숙련되었을 때 그 기술은 특정 주제 영역을 배우기 전에 가르쳐야 한다. 보다 숙련된 학습자는 비교적 새로운 기술적 기능을 특정 주제 영역과 동시에 배울 수 있다(Clarke et al., 2005).

van Gog, Paas, van Merriënboer(2008)는 결과 지향적 해결된 예제와 과정 지향적 해결된 예제의 상대적 효과성과 사전지식 수준이 다른 학습자를 비교 연구하였다. 전통적으로 결과 지향적 해결된 예제는 각 단계를 뒷받침해주는 설명 없이 단계별 해결책을 제공함으로 최종 결과물을 획득하기 위한 절차만 보여주었다. 이와 대조적으로, 과정 지향적 해결된 예제는 각 단계를 취해야 하는 이유를 설명하는 문장을 포함시켰다(van Gog, Paas, & van Merriënboer, 2004). 학생들은 결과－결과, 결과－과정, 과정－결과 혹은 과정－과정의 순서의 집단에 노출되었다. 첫 번째 단계 이후에 시행된 전이검사는 조건 간에 유의미한 차이가 없는 것으로 나타났지만 이를 인지부하 측정치와 결합하였을 때, 결과 지향적 예로 공부한 학생들보다 과정 지향적 예로 공부한 학생들의 효율성 점수가 더 좋게 나타났다. 두 번의 연습 기간을 거친 후에 과정－결과 집단이 과정－과정 집단보다 좋은 성과가 나왔고 보다 높은 효율성을 나타냈다. van Gog 등(2008)은 학습 초기 단계에서만 과정 지향적 해결된 예제가 결과 지향적 해결된 예제보다 효율적이라고 결론 내렸다. 학습자가 학습하는 동안 더 많은 경험을 쌓아가면서, 과정과 관련된 내용은 중복이 되면서 결국 전문성 역효과를 야기하게 된다.

멀티미디어와 하이퍼미디어 정보표상에서 전문성 역효과

멀티미디어 학습의 인지적 측면에 대한 초기 연구에서 글자가 있는 그래픽을 사용하는 것은 일반적으로 사전지식 수준이 낮은 학습자의 경우에 학습 결과를 높여주지만, 사전지식 수준이 좀더 높은 학습자의 경우에는 그렇지 않았다(예: Mayer & Gallini, 1990; Mayer, Steinhoff, Bower, & Mars, 1995; Mayer, 2009). 이쪽 분야의 최근 연구에서 전문성 역효과에 대한 보다 많은 증거들이 나오고 있다.

정교하면서 역동적인 시각적 표상의 시뮬레이션을 사용하여 기체 법칙을 설명하는 중학교 화학 수업에서, 두 개의 서로 다른 표상 모드로 Lee, Plass, Homer(2006)는 전문성 역효과를 얻었다. '온도', '압력', '부피'와 같은 단어를 그에 해당하는 수치로 표현한 형태와 이 형태에 버너 온도 및 압력 무게를 묘사하는 시각적 스캐폴드를 추가하여 비교하였다. 사전지식 수준이 낮은 학습자는 시각적 스캐폴드의 도움을 받은 반면 사전지식 수준이 높은 학습자의 경우, 상징적 표상의 도움을 받았다. 사전지식이 높은 수준의 학습자들에게 시각적 스캐폴드는 중복되는 것처럼 보인다.

Homer와 Plass(2010)는 기체운동론에 대한 웹 기반 시뮬레이션에서 상징적 표상과 시각적 표상을 비교하는 유사한 형태를 사용하였다. 이들은 시각적 표상은 공간 능력이 높은 학습자보다 낮은 학습자에게 도움을 줄 것이라는 가설을 세우고, 학습자의 공간 능력, 사전지식 수준을 측정하여 개별 학습자의 특성의 효과를 알아보았다. 이 가설은 입증되었다. 시뮬레이션에 추가된 시각적 표상은 사전지식 수준이 낮은 학습자의 경우에만 학습을 유의미하게 촉진하였다.

Schnotz와 Rasch(2005)는 시간과 지구의 자전과의 관계에 대해 설명하는 동적 그림과 정적 그림의 효과를 비교하였다. 초보 학습자는 동적 그림보다 정적 그림에서 더 많이 배웠고, 보다 숙련된 학습자는 유의미한 차이가 나지 않았다. 이후의 실험에서 단순한 시각적 시뮬레이션과 매개변수 조작이 되는 좀더 복잡한 상호작용적 애니메이션 등 두 개의 서로 다른 애니메이션 형태를 비교하였다. 경험이 많은 학습자는 단순한 시뮬레이션보다 상호작용적 애니메이션에서 더 많이 배우는 반면 적은 경험을 한 학습자는 상호작용적 애니메이션보다 단순한 시뮬레이션에서 더 많이 도움을 받는다.

이러한 결과들은 초보 학습자의 경우 연속된 애니메이션은 일시적 순간성 때문에 높은 인지자원을 요구할 수 있다고 가정함으로 설명될 수 있다(17장 참조, 애니메이션으로 학습할 때 인지부하 측면 및 수업이 계속되는데 제시된 내용이 사라질 때 일어나는 일시적 순간성 효과). 이 학습자들은 동일한 정적 그림으로 공부하는 것에서 더 많은 혜택을 받는다. 보다 지식이 많은 학습자는 애니메이션의 일시적 순간성을 제어할 수 있다. 이 가정은 학습자의 전문성 수준과 동적, 정적 예의 효과성 간의 상호작용을 연구한 Kalyuga(2008a)의 연구가 지지해준다. 연구에서 대학생들이 일차 방정식과 이차 방정식의 그래프를 그리는 방법을 배우게 하였다. 연구는 지식이 적은 학습자들이 한 화면에서 주요 변환 단계를 보여주는 정적 다이어그램에서 더 잘 배운다는 것을 증명해 보였다. 사전지식 수준이 높은 학생들은 애니메이션으로 된 수업에서 더 잘 배웠다.

유사한 연구가 하이퍼텍스트 및 하이퍼미디어 학습에 적용되었다. 사전지식 수준이 높은 학습자는 기존 지식을 사용하여 작동기억 과부하 없이 무선적으로 제시되는 수업 장면들을 처리할 수 있으며, 제시된 자료에서 구조의 수준을 변경하는 것은 성과에 별 차이를 만들지 못한다. 사전지식이 낮은 학습자는 과정들을 검색하는 데 자신의 인지자원 대부분을 쏟음으로 비구조화된 자료를 다룰 때 인지부하를 겪을 수 있어서, 관련된 스키마를 구성하는 데 이러한 자원을 이용할 수 없게 된다. 따라서 이러한 학습자들은 좀더 구조화되고 제한적인 하이퍼미디어 환경에서 도움을 받는다(Shapiro, 1999; Shin, Schallert, & Savenye, 1994). 가장 중요한 요소는 학습자료의 구체적인 형태(선형 텍스트 혹은 하이퍼텍스트)가 아니라 그 자료를 얼마나 잘 구조화했는지이다. 초보 학습자의 경우 잘 구조화된 하이퍼텍스트가 엉성하게 구조화된 선형적인 텍스트보다 더 적합하다.

Amadieu, van Gog, Paas, Tricot, Mariné(2009)는 생물학 영역에서 비선형 하이퍼텍스트로 된 개념도를 배울 때 사전지식이 인지부하에 미치는 영향에 대해 알아보았다. 구조화된 개념도는 개념들 간의 관계를 명확하게 위계적으로 보여주었다. 반면 비구조화된 개념도는 명확한 위계 없이 관계망만 보여주었다. 그 결과 사전지식이 낮은 학습자는 구조화된 형태에서 개념적 지식을 더 많이 획득하였다. 이 학습자들은 또한 구조화된 형태로 학습한 후 치러진 사후검사 점수에서 인지부하가 적게 나타났다. 반면 사전지식이 높은 학습자의 경우 두 가지 형태로 개념적 지식을 획득하는 데 있어서는 차이를 보이지 않았다. 두 유형의 학습자들은 구조화된 개념도를 처리하는 데 비교적 적은 인지부하를 소요하였다. Amadieu, Tricot, Mariné(2009)는 사전지식이 낮은 학습자의 경우 위계적 구조가 자료의 자유 연상을 더 잘 지원해주는 반면 사전지식이 높은 학습자는 비구조화된 형태로 된 자료를 공부한 후 더 좋은 성과를 보였다. 사전지식이 낮은 학습자는 위계적 구조에서 제공하는 내용을 필요로 한다. 사전지식이 높은 학습자에게는 동일한 내용은 중복적이라서 이러한 정보를 처리하는 것은 심화 학습을 방해하는 외재적 인지부하를 일으켜 전통적인 전문성 역효과를 제공한다.

Seufert, Schütze, Brünken(2009)은 기억 전략을 사용하는 데 미숙한 학습자가 화학에서 멀티미디어 자료를 사용하는 것이 이해도 및 전이 점수에서 양식 효과가 있음을 발견하였다. 양식 효과는 매우 숙련된 학습자에게는 나타나지 않았는데, 이는 전문성 역효과를 나타낸다.

전문성 역효과와 적성-처치 상호작용

전문성 역효과는 오랜 역사를 가진 적성-처치 상호작용(aptitude-treatment interaction: ATI) 연구와 연관시킬 수 있는데, ATI는 서로 다른 처치는 학생들의 적성에 따라서 차별적인 학습비율 및 결과가 나타난다는 것이다(예: Cronbach, 1967; Cronbach & Snow, 1977; Lohman, 1986; Mayer, Stiehl, & Greeno, 1975; Shute & Gluck, 1996; Snow, 1989, 1994; Snow & Lohman, 1984). 그러한 연구에서, 적성의 개념은 학습 과정에 영향을 주는 지식, 기술, 학습 유형 혹은 성격과 같은 어떤 학습자의 특징으로 광범위하게 사용되었다.

어떤 영역에서 사전지식 혹은 성취도와 교수 처치 간의 상호작용은 ATI의 한 형태로 여겨지고 있다. 안정적인 상호작용은 프로그램된 학습에서 여러 형태의 교수 지원으로 나타나고 있다. 결과의 일관된 패턴은 학습자의 높은 수준의 사전 성취도 혹은 어떤 영역의 친숙성은 낮은 수준의 교수 지원과 구조를 필요로 하고 그 반대이기도 함을 보여주고 있는데(Tobias, 1976, 1987, 1988, 1989), 이 결과는 전문성 역효과와 일맥상통한다. 그러나 ATI 연구에서 교수 지원은 대부분 대답을 유도하고 피드백을 제공하는 도움과 같은 협소한 의미에서 고려된다. 일반적으로 ATI 방법에서, 전통적인 심리적 측정 검사 배터리를 사용하여 적성을 측정하거나 혹은 교수 절차를 선택할 때 인지적 과정은 거의 고려되지 않는다(Federico, 1980).

전문성 역효과의 적용 조건

인지부하 프레임워크 내에서 전문성 역효과에 대한 대부분의 초기 연구들은 통제된 실험실 환경에서 기술 영역의 자료들을 가지고 초보 학습자가 점차적으로 훈련받아서 특정 과제 영역에서 보다 전문가가 되어가는 종단연구로 수행되었다(Kalyuga et al., 1998, 2000; Kalyuga, Chandler, & Sweller, 2001). 그 결과로, 서로 다른 교수 방법과 학습자의 전문성 수준 간의 상호작용은 수학, 과학, 공학, 프로그래밍, 회계학, 제2외국어로 영어, 문학, 경영학, 사회심리학 등 광범위한 교수 자료를 포함한 폭넓으면서 다양한 교수 맥락에서 나타났다. 참가자들은 초등학생부터 대학생까지 분포했으며, 실험은 종단연구나 횡단연구로 설계되었다. 전문가와 초보자의 차이는 지식의 사전 검사부터 학교 학년에 근거하여 대략의 추정치까지를 범위로 사용하도록 설정하였다. 효과는 매우 강력한 것처럼 보인다.

효과의 강력성에도 불구하고, 모든 외재적 인지부하 효과에 공통되는 적용 가능한 조건이 있다. 외재적 인지부하와 관련된 모든 인지부하 효과들의 경우, 학습자료에서 충분히 높은 수준의 요소 상호작용성 즉, 내재적 인지부하는 전문성 역효과의 적용 가능성에 있어서 필수 조건이다. 요소 상호작용성 효과에 따르면(15장), 낮은 수준의 요소 상호작용성을 가져 결과적으로 낮은 내재적 인지부하를 가진 교수 자료들은 서로 다른 교수 방법의 효과성에 있어서 전문가-초보자 간의 유의미한 차이를 보여주지 않았다. 중요한 이슈는 일부 방법들 혹은 자료들이 초보자든 전문가든 학습자의 인지 용량 이상의 과도한 수준의 외재적 인지부하를 부과하는지 여부이다. 높은 내재적 인지부하 없이 외재적 인지부하 효과는 얻어지지 않을 것이다. 아래 두 개의 연구 결과들은 이러한 이슈들을 잘 설명해준다.

Kalyuga, Chandler, Sweller(2001)는 릴레이 회로용 전환식을 구성하는 방법에 대한 해결된 예제 기반 수업과 탐색적 학습 환경을 비교하였다. 특별하게 설계된 훈련 기간의 결과로서 훈련생의 지식수준이 올라갈 때 탐색적 집단은 해결된 예제 집단보다 더 좋은 결과를 보여주었다. 정신적 노력에 대한 주관적 측정치는 그 효과의 인지부하 해석을 지지해주었다. 그러나 이러한 결과들은 높은 수준의 요소 상호작용성을 가진 비교적 복잡한 과제에서만 나타났다. 이 연구에서 두 가지 수준의 과제로, 입력 요소들이 거의 없고 탐색해야 할 옵션의 개수가 매우 제한된 단순한 과제와 탐색해야 할 옵션의 개수가 많은 복잡한 과제를 포함시켰다. 단순한 과제의 경우 교수 방법 간에 유의미한 차이가 없었다.

복잡성 스펙트럼의 한 극단의 지나치게 높은 수준의 요소 상호작용성은 또한 전문성 역효과가 일어나는 것을 방해할 수 있다. 매우 복잡한 내용을 다룰 때, 지식이 많은 학습자조차 지나치게 높은 수준의 내재적 인지부하를 겪을 수 있다. 예를 들면, Lee 등(2006)은 최소한 일부 학습자들의 경우에서 관리 가능한 수준의 내재적 인지부하를 가진 상호작용적 시뮬레이션에서만 전문성 역효과를 증명하였다. 복잡성이 높은 자료일수록, 전문성 역효과가 나타나지 않았다.

교수활동 시사점

전문성 역효과의 주요한 교수활동 시사점은 학습하는 동안 학습자의 전문성이 변함에 따라 교수방법을 전문성 수준에 맞출 필요가 있다는 것이다. 학습하는 동안 외재적 인지부하를 최소화하기 위해 자세하고 직접적인 교수 지원은 통합된 혹은 이중 양식 형태로 바람직하게 초보 학습자에게 제공되어야 한다. 전문성이 중간 수준이면, 직접 교수법과 문제해결 연습을 지원의 감소와 혼합하면 학습에 최적일 수 있다. 전문성 수준이 보다 높은 고급 학습자의 경우, 최소한으로 안내된 문제해결 과제를 사용하여 인지적으로 최적의 교수 방법을 제공해야 한다. 학습자의 지식 기반의 변화는 역동적으로 모니터링되어야 하고, 이에 따라서 특정한 교수 기법 및 절차가 맞춰져야 한다.

ATI 프레임워크 내에서 연구자들에 의해 제안된 이러한 맞춤식에 대한 단순한 방법은 학습 단계 이전에 취한 학습자들의 사전 성취도의 측정치에 근거하여 특정 처치 및 교수 지원의 수준을 학생들에게 할당하는 것이었다(Tennyson, 1975; Tobias, 1976). 보다 진보된 방법은 지속적인 학습 모니터링과 적절하게 교수 절차를 정련한 것에 기반할 필요가 있다. 이 방법은 최적의 교수 방법을 초기에 선정하기 위해 사전 성취 측정치와 혼합될 수 있다(Federico, 1999). 사전 성취 점수와 결합되고, 지속적으로 모니터링되는 그러한 적응 전략은 전문성 역효과에 기반한 인지부하이론 프레임워크 내에서 실현되고 있다(Kalyuga, 2006a; Kalyuga & Sweller, 2004, 2005; Salden, Paas, Broers, & van Merriënboer, 2004; Salden, Paas, & van Merriënboer, 2006b; van Merriënboer, Kirschner, & Kester, 2003; van Merriënboer & Sweller, 2005; 다음 장의 적응적 소거 절차를 참조).

그러한 적응 전략은 학습자의 현재 수준의 전문성에 가장 적합한 교수 방법을 역동적으로 선택하는 시스템 통제 환경에서 일차적으로 실행된다. 학습자 통제 방법이 시스템이 통제하는 맞춤식 교수의 대안으로 오랫동안 고려되어 왔음에도 불구하고(예: Merrill, 1975), 실증적 결과들은 긍정적이지 않고 부정적이었다(Chung & Reigeluth, 1992; Niemiec, Sikorski, & Walberg, 1996; Steinberg, 1997, 1989). 인지부하이론에 따르면, 학습자 통제 효과성은 자신의 힘으로 적절한 학습전략을 선택할 수 있는 학생의 능력에 달려 있기 때문에, 학생들이 자신의 선택에 따른 결과를 이해하는 데 특정 영역에서 충분한 지식을 가지고 있을 때 교수 방법을 통제하도록 해야 한다. 비교적 경험이 없는 학습자는 과제를 선택해야 하고, 부적절한 선택에 따른 결과에 의해 쉽게 과부하될 수 있다. 초보자들에게는 적절한 교수 지원이 요구된다. 인지부하 효과들은 그러한 지원의 내용을 제시해주고 있다.

결론

우리는 자주 초보 학습자에게 교수 기법 및 절차가 잘 들어맞는다면, 이것들 또한 보다 숙련된 학습자들에게도 적합하고 최소한 부정적인 결과는 가져오지 않을 것이라고 무의식적으로 가정한다. 우리의 기대와 반대로, 이론적 인지부하이론이 제공하는 실험적 증거들은 초보자들에게 효과적인 교수 방법이 좀더 숙련된 학습자들의 학습을 실로 방해할 수 있음을 보여주고 있다(Kalyuga, 2007; Kalyuga & Renkl, 2010).

인지부하 프레임워크 내에서 전문성 역효과는 초보자들의 경우 그들의 이해에 필수적인 정보를 제공할 필요성으로 설명되고, 전문가의 경우에는 중복되는 동일한 내용을 불필요하게 처리하게 된다고 설명된다. 전문가가 제시된 내용의 요소들과 그들의 기존 지식 기반 간의 연결을 만들려는 필요는 학습을 방해할 수 있다. 초보자의 경우 학습자의 장기기억 내 해당 지식이 없을 경우, 그 부족분을 수업에서 채워주어야 한다. 숙련된 학습자의 경우 학습자의 지식이 가용할 경우, 중복된 내용을 제거하는 것은 학습자들로 하여금 가장 효율적인 방법으로 자신의 지식 기반을 이용하게 해준다.

이번 장에서는 학습자의 기존 지식에 맞춰진 교수 시스템 설계를 위한 일반적인 교수활동 시사점을 제공하는 전문성 역효과와 관련된 실증적 연구 결과들을 살펴보았다. 학습자의 전문성 수준이 바뀜에 따라 교수 방법을 역동적으로 맞추는 적응적 학습 환경은 전문성 역효과에 기반한 인지부하를 최적화하는 데 있어서 가장 좋은 잠재성을 가지고 있다. 학습자의 전문성 수준이 증가할수록 교수 안내의 정도를 점차적으로 줄여가는 일반적 전략은 완성 전략(van Merriënboer, 1990; van Merriënboer & Paas, 1990; 8장 참조) 혹은 소거되는 해결된 예제(Renkl, 1997; Renkl & Atkinson, 2003; Renkl, Atkinson, Maier, & Staley, 2002; 13장 참조)를 사용하여 실행될 수 있다. 즉시 진단 사정기법에 대한 최근의 연구들(Kalyuga,

2006c, 2008b; Kalyuga & Sweller, 2004, 2005)은 또한 학습자 지식수준에 교수 절차들을 맞춰 충분한 진단 검정력을 가지고 실시간으로 적당한 전문성 측정치를 제공할 수 있다. 소거되는 해결된 예제를 사용하는 적응적 학습 환경에서 이러한 기법을 실행하고자 하는 몇몇 최근의 실험들은 다음 장에서 다루고자 한다.

도움의 점진적 소거 효과

12장에서 설명된 '전문성 역효과(expertise reversal effect)'에 의하면, 초보 학습자에게 상대적으로 효과적인 교수 설계 및 교수 기법은 학습자의 전문지식 수준이 증가함에 따라 그 효과성을 잃을 수 있으며, 심지어 부정적인 결과를 초래할 수도 있다. 따라서, 학습자에게 제공되는 교수적 도움의 '양'은 학습자가 특정 영역의 전문지식을 습득함에 따라 역동적으로 재조정될 필요가 있다.

학습자가 지니고 있는 전문지식의 수준은 다양한 인지부하 효과들과 상호작용하며 전문성 역효과를 발생시키지만(12장에서 이미 살펴보았듯이), 특히, 이 전문지식은 초보 학습자 교수에 중요하게 사용되는 해결된 예제 효과에 중요하다. 다수의 연구들은 '해결된 예제'가 초보 학습자의 '인지기술 습득의 초기 단계 학습'에 아주 효과적이라는 것을 증명하였다(8장 참조). 해결된 예제는 '무작위적 생성 원리'의 사용을 최소화하며, '차용과 재조직 원리'의 사용을 극대화한다. 따라서, 해결된 예제는 학습자가 '문제해결'의 방법을 사용할 때 발생되는 외재적 인지부하를 감소시키며, 궁극적으로 '변화의 제한성 원리'의 의하여 요구되는 작동기억 부하를 줄일 수 있다. 그 결과, 정보는 즉각적으로 장기기억으로 이동되어 저장되며, '환경의 조직과 연결 원리'에 의하여, 그 이후에 발생되는 일련의 문제들을 해결할 때 사용된다.

그러나, 숙련된 학습자들의 '인지기술 습득의 후기 단계 학습'에서는 해결된 예제의 도움 없는 문제해결 연습이 월등하게 효과적이다. 해결된 예제는 전문지식을 많이 갖춘 숙련된 학습자들에게는 효과적이지 않다. 이미 학습자의 장기기억에 구조화되어 저장되어 있는 지식을 해결된 예제로 다시 제공받는 일은 불필요한 일이다. 이미 저장되어 있는 지식과 새롭게 제공받은 지식의 통합은 학습자가 인지자원을 추가적으로 사용해야 하는 불필요한 일이며, 이로 인하여 학습자는 불필요한 인지부하를 갖는다. 상대적으로 숙련된 학습자들에게는 '문제해결 연습', '탐구학습 환경' 같은, 학습에 필요한 최소한의 도움을 제공하는 교수 형태가 더 효과적이다. 초보 학습자들의 학습에 매우 중요한 '해결된 예제' 혹은 기타 교수 지원(instructional guidance)의 형태들은 학습자의 전문지식 수준이 증가함에 따라 중복된 지식을 제공하며, 따라서 학습자의 외재적 인지부하를 증가시킨다. 전문지식을 많이 갖춘 숙련된 학습자들에게 해결된 예제가 중복된 지식을 제공했다면, 이 '중복(redundancy)'과 관련된 인지적 절차가 작동된다. '변화의 제한성 원리'에서 제시되었듯이, 중복된 요소들을 처리하는 과정은 작동기억 부하를 증가시킨다. 장기기억이 이미 관련된 정보를 보유하고 있기 때문에, '차용과 재조직 원리'에 의해서, 추가적으로 제공되는 정보는 장기기억에 전이되지 않는다. 따라서, 학습자들의 전문지식 수준이 증가됨에 따라, 학습 초기 단계의 '해결된 예제-기반 학습'에서 '문제해결 연습'으로 전환시키는 효과적인 교수 절차의 설계는 중요한 연구 주제가 되었으며 또한 해결해야 하는 당면 문제가 되었다.

'해결된 예제-기반 학습'에서 '문제해결 연습'으로 자연스럽게 전환시키는 교수방법의 예 중 하나가 '문제완성 과제(completion tasks)'이다(van Merriënboer, 1990; van Merriënboer, Kirschner, & Kester, 2003; 문제완성 교수방법에 대한 자세한 내용은 8장 참조). 문제완성 과제는 문제 진술(a problem statement)과 부분적인 해결절차(a partially worked-out solution)로 구성되어 있으며, 학습자가 문제의 마지막 문제해결 절차인 해답을 구하도록 구성되어 있다. 문제완성 과제는 하나의 과제 안에서 해결된 예제와 문제해결의 교수방법을 효과적으로 결합한다. '점진적으로 소거되는 해결된 예제(faded worked examples)'는 학습과정에서 초보 학습자가 점차적으로 숙련된 학습자로 이동하는 현상에서 비롯되는 문제를 해결하는 방법으로써 문제완성의 교수방법을 사용한다. 이 교수전략은 학습자의 전문지식이 증가됨에 따라, 이들에게 제공하는 교수적 도움(instructional guidance)의 양을 점차적으로 감소시키는 것을 기반으로 한다(Atkinson, Derry, Renkl, & Wortham, 2000; Renkl, 1997; Renkl, Atkinson, & Maier, 2000). 즉, 학습자의 지식수준이 증가함에 따라 해결된 예제를 점차적으로 소거시키는 교수방법이다. 교수자에 의해서 제공되는 '해결된 예제'는 점차적으로 학습자가 스스로 과정을 완성해야 하는 문제해결의 과정으로 대체된다. 즉, 초기 학습과정에는 학습자에게 '전체 해결된 예제(full worked examples)'를 제시하지만, 점차적으로 학습자에게 제시되는 '문제해결 절차'의 양은 줄이고 학습자 스스로가 해결해야 하는 '문제해결 절차'의 양을 늘려, 종국에는 학습자가 문제해결의 방법으로만 풀어야 하는 문제를 제공한다.

도움의 점진적 소거 효과(guidance fading effect)는 "학습자에게 제공되는 '문제해결을 위한 도움(problem solving guidance)'은 점차적으로 줄이고, 학습자 스스로 해결해야 하는 '문제해결을 위한 요구사항(problem solving demands)'은 늘리는 것이 학습자가 '작동기억 인지자원'을 효과적으로 사용할 수 있게 하는 방법이다."라는 가정에서 비롯된다. 학습자의 학습숙련도가 증가함에 따라, 학습자의 '장기기억'에 저장되어 있는 지식은 '작동기억'의 용량을 소모하지 않으면서 효율적으로 사용될 수 있다. 따라서, 이러한 방법(장기기억에 저장된 지식을 사용하는 방법)에 의해서 절약된 '작동기억 인지자원'은 '문제해결'을 하는 데 직접적으로 활용될 수 있다.

도움의 점진적 소거 절차는 '예제 – 문제'로 제시되는 전통적인 '해결된 예제'와는 대조를 이룬다(8장 참조). '예제 – 문제'로 제시되는 방법이 단순하면서도 상당히 효과적이긴 하지만, 전문성 역효과에서도 볼 수 있듯이, 학습이 진행되면서 학습자의 전문성의 수준은 변화한다는 사실을 간과한다. 전문성 역효과를 근거로, "학습자의 전문성 수준이 높아졌음에도 불구하고 지속적으로 제공되는 해결된 예제는—점진적으로 소거되는 해결된 예제와 비교해볼 때— 중복 효과를 초래하며 학습자의 외재적 인지부하를 증가시킨다"라는 가설을 세울 수 있다.

도움의 점진적 소거에 대한 실증적 근거

'도움의 점진적 소거 효과'는 '해결된 예제', '문제해결' 혹은 '해결된 예제 – 문제해결'의 방법 대신에 사용된 '점진적으로 소거되는 해결된 예제'에 의해서 검증되었다. 도움의 점진적 소거 효과에 대한 실증적 증거 및 교수적 함의는 다음과 같다.

해결된 예제의 점진적 소거 효과

학습자가 어느 특정한 학습영역에서 많은 경험을 하면 할수록 내재적 인지부하는 점차적으로 감소하기 때문에, 부가적인 인지부하 없이 '문제해결 연습'에 점차적으로 더 많은 시간을 할당하는 것은 가능하다. 즉, '문제해결 단계들(problem solving steps)'이 점진적으로 도입되어 활용될 수 있다. 완전한 해결된 예제를 학습자에게 제시한 이후에, 학습자 스스로가 완성해야 하는 문제해결 단계를 포함시킨, 다시 말해서, 해결된 예제 중 한 단계의 절차를 빠뜨린 예제를 학습자에게 제시하는 경우가 그 첫 예가 될 수 있다. 이후에 문제해결에 요구되는 명시적인 도움(explicit guidance) 없이 학습자 스스로 완성해야 하는 문제해결 단계들은 지속적으로 증가되어, 아무 도움 없이 전체 문제를 해결해야 하는 단계(무엇을 해결해야 하는 문제인지에 대한 문제 진술만을 남겨놓은 단계)까지 이를 수 있다(Renkl & Atkinson, 2003). 전통적인 '해결된 예제 – 문제해결'의 교수방법과 비교해볼 때, 해결된 예제의 점진적 소거 기법은 학습자의 인지부하를 감소시키고 학습을 향상시킨다. 가령, 첫 학습단계에서 '전체 해결된 예제'를 제시받은 학습자가 두 번째 학습단계에서 이전 학습에서 제시받은 해결된 예제 중 한 단계의 절차만을 빠뜨린 예제를 제시받고 완성하도록 요청받았다고 가정해보자. 이 경우의 학습자가 문제해결에 요구되는 모든 절차들을 완성하도록 요청받은 학습자보다 인지부하를 덜 가질 것은 분명하다.

도움소거 절차에는 다음의 두 종류가 있다: 후방도움소거(a backward fading)와 전방도움소거(a forward fading). 후방도움소거란, 첫 번째 과제에서는 완전한 해결된 예제를 학습자에게 제시하고, 두 번째 과제에서는 해결된 예제의 마지막 단계만을 제외한 전체 단계의 예제를 제시하며, 세 번째 과제에서는 마지막 두 단계만을 제외한 전체 단계의 예제를 제시하는 경우를 일컫는다. 예를 들어, 8장에서 문제완성 전략을 설명할 때 사용되었던, 두 개의 문제해결 단계로 구성된 문제는 후방도움소거 절차의 두 번째 과제에 해당된다. 그 문제는 다음과 같다.

방정식 $(a+b)/c=d$를 a에 대하여 푸시오.

해결책 :

$$(a+b)/c=d$$

$$a+b=dc$$

$$a=?$$

위에서 제시된 후방도움소거 절차와는 대조적으로, 전방도움소거란 첫 번째 과제에서는 (후방도움소거 절차와 마찬가지로) 완전한 해결된 예제를 학습자에게 제시하지만, 두 번째 과제에서는 해결된 예제의 첫 단계만을 제외한 전체 단계의 예제를 제시하며, 세 번째 과제에서는 첫 두 단계만을 제외한 전체 단계의 예제를 제시하는 등의 경우를 일컫는다. 즉, 위에서 제시된 문제와 같은 문제를 예제로 설명하자면, 전방도움소거의 두 번째 과제에서 학습자는 —두 번째 해결절차를 제시받은 상태에서— 해결된 예제의 첫 번째 해결 절차를 완성해야 한다. 그 예는 다음과 같다.

방정식 $(a+b)/c=d$를 a에 대하여 푸시오.

해결책 :

$$(a+b)/c=d$$

$$a+b=?$$

$$a=dc-b$$

Renkl, Atkinson, Maier와 Staley(2002)는 전기회로를 다루는 실제 고등학교 물리수업 시간을 활용하여, '도움소거 절차'와 '예제 – 문제'의 두 교수방법을 비교했다. 후방도움소거 절차의 첫 번째 과제에서는 완전한 해결된 예제를 학습자에게 제시했고, 두 번째 과제에서는 해결된 예제의 마지막 단계만을 제외한 전체 단계의 예제를 제시했으며, 세 번째 과제에서는 마지막 두 단계만을 제외한 전체 단계의 예제를 제시했다. 이와 같은 방법으로 학습자료를 제시받은 이틀 후에 학습자들은 사후검사(post-test)를 실시했다. 사후검사 결과, '도움소거 전략'을 사용한 집단이 '예제 – 문제'를 사용한 집단보다 근전이 문제에서 월등히 높은 성과를 보였다. 이 실험 결과는 심리학과 대학생들을 대상으로 실험실에서 진행된 후속 연구의 결과와도 같았다(그러나, 이 후속 연구에서는, 이전 실험과는 달리, '전방도움소거' 절차가 사용되었다). 교육심리학과 학생을 대상으로 실험실에서 다시 실시된 세 번째 실험에서는 '예제 – 문제' 집단, 후방도움소거 집단, 그리고 전방도움소거 집단이 비교되었다. 실험 결과, 후방도움소거 및 전방도움소거 전략을 사용한 집단이 '예제 – 문제'를 사용한 집단보다 근전이 문제에서 긍정적인 결과를 보였으며, 특히 전방도움소거 전략은 원전이 문제에서 월등하게 우수한 성과를 보였다. 일반적으로, 후방도움소거 조건이 전방도움소거 조건보다 효과적이며, 또한 후방도움소거 전략으로 해결된 예제를 제시받은 학습자들은 해결된 예제를 학습하는 데 더 적은 시간을 활용했다. 인지부하 관점에서 볼 때, 학습자가 문제해결의 마지막 단계를 완성해야 하는 '후방도움소거' 전략이 전체 문제해결에 있어서 가장 중요한 단계인 문제해결의 첫 단계를 완성해야 하는 '전방도움소거' 조건보다 더 낮은 인지부하를 부여할 것 같다(Ayres & Sweller, 1990 참조).

그러나 Renkl, Atkinson과 Groβe(2004)는 소거되는 도움의 위치가 학습자가 문제해결의 모든 단계를 학습하는 데 크게 영향을 주지 않는다는 것을 검증했다. 후방도움소거 혹은 전방도움소거에 관계없이, 학습자들은 도움이 소거된 문제해결 단계에 대해서만 학습효과를 보였다. 학습자들의 '설명(think-aloud) 활동'을 사용한 후속 연구에서, Renkl 등은 도움소거는 생산적이지 않은 학습사태와 관련이 있으며 따라서 설명이 더 나은 학습결과를 이끌 수 있다는 것을 검증했다. 따라서, 도움소거 전략은 학습효과를 극대화하기 위해서 추천할 수 있는 보편적 권장사항은 아닌 것 같다. 적당한 도움소거 절차의 선택과 이 전략을 어떤 형태로 사용할지에 대한 결정은 전적으로 학습자료가 지니고 있는 특수한 구조와 그 내용에 달렸다.

또한, Renkl과 Atkinson(2001)은 도움소거 단계에서의 '자기-설명 자극(self-explanation prompts)'의 효과성에 대하여 연구했다(자기-설명 자극에 대한 자세한 내용은 8장 참조). 해결된 예제의 교수방법을 통하여 '확률 계산'에 대하여 배우는 대학생들은 해결된 예제의 모든 단계에서 어떤 확률법칙을 적용해야 하는지 제시해야 했다. 후방도움소거 조건하에서 '자기-설명 자극'을 수반했을 경우와 수반하지 않았을 경우가 비교되었는데, 실험 결과 '자기-설명 자극' 전략은 근전이 문제에서뿐만 아니라 원전이 문제에서도 강한 효과성을 나타냈다.

지식 의존적인 도움의 역동적인 공급

전문성 역효과에 근거하여, 학습자의 전문지식의 양이 증가함에 따라, 학습자에게 제시될 안내 및 도움을 줄이는 학습과제의 구성은 매우 중요하다. 따라서, 초보 학습자에게 제시된 최적의 교수적 안내를 제공하는 구조화한 학습과제는 숙련된 학습자에게는 최적이 아닐 수도 있다. 숙련된 학습자들은 이미 충분한 지식을 보유하고 있기 때문에 교수적 안내를 통해서 제시되는 부가적인 정보들은 학습활동을 촉진하기는커녕 이미 보유하고 있는 지식과 중복된 지식이어서 학습에 역효과를 주거나 혹은 학습저하를 초래할지도 모른다.

Reisslein(2005)은 선수지식 수준이 다른 공학(engineering)전공 대학생들을 대상으로 '해결된 예제'에서 '문제해결 전략'으로 전환하는 속도에 대하여 연구했다. '즉각적 전환 조건'에서 학습자들은 '개요'만을 제시받은 후에 즉각적으로 문제해결 연습을 수행했다. '빠른 도움소거 조건'에서는 문제해결 절차의 각 단계에서 첫 번째와 두 번째 각각의 예제에서 한 단계가 소거되었으며, '느린 도움소거 조건'에서는 두 번째 예제의 한 단계가 소거되었다. 사후 기억검사(retention post-test) 결과, 학습자의 '선수지식 수준'과 해결된 예제에서 문제해결 전략으로의 '전환 속도' 사이에 유의한 수준의 상호작용 효과가 있었다. 즉, 선수지식 수준이 높은 학습자들은 '느린 도움소거 조건'에서보다는 '빠른 도움소거 조건'과 '즉각적 전환 조건'에서 월등히 높은 성취 결과를 보였다. 아마도 선수지식 수준이 높은 학습자들에게 해결된 예제는 중복된 정보였기 때문일 것이다. 한편, 문제해결을 위해 자세한 안내가 누구보다 필요한, 선수지식 수준이 낮은 학습자들은 '즉각적 전환 조건'과 '빠른 도움소거 조건'에서보다 '느린 도움소거 조건'에서 더 많은 도움을 얻었다.

12장에서 이미 언급했듯이, Nuckles, Hubner, Dumer와 Renkl(2010)은 학습한 내용을 토대로 작성하는 '저널쓰기' 과제에 사용된 '교수 지원(instructional support)'을 토대로 전문성 역효과를 증명했다. 교수지원(즉, 저널쓰기에 도움을 주는 학습전략들)은 '프롬프트(prompts)'의 형태로 제공되었다. 학기 초에는, 이 '프롬프트'를 제시받은 집단이, 그렇지 않은 집단보다, 프롬프트를 통해 제시받은 학습전략들을 저널쓰기에 응용하는 등, 저널쓰기에 대한 요소들을 더 효과적으로 배웠다. 그러나, 학기 말에는 프롬프트를 제시받은 집단의 '학습 효과성'은 더 이상 나타나지 않았다. 이 프롬프트가 지닌 '장기적인 부정적 효과'를 개선하기 위하여, 두 번째 실험에서는 '프롬프트의 점진적이고 적응적인 소거'가 고안되었다. 실험 집단의 경우, 학습자들이 프롬프트로 제시된 학습전략들을 만족스러운 수준으로 '저널쓰기'에 적용한다고 판단되면 각각의 프롬프트는 소거되었다. 통제 집단의 경우, 프롬프트는 한 학기 내내 지속적으로 제시되었다. 실험 결과, '점진적이고 적응적으로 소거되는 프롬프트'를 제시받은 집단이 '저널쓰기'에 인지전략 사용이 증가하였고, 학기 내내 '지속적으로 프롬프트를 제시받은 집단'은 점점 인지적 전략들을 '저널쓰기'에 적용하는 것이 줄어들었다. 결국 학기 말에는 '지속적으로 프롬프트를 제시받은 집단'이 '점진적이고 적응적으로 소거되는 프롬프트'를 제시받은 집단보다 현저히 낮은 학습 결과물을 나타냈다. 학기 초에, 프롬프트는 학습자가 학습전략들을 효과적으로 저널쓰기에 응용하도록 성공적으로 촉진시켰다. 그러나 학습자들이 저널쓰기에 점점 익숙해짐에 따라, 프롬프트에 의한 교수지원은 중복적이게 되고, 따라서 외재적 인지부하를 일으킨다. 결론적으로, 학습자의 저널쓰기 수준이 증가함에 따라 '점진적으로 소거되는 프롬프트'는 장기적으로 동일한 교수 지원이 일으킬 수 있는 부정적인 효과를 완화시킨다는 점에서 효과적이었다.

Kester와 Kirschner(2009)는 문제해결 영역에서 점진적으로 소거되는 '개념 지원(conceptual support)'과 '전략 지원(strategic support)'이 '하이퍼텍스트 검색의 정확성(accuracy of hypertext navigation)'과 '이러닝 환경에서의 문제해결력(problem performance in elearning environment)'에 영향을 주는가에 대하여 연구했다. 실험은 학습자의 학습숙련도 수준이 증가함에 따라 점진적으로 소거시킨 지원들을 제시받은 학습자가 그렇지 학습자들(즉, 소거되지 않는 학습지원들을 제시받은 학습자들 및 학습지원 자체를 제시받지 않은 학습자들)보다 정확하게 인터넷 검색을 한다는 것을 검증했다. 초보 학습자들은 외재적 인지부하를 감소시킨 교수법인 '잘 안내된 그리고 느리게 제시되는 교수법'으로부터 가장 많은 도움을 얻었다. 그러나 숙련된 학습자들의 경우, 이미 알고 있는 문제해결 절차를 중복적으로 다시 학습하는 것은 불필요한 외재적 인지부하를 발생시키는 원인이 되었다. 이 숙련된 학습자들은 이미 학습과정을 스스로 해결할 수 있는 지식 기반을 갖추고 있었기 때문이다. 따라서 숙련된 학습자들에게는 자세한 학습안내가 불필요했으며, 최소한의 학습안내가 가장 효과적이었다.

컴퓨터 기반의 학습지원 튜터링을 사용한 학습지원 수준의 점진적 변화 효과

지능형 튜터링 시스템(intelligent tutoring systems, 예: Anderson, Corbett, Koedinger, & Pelletier, 1995)에서, 문제해결에 의한 학습에서는 일반적으로 '명시적인 하위목표', '즉각적 피드백', '힌트', '학생들의 학업성취에 대한 실시간 평가', 그에 따른 '적당한 처방적 문제들' 등이 학습자에게 제시된다. 인지튜터에 내장되어 있는 이 종합적인 학습지원 때문에, '인지 튜터링 시스템의 교수 효과'는 사실상 '해결된 예제 효과'라고도 볼 수 있다. 해결된 예제는 궁극적인 학습안내와 학습지원의 '사례'를 제공하기 때문이다.

Renkl, Schwonke, Wittuer, Krieg, Aleven과 Salden(2007)은 '원 기하학(circle geometry)' 학습영역에서 '자기－설명 자극'을 포함하고 있는 '일반수준의 문제기반 튜터(standard problem-based tutor)'와 점진적으로 소거되는 해결된 예제를 기반으로 하는 '풍부한 예제를 제공한 튜터(an example-enriched tutor)'를 비교하기 위해서 설계된 연구들을 수행했다. 첫 번째 실험 결과, '개념적 지식 습득(conceptual knowledge acquisition)'과 '전이과제 수행(transfer performance)'에 있어서 두 집단의 차이는 없었지만, 풍부한 예제를 제공한 튜터를 제공받은 학습자가 더 적은 학습시간을 사용했고, 더 높은 학습 효율성(learning efficiency)을 보고했다. 그러나 도입부분과 개인학습 부분을 보강한 '수정된 인지튜터(a modified tutor)'를 사용한 후속 연구에서는 '점진적으로 소거되는 해결된 예제를 기반으로 하는 인지튜터'를 제공받은 학습자가 '개념적 지식 획득 사후검사'에서 더 높은 점수를 얻었고, 더 적은 학습시간을 사용했으며, 더 높은 학습 효율성을 보고했다. 점진적으로 소거되는 해결된 예제를 제시받은 집단은 학습국면의 초기에 많은 실수를 했지만, 빠른 속도로 실수율을 줄여나갔다. 뿐만 아니라 문제에 대하여 '원리기반의 자기설명'을 수행했다. 반면에, 문제기반 집단은 '표면적인 절차 기반의 자기설명'을 수행했다. '인지튜터'와 '점진적으로 소거되는 해결된 예제'를 결합하는 것은 학습자 숙련도를 개발하는 효과적인 교수적 접근이다.

Salden, Aleven, Schwonke와 Renkl(2010)은 '해결된 예제를 학습하면서 실시되는 자기설명 수행(self-explanation performance)'과 '문제해결 수행(problem solving performance)'에 의해서 감별된 학습자의 현재 학습수준이 이들에게 안내할 적당한 학습지원 수준을 결정하는 데 사용될 수 있는가에 대하여 연구했다. 개별 학습자의 지식 수준에 맞추어 '해결된 예제학습'에서 '문제 수행학습'으로 점진적으로 이동하는 학습법과 미리 예정된 해결된 예제의 소거 접근법이 사용되었으며 전자가 후자보다 더 효과적일 것이라 예상되었다. 기하학을 학습하는 고등학생을 대상으로 하는 실험에서, 학습자들은 인지튜터에 의해서 '개별화된 소거 절차(적응적 소거: adaptive fading)' 또는 '고정된 소거 절차(fixed fading)'를 제공받았다. 실험실 기반으로 실시된 실험 결과, 적응적 소거 절차를 제시받은 학습자가 고정된 소거 절차를 제시받은 학습자보다 학습 직후에 실시된 '즉각적인 사후검사'와 7일 후에 실시된 '지연된 사후검사'에서 모두 높은 점수를 얻었다. 교실 기반의 또 다른 실험 역시, 즉각적인 사후검사에서는 통계적으로 유의한 수준으로 차이는 없었지만, 지연된 사후검사의 경우는 같은 실험 결과를 보여주었다. 이 실험들은 '적응적 소거 절차'가 '고정적 소거 절차' 혹은 '문제해결 수행'보다 더 효과적인 교수절차라는 증거를 제공한다.

도움소거 절차를 적용하여 교수설계에 신속한 진단평가 기법 응용하기

'인지튜터'를 활용한 연구보다 '적응적 소거 절차'를 활용하여 수행된 연구들이 훨씬 더 많다. 다음에서는 적응적 소거 절차를 활용하여 수행된 연구들에 대하여 상세히 논의할 것이다.

신속한 온라인 학습숙련도 평가[1]. 적응적 소거 절차의 질(quality)은 현재 학습자가 지닌 지식수준에 대한 정보의 정확성에 의해서 중요하게 결정된다. '언제 학습 안내를 소거해야 할 것인가?'는 학습자가 지닌 지식수준에 대한 정확한 정보에 달려있다. 전통적으로 실시되고 있는 검사들은 점진적으로 소거하는 절차의 유용성을 극대화하기에 충분하게 자세하지도 않고, 시기적으로 적절하지도 않다. 학습자의 지식수준을 실시간 신속하게 진단하는 것은 '역동적인 학습자 맞춤형의 학습 환경'의 개발에 매우 중요하다. 여기에서는 이 책의 2부에서 설명된 인지구조의 특성을 직접적으로 토대로 하는 '신속하게 실시될 수 있는 진단검사(rapid diagnostic assessment methods)' 개발에 초점을 맞춘 연구들을 살펴볼 것이다.

장기기억에 축적된 지식(knowledge base in LTM)은 어떤 정보가 어떻게 작동기억에서 처리될 것인가에 대한 전적인 결정권을 가지고 있다. 장기기억에 있는 정보는 작동기억의 특성을 변화시킨다. 즉, 장기기억에 축적된 지식을 토대로 처리되는 인지과정은 제한적 특성을 지니는 작동기억의 용량(capacity)과 내용(contents)을 정의한다. 따라서, 장기기억이 어떤 지식을 함유하고 있는가에 대한 평가는 학습자의 '학습숙련도 수준(levels of learner expertise)'을 제공한다. 신속하게 이러한 평가가 수행될 수만 있다면, 이 평가방법은 적절하게 '점진적으로 소거되는 절차'를 안내하는 형성평가 기법으로서 적당하다.

• • •

역주 1 온라인 상에서 학습자의 지식의 변화를 필요한 시점에 신속하게 측정하는 평가기법.

de Groot(1965)의 초기 연구와 그 후속 연구들(2장 참조)로부터, 우리는 어느 특정한 학습영역에서의 '학습숙련도'는 학습자의 장기기억에 저장되어 있는, 문제해결에 결정적 역할을 하는 스키마의 '양'에 의하여 결정된다는 사실을 알고 있다. 따라서, 학습자가 지니고 있는 지식(즉, 스키마 형태로 저장되어 있는 지식)을 직접적으로 평가 및 측정할 수 있는 방법을 고안하는 것이 무엇보다 유용할 것 같다. 이 평가방법은 학습자에게 제공하는 학습안내를 적당한 시기에 제거할 수 있도록 신속해야 한다. 이 점에서 de Groot의 연구는 잠재적인 가능성을 가지고 있다. de Groot의 연구에 의하면 숙련된 문제해결자는 문제해결의 모든 단계에서 가장 효과적인 문제해결 절차를 알고 있다. de Groot가 사용했던 방법과 유사하게, 어떻게 학습자가 장기기억의 지식에 간단하게 접근하는가를 평가할 검사를 고안하는 것은 가능하다. 숙련된 학습자들은 문제해결에 적당한 높은 수준의 스키마를 잘 구조화되어 장기기억에 축적되어 있는 지식으로부터 즉각적으로 검색할 수 있었다. 반면, 이러한 스키마를 처리할 수 없는 초보 학습자들은 단지 해결과정에 필요한 낮은 수준의 요소들만을 무작위로 식별할 수 있었다. 이런 식으로, 장기기억에 잘 조직화된 지식의 축적 여부 및 그 축적된 지식의 양은 숙련된 문제해결자의 '문제해결 숙련도'를 결정하는 주요한 요소로 사용될 수 있다.

Kalyuga와 Sweller(2004)는 de Groot의 연구를 기반으로 '신속하게 실시될 수 있는 학업수준 평가 절차(a rapid assessment procedure)'를 고안했다. Kalyuga와 Sweller는 문제해결의 첫 단계에 '진단평가 절차(a "first-step" diagnostic assessment procedure)'를 사용하여 학습자의 장기기억에 있는 지식을 신속하게 평가할 수 있다고 생각했다(즉, 학습자는 해결해야 할 문제들을 제시받고, 제시받은 각각의 문제들의 해결을 위하여 "맨 처음 어떻게 문제에 접근하는가"에 대하여 설명하도록 요청받았다). 장기기억에 이미 축적된 지식에 기반하여, 숙련된 학습자들은 문제해결의 중간단계들은 모두 건너뛰며, 가장 고차적인 문제해결 과정들을 신속하게 해결할 것이라 예상되었다. 반면, 초보 학습자는 전체 문제해결 과정을 염두에 두고 해결했다고 하기에는 역부족인, 문제해결 과정의 각각의 단일한 단계만을 무작위적으로 해결할 것이라 예상되었다. 가령, 학습자가 '방정식 4X=5를 X에 대하여 푸세요'라는 문제를 제시받았다고 생각해보자. 숙련된 학습자들은 문제를 제공받은 즉시 문제해결의 마지막 단계인 X=5/4라는 답을 제시할 것이다. 반면, 중간 정도의 숙련도를 지닌 학습자들은 문제를 제시받은 후 바로 일반적인 문제해결 절차인 양변을 4로 나누는 절차를 제시할 것 같으며(즉, 4X/4 =5/4), 문제풀이 과정에 대한 지식이 없는 초보 학습자들은 어떠한 법칙 없이 시행착오의 방법으로 문제해결을 시도할 것 같다. '학습자가 문제해결에 접근하는 다양한 첫 시도에 대한 분석'은 '전통적인 진단검사'보다 학습자의 학습숙련도 수준을 훨씬 더 신속하게 제시할 수 있다. 이 기법은 대수학(algebra), 좌표 기하학(coordinate geometry), 산술문장 문제(arithmetic word problem) 등의 학습영역에서 실시된 일련의 실험들을 통해 입증되었다. 이 일련의 연구들은 학습자가 문제해결을 위해 맨 처음 시도하는 방법을 평가하는 '신속하게 실시될 수 있는 학습숙련도 평가방법'과 학습자가 전체 문제해결 과정을 제시해야 하는 '전통적 지식 측정 방법' 사이의 높은 상관성을 보고했다. 무엇보다 중요한 것은, 이 신속하게 실시될 수 있는 학습숙련도 평가방법(평가요소 5개 이하)은 평가시간을 절약할 수 있다(Kalyuga, 2006a; Kalyuga & Sweller, 2004).

이 대안적 '신속하게 실시될 수 있는 학습숙련도 평가방법'은 온라인 학습환경에서 더욱 유용하다. 온라인 학습환경에서는, 학습자가 문제해결의 첫 시도를 어떻게 하는가를 평가하는 것 대신에, 학습자들이 일련의 잠재적이고 가능한 문제해결 절차들(전체 문제해결 과정을 구성하는 다양한 단계로부터의 절차들)을 제시받고 그 절차들의 타당성을 얼마나 신속하게 알아보는가를 측정했다. 이 방법은 상대적으로 덜 구조화된 학습영역—다시 말해서, 가능한 해결방법이 다양하게 제공될 수 있는 학습영역—에서 사용될 때 유용하다. 이 '신속한 확인 절차(a rapid verification procedure)'는 '문장 이해 과제(sentence comprehension tasks: 점진적으로 복잡성이 증가하는 문장들을 학습자에게 제공하고 이해도를 측정하는 과제)'에서 처음 사용되었다(Kalyuga, 2006b). 즉, '단순히 한 문장', '두 개의 문장이 합성된 문장', '복수의 문장으로 구성된 복잡한 문장'으로 학습자에게 제시하는 문장의 복잡성을 증가시켜 나갔다. 각각의 '문장'은 제한된 시간 동안 학습자에게 제시되었고, 바로 이어서 각각의 '문장'으로부터 제시된 내용과 관련 있는 일련의 '진술문'이 학습자에게 제공되었다. 진술문을 제공받은 학습자들은 신속하게 컴퓨터 모니터상의 진술문 아래에 있는 '맞음(right)', '틀림(wrong)', '모르겠음(don't know)'이라는 버튼을 클릭해야 했다. 예를 들어서, "artist, who performed for the crowd that gathered to enjoy the show, left"를 읽은 학습자들은 다음에 제시된 진술문을 읽고 신속하게 맞고 틀림을 표시해야 했다. 진술문은 다음과 같다: "the artist left", "the artist enjoyed the show", "the crowd gathered for the show", "the crowd left" 등.

계속해서 이 방법은 물리학, 수학 등의 학습영역에서도 사용되었다. 이와 같은 학습영역에서는 선별된 잠재적 해결 절차들은 다이어그램으로 제시되었고, 학습자는 신속하게 그것들이 해결과정과 관련이 있는 것인지 혹은 아닌지 식별해야 했다. 이 경우 '맞는 문제해결 절차'와 '틀린 문제해결 절차' 모두가 학습자에게 제시되었다. 이 '신속한 검사들(rapid tests)'은 '학습자들의 문제해결 점수'와 '문제해결 수행에 대한 학습자들의 구술 보고' 사이의 높은 상관성을 검증했다(Kalyuga, 2008b).

학습자의 학습숙련도에 기반한 도움소거 전략을 적용한 교수. 위에서 언급된 연구들은 '적응적 도움소거 절차'의 과정에서 실행되는 '신속하게 실시된 평가방법'의 일치된 타당성(concurrent validity)을 제시한다. '문제해결의 첫 단계 평가방법("first-step" assessment method)'은 해결된 예제 학습에서 문제해결 연습으로의 점진적인 전환을 설계하는 데 사용되었다. 구체적으로, 일차 방정식을 학습하는 중학생을 대상으로 컴퓨터 기반의 학습과정에서 튜터가 사용되었는데(Kalyuga & Sweller, 2004), 이 튜터는 일련의 '점진적으로 소거되는 해결된 예제'를 산출하였다. 학습자는 '신속하게 실시된 문제해결의 첫 단계 진단검사'의 결과를 바탕으로 점진적으로 소거되는 단계들 중 적당한 위치에 배치된다([그림 13.1] 참조). 각 단계에서의 학습자의 학습향상은 신속하게 실시된 진단검사에 의해서 매번 모니터되며, 학습과정은 학습자의 학습숙련도 수준의 변화에 맞추어졌다.

초기 사전 진단검사에서 초보 학습자로 분류된 학습자들은 일련의 '완전한 해결된 예제 학습'과 '문제해결 연습'을 연속하여 병행했다. 이 초기 학습국면의 마지막 단계에서 실시되는 진단검사 결과에 따라, 학습자는 필요에 따라 부가적인 해결된 예제 학습을 하기도 한다. 두 번째 학습국면은 '후방으로 소거되는 문제 완성(backward faded completion problems: 학습자 스스로 문제해결의 마지막 단계를 완성해야 하는 문제해결 과정)'을 포함한다. 단계가 진행됨에 따라 학습자에게 제시되는 학습안내는 점점 감소되며, 마지막 단계는 어떤 학습에 대한 안내 없이 오로지 문제해결 연습만으로 구성된다. 이와 같은 내용은 [그림 13.1]에 자세히 제시되어 있다. 이 '맞춤형 도움소거 전략 튜터(학습자의 학습숙련도에 따라 해결된 예제를 점진적으로 감소시키는 학습 프로그램)'를 활용하여 학습한 학습자들은 '비 맞춤형 튜터(모든 학습자가 소거되는 전략 없는 완전한 해결된 예제를 학습한 후 문제해결 연습을 하게 하는 학습 프로그램)'를 활용하여 학습한 학습자보다 더 나은 지식을 얻었다. 이 결과는 학습자들

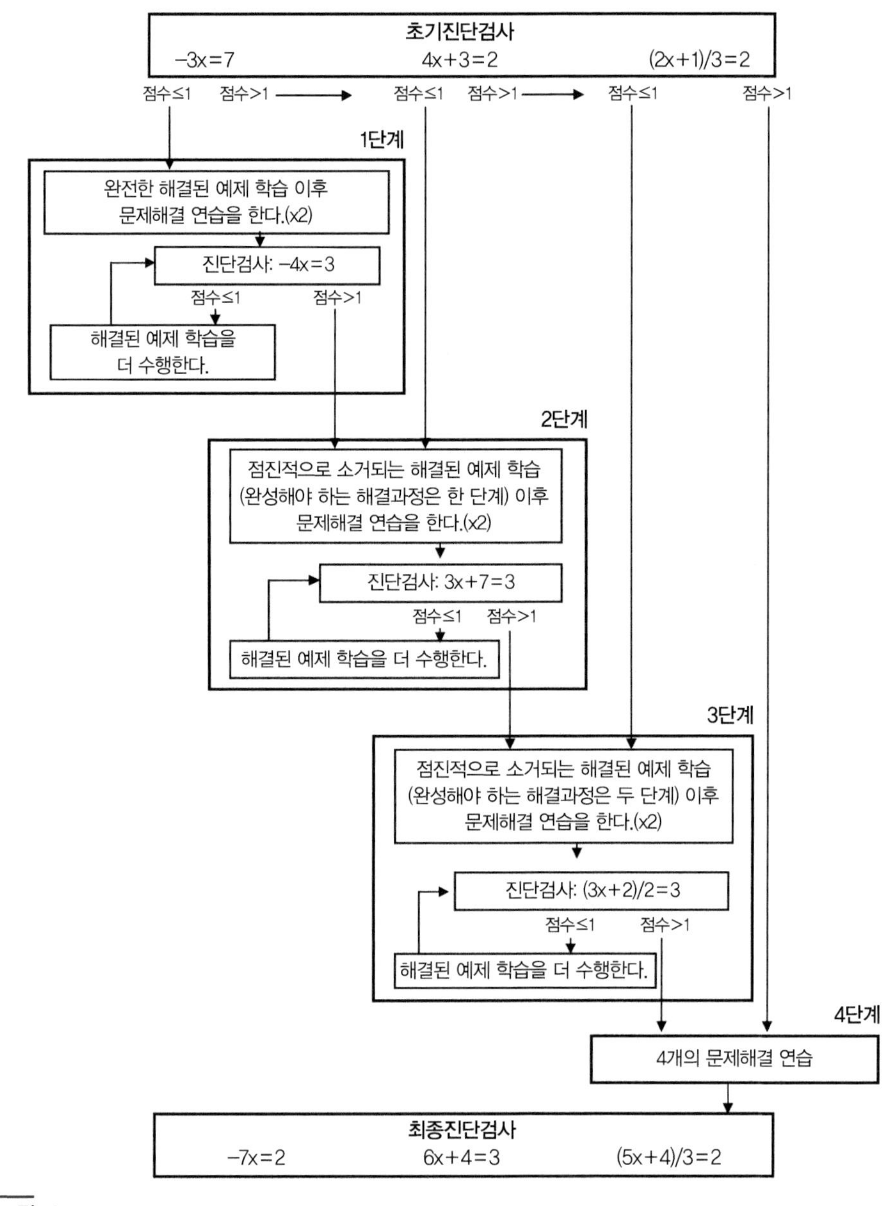

그림 13.1
'신속하게 실시된 문제해결의 첫 단계 진단검사'를 사용한 '적응적 소거절차'의 플로차트(Kalyuga & Sweller, 2004)

의 사전검사 점수(pre-instruction test scores)와 사후검사 점수(post-instruction test scores)의 차이 측정에 의해서 확인되었다.

유사한 학습자료를 사용한 또 다른 연구(Kalyuga & Sweller, 2005)에서는 학습자의 '신속한 학습숙련도 측정'은 과제 복잡성(task difficulty)에 대한 주관적 자기보고(subjective self-rating)에 의한 '인지부하 측정'과 결합되었다. 학습자의 학습숙련도는 '높은 수준의 문제해결 능력' 뿐 아니라 '낮은 수준의 인지부하'와도 관련이 있다. 즉, 학습자가 장기기억에 축적되어 있는 지식을 문제해결에 사용한다면 작동기억 부하는 상당히 줄어들 것이기 때문이다. 따라서, '문제해결 능력'과 '인지부하' 측정값을 결합하는 것은 어느 특정한 학습영역에서 학습자의 숙련도를 제시할 때 좋은 지표가 된다. 전통적인 '편차 모형(deviation model)'에서 '교수 효율성(instructional efficiency)'의 정의(학습자의 '수행결과(p)' 표준점수와 '정신적 부하(m)' 표준점수 간의 차이(zm-zp))[2]와는 대조적으로, 이 연구에서의 '교수 효율성(instructional efficiency)'은 현재의 '인지부하 수준(m)'에 대한 현재 '수행수준(p)'의 비율(p/m)로 정의[3]되었다(6장 참조). 이 정의는 '문제해결의 성취를 위해 투입된 상대적인 정신적 노력'의 의미로 '효율성'의 일반적인 생각과 더욱 밀접하게 일치한다. 이 인지 효율성(cognitive efficiency) 지표는 적절한 교수안내의 수준을 결정해야 하는 학습의 초기 단계에 사용되었을 뿐만 아니라, 학습자의 학습향상을 모니터링하고, 학습자의 학습숙련도가 변화함에 따라 점진적으로 소거되는 도움 절차들을 설계할 때 사용되었다. 실험 결과, '학습자 맞춤형 교수 조건(learner-adapted instructional condition)'의 학습자들이 '비맞춤형 조건(non-adapted condition)'의 학습자들보다 학습결과(knowledge acquisition)뿐 아니라 교수 효율성(instructional efficiency)에 있어서도 월등히 우수했다.

Kalyuga(2006a)는 물리학의 운동역학 중 '백터 계산문제'를 학습하는 고등학생을 대상으로 '비맞춤형 교수학습'과 두 종류의 '학습자 맞춤형 교수학습'을 비교했다. 두 종류의 학습자 맞춤형 교수학습 중 하나는 '신속한 수행 검사(rapid verification performance tests)'를 토대도 설계되었고, 또 다른 하나는 '교수 효율성 지표(instructional efficiency indicator)'를 토대로 설계되었다. 실험 결과, '인지부하', '학습하는 데 사용된 시간', '교수 효율성' 측면에서 두 종류의 '맞춤형 교수조건'에서 학습한 학습자들이 '비맞춤형 교수조건'에서 학습한 학습자보다 월등히 우수

• • •

역주 2 Paas & van Merriënboer(1993); Paas, Tuovien, Tabbers, van Merriënboer에 의해서 제안된 '편차 모형(deviation model)'

역주 3 Hoffman과 Schraw(2010)에 의해서 제안된 '공산모형(likelihood model)'

한 결과를 보고했다. 그러나 두 맞춤형 교수조건들 사이에는 어떤 변인에 대해서도 차이가 없었다.

학습자가 수행해야 하는 '학습과제의 복잡성'이 학습자들의 학업능력이 반영된 진단검사에 의해 결정되는 '학습과제 선택절차의 역동적 적용(dynamic adaptation of learning task selection procedures)'에 대한 연구들 역시 이와 비슷한 결과를 보고했다. Camp, Paas, Rikers, van Merriënboer(2001)와 Salden, Paas, Broers, van Merriënboer(2004)는 '항공 교통 관제 훈련'을 수행하는 동안 학습자의 숙련도 수준을 결정하기 위해 실시된 진단검사의 결과 활용에 대하여 연구했다. 학습자에게 제시되는 도움의 수준을 결정하기 위해서 '신속하게 실시된 검사'를 사용한 이전의 연구들과는 달리, 이 두 연구는 교수적 도움의 수준을 점진적으로 감소시키는 것 대신에, 과제의 복잡성을 점진적으로 증가시키는 것과 주로 관련이 있다. 뿐만 아니라, 이 두 연구에서는 위에서 설명한 것과는 다른 수행 평가방법, 교수 효율성의 정의, 과제 선택 알고리즘이 사용되었다. 그럼에도 불구하고, '학습자 맞춤형 학습조건'에서 학습한 학습자가 '비맞춤형 학습조건'에서 학습한 학습자보다 월등하게 우수했다. 또한, Salden, Paas와 van Merriënboer(2006a)도 '학습자 맞춤형 접근법'이 '비맞춤형 학습구성'보다 우수한 교수 학습법이라는 것을 검증했다.

도움소거 효과의 적용 조건

첫째, 모든 인지부하 효과에서와 마찬가지로 높은 수준의 내재적 인지부하는 '도움의 점진적 소거 효과'에 필수적이다. 높은 수준의 인지부하를 학습자에게 부여하지 않는 학습자료에서는 '도움의 점진적 소거 효과'가 발생하지 않는다. 즉, 해결된 예제에서 문제해결로 급속하게 전환되는 상대적으로 학습하기 쉬운 학습자료에서는 도움의 점진적 소거 효과는 발생하지 않는다.

둘째, '도움의 점진적 소거 효과'가 '전문성 역효과'의 직접적인 결과이기는 하지만, 학습자의 전문성(즉, 학습숙련도) 수준은 대부분의 다른 인지부하 효과들에서와 마찬가지로 '도움의 점진적 소거 효과'에서도 중요하다. 점진적으로 '소거되는 해결된 예제'는 '특정한' 수준의 선수지식을 가지고 있는 학습자에게는 매우 효과적이지만 다른 수준의 선수지식을 지닌 학습자에게는 효과적이지 않을 수 있다. 예를 들어서, 이 장의 서두에서 언급했듯이, 학습자에게 제공되는 학습도움의 수준을 느린 속도로 감소시키면서, 점진적으로 교수절차를 전환하는 것은 누구보다도 초보 학습자에게 가장 이로울 것 같다. 반면, 상대적으로 많은 지식을 지닌 숙련된 학습자들에게 문제해결에 요구되는 자세한 설명은 이미 알고 있는 중복적인 정보일 수 있다. 따라서 이들에게는 학습문제 영역에 대한 설명 이후 곧바로 문제해결 연습 절차로 전환되는 교수절차를 제공하는 것이 더 이로울 것 같다(Relsslein, 2005).

교수활동 시사점

이전 장에서도 이미 언급했듯이, '전문성 역효과'의 주요 교수적 함의는 학습이 수행되면서 학습자의 숙련도 수준이 변화함에 따라 이들에게 제공되는 '교수적 도움의 수준'을 조절해야 할 필요가 있다는 것이다. 전문성 역효과에 의하면, 학습자는 적정한 시기에 적절한 교수적 도움을 받을 필요가 있으며, 또한 학습을 수행하면서 학습숙련도가 점차적으로 증가함에 따라 이 제시받은 교수적 도움은 적정한 시기에 제거될 필요가 있다. 문제해결에 필요한 지식을 갖추지 못한 초보 학습자들에게는 자세한 교수적 도움이 제공되어야 하지만, 높은 수준의 학습숙련도를 지닌 학습자들에게는 작동기억에 이미 저장된 지식을 활용하는 문제해결 연습이 보다 우세하다. 또한 중간 정도의 숙련도를 지닌 학습자들에게는 직접적 교수방법과 문제해결 연습을 최적으로 배합하여 제공해야 한다. 이때, 물론 두 교수법을 최적으로 배합하는 것이 결코 쉽지는 않다. 그럼에도 불구하고, 이 장에서 보고된 연구들은 이 두 교수법을 최적으로 배합하는 노력은 매우 필요한 일이라고 제안하고 있다.

결론

학습자의 학습숙련도 수준이 증가함에 따라 학습자에게 제시되는 교수적 도움의 수준을 점차적으로 감소시키는 교수전략은 전문성 역효과를 함축한다. 전문성 역효과로부터 기인하는 이 교수전략의 명백한 방법은 '점진적으로 소거되는 해결된 예제'의 사용이다. 이 교수방법(즉 점진적으로 소거되는 해결된 예제)은 학습자에게 — 학습자의 학습숙련도가 증가함에 따라 — 점진적으로 '해결된 예제 과제'를 대신하여 '문제해결 과제'를 제공하는 방법이다. 이때, 문제해결에 필요한 교수적 도움인 해결된 예제를 '급속하게' 감소시키는 것보다 '점진적'으로 감소시키는 것이 보다 효과적이다. 이 연구의 다음 단계는 학습자의 '현재' 숙련도를 실시간 측정하여 이들에게 제시되는 '해결된 예제 과제'와 '문제해결 과제'의 비율을 조절하는 '맞춤형 교수적 도움의 소거(adaptive fading)'의 개발이다.

맞춤형 도움소거 방법에 대한 연구는 현재 초기 단계에 있으며, 현재까지 관련된 연구도 매우 적다. 그러나 현재까지 보고된 연구 결과에 의하면, 초보 학습자의 경우, 맞춤형 소거 절차가 '기본적인 지식과 스킬' 획득에 관한 학습 결과물을 향상시켰으며, 숙련된 학습자의 경우, '전략적 지식과 전이 능력'을 향상시켰다. 최근의, 학습자의 '인지부하'와 '교수 효율성'과 결합한 '신속한 진단검사 방법' 연구는 이 교수 방법(즉, 도움의 점진적 소거)에서 중요하게 사용되는 적절한 '실시간 진단 도구(real-time diagnostic tools)'를 제공한다. 이와 관련된 연구는 현재 활발하게 이루어지고 있다.

효과적인 정신적 처리과정 촉진: 상상 효과와 자기설명 효과

전문성 역효과(12장)에 의하면, 기능 습득의 초기 단계에서 완성된 예제(8장)가 교수-학습에 효율적인 형태를 보여주는 반면, 문제해결 연습은 기능 습득의 후반 단계에서 효과적이다. 이러한 역전 현상은 전문성 수준이 높아질수록 교수적 안내의 수준은 감소해야 한다는 것을 제시한다. 안내의 수준을 점진적으로 줄이기 위해 사용할 수 있는 교수-학습의 절차로 완성형 과제(8장)와 점진적으로 소거되는 완성된 예제(13장)가 제시되었다. 실증연구 결과는 초기에는 해결된 예제에 해당되는 교수자료를 제공하고 점차 문제해결 실천과제로 부드럽게 바꿔주는 것이 효과적이고 효율적인 방법임을 제시하였다. 이 장은 지식 수준이 높은 학습자들을 대상으로 해결된 예제나 문제해결 실천과제를 공부하는 것을 지지하는 증거들을 살펴보고자 한다. 그 방법은 활동, 절차 혹은 개념에 대해 '상상하기', 즉 최근 학습했던 해결된 예제에서 제공된 문제해결안을 상상하는 데 기반을 두고 있다. 상상(imagining)은 절차나 개념의 정신적 재생산으로 정의된다.

그 외에도 우리는 이 장에서 자기설명 효과(self-explanation effect)에 대해 다루고자 한다. 자기설명 효과는, 이 책에서 다룬 다른 효과들과는 달리, 인지부하이론 프레임워크 안에서 발생하거나 발전된 것은 아니지만, 그 또한 상상 효과와 밀접하게 관련되어 있으며 인지부하이론 개념을 사용해서 설명될 수 있다. 위의 두 가지 효과 모두, 학습자들에게 제시된 교수자료를 변경하지 않는다는 점에서 이 책에서 다룬 다른 효과들과는 차이가 있다. 대신, 그 효과들은, 학습자들이 일반적으로 사용하는 방식과는 다르게 적절한 정신적 처리과정에 얼마나 몰입하는가에 따라 달라질 수 있다.

상상 효과

인지부하이론 프레임워크 안에서, 상상 기술은 해결된 예제를 공부하는 것 대신에 스프레드시트 응용자료를 어떻게 사용할지에 관한 컴퓨터 기반 교수-학습 절차를 상상하도록 학생들에게 요구했던 Cooper, Tindall-Ford, Chandler와 Sweller(2001)에 의해 처음 연구되었다. 해결된 예제는 순차적 단계에 대해 텍스트로 된 설명이 내재된 일련의 다이어그램으로 구성되었다. 스크린상에서 해결된 예제를 공부하고 난 후에, 학생들에게 컴퓨터를 끄고 절차 안에 관련된 단계들을 상상하도록 했다. 연구 결과, 학생들에게 이전에 공부했던 해결된 예제 해결안의 경로를 상상하게 하는 것이 같은 완성된 예제를 다시 공부하게 하는 것보다 더 높은 성과를 거두었음을 보여주었다. 그러나 상상 기술은 지식 수준이 높은 학습자들에게만 효과를 발휘했다. 이러한 결과는, 상상 기술이 낮은 성취 수준의 학습자들에게는 높은 작동기억 부하를 생성하기 때문에 그들에게는 효과가 없음을 의미한다. 절차나 개념을 상상하기 위해서, 학습자들은 작동기억 안에서 그 절차나 개념을 처리할 수 있어야만 한다. 작동기억 내에서 처리하는 행위는 장기기억으로의 전이를 지원해야 하지만, 작동기억은 '변화의 제한성 원리'로 인해 제한적이기 때문에 초보자들이 절차나 개념을 상상하는 것은 어렵거나 불가능할 것이며, 상상하기 교수-학습 방법을 요구하는 것은 상대적으로 비효과적일 것이다. 따라서, 자료를 공부하는(studying) 전통적인 교수방법이 초보 학습자들에게는 더 유리하다. 왜냐하면 공부하기는 '차용과 재조직 원리'에 의하여 스키마 구성을 촉진할 수 있기 때문이다. 어떤 내용을 공부할 때 초보 학습자를 대상으로는 해결된 예제를 상상하는 것보다는 전통적 방식으로 공부하는 것이 더욱 효과적인 안내를 제공할 수 있다. 어떤 절차를 상상하기 위해서는 그 절차를 구성하는 상호작용하는 요소들이 작동기억 안에서 처리되어야만 한다. 초보자들에게는 그 상호작용하는 요소들의 수가 작동기억 용량을 초과해서 상상 과정을 비효과적으로 만들 것이다. 상호작용하는 요소들은 그것을 상상하려고 시도하기보다 해결된 예제를 공부함으로써 가장 잘 다루어질 수 있기 때문에 상상하기 교수방법을 넘어 해결된 예제를 통한 학습이 더 효과적인 결과를 거둘 것이다.

반면, 좀더 경험이 있는 학습자들은 장기기억 안에 이미 습득된 충분한 과제 관련 스키마 지식을 가지고 있으며, '환경의 조직과 연결 원리'에 따라 사용할 준비가 되어 있다. 이 원리는 장기기억 안에서 많은 양의 익숙한 정보를 처리할 수 있게 해주는데, 따라서 상상하기가 초보자들에게는 가능하지 않지만 전문가 학습자들에게 더욱 가능하게 되는 것이다. 초보자들은 해결된 예제를 공부하는 것이 필요하지만, 그렇게 지속하는 것이 좀더 전문화된 학습자들에게는 중복된 활동을 구성하게 할 수 있다. 전문적 학습자들은 상호작용하는 요소들을 통합하기 위하여 장기기억 안에 적절한 선수지식의 스키마를 이미 가지고 있다. 상상의 과정은 스키마 자동화에 도달할 수 있는 부가적인 실행과정을 제공한다. 이러한 결과로부터, 전문성의 수준이 증가함에 따라 해결된 예제를 공부하는 것은 그러한 예제들을 상상하는 것으로 대체되어야 한다는 결론이 나온다.

전문성이 증가함에 따라, 해결된 예제 공부하기로부터 문제해결안 상상하기로 바꾸는 것은 해결된 예제로 공부하다 점차 소거된 해결된 예제로 학습하는 것으로 바꾸는 것보다 훨씬 더 효과적일 수 있다. 이 상상 효과는 같은 절차나 제목을 공부하는 것보다는 절차나 개념을 상상하는 것이 학습에 더 도움이 될 때 발생한다.

이론적 관점에서 보면, 상상 효과는 상상이란 교수방법을 통해 제한된 작동기억 자원이 내재적 인지부하를 구성하는 모든 상호작용하는 요소들을 처리하는 데 온전히 투입되기 때문에 일어난다. 불필요하게 해결된 예제를 처리하는 것은 학습에 외재적인(불필요한) 요소들을 처리하는 결과가 될 것이다. 예를 들면, 어떤 기하학 문제의 힌트를 읽는 것이 바로 그것이다. 관련된 법칙을 이미 완전히 알고 있는 학습자에게 '대립각은 같다'라는 정보를 제시하는 것은 불필요한 처리 결과를 낳기 때문이다. 그 학습자는 해결된 예제를 공부할 필요가 없다. 대신, 단계들에서 사용되고 있는 법칙을 상상하는 것이, 처리될 필요가 있으면서 내재적 인지부하를 구성하는 상호작용하는 요소들에 대해 훨씬 더 심사숙고하게 될 것이다.

인지부하이론 연구 이전의 상상 효과

과제나 절차의 수행에 대한 상상의 효과는 다른 명칭하에 오랜 연구 역사를 지니고 있다. 그 기법에 대한 초기 연구로, Sackett(1934, 1935)는 '상징적 리허설(symbolic rehearsal)'이란 용어를 제안한 반면, Perry(1939)는 '상상의 연습(imaginary practice)'이란 용어를 사용하였다. 후에, 이 기법을 설명하기 위해 '정신적 연습(mental practice)'(Clark, 1960), '회고적 리허설(introspective rehearsal)'(Egstrom, 1964), '암묵적 리허설(covert rehearsal)'(Corbin, 1967) 그리고 '정신적 리허설(mental rehearsal)'(Dunbar, 2000; Rawlings & Rawlings, 1974) 등과 같은 용어들이 사용되었다.

정신적 리허설은 스포츠 심리학과 다른 운동기능 관련 연구 영역에서 특히 인기가 있었으나(Etnier & Landers, 1996; Grouios, 1992; Kelsey, 1961; Mendoza & Wichman, 1978; Phipps & Morehouse, 1969; Romero & Silvestri, 1990; Shick, 1970; Surburg, 1968; Ungerleider & Golding, 1991), 그 역시 보다 인지적으로 관심 있는 활동이나 요소들을 향상시키기 위해 적용된 것이었다. 예를 들면, 그 기법이 행동 상담(Hazler & Hipple, 1981)과 임상 실험(Rakestraw, Irby, & Vontver, 1983)에 사용되었다. Schirmer(2003)는 특수교육 학생들을 대상으로 그것을 사용하는 것이 효과적임을 발견하였다. 문제해결 단계에 대한 자기설명(Chi, Bassok, Lewis, Reimann, & Glaser, 1989; Renkl, 1997)은 상상의 몇 가지 요소를 포함하기도 하는데, 이런 측면에서 상상 효과와 연관될 수 있다.

정신적 연습에 대한 메타분석은 Driskell, Copper와 Moran(1994) 그리고 Ginns(2005a)에 의해 수행되었는데, 연구 결과 일반적으로 긍정적인 효과를 제시하였다. 학습자 수행을 향상시키는 데에는 과제에 대한 인지적 요구도가 높을수록 정신적 연습이 더 효과적이라는 것이 발견되었다. 최근 Van Meer와 Theunissen(2009)은 1806년에서 2006년 사이에 출판된 603편의 연구를 바탕으로 학습자 수행을 향상시키기 위한 기법으로 정신적 리허설의 교육적 응용에 대한 복합적인 메타분석을 수행하였다. 분석 결과, 이 기법의 효과성은 연습하는 기능의 유형, 개인적 요인, 시도에 소요되는 시간, 시도의 양, 교수적 절차에 의해 영향을 받는 것으로 제시되었다. 메타분석에 의하면, 대부분의 접근 가능한 연구들은 운동기능, 특히 스포츠 관련 기능에 대한 정신적 연습을 사용하는 데 관심이 있었다. 인지적 과제는 드물게 연구되었고, 대부분은 퍼즐 풀기와 같은 단순한 과제나 언어 연습과 관련된 과제들이 포함되었다. 하지만, 그러한 과제들은 운동 과제보다 큰 효과를 나타냈다. 분석 결과는, 과제에서 인지적 요소와 높은 수준으로 관련될수록, 정신적 노력으로 인하여, 수행이 더 향상되는 것으로 나타났다. Van Meer와 Theunissen(2009)의 메타분석은 또한 정신적 연습이 높은 전문성 수준과 결합할수록 인지적 기능과 운동 기능에서 모두 수행을 강화하는 것으로 결론지었다. 어떤 특정한 기능 영역의 전문성뿐만 아니라 정신적 연습에 대한 경험과 기법 그 자체도 효과에 영향을 준다는 것을 주목해야 한다.

인지부하이론 맥락에서 상상 효과에 대한 실증적 근거

상상 기법에 관한 대부분의 연구들이 인지적 과제보다는 운동 과제를 사용하여 수행되었지만 운동 과제보다는 인지적 과제를 다룰 때 큰 효과를 발휘했다는 사실은 그 효과가 인지적 관점에서 고려되어야 함을 제시한다. 앞에서 제시했다시피, 인지부하이론은 그 효과를 설명하기 위해 사용되었으며, 절차나 개념을 상상하는 것이 단순히 해결된 예제를 공부하는 것보다 더 높은 교수학습의 성과를 생산한다는 것을 보여준 Cooper 등(2001)의 실험을 가능케 했지만, 그러한 결과는 적절한 지식 기반을 갖고 있는 전문적인 학습자에게만 해당된다. 절차를 상상하는 것은 낮은 지식 수준의 학생들에게는 부정적인 효과를 낳고, 따라서 역효과를 발생시키고 전문성 역효과의 또 다른 예를 제공하였다.

Cooper 등(2001)의 연구에 이어, 인지부하이론의 프레임워크 안에서 상상 효과에 대한 많은 연구들이 수행되었다. Leahy와 Sweller(2004, 실험 1)는 지형 지도에 대하여 성인들(초등학교 교사들)을 대상으로 상상 효과를 연구하였다. Ginns, Chandler와 Sweller(2003)는 학습자 전문성 수준에 따라 학습자료의 복잡성을 다르게 함으로써 상상 기법의 효과를 연구하였다. 첫 번째 실험은 대학생들이 HTML 코드를 학습하는 것과 관련이 있다. 이 자료는 그 학습 내용에 대해 선수지식 수준이 낮은 이 학습자들에게는 복잡한 것이었다. 해결된 예제 효과(9장)에 따라, 이러한 참가자들은 해결된 예제를 상상하는 것보다 그 예제들을 반복적으로 공부하는 것으로부터 효과를 볼 수 있다. 두 번째 실험에서는, 2학년 학생들이, 이미 관련된 높은 선수지식 수준을 갖추어서 그들에게는 그다지 복잡하지 않은 학습 영역의 기하학 자료를 공부하였다. 연구 결과, 높은 수준의 사후 수행은 해결된 예제를 공부만 한 사람들이 아니라 해결된 예제를 공부하고 난 후에 해결 단계를 상상했던 학생들에 의해 성취되었다.

이 결과는 버스 시간표와 온도 그래프를 읽는 것을 학습하는 초등학교 학생들을 대상으로 한 실험에서 Leahy와 Sweller(2005)에 의해 확장되었다. 그 실험에서, 같은 학생들이 초기에는 초보자로, 그리고 2주 후에는 자료를 가지고 많은 연습을 하면서 그 영역에서 비교적 전문가로 간주되었다. 연구 결과, 학습자의 전문성 수준이 증가함에 따라 장점은, 이전에 확인된 연구 결과와 마찬가지로, 예제를 공부하는 것으로부터 바뀌었다. 뿐만 아니라, 내재적 인지부하가 증가할수록 교수방법의 범주와 전문성 수준 간의 상호작용 효과도 증가한다. 달리 말하면, 상상 효과와 상상 역효과 모두 낮은 요소 상호작용성 내용보다 높은 요소 상호작용성 내용에서 더 높았다(요소 상호작용성 효과에 대해서는 15장 참조).

물 분자의 쌍극자(dipole character)에 대한 과학 텍스트를 읽는 10학년 학생을 대상으로 한 실험에서, Leutner, Leopold와 Sumfleth(2009)는 읽는 동안에 텍스트 내용을 정신적으로 상상하는 것과 종이 위에 텍스트 내용을 그림으로 그리는 교수 기법을 비교하였다. 연구 결과, 그림을 그리는 것은 인지부하를 증가시키고 텍스트 이해를 감소시킨 반면, 정신적 심상(imagery)은 인지부하를 줄이고 텍스트 이해를 증가시켰는데, 학생들이 텍스트를 읽는 동안 동시에 그림을 그릴 필요는 없을 때에만 그러한 것으로 나타났다. 텍스트 내용을 상상하는 것은 자료에 대한 더욱 깊은 처리를 촉진하였을 것이다. 종이 위에 텍스트 내용에 대한 그림을 그리는 것은 부가적인 인지자원이 요구되는 회화적 정보를 외현화하는 것을 포함하기 때문에 외재적 인지부하를 내포한다. 그 인지부하는, 최소한 일부는, 텍스트의 해당되는 요소와 학생들에 의해 그려진 외현적 회화적 표상 간에 주의분산으로 인해 생길 것이다.

따라서, Leutner 등(2009)의 연구는 정신적 심상을 사용하는 것은 인지부하의 수준을 초과하지 않고 이해를 증진시킬 수 있음을 보여준다. 그러나, 정신적 심상은 텍스트로부터 외현적 회화적 표상을 그리는 것과 같은 다른 활동이나 측면보다, 읽는 동안에 텍스트 내용에 직접적으로 집중할 때만 학습을 강화시킨다. 이 연구의 교수활동 시사점은, 상상의 과정은 학습자가 그 상상하는 정보의 요소를 그림으로 표상하는 것과 같은 다른 활동들을 수반해서는 안 된다는 것이다. 동시에 그림 그리기를 시도하는 학생들은 상상의 교수방법이 사용될 경우 그 시도하던 것에 방해가 될 것이다. 상상하기와 그림 그리기를 혼합하는 것은 작동기억을 초과하게 될 것이다.

자기설명 효과

학습자들에게 상호작용하는 정보 단위들 간의 결합에 대해 스스로 설명하도록 개입시키는 교수방법은 수행을 향상시킬 수 있다는 점에서, 상상 효과는 자기설명 효과와 관련될 수 있다(Bielaczyk, Pirolli, & Brown, 1995; Chi, Bassok, Lewis, Reimann, & Glaser, 1989; Chi, de Leeuw, Chiu, & LaVancher, 1994; Mwangi & Sweller, 1998; Renkl, 1997; Renkl, Stark, Gruber, & Mandl, 1998; Roy & Chi, 2005; VanLehn, Jones, & Chi, 1992; 개관을 위해서는 Renkl, 1999를 참조). 초기에, 자기설명에 대한 연구는 해결된 예제의 사용을 강조한다는 것을 제외하곤 인지부하이론 프레임워크 안에서 수행되지 않았다. 그럼에도 불구하고, 자기설명 효과는 자기설명이 해당 학습 영역에서 알려진 원리들을 위해 절차나 과정을 관련시키려고 노력할 때 보통 어떤 절차나 과정을 상상하는 것을 포함하기 때문에 상상 효과와 관련된다고 할 수 있다.

Clark, Nguye와 Sweller(2006)는 자기설명을 "학습자들이 해결된 예제를 이해하고 그것으로부터 스키마를 구성하도록 돕는 예제들을 공부할 때 학습자들이 하게 되는 정신적 대화"(p. 226)로 정의하였다. 인지부하이론 맥락에서, 자기설명은 학생들이 해결된 예제의 다양한 요소들을 서로 간에 그리고 이전의 지식과도 연관시키는 상호작용을 정립하도록 요구한다. 자기설명 연구에는 규정되지 않았지만, 그러한 상호작용하는 요소들을 처리하는 데는, '변화의 제한성 원리'에 의해 제시되었듯이, 충분한 작동기억 자원을 필요로 한다. 그 자원이 적용 가능한지 여부는 바로 '정보 저장 원리'에 따라 결정된다. 초보자의 경우와 같이 장기기억에 충분한 지식이 없다면 '환경의 조직과 연결 원리'가 가능할 수 없고, 작동기억 자원은 따라서 자기설명과 관련된 많은 수의 상호작용하는 요소들을 다루기가 어려울 것이다. 뿐만 아니라, 초보자들에게 자기설명은 '환경의 조직과 연결 원리'를 통해 적절한 자기설명을 생성하기 위해 장기기억으로부터 지식을 사용할 수 있는 전문적 학습자보다, '무작위적 생성 원리'를 상당히 많이 요구하게 될 것이다. 자기설명에 대한 준비가 되어 있는 지식 수준이 높은 학습자들은 그러한 과정으로부터 상당히 도움을 받을 것이다.

한 세미나 발표 연구에서, Chi, Bassok, Lewis, Reimann과 Glaser(1989)는 해결된 예제의 해결방안에 대한 정당성을 제공하고 설명하면서 보다 깊게 예제를 처리하는 학습자들, 소위 자기설명을 하는 학습자들은 표면적 구조만 처리하는 학생들보다 더 많이 배운다는 것을 보여주었다. Chi 등은 물리학의 해결된 예제를 사용해서, 가장 성공적인 학습자들은 자기설명의 과정을 사용했음을 보여주었다. 그들은 또한 성취가 높은 학습자들은 성취가 낮은 학습자들보다 더 정확하게 자신의 이해상태를 주시하고, 해결된 예제를 덜 참조하며, 전체 예제를 참조하기보다 구체적인 참조 부분을 목표로 활용했음을 발견하였다. 자기설명이 효과적인 이유를 설명하자면, 학습자들이 해결된 예제에서 제시된 원리와 정의로부터 많은 추정 규칙들을 생성해낸다는 주장이 있었다. 그런 규칙들은 학습자들이 향후 절차적 기능이 되는 특정 조건에 적절한 조치를 취할 수 있게 해준다. 그 후에, Chi(2000)는 추론을 생성하고 학습자의 정신적 모형(mental model)을 수정하는 데에 이 주장을 확장하였다(Atkinson, Renkl, & Merrill, 2003).

Chi, De Leeuw, Chiu와 Lavancher(1994)는 무작위로 통제된 연구를 사용해서, 비록 과제에 드는 시간을 통제하지는 않았지만, 자기설명하기가 지식 습득을 향상시켰음을 보여주었다. 그들의 연구에서, 8학년 학생들 중 한 집단은 인간의 순환 체계에 대한 설명문의 각 줄을 읽은 후에 자기설명을 하도록 했다. 통제 집단의 학생들은 같은 텍스트를 두 번 읽고 자기설명을 하지 않았다. 자기설명 집단이 더 높은 지식 습득을 보여주었다. 또한, 많은 수의 자기설명(높은 설명자들)을 생성했던 집단의 학생들은 낮은 설명자들보다 더 많이 학습했다.

Chi와 그녀의 동료들에 의한 초기 연구를 토대로, Renkl(1997)은 해결된 예제를 학습할 때 자기설명의 질에 대한 개인차를 연구하고자 하였다. 대학생들에게 확률에 관한 문제들을 주고 예상하기, 즉 상상 기법과 유사한 자기설명 기법을 사용하도록 하였다. 이 문제들을 해결하는 방법을 공부하는데, 학습자들에게 많은 해결된 예제들을 주고 동시에 그들의 생각을 구술하도록 하였다. 이 상관 연구에서, 학습자들은 상이한 문제들에서 비교적 안정된 자기설명을 보여주었다. 성공적인 학습자들은 덜 성공적인 학습자들에 비해 자기설명에서 질적인 차이를 보였다. 특히, 성공적인 학습자들은 원리를 토대로 설명을 제공하고 사후 확률의 계산을 예측하는 경향이 있었다. 즉 해결된 예제의 해결 단계를 예상하는 것, 즉 문제의 일부를 효과적으로 해결하는 것을 구성하는 것은 효과적인 학습 기법이 될 수 있다. Cooper 등(2001)과 유사한 중요한 결과로, Renkl은 이 방법이 비교적 선수학습 수준이 높은 학습자들에게만 학습을 향상시켰음을 발견하였다. 이러한 연구 결과로, Renkl은 성공적인 학습자들을 '원리에 기반한 학습자' 혹은 '예측하는 학습자'로 특징화하였다.

Renkl(1997)의 연구에서 자기설명이 효과적인 학습과 연결되긴 하였지만, 좋은 자기설명을 제공한 학생들이 거의 없었음을 보여주기도 하였다. 한 후속 연구에서, Renkl, Stark, Gruber와 Mendl(1998)은 대부분의 학습자들이 해결된 예제를 학습하는 데 지원이 필요했음을 예상했고, 어떤 요인들이 자기설명의 질에 영향을 줄 수 있을지 연구하였다. 무작위 실험에서, 은행 견습생들에게 재정 분야의 수학적 절차를 학습하도록 하였다. 자기설명은 자발적으로 혹은 유도적으로 하였다. 자발적 조건에서 학습자들은 단순히 자신의 생각을 구술하도록 하였지만, 유도된 조건에서 학습자들은 자기설명을 위한 훈련을 받았다. 연구 결과, 자기설명에 대한 유도가 근전이와 원전이를 모두 촉진했음을 보여주었다. 뿐만 아니라, 사전지식에 대한 측정치는 근전이 문제에 대해, 사전지식이 높은 학습자들보다 사전지식이 낮은 학습지들이 유도로부터 도움을 받음을 보여주었다.

해결된 예제와 자기설명에 대한 연구는 후에 컴퓨터 기반 환경으로 확장되었다. 컴퓨터 환경에 관한 이전의 연구가 혼합되기는 하였지만, Atkinson, Renkl과 Merrill(2003)은 유도(prompting) 전략을 사용해서 긍정적인 결과를 발견하였다. 확률 법칙에 대한 학습에서, 유도 조건의 학생들은 자신들이 완성한 각 해결 단계를 스스로 설명한 다음, 이전의 학습 내용으로부터 사용한 확률 원리를 규명해내도록 하였다. 연구 결과, 근전이와 높은 전이 검사 문제에서, 유도 전략을 받은 학생들이 받지 않은 학생들보다 유의하게 높은 것으로 나타났다. 이러한 증거는 자기설명이 해결된 예제의 사용과 성공적으로 혼용될 수 있음을 보여준다. 다른 연구는 학급의 수업 기술 및 논증 기술과 같은 다양한 분야를 포함하면서 그러한 결과를 확장하였다(Atkinson & Renkl, 2007; Berthold, Eysink, & Renkl, 2009; Hilbert & Renkl, 2009; Hilbert, Renkl, Kessler, & Reiss, 2008; Schworm & Renkl, 2006, 2007). 그렇지만, 자기설명에 관한 연구들이 항상 성공적인 것은 아니다. Mwangi와 Sweller(1999)는 절차들을 언어적 형태로 번역할 때 작동기억 부하가 증가할 것이기 때문에 자기설명이 학습 도중에 항상 적절하지는 않을 것이라고 주장하면서 문장으로 제시된 2단계 연산문제(two-step arithmetic word problems)에 대한 장점을 발견하는 데 실패하였다. 상상 효과의 경우와 마찬가지로, 자기설명은 일단 '환경의 조직과 연결 원리'가 역할을 할 수 있도록 충분한 전문성 수준이 획득된 후에만 효과를 발휘할 수 있을 것이다.

적용 조건

상상하기 교수기법은 비교적 높은 선수지식 수준의 학생들에게 효과적이고 초보 학습자들에게는 적절하지 않다. 높은 전문성 수준은, 보다 경험이 많은 학습자들이 상상하는 동안에 단기기억 안에서 정보를 처리하기 위하여 장기기억에 접근할 수 있는 적용 가능한 지식 구조를 가지고 있기 때문에, 상상 기법의 효과성을 높여준다. 이미 스키마가 형성되어 있다면 기존의 스키마는 상상하는 동안 장기기억에서 단기기억으로 전송되어 단기기억 안에서 처리될 수 있지만, 공부하기(studying) 기법은 우선 스키마를 구성하고 저장하는 것이 필요하다. 앞에서 제시한 바와 같이, Cooper 등(2001), Ginns 등(2003) 그리고 Leahy와 Sweller(2005)는 이런 상호작용에 대한 증거를 제공하였다.

요소 상호작용성 수준도 상상 효과에 영향을 미친다(요소 상호작용성 효과에 대해서는 15장 참조). Leahy와 Sweller(2008)는 요소 상호작용성의 수준이 상상하기 효과의 획득 가능성을 높일 것이라는 가설을 검증하기 위하여 교수자료와 사후검사 문항에서 요소 상호작용성의 수준을 실험적으로 조작하였다. 상상 효과와 요소 상호작용성 효과 간에 유의미한 상호작용이 확인되었다. 요소 상호작용성이 낮은 자료를 상상하는 것은 유의미한 효과가 없었지만, 요소 상호작용성이 높은 자료의 경우 자료를 상상하도록 한 학습자들이 같은 자료를 공부만 하도록 한 학습자들보다 높은 수행을 보였다. 요소 상호작용성이 높은 자료를 상상하는 것은, 학습자들이 다양한 상호작용하는 정보 요소들을 작동기억에서 더 잘 처리될 수 있는 하나의 스키마 요소로 통합할 수 있게 해준다. 연구 결과, 낮은 요소 상호작용성 지식보다 높은 요소 상호작용성에서 효과적임을 지지하면서, 두 교수-학습 집단 간에 사후검사 항목에서 큰 차이가 있었음을 보여주었다.

Leahy와 Sweller(2005)는 또한 모든 인지부하 효과들에서 대부분 가능한 상호작용 공통점, 즉 요소 상호작용성이 증가할수록 효과가 증가함(15장 참조)을 제시함으로써 요소 상호작용성 수준과 상상 효과 간에 상호작용을 제시하였다. 뿐만 아니라, 앞에서 제시된 바와 같이, 전문성 수준과 상상 효과 간에 공통적으로 확인된 상호작용도 제시하였다.

상상 효과와 다른 인지부하 효과 간에 다른 상호작용들도 있다. 상상 효과를 얻기 위해서 학습자들은 자료들을 상상할 수 있도록 충분한 작동기억 자원을 구비해야만 한다. 따라서, 상상 효과는 작동기억 부하를 줄이거나 아니면 작동기억의 기능을 강화하는 기법으로 촉진되리라고 기대할 수 있을 것이다.

4학년 학생들을 참가자로, Leahy와 Sweller(2004)는 자원이 분산된 형태와 통합된 형태로 각각 제시된 온도 변화를 묘사한 온도와 시간 그래프를 공부하는 것과 상상하는 것을 비교하였다. 분산된 자원 형태는 공간적으로 분리된 다이어그램과 텍스트를 사용하고 텍스트는 별도의 페이지에 제시된 반면, 통합된 형태에서 텍스트는 다이어그램에 공간적으로 내재되었다(9장 참조). 사후검사 결과, 상상 학습이 자료를 단순히 공부하는 것보다 도움이 되었지만, 통계적 효과는 분산된 원천의 형태보다 통합된 교수자료 형태일 때만 획득되었음을 보여주었다. 이 결과로부터, 상상하기 절차는 상상을 허락하는 충분한 작동기억 자원이 있을 때에만 성공할 수 있는 것으로 생각되었다. 분산된 자원의 제시방법은, 상상 기법의 사용을 어렵거나 불가능하게 하여 교수적 절차를 실패로 만들어 버리는 과도한 인지부하를 내포하였을 것이다. 분산된 자료보다 통합된 자료를 상상하는 것이 더욱 쉽고 효과적이다. 통합된 교수자료는 스키마 획득을 촉진하고 스키마 획득은 다시 상상 효과를 촉진하였다.

감각양식 효과에 의하면, 예를 들어 문자 텍스트보다는 시각적 다이어그램과 청각 텍스트를 포함한 이중 양식 제시방법을 사용함으로써 작동기억 용량이 효과적으로 증가될 수 있고 학습이 증가될 수 있다(10장 참조). 마찬가지로, Tindall-Ford와 Sweller(2006)는 상상 효과가 순수한 시각 교수자료보다 시청각 교수자료에 의해 전달될 때 촉진될 수 있음을 제시하였다. 그들의 실험 중 하나는 중등학교 8학년 학생들을 대상으로 빈도 표를 작성하는 방법, 빈도 합을 구하는 방법, 평균, 최빈값, 범위를 계산하는 방법에 대한 교수자료를 사용하였다. (1) 애니메이션 요소와 함께 제시되는 시청각 교수자료, (2) 전통적인 공부 기반 전략과 함께 제시되는 시청각 교수자료, (3) 애니메이션 요소와 함께 제시되는 순수한 시각 교수자료, (4) 전통적인 공부 기반 전략과 함께 제시되는 순수한 시각 교수자료 등의 네 가지 교수자료 형태를 비교하였다.

연구 결과, 상상 효과는 순수한 시각적 조건하에서가 아니라 시청각 조건에서만 획득되었음을 제시하였다. 시청각 기법은 스키마 구성을 촉진하고 그런 다음 후속되는 상상 기법은 스키마를 자동화해주었다. 따라서, 내용을 상상하기 위한 학생들의 능력은 수학적 절차를 상상하는 것보다 시청각 교수자료가 사용되었을 때 향상되었다. 후속 실험(Tindall-Ford & Sweller, 2006, 실험 2)에서 사용된 언어적 프로토콜은, 학습자들이 자료를 공부하거나 상상하게 했을 때 그 자료를 다르게 처리했으며 상상의 과정은 시청각 교수자료의 사용에 의해 도움을 받았다는 증거를 제공하였다. 단순히 공부를 했던 학습자들은 검색에 개입하는 경향이 있었지만 상상을 한 학습자들은 자료에서 중요한 정보와 관계에 집중하였다.

요약하면, 적절한 조건하에서 상상 효과는 안정적이고 강건하다. 절차나 개념을 상상하는 것은 비교적 경험이 많은 학습자들이 그들에게는 중복적인 자료를 공부할 때 내포되는 외재적 인지부하를 줄여준다. 그 효과에 필요한 주요 조건은, 모든 인지부하 효과들에게 필요한 조건인 내재적 인지부하가 높음으로 인한 요소 상호작용성 그리고 높은 내재적 인지부하가 필요함에도 불구하고 학습자들은 스스로 절차나 개념을 상상하게 해주는 충분한 인지자원을 가지고 있어야만 한다는 것이다. 충분한 인지자원은, 학습자들이 해당 학습 영역에서 어느 정도 전문성 수준을 사용함으로써, 그리고 상상의 교수기법을 다른 인지부하를 줄이는 절차와 함께 결합함으로써 확보될 수 있다.

상상 효과와 관련된 적용 가능성 조건이 자기설명 효과와도 관련되는 것으로 숙고해볼 수 있다. 이와 관련해서 아직 수행된 연구가 없다.

교수활동 시사점

상상 효과는 대부분의 교육 및 훈련 상황에서 사용될 수 있다. 이 장에서 보고된 연구들의 결과에 의하면, 일단 학습자들이 복잡한 개념과 절차들을 상상할 수 있도록 충분한 지식 수준을 획득했다면, 그들은 그렇게 하도록 촉진되어야만 한다. 학습자나 교수자 어느 누구도, 어떤 개념이나 절차가 일단 이해되었다고 그것을 '완전히 알았다'고 가정해서는 안 된다. 이해하고 난 후에도 대부분의 개념이나 절차들은 다양한 상황에서 유연하게 사용될 필요가 있다. 그런 유연성은 상상 기법의 사용으로 향상될 것이다. 지식 또한 어떤 분야에서 미래에 앞서 나아가기 위해 필요할 것이다. 절차와 개념들을 상상함으로써 학생들은 훈련 영역에서 학습을 지속할 때 더 잘 준비될 수 있을 것이다.

마찬가지로, 우리는 자기설명이 지식 습득과 이해를 촉진할 수 있음을 알고 있다. 학습자들이 자기설명을 하도록 독려하는 것은 교수활동의 효과성, 특히 해결된 예제를 사용하는 교수자료의 효과성을 향상시킬 것으로 기대할 수 있다.

상상 효과와 자기설명 효과는 전문성 습득을 위해서 연습을 신중하게 하는 것과 관련될 수 있다. 신중한 연습은 어떤 특정 기능에 대한 수행을 향상시키기 위해 의도적으로 사용된다(Ericsson & Charness, 1994; Ericsson, Krampe, & Tesch-Romer, 1993). 어떤 절차를 상상하거나 자기설명하는 것은 장기기억 안에 스키마를 강화시키기 위하여 단기기억 안에서 정보의 의도적인 처리가 필요한 신중한 연습의 형태로 간주될 수 있다.

결론

개념과 절차들을 공부하는 것은 기능 획득의 초기 단계에서 초보 학습자들에게 효과적이고 효율적인 교수방법으로 알려져 있다. 반면 상대적으로 경험이 많은 학습자들에게는 상상하기와 같은 기법을 사용하는 것이 매우 효과적이다. 상상 효과는 학습자들에게 상상하도록 독려하는 것이 그 기법을 사용하는 학습 영역에서 충분한 전문성을 습득하도록 하는 데 도움이 될 수 있다는 증거를 제공한다. 학습자들에게 자기설명을 하도록 독려하는 것은 지식 수준이 낮은 학생들보다 지식 수준이 높은 학생들에게 더 효과적임을 예측할 수 있다.

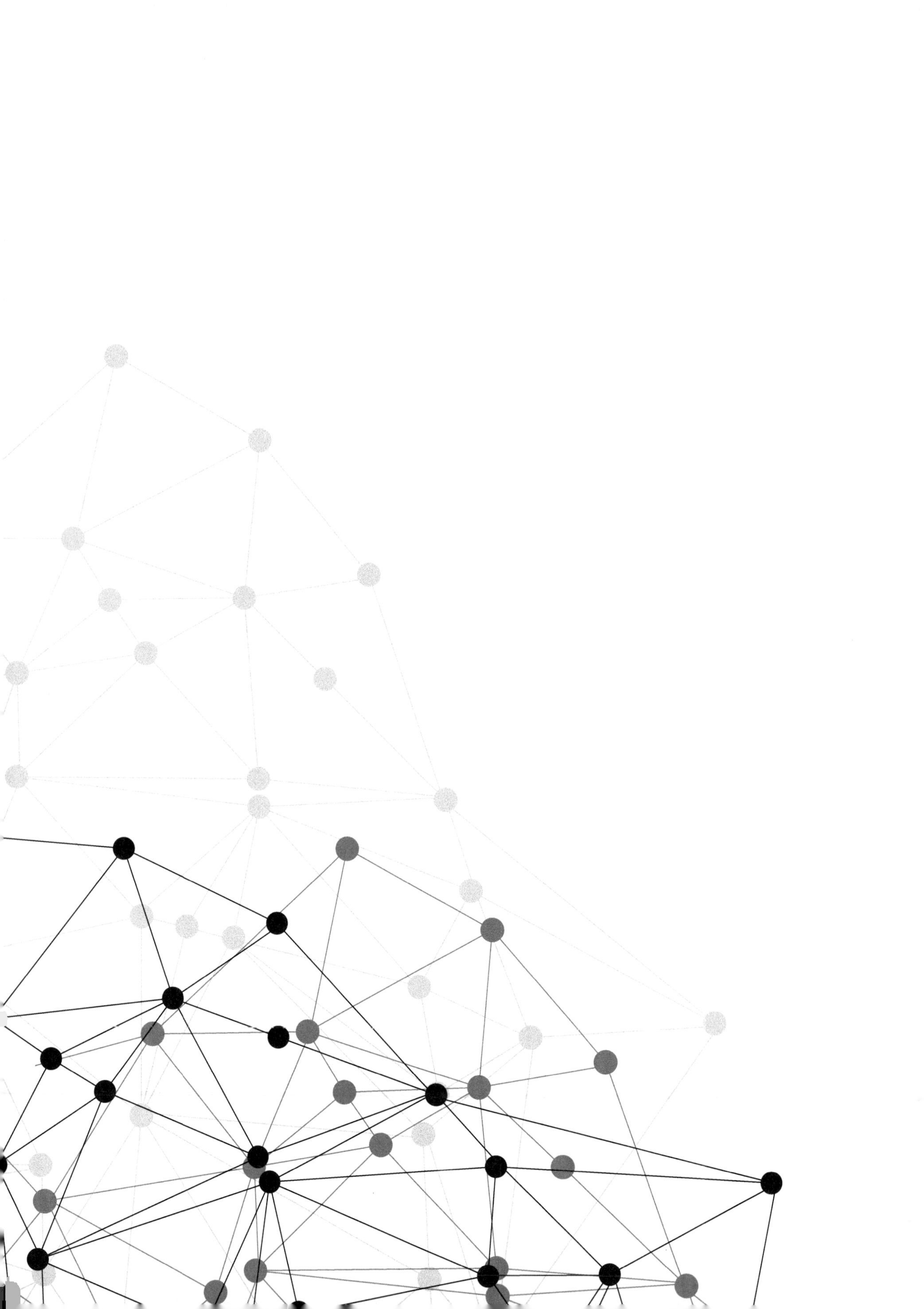

요소 상호작용성

5장에서 논의한 바와 같이, 효과적인 학습이 되기 위해서는, 내재적 인지부하와 외재적 인지부하를 구성하는 인지부하의 총합이 작동기억 용량을 초과하지 않아야 한다. 이러한 관점에서, 내재적 인지부하가 높을 경우 외재적 인지부하 줄이기를 목표로 학습전략을 적용하는 것이 더욱 중요하다. 내재적 인지부하가 낮다면 인지부하의 총합이 사용 가능한 작동기억 용량의 범위 안에 들 것이므로 학습을 방해하지 않을 것이다. 따라서, 내재적 인지부하가 낮은 교수적 조건을 위한 교수설계 최적화 노력은 내재적 인지부하가 높은 상황을 위한 최적화 설계만큼 중요하지는 않을 것이다.

내재적 인지부하는 중요한 정보 요소들 간의 상호작용성 수준에 의해 결정된다. 요소 상호작용성이 낮으면, 높은 외재적 부하를 유발하는 교수설계를 사용하는 것이 학습을 방해하지 않을 것이다. 반면, 중요한 정보 요소들 간의 상호작용성 수준이 높으면, 부적절한 교수설계로 인해 높은 외재적 인지부하를 유발하는 요소 상호작용을 추가하는 것(5장 참조)이 작동기억 용량을 초과하는 결과를 낳게 될 것이다. 높은 내재적 인지부하 조건에서 교수설계의 최적화는 필수적이다. 그러므로, 이전 장들에서 다룬 대부분의 인지부하 효과들은 내재적 인지부하와 외재적 인지부하가 모두 높은 교수적 조건 내에서 적용될 수 있다.

예를 들어, 내재적으로 거의 상호작용하지 않는 요소들을 다룰 때, 학습자들이 문제를 해결하기 위해 무작위 생성 및 검증 과정에 의한 무작위적 생성 원리를 사용하든 독립적으로 제시되어 주의분산 효과를 일으키는 정보 원천들 간에 연관성을 발견하든 별 문제가 되지 않을 것이다. 내재적 인지부하로 인해 요소 상호작용성이 충분히 낮다면, 학습자들이 무작위 생성 원리를 사용하든 차용과 재조직 원리를 사용하든 그런 상황들을 다루는 데 필요한 충분한 작동기억 자원을 가지고 있기 때문이다.

인지부하 효과들은 내재적 인지부하가 높을 경우에만 적용 가능하다는 사실을 '요소 상호작용성 효과'라고 한다(Sweller, 2010; Sweller & Chandler, 1994). 이 효과는 내재적 인지부하과 외재적 인지부하 양측과 관련된 요소 상호작용의 총합에 의해 좌우된다. 이것은 서로 다른 인지부하 효과로 간주하는데, 그 이유는 내재적 인지부하로 인한 요소 상호작용성 수준이 외재적 인지부하와 연관된 다른 인지부하 효과들에 큰 영향을 미친다는 많은 실증적 증거가 있기 때문이다. 이 장에서는 이미 4부에서 제시된 몇 편의 연구들에 대해 좀더 구체적인 내용과 그것들이 요소 상호작용성과 어떻게 관련되는지를 설명하는 실증적 연구 결과를 제시하고자 한다.

요소 상호작용성에 대한 실증적 근거

이론적 관점에서, 내재적 인지부하와 연합하는 요소 상호작용성은 모든 인지부하 관련 효과, 특히 외재적 인지부하의 변화에 영향을 받는 효과들과 관련 있는 요인이라 할 수 있다. 요소 상호작용성 효과는 여러 가지 외재적 인지부하 효과로 나타났지만, 모두 검증된 것은 아니다. 우리는 그런 외재적 인지부하 효과들을 위하여 내재적 인지부하와 연합하는 요소 상호작용성에 대해 제시 가능한 자료를 중심으로 설명하고자 한다.

요소 상호작용성과 주의분산 효과 및 중복 효과

일련의 실험을 통해, Sweller와 Chandler(1994) 그리고 Chandler와 Sweller(1996)는 매뉴얼과 컴퓨터를 사용하여 컴퓨터 애플리케이션을 학습하는 것과 관련된 주의분산 효과 및 중복 효과를 테스트하였다. 학습하는 동안 컴퓨터와 매뉴얼 모두 사용할 경우 주의분산 효과 혹은 중복 효과가 발생할 것이다(9장과 11장 참조). 컴퓨터 혹은 다른 장비와 같은 하드웨어와 함께 매뉴얼을 사용하는 전통적인 방법과 비교하여 외재적 부하를 줄이고 학습을 촉진하기 위하여 대안적인 제시 방법이 설계될 수 있다. Sweller와 Chandler는 적절하게 설계된 매뉴얼이 사용된다면 주의분산 및 중복이 제거될 수 있다고 제안하였다. 왜냐하면, 하드웨어 그 자체가 중복적일 수 있기 때문이다. 초기 학습하는 동안 하드웨어를 제거하고 매뉴얼 안에 통합된 텍스트 설명과 조화된 그림으로 대체한다면 매뉴얼과 하드웨어 간의 주의분산 혹은 하드웨어의 중복으로 인해 발생하는 외재적 인지부하를 줄이는 것이 가능할 것이다. 예를 들어, 컴퓨터를 사용하기 위한 학습의 경우, 모니터와 키보드는 모두 컴퓨터 스크린과 키보드 그림 및 그 그림들의 적절한 위치에 물리적으로 통합된 텍스트 설명으로 대체될 수 있다. 이런 절차에 의해, 컴퓨터 자체를 제시함으로써 발생하는 주의분산 혹은 중복이 제거되어서 외재적 인지부하를 줄일 수 있다.

컴퓨터 기반 자료뿐 아니라 전기공학 교수자료를 사용한 실험에서도, 그 교수자료로 인해 주의분산과 중복 효과가 모두 발생하였다. 통합되어 자체 완비된 매뉴얼로 구성된 양식만이 주의분산 효과를 일으키는—통합된 그림과 텍스트를 포함하지 않은—전통적인 매뉴얼을 능가하였다. 학습자가 하드웨어를 다룰 필요 없이 자체적으로 완벽한 매뉴얼 양식은 또한 자체 완비된 매뉴얼과 하드웨어를 함께 사용해서 중복 효과를 발생시키는 방식보다 더 우수한 것으로 나타났다. 이러한 논의에서 중요한 것은 주의분산 효과와 중복 효과는 교수자료가 높은 수준의 요소 상호작용성을 포함할 때만 발생한다는 것이다.

위 연구에서, 요소 상호작용성 정도는 특정 절차를 학습하기 위하여 특정 전문성 수준의 학습자에 의해 동시에 고려되어야만 하는 요소들의 수를 헤아림으로써 측정되었다. 예를 들어, 어떤 컴퓨터 보조 설계(CAD) 혹은 컴퓨터 보조 제조(CAM) 패키지 사용 방법을 공부할 때, 커서를 1mm 움직이려면 '네 개의 키 중 하나를 누르시오'와 같은 대응 절차는 다른 키의 기능과 같은 다른 요소들을 참조하지 않아도 쉽게 배울 수 있는 낮은 요소 상호작용성 과제에 해당된다. 반면, 어떤 두 지점 사이를 움직이기 위한 절차는 다음과 같은 아홉 개의 상호작용하는 요소들에 대한 동시적 처리과정을 포함하기 때문에 초보 학습자들에게는 높은 요소 상호작용성 과제가 된다(Chandler & Sweller, 1996, p. 170).

1. 현재 위치의 가로축 값을 읽는다.
2. 현재 위치의 세로축 값을 읽는다.
3. 가로축에 대응하는 목표 지점을 찾는다.
4. 세로축에 대응하는 목표 지점을 찾는다.
5. 목표가 되는 가로축 지점과 세로축 지점의 교차점을 찾는다.
6. 가로축 위에서 현재 위치와 목표 지점 간 거리를 계산한다.
7. 6의 계산 값에 해당되는 키를 누른다.
8. 세로축 위에서 현재 위치와 목표 지점 간 거리를 계산한다.
9. 8의 계산 값에 해당되는 키를 누른다.

앞서 제시한 교수 양식을 기술공학 연습생을 대상으로 테스트했을 때, Chandler와 Sweller(1996)는 높은 요소 상호작용성 자료와 관련된 교수방법, 즉 자체적으로 완비된 수정 매뉴얼 양식이 전통적인 매뉴얼과 컴퓨터를 함께 사용한 양식보다 우수한 효과가 나타났음을 제시하였다. 이와 유사하게, 자체 완비된 수정 매뉴얼도 수정 매뉴얼에 컴퓨터 프레젠테이션을 함께 사용하여 중복 효과를 보이는 것보다 우수한 것으로 나타났다. 학습자료가 요소 상호작용이 낮을 때는 교수 양식 간에 차이가 없었다.

이러한 결과가 다른 요인들보다는 인지부하로 인한 것이라는 직접적인 증거는 이차 과제에 기초한 인지부하의 측정에서 확인되었다. 이차 과제는 별도의 컴퓨터상에 제시되는데, 스크린 위에 나타나는 글자에 이어 바로 소리가 제공된다. 학습자들은 새 글자를 부호화하는 동안 스크린 위에 보이는 이전 글자를 기억해내야 한다. 교수자료가 정보 요소들 간에 상호작용이 없어서 결과적으로 낮은 내재적 인지부하와 관련된 경우, 다른 교수 양식으로 인해 발생되는 외재적 인지부하는 이차 과제에서 학습자 수행을 실질적으로 저해하지 않았다. 이 경우, 교수 양식에 별 상관없이 이차 과제 수행을 위해 사용하기에 아직 충분한 작동기억 용량이 있었다. 따라서, 세 집단 모두 낮은 상호작용성의 교수자료를 공부할 때 이차 과제에서 어려움이 없었고 수행 수준이 비슷하였다. 그러나, 높은 요소 상호작용성 교수자료를 학습할 때, 전통적인 매뉴얼과 함께 컴퓨터를 사용한(주의분산) 집단과 수정된 매뉴얼과 함께 컴퓨터를 사용한 (중복) 집단의 이차 과제 수행은 상당히 감소하였다.

요소 상호작용성과 교수자료 이해

우리가 교수자료를 이해하는 정도는 요소 상호작용성 수준에 따라 좌우된다. 요소 상호작용성의 증가는 이해 난이도를 높인다. 작동기억에서 더 많은 요소들이 동시에 처리되어야 하기 때문이다. 만일 교수자료의 요소 수가 작동기억 용량을 초월한다면, 몇 개의 요소가 단일 요소로 취급될 수 있는 스키마로 통합될 때까지 그 자료를 이해하기는 어렵다. 필요한 요소들을 처리하기 위해 이미 획득한 스키마를 사용하는 수준으로 바꿈으로써 요소 상호작용성을 변경하여 정보를 제시하는 것이 가능하다. 상호작용하는 요소들을 통합하기 위하여 어떤 스키마가 사용될 수 있다면, 작동기억 부하를 줄일 수 있다(Marcus, Cooper, & Sweller, 1996).

Marcus 등(1996)은 초등학생들에게 전기 저항 문제를 제시하였다. 그림 혹은 텍스트를 사용해서 기본적으로 동일한 내용의 교수자료가 제시되었다. 그림은 각각을 몇 가지 상호작용하는 요소들에 결합시킴으로써 학습자들에게 더욱 익숙하게 느껴지는 경향이 있었다. 그 익숙함으로 인해, 상호작용하는 요소들이 하나의 요소로 처리되는 어떤 스키마에 쉽게 통합될 수 있었다. 텍스트 형태로 제시된 같은 내용의 요소들은 개별적인 요소들로 처리되어서 그림에 비해 요소 상호작용성과 인지부하가 크게 증가하는 결과를 보였다. 인지부하는 주관적 측정 방법과 이중 과제 방법 두 가지를 사용해서 측정되었다. 연구 결과는 다음과 같다. 첫째, 상호작용하는 요수 수가 증가할수록 인지부하가 훨씬 증가해서 내용을 이해하기 어려웠고, 둘째, 그림의 사용은 인지부하를 감소시켜서 텍스트 형태로 제시된 같은 내용에 비해 이해도를 높여주었다.

위 실험들은 인지부하, 요소 상호작용성 및 이해 간의 연관성을 정립하였다. 높은 수준의 요소 상호작용성은 이해를 저해하는 주요 장애물이다.

요소 상호작용성과 감각양식 효과

Ginns(2005b)에 의해 수행된 감각양식 효과에 대한 메타분석 연구들은 요소 상호작용성이 감각양식 효과의 주요 기제임을 지지하였다. Tindall-Ford, Chandler와 Sweller(1997)는 감각양식 효과를 획득하는 데 요소 상호작용성이 중요한 역할을 한다는 실험 결과를 제공하였다. 그들은 인쇄된 텍스트(문자) 설명과 함께 제공된 그림이나 표 형태의 단일 감각양식보다 내레이션 텍스트(음성) 설명과 함께 제공된 연결형 그림이나 표 형태의 이중감각 양식에서 훨씬 강한 효과를 발견하였다. 이런 효과는 높은 수준의 요소 상호작용성 자료에서만 발생하었다. 낮은 요소 상호작용성 교수자료에서는 음성 텍스트와 문자 텍스트 간에 차이가 없었다.

Tindall-Ford 등(1997)의 실험 1은 전압계를 사용하는 가전 제품의 전기 테스트 수행방법을 보여주기 위해 설계된 교수자료를 사용하였다. 이 자료들은 초보자에게 있어서 높은 수준의 요소 상호작용성을 포함하는 것이었다. 예를 들어, 절연 저항 테스트를 이해하기 위해서 학습자는 전압계의 필요한 세팅과 주전자의 접지판 및 다른 전선판들의 위치를 고려하고, 전기 주전자의 스위치를 켜야 하고, 테스트 단추를 누르고, 필요한 결과가 어떠해야 하는지 알아야 하고, 그런 다음 접지판을 활성 핀에서 중성 핀으로 바꿔서 테스트를 다시 수행해야 한다. 이 실험에서 교수자료를 시청각 양식으로 통합하였을 때 더욱 효과적임을 확인할 수 있었다.

실험 2에서 사용된 교수자료는 전기설비와 거기에 적합한 케이블을 선택하는 데 사용되는 허용 전류용량과 관련된 표 기반 정보로 구성되었다. 그 교수자료는 학습자들이 내용에 대한 다양한 요소들을 연결할 것을 요구하는 요소 상호작용성이 높은 자료였다. 예를 들어, 표에 제시된 케이블 크기에 대한 정보의 목적은 케이블의 종류, 케이블의 전선, 케이블의 최대 부하, 설비 기술과 같은 다른 표 내용 요소들과 관련지어질 때만 의미가 명확해진다. 이 실험에서도 감각양식 효과가 발생하였으며, 인지부하에 대한 주관적 인식 검사도 그 결과에 대한 인지부하적 설명을 뒷받침하였다.

실험 3은 전기 기호와 회로를 포함하는, 요소 상호작용성이 낮은 교수자료와 높은 자료들을 독립적으로 사용하였다. 요소 상호작용성이 낮은 교수자료는 30개의 전기 기호로 구성되었으며 그것들의 의미는 각각 독립적으로 학습될 수 있는 것이었다. 예를 들어, 형광등에 대한 전기 기호는 일반적인 스위치 기호들과 관계없이 독립적으로 배울 수 있는 것이다. 요소 상호작용성이 높은 교수자료는 다른 회로들과 그것들이 연합되는 설명을 포함하였다. 각각의 회로를 이해하기 위해서는 많은 요소들과 그것들의 관계를 동시에 이해하는 것이 필요하다. 실험 결과, 즉 인지부하에 관한 주관적 인식 검사와 교수 효율성 측정 결과, 요소 상호작용성이 높은 자료에서 강한 감각양식 효과가 있음이 확인되었다. 반면, 전기 기호를 공부할 때 (요소 상호작용성이 낮은 자료에서는) 자료 제시 양식에 따른 차이가 없었다. 주관적 측정치도 결과에 대한 인지부하 관련 설명을 지지하였다.

이와 같이, 요소 상호작용성이 높은 학습자료(예: 복잡하게 연결된 그림들)는 시각 채널에 인지적 과부하를 유발할 것이다. 즉, 서로 참조해야 하는 시각적으로 제시되는 정보 원천들(예: 그림들과 인쇄된 설명)에 대한 주의분산으로 발생하는 외재적 인지부하로 인해 시각 채널의 인지적 부하가 악화되는 것이다. 이중감각 양식 자료를 사용하면, 이러한 부하를 효과적으로 줄이고 작동기억의 두 가지 처리 채널에 관여함으로써 학습에 필요한 인지자원을 확장할 것이다. 반면, 학습자료가 독립적인 전기 기호의 의미를 학습하는 것과 같이 낮은 요소 상호작용성을 지닌다면, 비교적 높은 수준의 외재적 인지부하를 발생시킴에도 불구하고 여전히 작동기억의 제한 범위 안에 있기 때문에 학습을 방해하지 않을 것이다.

요소 상호작용성과 전문성 역효과

요소 상호작용성이 전문성 역효과와 상호작용하리라고 기대할 수 있을 것이다. 우리는 요소 상호작용성 수준이 전문성 수준에 의해 좌우된다는 것을 알고 있다. 전문성이 증가하면, 상호작용하는 요소들이 스키마 안에 통합되어 단일 요소로 취급될 수 있다. 요소 상호작용성과 전문성 수준 간의 이러한 관계는 요소 상호작용성 효과와 전문성 역효과 간의 상호작용이 생겨나게 한다.

Kalyuga, Chandler와 Sweller(2001)는 릴레이 회로에 대한 스위칭 함수를 구성하는 방법에 대한 해결된 예제(worked examples) 기반 교수자료와 탐구학습 환경을 비교하였다. 특별히 설계된 훈련을 통해 연습생들의 지식 수준이 향상되었을 때, 탐구학습 집단이 해결된 예제 집단보다 높은 성취 결과를 거두었다. 과제 난이도에 대한 주관적 인식의 측정치도 그 효과에 대한 인지부하 관련 설명을 지지하였다.

이 연구에서 두 가지 과제 수준이 사용되었다. 하나는 회로 요소가 거의 없어서 탐색의 여지가 거의 없는 구조적으로 단순한 과제들이고, 다른 하나는 상호작용하는 회로 요소가 많아서 탐색의 여지가 아주 큰 구조적으로 복잡한 과제들이다. 이 두 가지 과제 수준은 낮은 수준의 요소 상호작용성과 높은 수준의 요소 상호작용성에 각각 부합한다. 간단한 과제는 입력 요소가 세 개만 포함되어 있어서 여러 가지 연결 가능성으로 아홉 가지의 다른 릴레이 회로를 구성할 수 있다. 복잡한 과제는 학생들이 다섯 개의 상호작용하는 입력 요소들과 그 중 세 개는 이미 그림의 고정 지점에 위치해 있는 요소들을 포함한 다양한 릴레이 회로를 구성하고 함수를 작성해내는 것이 필요하다. 이 복잡한 과제 환경에서는 여러 가지 가능한 연결을 고려해서 89가지 구성을 할 수 있다.

예상한 바와 같이, 요소 상호작용성이 높은 복잡한 과제에서만 전문성 역효과가 발생하였다. 단순한 과제에서는 교수 방법 간에 차이가 없었다. 단순한 회로에서는 어떤 교수 형태에서든 인지부하가 훨씬 낮아서 작동기억의 범위 안에 있었다.

요소 상호작용성과 상상 효과

Leahy와 Sweller(2005)는 상상 효과 및 전문성 역효과에 따라, 초등학교 학생들의 버스 시간표와 온도 그래프 읽기 경험이 증가할수록 해결된 예제를 공부하는 효과가 예제 상상하기의 효과에서처럼 감소함을 제시하였다. 위 실험은 또한 학습자료에 내포된 내재적 인지부하가 증가할수록 교수 방법과 학습자 전문성 수준 간의 상호작용도 증가함을 보여주었다. 상상 효과와 해결된 예제 효과 모두 요소 상호작용성이 낮은 자료에서보다 요소 상호작용성이 높은 자료에서 더 컸다.

초등학교 학생들을 대상으로 버스 시간표 자료를 사용해서 상상 효과를 조사하는 연구에서, Leahy와 Sweller(2008)는 과제의 복잡성을 변화시킴으로써 교수자료와 사후검사 질문에서 요소 상호작용성 수준을 실험적으로 조작하였다. 예를 들어, 학생들이 모든 정류장에 다 정차하지는 않는 버스들의 노선 번호 범주(시간표에서 홀수 번호 노선)를 찾도록 요구받은 경우, 그들은 모든 정류장에 다 정차하지는 않는 버스의 의미를 기억하고, 노선 번호의 의미를 기억하고, 빈 칸의 행을 찾고, 노선 번호를 찾고, 홀수 번호들임을 확인하고, 홀수 번호들이 비어있음을 다시 확인하는 것과 같이 작동기억에서 상호작용하는 많은 요소들을 동시에 처리해야 했다. 이 과제는 요소 상호작용성이 높은 것이었다. 반면, "'e'라는 글자는 무엇을 의미합니까?"와 같은 질문에 대답하는 것은 단지 세 개의 상호작용하는 요소를 처리하면 된다. 처리해야 하는 요소란, 그 글자를 작동기억에 기억하고, 'e'를 찾고, 찾은 글자를 대답하기에 적절한 단어로 바꾸는 것이다.

예상한 바와 같이, 이 연구에서 상상 효과와 요소 상호작용성 수준 간에 유의한 상호작용이 발생하였다. 요소 상호작용성이 낮은 자료를 상상하는 것은 유의한 효과가 없었던 반면, 요소 상호작용성이 높은 자료에서 자료를 상상하도록 요구받은 학습자들이 같은 자료를 단순히 공부만 하도록 요구받은 학습자들보다 수행 효과가 높았다. 요소 상호작용성이 높은 자료를 상상하는 것은 학습자들이 상호작용하는 다수의 내용 요소들을 작동기억에서 쉽게 처리될 수 있는 단일 스키마로 통합하게 해준다. 연구 결과, 요소 상호작용성이 낮은 지식보다 요소 상호작용성이 높은 지식을 활용하는 사후검사 질문에서도 두 집단 간에 큰 차이가 확인되었다.

적용 조건

전문성 역효과(12장 참조)와 유사하게, 요소 상호작용성 효과는 다른 인지부하 효과들 및 특정 요인들, 즉 이 경우에는 내재적 인지부하와 관련된 요소 상호작용성 수준과 같은 요인들 간의 상호작용에 의해 영향을 받는다. 내재적 인지부하를 생산하는 요소 상호작용성의 수준은 학습자의 전문성 수준과 항상 비례하기 때문에 이 두 효과들 간에도 분명한 관계가 있다. 전문성이 증가함에 따라 상호작용하는 요소들이 환경의 조직과 연결 원리(environmental organizing and linking principle)에 부합하여 작동기억 부하를 줄이면서 스키마에 통합되기 때문에, 같은 자료도 초보 학습자에게는 상호작용성 수준이 높이지는 동시에 전문가에게는 상호작용성 수준이 낮아진다. 따라서, 초보자에게는 복잡한 과제가, 전문가에게는 상대적으로 단순한 과제가 될 수 있다. 학습자들의 선행지식은 상호작용하는 많은 요소들을 작동기억에서 단일 요소로 활성화하는 단일 스키마 안에 통합시키거나 동일한 의미 단위로 통합시킨다(chunked). 반면, 선행지식이 적은 학습자들은 정보를 단일 스키마 안에 통합할 수 없어서 작동기억 안에서 상호작용하는 요소들을 각각 처리하도록 해야만 한다.

이와 같이, 내재적 인지부하와 관련된 요소 상호작용성 수준이 낮을 때는 학습자의 전문성 수준이 높을 때와 비슷한 결과가 나올 것으로 예상할 수 있다. 학습자들이 특정 과제 영역에 대한 전문성을 점점 습득해감에 따라 그 교수자료에 대한 요소 상호작용성 수준이 변한다. 요소 상호작용성 수준이 비교적 높았던 학습 과제들의 범주도 전문성이 증가할수록 요소 상호작용성이 낮아진다. 증가된 전문성 덕분에 내재적 인지부하와 연합하는 요소 상호작용성이 낮아지면, 작동기억에 부하를 주지 않으면서도 높은 수준의 외재적 인지부하를 처리할 수 있게 된다.

요소 상호작용성 효과는 외재적 인지부하 효과가 적용되는 기본 조건을 형성한다. 요소 상호작용성 효과의 또 다른 조건은 내재적 인지부하 그 자체가 학습자의 사용 가능한 작동기억 자원을 초과하지 않아야 한다는 것이다. 예를 들어, 학습자들에게 충분한 선행지식이 없는 너무 복잡한 자료를 다루게 할 때, 그들은 매우 높은 수준의 내재적 인지부하를 경험하게 될 것이다. 이런 경우, 내재적 인지부하를 줄이는 인지부하 효과가 사용되어야 한다(예: 분리된 상호작용 요소 효과, 16장 참조).

교수활동 시사점

내재적 인지부하와 연합하는 요소 상호작용성이 낮으면, 높은 외재적 인지부하와 연합하는 더 많은 상호작용 요소를 추가하는 것은 작동기억 용량을 초과하지 않기 때문에 학습을 방해하지 않을 것이다. 예를 들어, 학생들이 다른 어휘들과 독립적으로 배울 수 있는 새로운 외국어 어휘를 학습한다면, 작동기억 부하의 총합이 사용 가능한 작동기억 용량 범위 내에 있을 것이기 때문에 자료가 제시되는 방법에 따라 효과에는 별 차이가 없을 것이다. 이 상황에서, 외재적 부하를 줄이려는 목적으로 인지부하 효과를 적용해서 교수 절차나 형태를 재설계하는 것은 학습에 별 효과를 얻기 어려울 것이다.

반대로, 높은 내재적 인지부하와 연합하는 상호작용 요소들에 높은 외재적 인지부하와 연합하는 상호작용 요소들을 추가하는 것은 작동기억 용량을 능가할 수 있다. 이 상황에서는 적절한 인지부하 기법을 사용해서 외재적 부하와 연합하는 요소 상호작용성을 줄이는 것이 학습 효과를 위해 매우 중요하다. 예를 들어, 주의분산 혹은 중복이, 전자 장치에 연결된 그림이나 복잡한 함수와 같이 요소 상호작용성 수준이 높은 학습자료에 통합된다면, 상호작용하는 요소 수의 총합 및 그에 따른 인지부하 총합은 작동기억 용량을 초과할 것이다. 관련된 정보 요소들을 통합하거나 중복되는 내용을 제거함으로써 외재적 인지부하와 연합하는 상호작용 요소 수를 줄이면 작동기억 부하를 감당할 수 있는 수준으로 낮출 수 있을 것이다.

결론

정의에 따르면, 인지부하 이론은 과도한 작동기억 부하에 대한 교수방법으로 볼 수 있다. 교수자료의 제시형태와 상관없이 그 자체로서 과도한 인지부하를 부과하는 자료를 다룰 때, 교수적 함의가 분명해진다. 내재적 인지부하를 유발하는 요소 상호작용성이 낮을 경우 외재적 인지부하로 인해 어떤 요소 상호작용성이 추가되더라도 인지부하의 총합이 작동기억 용량의 제한 범위 내에 있다면 별 상관이 없을 것이다. 반면, 내재적 인지부하와 연합하는 요소 상호작용성 수준이 높은 경우 외재적 인지부하로 인한 어떤 요소 상호작용성이라도 추가되는 것은 결정적으로 중요한 요인이 될 수 있다. 결론적으로, 대부분의 인지부하 효과들은 요소 상호작용성 효과를 유발하는 높은 수준의 내재적 인지부하 조건에서만 그 효과의 특징이 명확해진다.

대부분의 인지부하 효과들은 외재적 인지부하의 감소로 인해 일어난다. 요소 상호작용성 효과는 인지부하 총합의 결정과 인지부하를 줄이기 위하여 수행된 교수적 조작의 효과에 내재적 인지부하가 매우 중요함을 제시한다. 내재적 인지부하를 직접 조작한 연구는 거의 수행되지 않은 상태다. 과제의 특성과 학습자의 전문성이 지속적으로 유지되는 한 내재적 인지부하가 조작될 수 없다는 사실이 곧 그 연구의 부족에 대한 설명이 될 것이다. 그럼에도 불구하고, 내재적 인지부하로 인한 요소 상호작용성은 과제의 성격을 변화시킴으로써 조작될 수 있다. 다음 장에서는 그러한 방법에 대해 다룰 것이다.

요소 상호작용성과 내재적 인지부하

15장에서 살펴보았듯이, 요소 상호작용성이란 개념은 이해 및 학습을 설명해주는 이론적 구성요소이다. 요소 상호작용성이 낮아서 그 결과 내재적 인지부하가 낮은 교수 자료는 작동기억의 자원을 거의 필요로 하지 않는데, 이는 구성요소들이 상호작용하지 않아서 별개로 이해되고 학습될 수 있기 때문이다. 요소 상호작용성이 높아 내재적 인지부하가 높은 교수 자료는 상호작용하여서 동시에 처리되어야 하는 요소들을 포함하고 있는데, 이 요소들은 단일 요소들로 이해되고 학습될 수 없다. 높은 요소 상호작용성을 가진 내용은 인지부하이론에서 관심을 갖고 있는 정보의 주요한 범주이다. 그러한 정보를 처리하는 것은 작동기억 용량을 초과할 수 있는 인지자원을 요구하기 때문이다. 그러한 정보는 쉽게 이해되거나 학습될 수 없어서 교사와 교수 설계자들에게 다음과 같은 의미심장한 도전을 던져준다. 만일 정보처리에 드는 부담이 작동기억 용량보다 크다면, 학습자들이 새로우면서 복잡한 요소 상호작용성이 높은 정보를 어떻게 배울 수 있을까?

5장에서 이미 언급하였지만, 복잡성을 요소 상호작용성과 내재적 인지부하 측면에서 정의하였다. 그러한 복잡성은 특정한 교수 전략을 필요로 한다. 외재적 인지부하는 교수설계자에 의해 조작될 수 있고, 그에 따라서 낮아지는 데 반해 내재적 인지부하는 고정되어 있어서 가르쳐지는 것과 학습되는 것을 변경하지 않고서는 또는 학습자의 지식을 변경하지 않고서는 변화될 수 없다. 만일 학습자가 특정 영역에 대한 높은 수준의 지식을 가지고 있다면, 작동기억의 큰 부하 없이 많은 상호작용 요소들을 처리할 수 있다. 학습자의 사전지식은 많은 상호작용 요소들로 하여금 작동기억에서 하나의 단일 요소로서 행동할 수 있는 단일 스키마로 통합되게 해준다. 이와 대조적으로 사전지식 수준이 낮은 학습자는 정보의 여러 개의 상호작용 요소들을 단일 스키마로 묶을 수 없기 때문에 작동기억에서 낱개로 된 요소들을 동시에 처리해야 하고, 따라서 높은 내재적 인지부하가 부과된다.

이 장에서는 부적절한 수준의 내재적 인지부하를 다루는 데 효과적이라고 입증된 전략들을 설명하고자 한다. 위에서 언급했듯이 내재적 인지부하는 학습자의 지식을 바꾸거나 과제의 특성을 바꿈으로 변경될 수 있다. 학습 과제를 적절하게 계열화함으로써 특정 영역의 사전지식을 구축하는 데에 초점을 둔 몇몇 전략들뿐만 아니라 과제의 특성을 변경하는 데 초점을 두고 있는 몇몇 연구들도 살펴볼 것이다. 내용을 계열화하는 전략들은 다양한 형태를 취하고 있지만 이것들은 일반적으로 단순한 과제들부터 복잡한 과제들까지 점진적으로 진행해나가는 것을 포함하고 있다. 전체 훈련 프로그램에 대해 주제들이 어떻게 계열화되어야 하는지에 대해 많이 연구되고 있지만(Reigeluth, 2007; Ritter, Nerb, Lehtinen, & O'Shea, 2007), 여기에서는 개별 학습 과제 내에서 교수 계열화에 보다 초점을 두고자 한다.

사전훈련

내재적 부하를 줄이는 한 가지 방법은 주요 내용들을 제시하기 전에 특정 사전지식을 개발해주는 것이다. 이 방법은 종종 **사전훈련**(pre-training)이라로 불린다. 인간의 인지구조의 관점에서 보면 사전훈련하기 방법은 장기기억의 지식을 증가시켜준다. 무작위 생성 원리를 사용하여 요소들 간의 관계를 검색하는 것보다는 그러한 관계들을 미리 저장해놓아 정보를 처리하기 위해 환경 조직 및 연결 원리를 사용할 수 있게 한다면 작동기억 부하를 줄일 수 있다(제한된 변화 원리).

Mayer, Mathias, Wetzell(2002)은 학습자들에게 내레이션이 있는 애니메이션을 통해 브레이크 작동 방법을 가르쳤다. 학습자는 내레이션이 있는 애니메이션을 처리할 때 요소 모델(브레이크 피스톤이 어떻게 움직이는가)과 인과 모델(피스톤의 움직임과 브레이크액에 일어나는 것 간의 관계)을 동시에 구축해야 하는데, 이러한 활동은 작동기억에 아주 높은 부하를 주게 된다. 요소 및 인과 모델을 동시에 배우게 하기보다, 요소 모델을 사전훈련함으로써 이후에 인과 효과에 보다 집중할 수 있도록 한다. Mayer와 Mathias 등에 따르면, 구성 부품의 명칭과 가동에만 제한하여 사전훈련을 한 결과, 문제해결에 있어서 유의미한 점수 향상이 있었다고 한다. 게임기반 지질학 수업에 대한 Mayer, Mautone와 Prothero(2002)의 사후 연구에서 주요한 지질학 특징(예: 산등성이)에 대한 설명을 사전에 훈련받은 학생들은 그런 훈련을 받지 않은 학생들보다 뛰어난 문제해결 수행을 보였다고 한다.

이러한 결과는 사전훈련 덕분에 요소 상호작용성 및 내재적 인지부하의 감소라는 말로 해석될 수 있다. Mayer와 Mathias 등(2002)의 연구에서 요소 및 인과 모형은 서로 밀접하게 연관되어 있어서 그것들의 요소끼리 상호작용한다. 인과 모형은 요소 모형 없이 이해되기 어렵다. 둘 다 동시에 제시하는 것은 요소들 간의 상호작용성의 좋은 예가 되지만 학습을 방해할 수 있는 매우 높은 내재적 인지부하가 발생한다. 요소 모형을 먼저 학습함으로써 많은 상호작용 요소들이 스키마들 속에 끼워 넣어질 수 있어서 이후에 인과 모형을 고려할 때 하나의 단일 요소로 취급될 수 있다. 이러한 방법으로 요소 상호작용성은 학습 전반에 걸쳐 비교적 낮게 유지되어서 작동기억의 한계 내에 있게 된다.

12장의 전문성 역효과에서 살펴보았듯이 Clarke, Ayres와 Sweller(2005)는 특정 일차 개념(수학 그래프)을 학습하는 데 필수적인 이차 기능(스프레드시트 지식)을 사전훈련하는 데 초점을 둔 연구를 수행하였다. 교육자들은 스프레드시트 도움으로 많은 수학 개념을 효과적으로 학습할 수 있다고 종종 추천하곤 한다. 그러나 새로운 스프레드시트 응용 프로그램과 새로운 수학 개념을 결합하는 것은 요소 상호작용성이 매우 높은 과제가 된다. Clarke 등(2005)은 스프레드시트 지식이 초기에 낮은 학생들이 스프레드시트 및 수학 개념을 동시에 다루도록 하는 동시 전략과 비교했을 때, 수학 개념을 배우기 위해 스프레드시트를 사용하기 이전에 스프레드시트에 대한 사전훈련에서 이점이 있음을 찾아내었다. 스프레드시트 및 수학과 관련된 요소들을 동시에 다루는 것은 학생들에게 작동기억 자원을 초과시킨다. 이와 대조적으로 스프레드시트에 대한 많은 지식을 가진 학생들은 동시적 방법에서 이점을 취한다. 이렇게 보다 많은 지식을 가지고 있는 학습자는 스키마에 통합되어 있는 스프레드시트와 연관된 많은 요소들을 이미 많이 가지고 있어서 수학과 별도로 스프레드시트 사용법을 가르치는 것은 불필요하다.

하위목표에 초점 맞추기

Catrambone(1998)은 학습자들이 예시 자료를 통해 얻은 지식은 개념은 유사하지만 절차는 매우 다른 과제로 전이할 때 어려움을 겪는다는 것을 관찰하였다. 통계 영역에서 일련의 실험에서, Catrambone(1998)은 학습자들이 하위목표에 대해 자신만의 해결책을 구조화한다면 지식 전이가 달성됨을 증명하였다. 이 과정에서 중요한 점은 단서 전략인데(차용 및 재조직 원리), 특정 단계들을 그룹으로 묶을 수 있음을 학생들이 알아차리도록 단서를 주기 위해 라벨을 사용하였다. 기반이 되는 이론적 논거에서 만일 학습자들이 특정 해결 단계들이 한 세트로 묶여있음을 단서로 제시받는다면 특정 단계들의 목적과 각 단계들이 왜 한 세트로 묶여있는지를 자기설명(Chi, Bassok, Lewis, Reimann, & Glaser(1989)의 연구 참조)하려고 할 것이라고 제안하고 있다. 자기설명 효과는 자기설명하지 않는 학습자들보다 스스로에게 개념이나 절차를 설명하려고 할 때 일어난다(14장 참조). 사전훈련 전략에서 기대했듯이, 학습자들은 이미 정의된 하위목표들을 연습할 기회를 제공받는 것이 아닌 제공된 단서에서 하위목표들을 형성하도록 요구받는다는 점은 주목할 만하다. 그럼에도 불구하고 사전훈련 전략은 학습자들로 하여금 강력한 스키마를 획득하여 자신의 지식 전이를 가능하게 해준다고 제안하고 있다.

Chi, de Leeuw, Chiu와 LaVancher(1994)는 과제들이 작은 부분들(sections)로 이루어져 있다면, 학습자는 새로운 지식을 오래된 지식과 더 통합하려고 한다고 제언하였다. 인지부하 관점에서 본다면, 이러한 제언은 내재적 인지부하의 감소와 일맥상통한다. 하위목표에 초점을 둔 교수환경을 만듦으로써 요소 상호작용성은 더 낮아지는데, 이는 특정 과제의 모든 요소들이 아닌 정해진 때에 하나의 하위목표 '부분' 내에 있는 요소들만 고려되어야 하기 때문이다. 예를 들면, 한 문제당 하나의 해결책에 8개의 단계가 요구되고, 이를 4개 단계로 묶어 두 개의 그룹으로 묶을 수 있다면, 두 개의 하위 그룹에 부가되는 요소 상호작용성은 8개의 단계들을 한꺼번에 처리하는 것보다 꽤 낮아질 것이다. 물론 요소 상호작용성에서 감소는 과제 내에서 변화로 인한 것임을 기억해야 한다. 학습자는 더 이상 두 부분으로 고립된 요소들이 각 부분들끼리 어떻게 상호작용하는지를 학습하지 않고, 부분들 내에서만 요소들이 어떻게 상호작용하는지를 학습한다.

선언적 정보와 절차적 정보를 따로 제시하기

Anderson의 ACT 이론에 기반을 둔 Kester, Kirschner와 van Merriënboer (2006) 연구에서 문제해결하는 동안 관리되어야 하는 정보의 유형을 선언적 정보와 절차적 정보로 구분하였다. Kester 등의 연구에서 선언적(declarative) 정보는 문제의 원인을 추론하여 해결책을 찾는 것과 관련되어 있고, 절차적(procedural) 정보는 환경을 조작하는 것과 관련되어 있다고 정의하였다. Kester 등은 동시에 두 가지 유형의 정보를 처리하는 것은 인지부하를 유발한다고 주장하였다. 특히, 선언적 지식이 절차적 지식보다 요소 상호작용성의 수준이 더 높기 때문에, 연습 중에 선언적 지식을 제시하면 안 된다는 점을 이론화하였다. 또한 초기에 절차들을 피함으로써 작동기억의 보다 많은 자원이 새로운 정보의 정교화에 기울여져서 스키마 획득을 이끈다고 하였다. Kester 등은 이 과정을 적시(just-in-time) 전략이라고 하였는데, 여기에서 과제의 절차적 측면을 초기에 포함하지 않도록 하여 내재적 인지부하를 관리한다.

전기회로에서 고장수리를 요하는 과제를 사용하는 네 집단 비교 연구를 통해 선언적 정보(연습 전) 후에 절차적 정보(연습 중) 혹은 그 반대로 계열화한 전략이 연습 전에 혹은 연습 중에 선언적 정보와 절차적 정보를 제시하는 전략보다 전이 과제에 뛰어남을 확인하였다. 이러한 결과는 내재적 인지부하를 줄이기 위해 연습 전에 약간의 정보를 제시하고 연습 중에 약간의 정보를 하나씩하나씩 제시하는 것이 더 좋다는 것을 명백하게 보여준다.

해결된 예제에서 내재적 인지부하 줄이기

Gerjets, Scheiter, Catrambone(2004)은 해결된 예제에서 전체 혹은 몰러(molar)와 부분 혹은 모듈(modular) 해결책 제시방식을 구분하였다. 전문성 이론 및 전문성과 스키마 획득 간의 관계에 대한 이론에 따르면, 성공적인 문제해결은 스키마 형태의 지식과 범주화 능력 덕분이다. 일단 문제가 어떤 범주에 속하는지 확인되면, 장기기억 속에서 가용한 관련 스키마는 필요한 해결책을 포함해 인출된다(Chi, Glaser, & Rees, 1982). Gerjets 등은 전통적인 교과서, 특히 과학 교과서의 경우 문제해결의 중요한 단계로 문제의 범주화를 강조하였다. 학생들은 문제들을 범주화하고 이것들과 연관된 해결책들을 배운다. 이러한 전략은 '비법(recipe)' 혹은 몰러(molar) 학습방법으로 칭해진다. Gerjets 등은 또한 전문가에게 적합한 문제 범주에 초보 학습자가 초점을 두게 하는 것은 높은 인지부하를 생성하여 효과적인 학습 방법이 아니라고 논하였다. 이들은 다음과 같이 제언하였다.

> 범주에 기반을 둔 방법은 학습자들로 하여금 문제 범주 및 그 해결책에 필요한 적절한 공식을 정확하게 정하기 전에 범주를 정하는 모든 구조적 특징들을 염두에 두도록 요구한다. 따라서 몰러 사례를 공부하는 것은 학습자들이 해당 문제의 범주를 이해하기 위해서 동시에 여러 구조적인 과제 특징들을 고려해야 한다는 것이다. (p. 43)

Gerjets 등(2004)은 높은 수준의 내재적 인지부하는 정교화 및 서로 다른 예제들 간의 비교를 방해하여서 피상적 학습을 가져온다고 제안한다. 이러한 상황을 막기 위해서 필요한 계산을 위해 사용될 수 있는 일부 독립적인 모듈들을 강조한 모듈식 접근방법을 통해 내재적 인지부하의 감소를 주장하였다.

일련의 실험에서 Gerjets 등은 모듈 전략과 몰러 전략을 직접 비교하였다. 순열이나 조합을 사용해야 하는 확률 이론 문제로, 7명의 선수들이 100미터 달리기에서 누가 1, 2, 3등으로 들어오는지를 정확하게 맞춰보는 확률의 해결된 예제를 제공하였다. 몰러 해결책에서는, 주어진 과제의 주요 특징들을 밝혀내었고, 그 과제가 왜 치환 없는 순열 문제를 사용해야 하는지 설명하였다. 이 설명 후에는 순열에서 총수를 계산하는 일반 공식 $n!/(n-k)!$이 이어졌다. 마지막으로, 이 문제와 관련된 실제 수들을 대입하고($n=7$, $k=3$), 이 수는 확률 최종답인 1/120으로 전환된다. 이와 대조적으로 모듈 전략에서는, 개별적으로 고립된 모듈 섹션들인 각 사건(1등, 2등, 3등)을 고려한 후 계산하였다. 마지막으로 최종 답을 구하기 위해 세 가지 확률(1/7, 1/6, 1/5)을 한꺼번에 곱하였다.

인지부하 관점에서, 일반화된 공식(몰러 방법)을 고려한다는 것은 달리기에서 누가 1등, 2등, 3등으로 들어오는지 등 동시에 처리해야 하는 많은 상호작용 요소들을 포함하고 있다. 모듈 방법은 한 번에 하나의 마무리 지점에 집중함으로써 요소 상호작용성을 현저히 줄여준다. 특정 공식을 구성요소들로 분해함으로써 대응하는 요소들을 분리시킨다.

이 책에서 보고되는 결과들은 다양한 유형의 문제 범주 및 학습자(사전지식이 높거나 낮음)를 포함하는 유사 문제와 새로운(전이) 문제에 있어서 모듈 방식이 몰러 방식보다 뛰어나고 동시에 공부 시간도 덜 소요된다고 하고 있다. 사후 연구에서 Gerjets, Scheiter, Catrambone(2006)은 동일한 확률 영역에서 교수 설명 및 자기 설명이 모듈 기법과 몰러 기법에 미치는 영향에 대해 알아보았다. 교수 설명 및 자기 설명 둘 다 몰러 및 모듈 기법에 차이를 보이지 않았다. 그러나 사전 연구와 일관되게 유사 문제 및 신규 문제에 대한 문제해결과 학습시간에 대해 모듈 전략이 우월하게 나왔다.

Gerjets 등(2004, 2006)의 연구에서 모듈 방식이 몰러 방식과 비교했을 때 요소 상호작용성 및 내재적 인지부하를 줄인다는 점은 중요하면서도 흥미롭다고 하고 있다. 그럼에도 불구하고, 이러한 연구 결과는 반복 검증이 필요한데, 진행된 실험들이 동시에 다양한 변수를 변경하였기 때문에 그 결과가 모듈 방식의 우월성 때문인지 여부를 알 수 없다. 예를 들면, 몰러 방식은 방정식을 사용한 반면 모듈 방식은 방정식과 관련 없이 그 절차에 대한 논리적 이유를 강조하였다. 두 조건의 차이는 이러한 차이에 의하여 유발된 것일 수도 있고 몰러 및 모듈 방식 간의 절차에 있어서 그 어떤 차이에 의한 것일 수도 있다. 중요한 하나의 변수만 변경하여 사후 연구를 수행할 필요가 있다.

Gerjets, Scheiter, Catrambone 연구에서 과제 자체의 복잡성은 줄어들지 않는다. 제시된 해결책만이 복잡성에 있어서 줄어들 뿐이다. Nadolski, Kirschner, van Merriënboer(2005)의 연구에서, 유사한 전략이 채택되었다. 이 연구에서, 법대생들은 소송을 수행하는 방법을 배우도록 하였다. 전체 과제 훈련, 지원도구, 피드백을 포함한 복잡한 학습 환경에서, 세 집단에게 해결된 예제 내에서 제공되는 해결 단계의 수를 제외하고 동일한 조건을 제공하였다. 중간 정도의 수를 제공받은 집단이 최소 혹은 최대의 수를 제공받은 집단보다 뛰어난 성과를 보였다. Nadolski 등은 너무 많은 단계들을 학습자에게 제공한 경우 학습 과제가 비교적 일관성이 떨어진다고 주장하였다. 떨어진 일관성은 늘어난 요소 상호작용성 때문에 일어날 수 있다. 너무 적은 단계들을 제공한 경우, 연구자들은 이 효과에 대한 그럴듯한 이유를 제공하지 않았지만, 가정컨대 이 학습자들이 유의미한 스키마를 구축하는 데 충분치 않은 정보가 제공되었기 때문일 것이다.

고립된 요소 효과

보다 단순한 부분 과제부터 보다 복잡하고 완전한 과제까지 스캐폴드를 사용함으로써 내재적 인지부하 감소는 효과적으로 증명되었다. 어떤 실험에서는 완전 과제에서 상호작용 요소들의 일부를 제거하여 처리되어져 그 결과 학습될 필요가 있는 일련의 분리되고, 상호작용하지 않는 요소들이 되는 관련 절차를 사용하고 있다. 이러한 교수 전략은 고립된 요소 효과, 상호작용 요소 효과로 불리지만, 이 책에서는 좀더 단순하게 '고립된 요소 효과(isolated element effect)'로 부르기로 한다.

인지부하이론 프레임워크 내에서 해당 이슈에 대한 첫 번째 연구에서 Pollock, Chandler, Sweller(2002)는 직접적으로 인지부하를 줄이기 위한 전략을 사용하였다. 두 개의 실험에서 훈련생들은 전기안전검사를 수행하는 방법을 배웠다. 이 검사를 수행하는 방법을 배우기 위해 학생들은 검사되어야 하는 전기장치(예: 주전자), 전압계 설정, 절연체, 전선 도판, 안전 측정을 위한 설정 준거와 부정확한 측정 결과 간에 발생하는 복잡한 상호작용을 이해해야 한다. 해당 영역에서 요소들을 분리하기 위해서 Pollock 등은 초기에 기본적인 절차적 단계만 설명하는 것에 대한 교수만 초점을 두었다. 예를 들면, 절연체 저항 검사의 경우 아홉 가지 단계가 '500볼트가 되도록 미터기를 설정하라'와 같은 연속된 절차들을 설명하는 해결된 예제에서 시연되어야 한다(Pollock et al., p. 65). 이와 대조적으로 상호작용 요소 집단은 이러한 수업뿐만 아니라 과제의 모든 측면을 완벽하게 이해하는 것과 관련된 설명적 정보를 제공받았다. '500볼트로 읽히도록 미터를 설정함으로써 부하가 심한 상황에서 전기장치를 검증하기 위해서 평균보다 더 큰 볼트가 각 회로 속에 흐르도록 할 것이다. 500볼트로 읽히도록 미터를 설정하라'(p. 65). 해당 영역에서 초보자들(1년차 훈련생)을 위해, 일곱 가지 요소들이 동시에 처리되어야 한다.

두 번째 단계에서, 학습자료는 반복되었으나 두 집단은 전체가 상호작용하는 요소들이 있는 교수 자료를 제공받았다. 따라서 고립된 요소 집단은 요소 상호작용성이 낮은 것에서 높은 것까지 점진적 내재적 인지부하를 경험한 반면, 상호작용 요소 집단은 높은 요소 상호작용성 및 내재적 인지부하 조건을 두 번 겪었다. 요소 상호작용성이 낮은 과제의 경우, 유사했지만 통계적으로 유의미하지 않았다. 난이도 평정 척도를 사용한 인지부하 자가 측정치의 유의미한 차이는 고립된 요소 집단의 경우에 인지부하가 보다 낮게 나타났다. 그러나 이러한 차이점은 초보자에게만 나타났다. 보다 많은 지식을 가진 학습자의 경우, 유의한 차이가 발견되지 않았다.

Pollock 등은 요소들을 분리하는 데 사용한 방법은 절차적 지식에 많이 의존하고, 이러한 점은 전체 결과에 영향을 끼칠 수 있음을 인식하였다. 결과적으로, 이들은 보다 많은 개념적 이해를 요하는 두 개의 추가 실험을 설계하였다. 이 실험에서 학생들은 산업용 오븐에 전원을 공급하는 전기회로에 대해 배워야 한다. 두 집단 모두 번호 매겨진 텍스트가 있는 회로 다이어그램을 제공받았다. 수업의 첫 번째 단계 동안, 고립된 요소 집단은 소수의 상호작용 요소들과 관련된 적은 양의 텍스트를 가지고 있었다. 상호작용 요소 집단은 보다 많은 텍스트 및 전체 시스템에 기반한 인과 관계를 보다 강조하였다. 이 두 실험에서 나온 결과는 이전 실험과 유사하였다. 사전지식이 높은 학습자의 경우, 두 전략 간에 유의미한 차이가 발견되지 않았고, 상호작용 요소 집단에 우호적으로 나오는 경향이 있었다. 이와 대조적으로 사전지식이 낮은 학습자의 경우, 모든 측정치가 고립된 요소 집단에 우세하게 나왔고, 높은 요소 상호작용성이 있는 과제에서 유의미한 차이가 나타났다.

Pollock 등의 연구 결과들은 일관되게 나타났다. 절차나 개념을 강조한 과제들에서 학습 초기 단계 동안 요소들을 분리하는 것은 효과적임이 밝혀졌다. 특히 요소 상호작용이 높은 과제에서, 검사 점수 및 인지부하 측정치 둘 다 이러한 결론을 뒷받침해주었다. 그러나 이 효과는 단지 사전지식이 낮은 학습자에게만 나다났다. 사전지식이 좀더 높은 학습자는 사전에 보다 단순한 내용들에 노출되지 않고 보다 복잡한 내용들을 배울 수 있어서 낮은 데에서 높은 내재적 인지부하로 점진되는 이러한 전략을 필요로 하지 않는다. 이러한 결과는 전문성 역효과와 일치한다(12장 참조).

단계별 점진 전략을 심층적으로 알아보기 위해, Ayres(2006b)는 기초적인 대수 개념을 가르치는 데 분리 요소 방법을 사용하였다. Ayres(2001, 2006b)가 수행한 이전 연구에서 $4(3x-6)-5(7-2x)$와 같은 괄호 전개 과제는 요소 상호작용성에 있어서 높게 나타났고, 대수 초보 학습자가 어려움을 느낀다고 보고하였다. 이러한 괄호들을 전개하기 위해서는 연속적으로 연산을 수행해야 한다. 그러나 수, 기호, 괄호 연산, 변수 x가 상호 연관된 방법은 높은 수준의 상호작용성이 유발된다. 학생들은 무엇을 함께 묶어야 하는지, 언제 묶어야 하는지, 얼마나 많이 계산을 전체적으로 해야 하는지를 결정해야 한다. 고립된 요소 환경을 만들기 위해서 일련의 해결된 예제들은 한 번에 한 개 계산만 시연되는 데 사용되었다. 예를 들면, 위의 문제들을 사용하여 학생들은 네 번째 계산인 $-5\times(-2x)$를 푸는 방법을 공부할 수 있었다. 그러고 난 후, 한 쌍의 해결된 예제 전략을 사용하여(8장), 학습자들은 $4(3x-6)-5(7-2x)$와 유사한 한 쌍의 괄호 전개 과제의 동일한 위치에 놓인 유사한 계산식을 사용하여 연습하였다. 동일한 방식으로, 학생들은 세 개의 다른 계산식에서 여러 쌍의 해결된 예제를 제공받았다.

이러한 고립된 요소 전략은 네 개의 계산식을 함께 보여주는 여러 쌍의 완전한 해결된 예제를 학생들에게 제공한 상호작용 요소 전략과 비교되었고, 학생들이 고립된 요소 전략에서 습득 단계를 거쳐 완전한 해결된 예제 전략으로 전환하는 단계별 전략과도 비교되었다. 실험에 참여하는 8학년들의 수학적 사전지식을 측정하였다. 2(높은 능력, 낮은 능력)×3(고립된, 상호작용, 단계별) 설계에서 유의미한 상호작용이 있었다(12장의 전문성 역효과 참조). 최소한의 수학적 지식을 가진 학생들은 고립된 요소 전략에 이점이 있었던 반면, 수학적 지식이 보다 높은 학생들은 완전한 상호작용 요소 전략에 이점이 있었다. 단계별 전략은 그 어느 수준에 있던 학생들이라도 유의미한 이점은 제공하지 않았다. 사후 획득 단계에서 수집된 인지부하 측정으로서 난이도 평정 척도에서 고립된 요소 전략은 다른 두 방법보다 덜 어려웠음을 알아내었고, 따라서 인지부하에서 전반적인 감소에 대한 가설은 지지되었다.

세 번째 연구로, Blayney, Kalyuga, Sweller(2010)는 대학교 1학년들을 대상으로 기본 회계 개념을 스프레드시트 수식으로 구성하는 방법을 배우도록 하여 고립된 요소 전략의 효과성을 검증해보고자 하였다. 이 연구에서는 Pollock 등(2002)이 사용한 전략과 유사한 두 단계 전략을 사용하였다. 첫 번째 단계에서 예산을 정하는 방법을 배우는 두 집단의 학생들은 고립된 요소 혹은 상호작용 요소로 된 수업을 받았다. 이러한 초기 단계 이후에 두 번째 단계에서는 두 집단 모두에게 완전한 상호작용 요소 형태의 수업을 제공하였다. 두 단계 모두 외재적 인지부하를 최소화하기 위해 해결된 예제를 사용하였다.

상호작용 요소 제시 방식의 경우, 여러 개의 계산식으로 이루어진 전체 수식은 하나의 스프레드시트 셀 안에서 함께 합쳐졌다. 이 형태에서, 수식은 동시에 고려되어야 할 필요가 있는 상호작용 요소들의 최대 개수로 이루어져 있다. 이와 반대로 독립된 요소 집단은 개별 스프레드시트 셀 안에서 필요한 계산식과 일치하는 하나 혹은 그 이상의 중간 단계들을 제공받은 후 이 단계들은 최종 답을 하기 위해 개별 셀 내에서 합쳐졌다. 이 독립된 요소 형태에서, 각 수식은 상호작용 요소들을 거의 가지고 있지 않았다. 이 집단은 완성하는 데 더 많은 단계들을 가지고 있지만 각 단계는 상호작용 요소들을 비교적 거의 가지고 있지 않았다.

사전지식이 낮은 학생들의 경우, 고립된 요소 전략을 초기에 사용하는 것은 완전한 상호작용 요소 전략을 초기에 사용하는 것보다 효과적이다. 이와 반대로 사전지식이 높은 학생의 경우, 두 전략에서 아무런 차이점이 발견되지 않았다.

전반적으로 위에서 살펴본 세 연구들(Ayres, 2006b; Blayney et al., 2010; Pollock et al., 2002)은 매우 유사한 결과를 가져왔다. 각 연구들에서 사전지식이 낮은 학습자의 경우, 고립된 요소 전략의 사용이 장점이 있다는 증거가 제시되었다. 그러한 장점은 사전지식이 보다 높은 학습자의 경우에 사라지거나 상반되었다. 초기 단계에서 내재적 부하를 줄이는 것은 초보자가 장기기억에 있는 부분 스키마를 개발하도록 도움을 주는데(정보 저장소 원리), 이는 학습이 지속될 때 환경 조직 및 연결 원리 덕분에 작동기억 한계(제한된 변화 원리)를 극복할 수 있다. 이와 대조적으로 사전지식의 수준이 보다 높은 학습자는 이들이 높은 수준의 요소 상호작용성을 다룰 수 있도록 하는 충분히 개발된 스키마 혹은 부분 스키마에 의해 예시화되면서 환경 조직 및 연결 원리를 사용할 수 있다. 이 세 개의 연구들이 매우 다양한 학습자 집단들(8학년, 회계 전공 대학생, 판매 견습생)로 다양한 학습 과제를 사용하였다는 점은 주목할 만하다. 유사한 결과가 다양한 학습자들과 다양한 과제에서 획득된 사실은 그 결과가 꽤 강력함을 제안하고 있다.

복합적 학습에서 4C/ID 모형

지금까지 설명한 전략들 모두 부분 과제 방법론을 사용하여 내재적 부하를 줄여준다. 이 방법론은 내재적 인지부하를 줄여주는데, 부분 과제는 완전한 전체 과제보다 상호작용 요소들을 거의 포함하고 있지 않기 때문이다. van Merriënboer와 그의 동료들이 만든 4C/ID 모형에서 부분 과제는 학습 과제를 효과적이면서 효율적으로 조직하기 위해 설계되는 전체 교수설계 모형의 필수적 요소이다(van Merriënboer, Clark, & de Crook, 2002; van Merriënboer, Kirschner, & Kester, 2003). 4C/ID 모형은 학습 과제, 지원 정보, 절차적 내용, 부분 과제 연습 등 네 개의 구성요소들로 이루어져 있다. van Merriënboer 등(2006)은 학습 과제(learning task)는 훈련 프로그램의 중추이며, 가급적 실제 시나리오에서 취해진다고 요약하고 있다. **지원 정보**(supportive information)는 특정 영역에서 학습자들이 문제해결하고 추론하도록 도와주는 정보를 제공해준다. **절차적 정보**(procedural information)는 특정 조건하에서 수행되어야 하는 반복적 절차를 학습하도록 도와주기 위해 제공되며, **부분 과제 연습**(part-task practice)은 고도로 자동화되어야 하는 반복적인 과제를 위한 것이다.

4C/ID 모형이 수업 자료보다 교육 프로그램에 보다 초점을 두고 있음에도 불구하고(van Merriënboer & Sluijsmans, 2009), 외재적 및 내재적 인지부하를 줄이는 방법도 제공하고 있다. 필요할 때 지원과 도움을 제공함으로써(즉시적 도움) 외재적 인지부하가 낮아진다. 전문성이 증가되면서 이 스캐폴딩 전략들은 소거 전략에 따라서 줄어든다(Renkl & Atkinson, 2003; van Merriënboer et al., 2003; 13장 참조). 내재적 인지부하는 부분 과제를 사용하여 낮춰진다. 그러나 그러한 과제들이 반드시 본래의 전체 과제의 부분집합일 필요는 없지만, 구구단표와 같이 완전히 익혀야 하는 기초적인 기능일 수 있다. 부분 과제를 초기에 제시하는 것은 절차나 규칙을 공고히 하는 데 도움을 주어, 이후 단계에서 부분 과제가 전체 과제에 적용될 수 있게 해준다(van Merriënboer et al., 2002).

그럼에도 불구하고 부분-전체 계열을 강조하는 위의 방법과 반대로 van Merriënboer(2003)는 또한 어떤 환경하에서는 부분 과제 연습이 전체 과제 뒤에 소개되어야 하고, 보다 큰 그림의 맥락에서 부분 과제들이 연습되어야 한다고 주장하였다. 4C/ID 모형의 핵심적 특징은 초기 과제가 전체적이면서 의미 있게 하여 학습자들로 하여금 통합된 관점을 즉시적으로 접하게 하는 것이다(van Merriënboer et al., 2006). 이러한 관점에서, 4C/ID 모형은 전체-부분 방법을 채택하였다. van Merriënboer 등(2003)은 부분 과제 방법이 수많은 지식, 기술, 태도를 통합하도록 요하는 복잡한 학습 환경에서는 효과적이지 않다고 지적하였다(van Merriënboer & Kester, 2008). 복잡한 운동 과제 및 많은 실제적인 전문 과제들의 경우 학습자들은 다양한 하위 과제들 간의 연관된 상호작용들 및 협응들을 이해하고 배우는 것은 필수적이다. 따로 떨어뜨려 하위 학습 과제들을 배우는 것은 이러한 상호작용들을 놓치게 만든다. 그러한 모든 상호작용들을 확인하도록 보장하기 위해서 4C/ID 모형은 완전한 복잡성으로 진전되기 전에 보다 단순화된(내재적 인지부하가 감소된) 형태이지만 전체 과제들을 초기에 제시해야 한다고 제안한다.

다양성 효과

위의 연구들은 모두 내재적 인지부하를 줄이기 위해 설계된 것이다. 가능하면 항상 감소되어야 하는 외재적 인지부하와 다르게, 내재적 인지부하는 줄여져야 하는 것이 아닌 최적화되어야 한다. 만약 내재적 인지부하가 작동기억 용량을 넘어선다면, 학습 및 문제해결은 방해받을 것이다. 마찬가지로, 만일 내재적 인지부하가 작동기억에서 가용한 것보다 더 적은 인지 자원을 요구하면서, 과제와 관련된 상호작용 요소들의 수가 증가된다면, 학습은 내재적 인지부하가 증가함으로써 향상될 것이다.

8장에서 해결된 예제 효과에 대해 논의할 때, 검토된 많은 연구들은 전이 과제들을 포함하고 있었다. 다른 많은 프레임워크와 공통적으로 인지부하이론은 전이 검사의 중요성을 인지하고 있다. 학습된 지식 및 기술을 이전에 공부한 것과 다른 범주에 속하는 문제에 적용할 수 있음을 보여주는 것은 보다 정교하고 유연한 스키마를 구축하고 있음을 나타내는 것이다. 초기 연구에서 해결된 예제는 전이 능력을 성공적으로 촉진할 수 있다고 제시하고 있음에도 불구하고 연구자들은 명확하게 전이를 촉진하는 예들을 구조화하는 방법들을 연구해왔다. 그러한 방법을 다양성 내지 **다양한 맥락 사례**(varied context examples)라고 부르는데, 이는 **다양성 효과**(variability effect)를 이끈다(Clark, Nguyen, & Sweller, 2006).

굉장히 다양한 예들을 포함하고 있는 사례기반 수업(차용 및 조직 원리)이 상대적으로 다양성이 낮고 비교적 유사한 예들로 하는 수업과 비교해 높은 전이 점수가 나올 때 다양성 효과가 나타난다. 증가된 다양성에 노출된 학습자들은 해결된 예제의 의미 있는 특징과 무의미한 특징을 어떻게 변별하는지를 배우게 된다고 가정될 수 있다. 높은 다양성을 통해, 학습자들은 원리 지식을 포함하고 있는 장기기억고로 옮겨지는 스키마를 축약할 수 있고, 환경 조직 및 연결 원리를 통해 언제 그 원리들을 적용하는지를 배울 수 있게 되어서(Clark et al., 2006) 전이 능력이 강화된다.

Paas와 Merriënboer(1994)는 인지부하 관점에서 다양성에 대한 첫 번째 연구를 수행하였다. 기술학교 2학년들을 대상으로 컴퓨터가 제어하는 기계 프로그래밍을 피타고라스 원리와 같은 몇몇의 기하학 원리를 배우는 데 적용하도록 하였다. 다양성이 낮은 경우 문제의 값을 변경하여 다른 문제를 생성한 반면, 높은 다양성의 경우 값과 문제의 형태를 바꾸었다. 예를 들어, [그림 16.1]의 문제들을 보자. [그림 16.1a]는 두 점 사이의 거리를 계산하는 예를 제공해준다. [그림 16.1b]는 다양성

a. P가 (1, 1)이고, Q가 (4, 5)일 경우, PQ의 길이를 구하라.

답: $PQ = \sqrt{(4-1)^2+(5-1)^2}$

$= \sqrt{3^2+4^2}$

$= \sqrt{25}$

$=5$

b. P가 (2, 3)이고, Q가 (8, 11)일 경우, PQ의 길이를 구하라.

답: $PQ = \sqrt{(8-2)^2+(11-3)^2}$

$= \sqrt{6^2+8^2}$

$= \sqrt{100}$

$=10$

c. P가 (1, 1), Q가 (x, 13), PQ의 길이가 13인 경우, x를 구하라.

답: $PQ = \sqrt{(x-1)^2+(13-1)^2}=13$

$(x-1)^2+12^2=13^2$

$(x-1)^2=13^2-12^2$

$(x-1)^2=25$

$x-1=5$

$\therefore x=6$

그림 16.1
(a) 거리 구하기 공식을 활용한 해결된 예제, (b) 거리 구하기 공식을 활용한 다양성이 낮은 문제, (c) 거리 구하기 공식을 활용한 다양성이 높은 문제

이 낮은 사례를 보여주고 있는데, 수가 바뀔 때 정확하게 동일한 방법으로 적용된다. 이와 대조적으로 [그림 16.1c]는 높은 가변성을 가진 예인데, 해결책이 시연될 때 공식이 적용되어야 하고 이후에 미지수 x를 찾기 위해 조작되어야 하기 때문이다.

Paas와 Merriënboer는 2×2 연구 설계(해결된 예제－높은 다양성, 해결된 예제－낮은 다양성, 문제해결－높은 다양성, 문제해결－낮은 다양성)를 하였는데, 해결된 예제가 전통적인 문제해결보다 정신적 노력을 덜 수반하면서 더 나은 전이를 이끄는 것을 알아내었다. 다양성은 해결된 예제 형태에서는 효과적이었지만 전통적인 문제해결 형태에서는 효과적이지 않음을 나타내는 상호작용 또한 있었다. 높은 다양성과 해결된 예제의 조합은 다른 집단보다 전이 결과가 우수하였다.

Quilici와 Mayer(1996)는 다양성이 지식의 전이를 가속화함을 알아내었다. 이들의 연구에서 통계학 수업에서 두 개의 주 전략을 비교하였다. 한 전략은 표면적 특징은 다양하지만 구조적 특징은 다양하지 않았고, 다른 전략은 표면에 드러난 이야기는 다양하지 않았으나 기저에 깔린 구조는 다양하였다. 다양한 구조는 구조에 기반된 분류 수행을 우월하게 이끌었고, 구조적 다양성이 증가된 예를 제공받은 학습자는 정확한 통계적 검증 방법을 더 잘 선택하여 범주화할 수 있었다. 범주화하는 것의 성공은 학생들이 표면적 특징 대신에 구조적 특징에서 나타나는 차이점에 초점을 둘 수 있는 예를 제시함으로써 향상될 수 있다고 결론내려졌다.

다양성의 다양한 형태는 **맥락적 간섭**(contextual interference)이라 불리는데, 이는 문제의 계열화를 포함한다. 문제들이 서로 가까이에 위치해있고, 문제해결을 위해 동일한 능력들을 필요로 한다면, 맥락적 간섭은 낮다고 할 수 있다. 이와 대조적으로 문제들이 서로 가까이에 위치해있고, 문제해결을 위해 서로 다른 능력들을 필요로 한다면, 맥락적 간섭은 높다고 할 수 있다. van Merriënboer(2002, p. 14)는 이러한 차이점을 증명하기 위해 다음의 예를 사용하였다. 낮은 맥락적 간섭은 한 문제에 필요한 능력들은 다른 문제로 이동하기 전에 연습되는 blocked practice(예: B-B-B, A-A-A, C-C-C)에 의해 만들어질 수 있다. 높은 맥락적 간섭은 서로 다른 능력들에 대해 무자위로 함께 묶여진 연습에 의해 만들어질 수 있다(예: C-A-B, B-C-A, B-A-C).

De Croock, van Merriënboer, Paas(1998)는 학습자들로 하여금 고장 난 시스템을 수리하도록 요구하는 연구에서 맥락적 간섭이 높은 접근과 낮은 접근을 비교하였다. 높은 맥락적 간섭 환경에서 고장수리 연습을 한 학습자들이 비교적 낮은 간섭하에서 연습한 학습자들보다 전이 능력이 뛰어남을 발견하였다. 장점은 희생이 따르기 마련이다. 높은 간섭 조건하에서 연습한 학생들은 기술 습득이 지체되었다. De Croock 등은 높은 맥락적 간섭은 더 많은 인지부하를 발생시킬 것이라고 예측하였다. 수행 결과가 이러한 예측과 일치하였음에도 불구하고, 습득 기간 동안 정신적 노력을 평정한 것에 아무런 차이가 나타나지 않았다. 이러한 연구 결과를 분석한 결과, van Merriënboer 등(2002)은 고장수리 과제의 낮은 복잡성 때문에 정신적 노력에 아무런 차이가 없었음을 알아내었다.

van Merriënboer 등(2002)이 수행한 사후 연구에서 공대생들이 다양한 프로그래밍 능력을 배우는 보다 복잡한 학습 환경을 사용하였다. 실험 2에서 높은 맥락적 간섭의 집단은 낮은 집단보다 습득 기간 동안 좀더 많은 시간과 정신적 노력을 필요로 하였고, 인지부하가 증가하였다는 증거가 제시되었다. 인지부하 증가에도 불구하고, 높은 맥락적 간섭을 제공받은 집단은 전이 검사에서 비교적 적은 실수를 범하였다. 따라서 인지부하 증가는 유익하였기 때문에 그 증가는 외재적 인지부하로 인한 것이 아니었다. 증가된 다양성으로 인한 인지부하 증가는 내재적 인지부하의 증가 때문이고 이는 본유적 부하의 증가를 가져온다고 가정하는 이론적 근거들이 있다.

다양성과 내재적 인지부하의 증가

다양성의 증가가 가지는 장점들에 대한 초기 연구에서는 오로지 본유적 인지부하 관점에서 설명하고 있다(Paas & van Merriënboer, 1994; Sweller, van Merriënboer, & Paas, 1998). van Merriënboer와 Sweller(2005)는 다양성을 통해 학습자들은 보다 심층적으로 처리하고, 보다 유연하면서 잘 연결된 스키마를 구축하는 데 관여하는 기회를 갖게 된다고 첨언하였다. 그러한 설명은 이 책의 본유적 자원에 대한 정의를 사용할 때 유효하다(5장 참조). 본유적 인지부하란 내재적 인지부하에 헌신하는 작동기억의 자원이라는 용어로 정의됨을 상기하자. 이 책의 저자들은 다양성의 증가는 내재적 인지부하를 증가시키며, 따라서 이 공식에 근거하여 추가되는 작동기억 자원은 내재적 인지부하에 기여해야 한다고 제안하고 있다.

다양성이 변경되면 과제의 속성도 변경되는데, 이는 내재적 인지부하에서 변화를 초래한다. 문제의 다양성이 낮을 때, 학습자들은 하나의 특정 구조를 가진 문제들을 어떻게 푸는지 방법만 배우기만 하면 된다. 이들은 심층 구조 내의 다양성과 관련된 요소들을 무시해도 되는데, 심층 구조는 비교적 일정하기 때문이다. 다양성이 증가할수록 학습자들은 문제 내에 반영된 다양한 구조들과 관련된 더 많은 요소들을 고려하고, 그러한 요소들을 다루는 방법들을 배워야 한다. 요소 상호작용성 및 내재적 인지부하는 증가된 다양성과 함께 증가된다. 그러한 증가는 증가된 내재적 인지부하를 다루는 데 쏟는 추가적인 작동기억 자원(본유적 자원)을 필요로 한다. 실상, 다양성이 바뀔 때마다 학습자들이 직면하는 과제의 속성은 요소 상호작용성 및 내재적 인지부하에서 수반되는 변화와 함께 바뀐다. 보다 큰 범위의 문제들을 어떻게 다루는지를 배우는 것은 새로운 과제에 대한 전이 수행을 높일 수 있는 지식을 증가시키는데, 이는 새로운 과제가 이미 접한 과제와 유사할 가능성이 높아지기 때문이다. 이 결과들은 Paas와 Merriënboer(1994)에 의해 얻어졌다.

물론, 내재적 인지부하와 연관된 상호작용 요소들의 개수를 증가시키는 것은 추가 요소들을 처리할 수 있을 정도의 충분한 작동기억 용량이 있을 경우에 실행 가능한 교수 전략이다. 개수가 증가된 요소들을 다룰 만한 작동기억 용량이 충분치 않다면 증가된 다양성은 긍정적 효과가 아닌 부정적 효과를 가져올 것이다. 내재적 인지부하는 단순히 높이거나 낮추는 것이 아니 최적화되어야 하고, 최적화된 수준의 내재적 인지부하는 학습자의 지식 수준에 대한 교수자의 판단에 달려 있다. 보다 높은 수준의 지식을 가진 학습자는 감당하기 힘든 작동기억의 범위를 초과하지 않고 내재적 인지부하에서의 증가를 가능케 해주는 충분한 용량을 갖는다.

요약하면, 해결된 예제에서 다양성 증가는 내재적 인지부하를 증가시키는데, 이는 학습자들이 증가된 다양성과 연관되어 추가된 상호작용 요소들을 처리해야 하기 때문이다. 결국, 증가된 다양성 덕분에 획득된 추가 지식은 전이를 촉진해야 하는 데 이는 실증적 연구 결과들로 설명되어야 한다.

적용 조건

내재적 인지부하는 학습자의 지식에 달려있다. 사전지식이 낮은 학습자는 정보를 다 함께 스키마로 묶는 능력에 있어서 제한적이어서, 복잡한 내용의 경우, 작동기억 내에 대량의 상호작용 요소들을 동시에 처리해야만 한다. 따라서 이런 학습자의 경우, 복잡한 내용을 배우는 것은 매우 어려울 수 있다. 결과적으로 사전지식이 낮은 학습자의 경우, 부분 과제 방법을 제공하는 것은 상당한 장점들을 가지고 있는데, 낮은 수준의 요소 상호작용성을 가진 과제를 먼저 제공한 후 보다 높은 수준의 요소 상호작용성을 가진 좀더 완전한 과제를 제공함으로써 내재적 부하가 상당히 줄게 된다. 내재적 부하가 줄게 되면, 학습자는 복잡한 내용을 더 이해하게 되고 배울 수 있게 되어서, 종국에 전체 과제로 나아갈 수 있도록 해주는 부분적인 스키마를 만들 수 있게 된다. 이와 반대로 사전지식이 보다 많은 학습자들은 작동기억 부하 없이 동시에 보다 많은 상호작용 요소들을 처리할 수 있어서, 부분 과제 방법에서 제공되는 스캐폴딩 전략은 필요 없다. 일반적으로 부분-전체 계열화 방법이 효과적인 학습전략이다.

이 특별한 스캐폴드의 다른 측면은, 만약 요소 상호작용성이 낮다면, 다양성에서 증가를 통해 내재적 인지부하를 증가시킴으로써 학습은 촉진될 수 있다. 부분-전체 계열화가 그러하듯이, 요소 상호작용성 수준을 최적 수준으로 변경하는 것은 지식수준이 적절한 경우에만 행해져야 한다. 학습자들이 다양성이 낮은 정보를 처리하는 데 어려움이 있을 때 다양성을 증가시키는 것은 학습을 증가시키는 것이 아닌 감소시키는 것으로 기대될 수 있다.

교수활동 시사점

교수에 주는 시사점은 매우 명확하다. 사전지식의 수준이 낮은 학습자는 요소 상호작용성이 낮아지지 않는다면, 복잡한 내용을 배우는 데 어려움을 겪을 수 있다. 복잡성은 독립된 요소들을 사용하는 것과 같은 전략들에 의해 낮아질 수 있다. 복잡한 내용을 학습하는 것은 초기에 요소 상호작용성을 줄이고 난 후, 완전한 요소 상호작용성으로 신중하게 진전함으로써 달성될 수 있다. 이와 유사하게, 요소 상호작용성의 최적 수준은 예제의 다양성을 증가시킴으로써 달성될 수 있다. 결과로서 획득된 증가된 지식은 전이 과제를 해결할 때 이점이 있을 수 있다.

5장에서 요소 상호작용성이라는 용어로 이해와 기계적 학습을 구분하였다. 이해를 동반한 학습은 요소 상호작용성이 높은 정보를 위한 것인 반면 암기 학습은 요소 상호작용성이 낮거나 높은 정보에 적용될 수 있다. 요소 상호작용성이 낮은 정보를 다룰 때 기계적 학습은 불가피한데, 이는 다른 형태의 학습이 가능하지 않기 때문이라고 가정하고 있다. 부분-전체 학습을 다루는 해당 장에서 보고된 연구에서 요소 상호작용성은 과제의 어떤 측면이 거의 이해 없이도 쉽게 기계적 암기가 될 수 있는 지점까지 요소 상호작용성이 줄어들었다고 하였다. 그러나 그러한 과제들이 어느 정도 자동화를 얻게 될 때, 그 과제들은 하위목표, 중요한 절차 혹은 하위과제이고, 기계적 학습일지라도 획득된 부분 지식은 이후에 필수적인 모든 상호작용 요소들을 가진 완전한 과제에 노출될 때 완전한 이해를 만드는 데 중요한 연결 고리로 역할을 한다.

내재적 부하를 줄이는 것과 제휴하여 해결된 예제를 활용하는 것은 이점이 있을 수 있다. 8장에서 논의하였듯이, 해결된 예제는 외재적 인지부하를 줄이는데, 따라서 해결된 예제와 줄어든 요소 상호작용성의 조합은 이상적 학습 환경에 줄어든 인지부하를 제공해준다.

결론

이 장에서 보고된 연구들은 다양한 영역, 다양한 학습자들을 대상으로 수행되었지만 내재적 인지부하를 줄이거나 높임으로써 이 부하를 최적화하였다는 하나의 공통점을 가지고 있다. 내재적 인지부하를 줄이는 것은 단순한 것부터 복잡한 처리과정으로 계열화하는 것을 통해 공통적으로 달성되었다. 연구자들은 사전훈련하기, 하위목표에 초점 두기, 절차적 과정과 개념적 과정을 분리하기와 같이 사용된 방법들을 설명하기 위해 다양한 명칭을 사용해왔지만 이 모든 경우에서 최종 결과는 요소 상호작용성을 줄이는 데 있다. 내재적 인지부하의 증가는 예제의 다양성을 높임으로써 달성된다.

요소 상호작용성을 감소시키는 것에 대한 효과성은 학습자의 사전지식 수준에 달려 있는데, 이는 전문성 역효과를 초래한다. 초보 학습자는 특정 영역에서 지식이 많은 학습자보다 요소들의 상호작용 정도를 줄이는 전략에서 더 많은 이점을 얻는 경향이 있다. 특정 영역에 대한 지식은 학생들로 하여금 상호작용하는 요소들을 한 번에 더 많이 처리하도록 해주는데, 초보 학습자들을 위해 과다한 내재적 인지부하를 줄이는 전략들(10장의 중복 효과, 12장의 전문성 역효과 참조)을 만든 것이다. 전문성 역효과는 다양성 효과를 위해 아직 증명되지 않았지만 이론적 근거가 있기 때문에 전문성 역효과를 얻을 수 있을 것으로 기대하고 있다. 충분한 지식이 있는 학습자의 경우, 높은 다양성이 유리할 수 있다. 사전지식 수준이 낮은 학습자의 경우, 다양성 증가는 이들의 작동기억 용량을 초과하기 때문에 학습에 도움이 되기보다 오히려 방해가 될 수 있다.

5장에서 내재적 인지부하는 변경될 수 없다고 제시하였는데 이 부하는 특정 과제에 고유한 것이기 때문이다. 실제로, 학습 과제 및 학습자의 지식수준이 일정하게 유지된다면, 내재적 인지부하 역시 일정하게 유지된다. 따라서 내재적 인지부하만

이 과제 속성 및 학생들이 배우길 기대하는 것(학습목표)의 속성이 바뀜으로써 변경될 수 있다. 정확하게는, 그러한 변화는 이 장에서 기술한 모든 실험들에서 일어났다. 수업의 어느 시점에서 배워야 하는 것의 이러한 변화는 이전 장에서 논의한 외재적 인지부하를 바꿈으로써 변경하는 것에 따른 결과와 대비될 수 있다. 외재적 인지부하가 변할 때 배워야 하는 것이 변하지 않는다. 외재적 인지부하가 조작될 때 주제 내용을 학습하는 것의 효과성 및 효율성만이 변할 뿐이다.

마찬가지로, 사례의 다양성을 증가시키면서 작동기억의 용량을 충분할 때까지 사용함으로써 요소 상호작용성 및 내재적 인지부하를 최적화할 수 있다. 학습에서 부하의 증가는 결국 실패로 끝나게 한다.

제17장

인지부하이론에서 새로운 주제: 일시적 정보 효과와 집합적 작동기억 효과

이 책에서 살펴본 인지부하 효과들은 수많은 연구들과 연구집단들 사이에서 수집된 유의미한 지지 증거들을 기반으로 하고 있다. 다양한 효과들에 대한 설명들을 마무리짓기 위해 이 장에서 두 개의 새로운 효과들을 다루고자 한다. 이 효과들에 대한 지지 연구들은 초기 단계에 있지만 그 효과들이 실제적이면서 중요한 인지부하 효과라는 증거들이 증가하고 있다. 이번 장에서 **일시적 정보 효과**(transient information effect)와 **집합적 작동기억 효과**(collective working memory effect)에 대해 살펴보도록 하자.

일시적 정보 효과

외재적 인지부하를 생성하는 교수설계는 학습을 방해한다는 것을 이 책 전반에 걸쳐 언급하였다. 이 주장의 핵심은 작동기억에서 요구하는 인지과정의 용량이다. 만일 무작위 생성 원리를 통해 비효율적인 검색을 수행하고, 다른 정보를 처리하려고 하는 동안 정보를 붙잡고 있거나 중복된 정보를 통합하는 데 작동기억이 사용된다면, 제한된 자원들만이 사용되어 스키마 획득을 촉진하는 데 실패할 것이다. 우리는 학습자들로 하여금 정해진 목표를 가지고 문제를 해결하도록 하거나 주의분산된 형태의 자료들을 다루도록 요구함으로써 외재적 인지부하를 증가시켜 왔다. 이와 대조적으로 무목표 문제나 해결된 예제의 제시는 외재적 인지부하와 관련된 불필요한 상호작용 요소들을 줄임으로써 외재적 인지부하를 줄일 수 있을 뿐만 아니라 실제 학습이 이루어지기 위해 필요한 본유적 인지처리를 촉진한다. 이러한 전략들이 효과적인 이유는 충분한 작동기억 자원(제한된 변화 원리)이 스키마를 만드는 활동(정보 저장 원리)들에 노력을 쏟기 때문이다. 바꿔 말하면, 스키마는 환경 조직 및 연결 원리를 통해 활성화될 수 있다. 이 책에서는 지금까지 수많은 교수설계의 오류(예: 주의분산 효과 및 중복 효과)와 이러한 교수절차들을 피하는 방법들을 제안하였다. 여기에서 몇몇 최신의 기술적으로 도출된 교수절차들이 원천적으로 외재적 인지부하를 생성하는 것에 대해 살펴보고자 한다. 그렇게 부과되는 인지부하는 일시적 정보에 의해 발생한다.

교사가 구두로 학급에서 혹은 학생에게 무엇인가를 설명할 때마다, 학생들이 서로 말하거나 남의 말을 들을 때마다 제시되는 내용들은 일시적 특징을 가지고 있다. 그것이 가진 속성상 모든 말은 일시적이다. 만일 이것이 저장되지 않는다면 모든 음성 정보들은 사라질 것이다. 이것이 학습자에게 중요한 정보라면 학습자는 이를 기억해야 한다. 언어(verbal) 정보는 글로 쓰여졌을 때 더 잘 기억된다. 쓰여진 것은 일시적인 음성(oral) 정보가 영구적인 형태로 바뀐 것이다. 영구적인 문자로 된 기록이 없다면 학습자는 그것이 사라지기 전에 작동기억에 유지하기 위해서 인지적으로 반복암송 전략을 사용해야 한다. 쓰여지지 않는다면 또는 학생들이 영구적 기록에 추가적으로 접근을 하지 않는다면, 보다 많은 정보를 학습하게 될수록 기억하는 것이 점점 어려울 수 있다. 게다가 만일 음성(spoken) 정보가 복잡한 인지처리를 요한다면 작동기억에 요구되는 것이 심지어 방해가 될 수 있다. 예를 들면, 교사가 내용을 이해하기 위해 통합되어야 하는 정보를 포함하고 있는 각 문장들을 여러 음성 정보로 된 문장을 사용해 요점을 설명한다면, 작동기억에서의 요구가 초과될 수 있다. 한 문장에서 나온 정보는 작동기억에서 붙잡고 있어야 하고, 다른 문장에서 나온 정보는 그것과 통합된다. 이러한 관점에서 그러한 정보들은 높은 인지부하를 생성하게 된다. 따라서 만일 문자(written) 정보처럼 조작 가능한 부분으로 분리되거나, 노트같이 외부적으로 부하를 줄여주는 장치가 지원되지 않는다면 모든 음성 정보들은 학습을 방해할 가능성을 가지고 있다.

일시적 정보 효과(transient information effect)란 학습자가 정보를 충분히 처리할 시간 또는 새로운 정보와 연결시킬 시간을 가지기 전에 그 정보가 사라져 학습의 손실이 일어나는 것을 말한다. 일시적 정보 효과를 가져오는 그러한 정보의 주요 특징들은 당연히 '일시적'이라는 것도 있지만 또 다른 중요한 특징이 있다. 정보가 일시적이어야 한다는 것뿐만 아니라 정보 안에 담겨져 있는 내용의 요소 상호작용성이 높아야 한다는 것이다. 작동기억에서 처리될 수 있는 일시적 정보는 일시적 정보 효과를 가져오지 않는다.

현대 기술의 발달로 인해 영구적 정보가 일시적 정보로 전환되는 데 자주 사용되는 두 가지 절차가 있다. 첫째, 문자 정보들은 음성 정보로 쉽게 전환될 수 있어서 위에서 살펴본 것처럼 전환된 것은 영구적인 것을 일시적인 정보로 전환시킨다. 10장의 감각양식 효과에서 문자 정보를 음성 정보로 전환시키는데, 이러한 감각양식 효과와 일시적 정보 효과가 상호작용할 것이라고 예상할 수 있다. 둘째, 정적인 그래픽 정보는 동적인 정보(애니메이션)로 전환될 수 있다. 정적 그래픽은 영구적이지만 애니메이션은 일시적이다. 일시적 정보라는 맥락 안에서 구두로 제시되는 정보와 동적인 정보에 대해 살펴보도록 하자.

감각양식 효과와 일시적 정보

10장에서 다룬 감각양식 효과에서 살펴보았듯이 청각 정보와 시각 정보를 결합하는 것은 학습에 긍정적 효과를 준다. 이러한 정보의 두 원천들은 서로를 참조하기 때문에 분리되면 이해되기 어렵다. 시각으로만 된 정보보다 시청각으로 된 정보를 사용하는 것의 장점은 감각양식 효과로 귀결된다. 이전에 언급했듯이 청각 및 시각 채널을 둘 다 사용하는 것은 모든 내용들이 시각 형태로 제시되었을 때 일어나는 시각 채널에서의 부하를 줄여준다.

Ginns(2005b)의 43개 연구를 메타분석한 결과를 참고하면 감각양식 효과를 증명한 다양한 연구들이 있지만 예외적인 몇몇 연구 결과들도 있다. 예를 들면, Tabbers, Martens, van Merriënboer(2004)와 같은 몇몇 연구들은 시각으로만 한 수업이 시청각 수업보다 우월함을 보여주었는데, 이는 다중양식 효과가 역전된 경우이다. 연구에서 시스템 통제가 아닌 학습자 통제를 사용하였고, 시스템 통제의 경우에 감각양식 효과가 일어나는 것 같다고 제언하였다. 학습자 통제는 작동기억에서 장기기억으로 정보를 옮기는 데 충분한 시간을 제공하기 때문에 작동기억 부하로 인한 감각양식 효과는 사라지게 된다. 그럼에도 불구하고 일시적 정보 효과는 역전된 감각양식 효과에 대한 대안적 설명을 제공해준다. Tabbers 등은 상대적으로 긴 텍스트 자료를 사용하였다. 그러한 자료가 음성 형태로 제시될 때 작동기억은 과부하가 일어난다. 문자 형태로 제시될 때는 간단한 절을 훑어보고, 보다 복잡한 절에는 집중하는 것이 가능해질 수 있다. 결과적으로, 청각 정보의 일시성 때문에 문자 정보의 장점이 부각되는 역전된 양식 효과가 일어날 수 있다.

Wouters, Paas, van Merriënboer(2009) 등은 학습자 통제를 할 경우 감각양식 효과를 얻는 데 실패했다. Tabbers 등의 연구와 유사하게, 이 실험에서는 비교적 긴 음성 혹은 문자 정보를 사용했는데, 영구적인 문자로 된 정보 조건보다 일시적인 음성으로 된 정보 조건하에서 보다 높은 작동기억 부하가 나타났다.

Schmidt-Weigand, Kohnert, Glowalla(2010)는 감각양식 효과에 대해 극히 제한된 증거를 얻었으나 학습자 통제 상황에서는 아무런 증거를 얻지 못했다. 제시 속도나 시스템 통제 혹은 학습자 통제 그 어느 것도 감각양식 효과에 영향을 미치지 않았다. 일반적으로, 문자로 된 수업보다 음성으로 된 수업의 장점은 아무것도 발견되지 않은 반면, 음성 정보 조건은 언어 형태가 아닌 그림 정보로 된 파지 검사에서 우위를 보였다. 음성이나 문자로 된 수업의 복잡성은 감각양식 효과를 얻는 데 실패한다는 주장은 복잡하면서 일시적인 정보는 영구적인 정보보다 작동기억에 과부하를 줄 수 있다는 주장과 일치한다.

Leahy와 Sweller(출판 중)는 두 개의 실험 연구를 통해 일시적 정보 가설과 감각양식 효과와의 관계를 직접 검증해보았다. 첫 번째 실험에서, 초등학생들에게 하루 동안 온도 변화를 나타내는 시간-온도 그래프를 읽는 방법을 가르쳤다. 대부분의 언어 정보는 긴 정보 단위로 제시되었다. 그 결과, 음성 정보보다 문자 정보에서 강력하게 역전된 감각양식 효과가 나왔다. 두 번째 실험에서는, 작은 단위들로 나눈 것만 제외하고 다른 것은 모두 동일한 자료를 사용하였다. 이 실험에서, 시각으로만 된 정보보다 시청각으로 된 정보에서 전통적인 감각양식 효과가 나타났다. 게다가 첫 번째 실험보다 두 번째 실험에서 한 단어당 시간이 더 오래 걸렸는데, 따라서 감각양식 효과가 나타나는 것이 학습자가 정보를 처리하는 데 충분치 않은 시간을 가졌기 때문이라고 보이지는 않는다. 오히려 보다 짤막해진 언어 정보는 음성 정보로 제시되었을 때 일시성 영향을 줄여준다. 학습자는 다이어그램을 처리할 때 음성 정보를 기억할 수 있고, 그 결과 전통적인 감각양식 효과가 나타난다. 첫 번째 실험에서는 보다 긴 문장을 사용하여 학습자들이 다이어그램을 처리할 때 작동기억에서 음성 정보를 기억하고 있기가 어려웠는데, 이는 상호작용 요소가 많기 때문이다. 이런 경우 정보의 일시성으로 인해 음성 형태보다 문자 형태로 된 정보를 처리하는 것이 보다 수월하기 때문에 역전된 감각양식 효과가 나타났다.

길면서 복잡한 음성 정보를 다룰 때 일시성은 높은 요소 상호작용성 때문에 작동기억에 과부하를 불러온다. 그 부하는 문자 정보로 제시될 때 줄어들 수 있는데, 이때 일시적 정보 효과가 나타난다. 문자 형태는 개별 요소들이 일시성 때문에 다른 중요한 요소들을 통째로 놓치는 위험 부담 없이 처리될 수 있다. 문자 정보는 영구적이어서 요소들이 한순간 무시될 수 있지만, 이후에 되찾을 수 있다. 문자 정보는 효과적으로 요소 상호작용성을 줄여주는데, 현재 요소들이 처리될 때까지 다른 요소들이 무시되도록 해주기 때문이다.

다른 모든 인지부하 효과의 경우와 마찬가지로, Leahy와 Sweller가 찾은 효과는 높은 요소 상호작용성을 가지고 있으면서 생물학적 이차 정보에만 적용해야 함을 강조하고 싶다. 예를 들면, 대화 중에, 이야기를 들을 때 혹은 영화를 볼 때 매우 긴 음성 정보들을 처리하는 데 어려움이 없다. 그러한 정보는 높은 내재적 인지부하를 부과하지 않아서 인지부하 이론 및 연구 결과에 적용되지 않는다.

교육용 애니메이션과 일시적 정보

교육용 애니메이션 혹은 역동적인 시각 표상들 또한 영구적 형태에서 일시적 형태로 정보를 전환하기 위해 기술을 사용한다. 만화 캐릭터부터 실제 일어나는 일들을 녹화한 비디오까지 포함하는 애니메이션은 몇 초부터 몇 시간까지 실행된다. 교육 관점에서 학습자로 하여금 특정 개념을 이해하도록 하기 위해 이들에게 적합한 형태로 충분한 정보를 제공하기 위해 상당한 시간을 고려해야 한다. 특성상 애니메이션은 역동적이며, 일련의 프레임으로 구성되어 있다. 하나에서 또 다른 것으로 펼쳐지는 프레임을 컴퓨터 혹은 텔레비전 화면에서 볼 수 있는데, 시각 정보는 시야에서 사라지고 음성 정보는 더 이상 들리지 않는다. 얼마나 잘 정보가 통합되었는지와 관계없이 이전 프레임에서 다른 프레임을 이해하기 위해 정보가 필요하다면 일시적 정보 효과는 일어날 수 있다. 이후에 논의하겠지만, 애니메이션 정보의 일시성은 교육용 애니메이션이 기대했던 것만큼 긍정적 효과들을 양산하지 않는 이유에 대해 설명해주는 주요 요인이 될 수 있다. Hegarty(2004)는 "교육을 개선하는 일이 신기술을 채택하는 단순한 문제가 아님을 알고 있다."(p.344)라고 언급했다. 학생들이 애니메이션에서 어떻게 학습하는지에 대한 이해는 기술 발달 그 자체와는 다른 문제이다(Chandler, 2004). 인지부하이론은 학생들이 어떻게 애니메이션으로 효과적인 학습을 하는지에 대한 설명을 제공해주지만, 여기에서는 우선 애니메이션 연구의 몇 가지 핵심 측면들을 살펴보고자 한다.

애니메이션(동적) vs. 정적 프레젠테이션

상당한 양의 연구들이 교육용 애니메이션 효과를 증명하기 위해 진행되고 있다. 이 연구들 대부분은 애니메이션과 정적 그래픽을 비교하고 있다. 연구 결과들은 애니메이션으로 된 수업 절차가 가진 장점이 거의 없다는 많은 연구들처럼 애니메이션의 효과를 고무시키지 못하고 있다(Hegarty, Kriz, & Cate, 2003; Schnotz, Böckheler, & Grzondziel, 1999). Tversky, Morrison, Bétrancourt(2002)는 애니메이션이 일관성 있게 정적 그래픽보다 우월하다는 증거가 거의 없음을 밝혔다. 대신 많은 연구들이 정적인 정보로 제공할 때, 동일한 양과 내용으로 적절히 디자인하지 못했음을 알아내었다. 결과적으로 어떤 연구에서 애니메이션이 제공된 집단에서 발견된 장점은 정적 프레젠테이션보다 많은 정보 때문이라는 단순한 이유에서이다. Tversky 등(2002)은 효과적인 애니메이션은 다음 두 가지 원리를 따라야 한다고 하였다. 첫째, 일치원리(correspondence principle)에 따르면, 애니메이션의 구조와 그 안에 담긴 내용과 표현된 개념의 구조들이 매우 완벽하게 일치해야 한다. 둘째, 이해 원리(apprehension principle)에 따르면, 애니메이션은 쉽게 지각되고 이해되어야 한다. 그러나 Tversky 등의 연구자들은 이 두 원리의 일관성에 있어서 애니메이션이 정적인 것보다 우월함을 보장하지 않는다고 강조하고 있다. 예를 들면, 기계장치를 배우는 데 있어서 정적인 정보는 애니메이션과 최소한 동등하거나 때때로 우월하다는 것이 밝혀지기도 한다(Mayer, DeLeeuw, & Ayres, 2007; Mayer, Hegarty, Campbell, & Mayer, 2005).

애니메이션으로 된 교수설계가 기대된 효과를 가져오지 않는 이유를 설명하기 위해 가능한 많은 근거들이 제안되고 있다. 예를 들면 Lowe(1999, 2003)는 지각적 특징과 주제 관련성 간의 상충이 종종 존재한다고 주장한다. 학습자들은 애니메이션에서 영역과 관련된 정보를 도출하는 데 직접적인 도움을 필요로 할 수 있다(Lowe, 2003). Koroghlanian과 Klein(2004)은 두드러진 학습의 차이는 없지만 애니메이션이 정적인 것보다 학습자의 시간을 더 많이 필요로 함을 밝혀내었다. 게다가 높은 공간 지각력을 가진 학습자가 역동적인 것보다 정적인 것에 보다 잘 학습하는 반면 공간 지각력이 낮은 학습자는 별 차이가 없음을 밝혀내었다. 이러한 결과를 설명하기 위해서 Koroghlanian과 Klein은 높은 공간 지각력을 가진 학습자는 가능한 인지자원들을 많이 가지고 있는 반면 다양한 형태의 정보들을 통합하기 위한 필요한 노력을 기울이는 데 실패한다고 주장하는데, 이는 Schnotz 등(1999)의 연구 결과와 일치한다. 또한 Hegarty 등(2003)은 정적 다이어그램이 보다 적극적인 학습을 이끌 수 있다고 주장하였다. 일련의 정적 다이어그램에서 학습자는 제시된 동적인 과정들에 대한 표상을 형성하기 위해 정적 다이어그램을 정신적으로 통합해야 한다. 이러한 정신적 통합은 보다 적극적인 학습과 보다 심층적인 인지처리 과정이라는 결과를 가져온다고 제안되고 있다. 어떤 연구자들은 이 장에서 제공하고 있는 주장들과 일관된 것으로 정보의 일시적인 특징에 대해 강조하고 있다. 예를 들면 Ainsworth와 van Labeke(2004)는 일시성이 작동기억 부하를 가져오는 역동적 표현의 특별한 특징임을 알아내었다. Ainsworth와 van Labeke는 Stenning(1998)이 이전에 애니메이션을 분석한 연구 결과를 활용하였는데, 지나간 내용을 새로운 정보와 통합히기 위하여 작동기억에서 보유하고 있어야 할 필요가 있다는 점을 강조하였다.

결과적으로 언제나 변함없이 접근 가능한 정적 다이어그램과 다르게 학습자 통제권이 없는 애니메이션은 그 내용에 다시 접근할 수가 없다.

Ainsworth와 van Labeke의 주장은 인지부하에 대한 고려사항을 전제하고 있다. 종종 다른 연구자들 또한 애니메이션이 높은 인지부하를 만들어냄을 주장하고 있다(Ploetzner & Lowe, 2004). 그러나 이러한 주장은 고려될 수 있는 여러 가능한 이론 중 하나이며, 일관성 있게 적용되지 않고 있다. 그러나 Ayres, Kalyuga, Marcus, Sweller(2005), Ayres와 Paas(2007a, 2007b)는 일시적 정보 효과를 바탕으로 하여 인지부하에 대한 설명을 보다 심화시키고 있으며, 보다 총체적인 이론으로 만들어가고 있다. 애니메이션으로 학습하는 데 있어서 주요 문제 중 하나로 정보의 일시성을 파악함으로써 애니메이션이 효과적으로 사용되기 위한 조건들을 예측할 수 있다.

애니메이션이 효과적인 조건

인지부하이론은 정적 그림과 글자들로 학습하는 것을 방해하는 외재적 부하들의 다양한 원천들이 있음을 밝혀내었다. 애니메이션을 다룰 때 인지부하이론의 기본 원리들을 위배할 경우 학습 감소라는 결과가 나온다. 대부분의 애니메이션은 음성 혹은 문자로 된 글자와 그림들을 통합하고 있다. 결과적으로 애니메이션 설계는 외재적 인지부하를 줄이기 위해 이전에 언급된 기법들을 활용함으로써 개선될 수 있다. 예를 들면 주의분산, 감각양식, 중복 효과들이 고려될 수 있다. 게다가 애니메이션은 정보를 단서 혹은 신호주기를 함으로써 개선될 수 있는데, 이는 학습자들이 애니메이션으로부터 관련된 정보를 뽑아내는 데 어려움을 가질 수 있기 때문이다(Lowe, 2003). 다수 연구들은 단서주기 혹은 신호주기를 사용한 전략들의 효과성을 입증해 주고 있다(Boucheix & Guignard, 2005; De Koning, Tabbers, Rikers, & Paas, 2007; Mautone & Mayer, 2001; Moreno, 2007).

애니메이션 설계에 있어서 이러한 일반적인 개선에도 불구하고 외재적 인지부하는 다른 인지부하 효과로 인해 제거되지 않은 일시적 정보로 인해 생성될 수 있다. 지금부터 애니메이션 효과를 증진하는 데 사용되는 몇 가지 전략들을 살펴보기로 하자.

학습자 통제. 정보의 일시성이 애니메이션으로 학습하는 것에 문제를 생성해낸다면, 가능한 간단한 해결책은 그 애니메이션을 멈추게 하거나 속도를 줄이는 것이다. 적절한 속도를 가진 애니메이션을 제공하는 것은 적절한 수준의 학습자 통제를 제공함으로 가능해질 수 있다. 동시에 처리되도록 정보의 흐름을 멈추게 하거나 늦추는 것은 작동기억의 부하를 경감시켜 준다. 이러한 전략을 지지하는 증거들이 여러 연구에서 나타나고 있다. Mayer와 Chandler(2001)는 애니메이션에 대한 통제권을 가지고 있는 학습자가 그렇지 못한 학습자보다 더 나은 수행을 함을 밝혀내었다. 이러한 경우 통제는 학습자들로 하여금 수업 내용을 멈추거나 다시 시작하도록 하는 것이었다. 상호작용성을 보다 역동적으로 사용하는 데 있어서 Schwan과 Riempp(2004)는 매듭묶기와 관련하여 비디오로 녹화된 연속적인 버전과 상호작용적인 버전을 비교하였다. 상호작용적 버전으로 공부한 집단은 어느 때고 애니메이션을 멈추고, 그 속도를 변경하고, 되감아볼 수조차 있었다. 이러한 결과, 상호작용적 집단이 관찰된 과정들을 보다 잘 이해하였고, 연습을 덜하고 매듭을 묶을 수 있었다.

Hasler, Kersten, Sweller(2007)는 멈추거나 계속하는 기능 혹은 사전에 지정된 영역만 다시 시작하기 기능을 포함하는 학습자 통제가 높은 요소 상호작용성을 가진 자료들에 대하여 연속적 애니메이션보다 높은 학습 효과가 있음을 밝혀내었다. 이러한 기능들에 접근 가능한 학습자들은 애니메이션을 거의 멈춰보지 못하였다. 따라서 연속적인 애니메이션 조건에서 차이점은 거의 없었다. 멈춤-시작 기능의 가용성은 그 기능이 사용되지 않을 때조차도 서로 다른 인지 과정들을 활성화시키는데 충분하다. Bétrancourt(2005)는 애니메이션의 완전한 통제는 보다 지식이 많으면서 언제 애니메이션을 멈추는 것이 필요한지를 아는 모니터링 기술을 가지고 있는 학습자들에게만 효과적임을 주장하였다. Hasler 등의 연구에서 피험자들이 영역지식에 있어 초보자일 때 멈춤-시작 기능을 사용하지 않는다는 Bétrancourt의 예측을 지지하였다. 그럼에도 불구하고 학습자들은 그 기능들을 사용하지 않았을 때조차도 여전히 그 기능의 도움을 받았다.

분절화. 일시적 정보 효과를 고려할 때 복잡성의 중요성은 애니메이션에 동일하게 적용된다. 말의 일시적 속성을 언급하였듯이 일시성은 높은 요소 상호작용성을 포함한 길면서 복잡한 정보를 다룰 때 문제가 되는 것으로 보인다. 짧고 간단하고 낮은 요소 상호작용성을 가진 정보는 그것이 일시적일지라도 작동기억의 부하를 덜 일으킬 수 있다. 그러한 정보는 프레젠테이션 동안에 혹은 그 이후에조차도 작동기억에서 잡고 있거나 처리될 수 있다. Leahy와 Sweller(출판 중)의 실험의 경우에서 감각양식 효과와 역전된 감각양식 효과가 일어났듯이, 일시성이 매우 짧은 계열을 다룰 때 한 가지 문제를 구성하기 위해 애니메이션에 의해 일어난다고 예측하면 안 된다. 실제로는 정적 그래픽과 비교되는 애니메이션의 효과의 다양한 결과는 제시되는 자료들의 길이와 복잡성에서 기인한다. 짤막한 애니메이션은 등가의 정적 그래픽보다 우월할 수 있는 반면, 긴 애니메이션은 정적 그래픽보다 더 나쁠 수 있다. 이러한 가설적 효과는 높은 요소 상호작용성이 있는 자료들에만 적용해야 한다.

분절화를 통해 애니메이션 길이를 다양화할 수 있다. 학습자 통제하에 애니메이션을 멈추는 것만으로 일시적 정보 효과를 줄일 수 있어서 애니메이션을 작은 부분들로 분절할 수 있다. 작동기억에서 붙잡고 있어야 하고, 미래 정보들과 통합되어야 하는 정보가 적어질수록 학습이 일어날 가능성이 많아진다. 결과적으로 애니메이션을 작은 부분으로 분절하는 것은 그러한 부하를 낮추는 한 가지 방법이다. 예를 들면 Mayer, Moreno, Boire, Vagge(1999)는 애니메이션과 내레이션이 보다 작은 부분들로 나눠질 때 시간적 주의분산 효과가 사라짐을 증명하였다(9장 참고). Florax와 Ploetzner(2010)는 주의분산 효과가 제시되는 정보의 양에 의해 조절된다는 증거를 밝혔다. Mayer와 Chandler(2001)는 분절된 애니메이션이 분절되지 않고 연속적으로 실행되는 애니메이션보다 학습결과가 우월함을 입증하였다. 앞에서 언급하였듯이, Mayer와 Chandler는 학습자 통제와 분절화를 연결하여 일시정지-재시작 절차를 사용하였다. 분절화가 애니메이션으로 인해 발생한 작동기억 과부하를 다루는 데 도움이 된다는 상당한 증거들이 제시되고 있다(Boucheix & Guinard, 2005; Hasler et al., 2007; Moreno, 2007; Spanjers, van Gog, & van Merriënboer, 2010).

일차 지식. 환경의 조직 및 연결 원리를 사용하도록 하는 사전지식은 교수 효과성에 있어서 정보의 길이와 복잡성을 줄여 정보를 분절하여 얻는 유사한 효과를 준다고 기대할 수 있다. 사전지식과 분절화 둘 다 학습자들이 다루어야 하는 상호작용 요소들의 수를 줄여줌으로써 정보의 복잡성을 줄일 수 있다. Ayres 등(2005)은 사전지식 수준이 높은 학습자들이 낮은 수준의 학습자보다 애니메이션에서 발생하는 일시적 정보들을 더 잘 다룰 수 있다고 주장한다. 사전지식은 학습자들로 하여금 작동기억에 임시적으로 저장해야 하는 정보를 보다 쉽게 의미 있게 묶을 수 있도록 해주어 학습에 가용한 보다 많은 여유 용량을 남겨준다. Kalyuga(2008a)는 이러한 가설을 지지해주는 증거를 찾아내었다. 2(정적 그래픽과 애니메이션)×2(전문가와 초보자) 설계에서 수학 과목에서 보다 지식이 많은 학습자가 정적 형태로 된 것보다 애니메이션으로 더 많은 것을 배운 반면 초보 학습자들은 애니메이션보다 정적 형태로 된 것에서 더 많은 것을 배웠다. Kalyuga의 결과는 12장에서 살펴본 전문성 역효과와 일치한다. 이러한 효과는 애니메이션을 분절한 것을 연구한 연구들에서 또한 찾아볼 수 있다. Boucheix와 Guinard(2005), Spanjers 등(2010)은 분절화의 장점이 사전지식이 높은 학습자의 경우 사라짐을 밝혀내었고, 그러한 전략이 이 학습자에게 중복됨을 제안하였다. 지식 수준이 낮은 학습자는 일시성 효과를 극복하기 위해 높은 작동기억 부하를 줄이기 위해 분절화가 필요하지만 보다 높은 지식 수준을 가진 학습자는 작동기억 부하를 낮출 필요가 없는데, 이는 그들의 지식 자체가 이미 그 부하를 낮춰주고 있기 때문이다.

음성 정보로 프레젠테이션하는 경우처럼, 일시적 애니메이션과 관련된 요소 상호작용성을 줄이는 것은 인지부하를 줄여 학습을 촉진해야 한다. 학습자 통제, 분절화, 사전지식 모두는 학습자들이 다루어야 하는 많은 수의 상호작용 요소들을 줄이는 효과가 있다. 그러한 감소는 애니메이션으로 된 교육용 프레젠테이션을 사용할 때 발생하는 일시성의 부정적 효과를 개선할 수 있다. 물론 음성 정보의 경우처럼, 만일 애니메이션이 일시적이면서 상호작용적인 요소들 때문에 높은 인지부하를 부과하지 않는다면 그러한 부하를 줄일 필요성은 제거된다. 이제부터 많은 상호작용 요소들이 인간의 인지 시스템에 의해 쉽게 다룰 수 있는 환경 조건에 대해 제안하고자 한다.

운동기능 학습: 특정 사례

교육용 애니메이션의 효과에 대해 초기에 비관적이었던 몇몇 연구자들이 있었음에도 불구하고 Höffler와 Leutner(2007)의 메타분석 연구에서 애니메이션이 정적 그래픽보다 나은 학습 결과를 가져오는 많은 연구들을 찾아내었다. 특히 애니메이션이 매우 실제적이거나 감각운동적 지식에 대한 학습을 다루고 있는 경우 정적 다이어그램보다 효과적일 수 있음을 알아내었다. 실제로, 가장 큰 효과크기를 가진 조건은 총을 조립하는 것과 같은 감각운동 과제에 대한 것이었다(Spangenberg, 1973). 인지부하라는 이론적 프레임워크에 기초하고, 손으로 조작하는 과제라는 특징을 가진 다음 두 개의 연구들은 인간의 동작이 부정적인 일시적 정보 효과를 극복하는 특별한 사례가 될 수 있다는 추가적 증거를 제공하고 있다.

첫 번째 연구에서 Wong 등(2009)은 오리가미 모양을 만드는 것을 배우는 데 있어서 애니메이션 방법과 정적 그래픽 방법을 비교하였다. 애니메이션 형태에서 학습자는 연속된 프레젠테이션에서 접혀진 한 장의 종이가 목표 모양으로 바뀌는 것을 단순히 관찰하였다. 이와 대조적으로, 동일한 시간 동안 정적 그래픽 집단은 애니메이션에서 발췌한 일련의 주요 프레임들을 공부하였다. 손으로 오리가미 모양으로 만드는 검사에서 애니메이션 집단이 정적 그래픽 집단보다 더 성공적으로 완수해내었다. 두 번째 연구에서 Ayres, Marcus, Chan, Qian(2009)은 매듭짓기와 복잡한 고리를 푸는 데 두 가지 형태의 효과성을 비교하였다. 과제를 신체적으로 완수하는 데 있어서 애니메이션 형태를 제공받은 집단이 정적 형태를 제공받은 집단보다 좋은 수행을 보였다. 두 번째 실험에서 주관적 인지부하 측정 방법으로 데이터를 수집하였고, 그 결과 애니메이션 전략이 인지부하를 덜 생성하였음을 보여주었다.

Arguel과 Jamet(2009)은 특별한 사례로서 인간의 동작에 대한 추가적 근거들을 찾기 위해 응급처치 자료들을 사용하였다. 많은 응급처치 전략들의 특징은 인간 신체를 다루는 것을 포함하고 있는데, 예를 들면, 특정 질병이나 사고에 따라 환자의 신체를 다른 위치로 조작하는 것이다. 학습자에게 응급처치 기법을 가르치는 데 있어서, Arguel과 Jamet은 애니메이션이 정적 형태보다 우월함을 밝혀내었다.

인간의 동작을 다룰 때 애니메이션과 정적 그래픽을 비교한 연구 결과들은 애니메이션에 우호적인 것처럼 보인다. 이러한 결과는 인간의 동작을 배제한 기계나 추상적인 실체를 묘사하는 애니메이션과는 다르다. 인간의 인지구조에 기초한 이러한 연구 결과들에 대한 이론적 근거들이 있다.

생물학적 일차 지식의 역할

앞서 언급된 근육 운동과 연관된 학습 영역에서 보고된 연구 결과들뿐만 아니라 Höffler와 Leutner(2007)의 메타분석 연구에서도 애니메이션으로 인해 발생하는 정보의 일시성은 기계와 같은 비인간적인 움직임으로 인해 발생하는 정보의 일시성과는 다른 효과를 나타낸다고 주장하고 있다. 특히 인간의 동작이 포함되었을 때 작동기억의 부담 없이 막대한 양의 정보를 처리할 수 있는 것처럼 보인다. 이론적 관점에서 보면 일시성은 오직 작동기억 용량을 초과하는 많은 양의 정보를 처리해야 할 때 문제가 되어야 한다. 작동기억에서 처리할 수 있는 정보의 양이 인간 동작을 포함한 과제의 경우 더 많아져야 하는 이유는 무엇일까?

이를 설명하기 위해서 van Gog, Paas, Marcus, Ayres, Sweller(2009)는 인지부하이론 프레임워크 안에 진화론적 생물학 이론과 신경과학을 통합하는 간학문적 접근을 사용하였다(Ayres & Paas, 2009). 1장에서 살펴보았듯이 생물학적 일차 지식은 상당한 노력 없이 획득될 수 있다(Geary, 2007, 2008). 인간 동작을 모방하는 것은 생물학적 일차 과제이다. 인간은 다양한 형태의 인간 동작과 운동기능들을 관찰하고 모방하면서 진화해왔다. 그러한 운동기능들은 우리가 생존하여 발달하는 데 핵심인 것 같다. 만일 인간 동작을 모방하는 것이 생물학적 일차 과제라면 인간 동작 모방에 기초를 둔 학습은 작동기억 자원에 영향을 적게 끼칠 수 있어서 애니메이션과 관련된 정보의 일시성을 극복하는 데 도움이 될 것이다. 우리는 인간 동작과 관련된 상호작용 요소들을 쉽게 처리하도록 진화하였다. 이와 대조적으로, 기계 동작과 관련되어 있지 않은 기계 시스템을 학습하는 것은 보다 많은 이차 지식 구성요소들을 가지고 있는데, 이것은 보다 많은 노력을 기울여 학습하도록 요구하여 더 많은 작동기억 부하를 동반한다. 예를 들면, 우리는 기계 동작과 연관된 상호작용 요소들을 처리하도록 진화되지 않았다.

거울 신경(mirror neuron)의 역할. 인간 동작은 독특한 상태를 가지고 있다고 주장하는 신경생리학적 근거가 있다. van Gog 등(2009)은 인간동작을 학습할 때 애니메이션이 정적 그래픽보다 우월함을 설명해주는 기제로 거울 신경을 제안하였다. 거울 신경이 인간이 모방학습을 하도록 지시한다는 증거들이 수집되고 있다(Blandin, Lhuisset, & Proteau, 1999). 이와 관련된 수많은 신경과학적 효과들이 관찰되고 있다. 예를 들면 뇌영상기법은 인간의 운동기능이 모방(mirroring) 역량을 가지고 있음을 보여주고 있다(Rizzolatti & Craighero, 2004). 하나의 행동을 완수할 때 활성화되는 대뇌피질 회로들이 누구인가 동일한 행동을 수행하는 것을 관찰할 때 역시 활성화되었다. 즉 유사한 뇌활동들이 동작을 하거나 관찰할 때에도 일어난다는 것이다. 이러한 행동들은 모방될 뿐만 아니라 그 행동들에 대한 이해에도 통합된다(Rizzolatti, 2005; Rizzolatti & Craighero, 2004). 더군다나 특정 행동의 목적이 명확하게 제공된다면, 사실상의 인간 동작(예: 로봇 팔)을 관찰하는 것부터(Gazzola, Rizzolatti, Wicker, & Keysers, 2007) 또는 누군가 인간의 동작을 설명하는 것을 듣는 것(Tettamanti et al., 2005)에서 조차도 학습이 일어난다는 증거들이 수집되고 있다.

이러한 연구 결과들은 신경생리학적 기제를 제공해주는 거울 신경 시스템으로 인간 동작을 모방하도록 진화하고 있음을 제안하고 있다. 만일 그렇다면, 인간 동작을 포함한 애니메이션은 생물학적 일차 시스템을 심하게 활용하여서 작동기억의 역할이 가진 한계점을 줄여준다. 애니메이션과 연관된 일시성이 가진 부정적 효과들은 생물학적 일차 지식과 밀접하게 연관된 인간 동작 시스템을 다룰 때 줄어들거나 제거될 수 있다.

적용 조건

일시적 정보가 학습을 방해하는지 여부는 그 정보에 부과된 인지부하에 전적으로 달려있다. 낮은 인지부하가 부과된 일시적 정보는 말이나 애니메이션의 긍정적 효과들이 일시성의 부정적 효과들보다 더 가치 있을 때에만 도움이 된다. 그러나 일시적 정보들이 복잡하면서 길 때는 일시성 효과가 오히려 방해가 될 수 있어서 피해야만 한다. 대신, 정보가 작동기억에 남아있으면서 처리될 수 있도록 적절하게 분절하거나 전문성 수준을 보장해주어 단순화시킬 수 있다. 만일 정보로 인간 동작을 다룬다면 일시성은 인간 동작이 가지는 생물학적 일차 지식의 막중한 역할 때문에 문제가 되지 않을 수 있다.

교수활동 시사점

일시적 정보 효과는 어떤 조건하에서 일시적 정보가 학습에 부정적 효과를 줄 수 있음을 나타낸다. 이 효과는 앞으로 제시될 정보를 이해하는 데 필요한 정보가 학습자의 눈이나 귀로부터 사라질 때 나타난다. 이런 경우에 학습자는 초기에 제시된 정보가 이후에 제시될 정보에 통합되기 위해서 작동기억에 임시로 보유하고 있도록 요구된다. 그 결과 인지부하는 높아지고, 학습은 방해받는다.

교육공학의 일부분으로 일시적 정보를 부수적으로 도입하는 것에 대해 신중을 기해야 한다. 특정 기술의 존재 자체는 수업에 도입하기 위한 충분한 이유가 절대 되지 않는다. 말이나 애니메이션으로 도입되는 일시성은 문자 정보나 정적 그래픽과 같은 영구적 형태의 커뮤니케이션과 비교했을 때 실제적으로 학습을 방해할 수 있다.

말과 애니메이션은 둘 다 우리가 통제할 수 있도록 진화된 생물학적 일차 과제와 적절하게 조정할 경우 상당한 장점이 있을 수 있다. 그럼에도 불구하고 대부분의 교육과정의 핵심에 있는 생물학적 이차 지식의 경우 일시적 정보들을 도입할 때 인지부하를 고려해야 함을 잊지 말자.

결론

일시적 정보와 연관된 영역은 결과를 해석하는 데 혼재되어 있어서 어려움이 있다.

구두(speech) 정보를 활용하는 것과 애니메이션을 활용하는 것에 대한 일관적인 긍정적 결과들이 나타나지 않기 때문이다. 구두 정보와 애니메이션 둘 다 일시적 정보를 제공하고 있다. 인지부하 관점에서 일시성을 고려함으로써 연구 결과들을 해석하고 이해하는 것이 가능해 보인다. 인지부하이론은 일시적 정보들이 왜 유해한지 설명해주고 긍정적·부정적 학습결과들을 이끌 수 있는 교수 조건 유형들을 예견해줄 수 있다. 교육용 애니메이션은 다양한 결과를 가져오는 이유와 인간 동작에 관한 학습이 특별 사례가 될 수 있는 이유를 설명해줄 수 있다. 일시성 효과에 관한 연구들이 초기 단계인 반면 상당한 데이터가 연구에서 나오고 있고, 이 데이터는 인지부하이론의 관점에서 해석이 가능함을 제안하고 있다.

집합적 작동기억 효과

협력학습에 대한 연구들은 오랜 역사를 가지고 있다. 이 방법은 동기적 관점(학생들은 집단으로 함께 있다는 것에서 동기화된다)이나 사회적 구성주의 관점(지식은 학생들 간에 담화로 가장 잘 구성된다)에서 일반적으로 접근된다. 그러나 Kirschner, Paas, Kirschner(2009a)는 인지부하 관점에서 협력학습을 개념화하였다. 인지부하이론 관점에서 협력학습을 고려하는 것은 집단 작업이 언제, 어떻게 효과적인지에 대해 보다 근본적인 설명을 제공한다. **집합적 작동기억 효과**(collective working memory effect)는 새로운 인지부하이론 효과인데, 이는 개인이 혼자 학습할 때보다 협력작업을 통해 보다 높은 학습 결과를 획득할 때 일어나는 것이다.

협력학습은 교수자 혹은 식견 있는 전문가로부터 차용 및 재조직 원리에 대한 인지부하이론의 강조에서 다른 학습자에게로 중심점을 두고 있다. 교수자로부터 모든 혹은 대부분의 정보를 얻는 것보다 협력학습의 활용이 학습자들로 하여금 다른 학습자로부터 많은 정보를 얻도록 해준다.

협력학습 환경에 대한 문헌을 고찰해보면 Kirschner, Paas, Kirschner(2009a)는 협력학습의 가치에 대한 연구 결과에 대해 결론짓지 못하였다. 예를 들면, 이들은 몇몇 연구들이 학습과정에 보다 적극적으로 참여하고 메타인지 능력들이 촉진됨을 보여주고 있다고 지적하고 있다. 다른 연구는 투자되는 인지 자원을 고려하였을 때 협력학습은 비효율적이라고 하였다. 협력학습은 또한 사회적 태만을 가져오는데,

이는 어떤 학습자가 협력에서 개별적으로 거의 참여를 하지 않고 다른 학생들에게 의존하는 것이다. Kirschner 등(2009a)은 연구 결과들이 이렇게 혼재되는 것에 대한 네 개의 가능한 이유를 찾아내었다. 첫째, 집단에서 일어나는 과정들은 학습 결과들을 직접 측정하는 대신에 종종 검사로 이루어진다. 둘째, 세심하게 무선화하는 등 통제된 실험이 거의 수행되지 않는다. 셋째, 목적들이 종종 엉터리로 정의되고, 넷째, 집단 구성원들의 개인의 학습 결과가 종종 측정되지 않는다. 보다 궁극적인 이유로 Kirschner 등은 "연구는 결과를 검증하는 단계에서 학습 결과를 직접적으로 측정해야 하며, 학습 환경의 한 가지 측면만을 연구해야 하며, 집단 전체의 성과가 아닌 집단 구성원들 각자의 성과에 초점을 두어야 한다."(p. 35)고 제안하였다. 더군다나 이들은 협력학습을 하는 동안 인지적 처리과정을 완전히 이해하기 위해서 인간의 인지구조를 고려해야 함을 제안하였다.

Kirschner 등은 집단을 하나의 정보처리 시스템으로 간주하여 인지부하 이론을 협력학습에 적용하였다. 특히, 이들은 학습자 집단은 확장된 인지처리 용량을 가지고 있다고 주장하였는데, 과제로 인해 일어나는 내재적 인지부하가 협업하는 수많은 작동기억들 사이로 효과적으로 나눠질 수 있기 때문이다. 작동기억의 상당한 노력을 요하는 복잡한 과제의 경우 부하를 공유하는 것은 주요한 장점을 제공하는 것으로 기대된다. Kirschner, Paas, Kirschner(2009b)는 또한 협력과 연관된 **교류비용**(transaction costs)으로 인한 역할을 고려하였다. 협력학습의 중요한 측면은 정보를 공유하고 조율하는 것인데, Kirschner 등은 이를 교류비용으로 지칭하였다. 이러한 교류를 완성하는 것은 작동기억의 자원을 필요로 하는 데 이 자원에 대한 요구가 너무 크다면 작동기억 자원들을 공유함으로 얻는 장점들을 무효화하는 잠재성을 가지고 있다. 즉 협력은 추가 비용을 가져올 수 있다. 따라서 교류비용은 이론적 모형을 개발하는 데 중요한 요소로 고려되고 있다.

요소 상호작용성 관점에서 보면 인지부하의 공유는 몇몇의 작동기억들 간의 상호작용 요소들을 나누는 것을 의미한다. 물론, 그러한 공유는 교류비용이 타인에게 요소들의 일부를 덜어냄으로써 얻어지는 이점을 초과한다면 이로울 것이 없다. 복잡한 과제의 경우 몇 명의 사람들 사이에 요소들을 나눈다는 장점이 되어야 하는데 교류비용이 상당한 양의 요소들을 처리하는 비용보다 적어야 한다. 보다 단순하면서 낮은 요소 상호작용성을 가진 과제의 경우, 교류비용은 공유를 통해 얻어지는 요소 상호작용성의 감소를 초과한다.

Kirschner 등(2009b)은 협력 집단에서 학습자들이 생물학적 유전에 대해 핵심 정보의 일부만 제공하는 한 실험을 통해 협력학습에 있어서 인지부하 접근을 알아보았다. 세 명으로 구성된 한 집단의 구성원들은 학습 단계에서 풀어야 하는 유전 문제를 해결하는 데 필요한 정보를 1/3로 나누어 가졌다. 결과적으로 정보는 문제를 풀기 위해 집단 구성원들끼리 공유되었다. 이와 대조적으로 개별학습자들에게는 과제를 해결하는 데 필요한 모든 정보 요소들을 제공하였다. 평가 단계에서 모든 학습자들은 집단학습, 개별학습과 무관하게 개별적으로 시험을 보았다. 앞서 6장에서 살펴본 효율성 점수(정신적 노력에 따른 성과 점수)로 계산하였을 때, 연구 결과는 파지검사에서 개별학습 집단이 보다 효율적이었으나 전이검사에서는 집단학습을 한 학습자들이 보다 효율적으로 나왔다. 이러한 인지부하 점수를 활용하여 Kirschner 등(2009b)은 교류비용이 낮으면 집단 구성원들은 정보 요소들을 보다 심층적으로 처리하게 해주어서 보다 좋은 전이 결과가 나온다고 하였다. 개별학습자들은 보다 피상적 수준에서 요소들을 처리할 수 있어서 피상적 정보의 파지를 보다 잘한다고 하였다.

Kirschner 등(출판 중)은 문제의 복잡성이 협력학습에 미치는 효과를 연구하였다. 이들은 집단학습이 복잡한 문제해결 과제에 뛰어나며(Laughlin, Bonner, & Miner, 2002; Laughlin, Hatch, Silver, & Boh, 2006), 개별학습은 보다 덜 복잡한 과제에 뛰어남을 주장하였는데(Andersson & Rönnberg, 1995; Meudell, Hitch, & Kirby, 1992), 이러한 패턴은 Kirschner(2009b)의 연구에서도 밝혀진 바 있다. 이러한 효과를 설명하기 위해 Kirschner 등(출판 중)은 단순한 과제의 경우 개별학습자들은 이들을 완수하는 데 충분한 작동기억 용량을 가지고 있는 반면 집단 구성원들은 추가적인 교류비용을 처리해야 한다는 가설을 설정하였다. 따라서 협력적 방법은 단순한 과제의 경우 인지부하를 높일 수 있어서 협력학습은 개별학습보다 좋지 않게 만든다. 보다 복잡한 과제의 경우, 개별학습자들은 과제를 완수하는 데 충분한 작동기억 용량이 부족한 반면 집단 구성원들은 작동기억 부하를 나눌 수 있다. 과제의 복잡성이 충분히 높을 때, 교류비용은 과제를 분담함으로써 얻어지는 인지부하의 감소와 비교했을때 최소가 될 수 있다. 교류비용이 부가될 때조차 협력학습 구성원들은 개별학습자보다 낮은 인지부하를 겪을 수 있다.

이러한 가설을 검증하기 위해 Kirschner 등(출판 중)은 생물학 주제를 사용하여 Kirschner 등(2009b)의 연구와 유사한 설계를 하였으나 정보를 나누어 제공하지 않고 필요한 모든 정보를 모든 집단 구성원들에게 제공하였다. 문제의 복잡성을 측정하기 위해 요소 상호작용성 수준을 사용하여(Sweller & Chandler, 1994) 낮은 복잡성을 가진 학습 과제 한 세트와 높은 복잡성을 가진 학습 과제 한 세트를 설계하였다. 2(개별학습과 협력학습)×2(복잡성이 낮은 과제와 높은 과제) 설계에서 정신적 노력 점수에서 상호작용이 나타났다. 정신적 노력은 복잡성이 낮은 학습 과제의 경우 집단학습보다 개별학습을 한 학습자가 더 낮게 나왔고, 높은 과제의 경우 높게 나왔다. 동일한 상호작용 역시 효율성 점수와 해결 시간에서 나타났지만 성과 원점수는 그렇지 않았다. Kirschner 등(출판 중)은 낮은 복잡성 과제로 개별학습하는 것이 보다 효율적이라고 결론지었는데, 이 학습자들은 집단학습자보다 정신적 노력을 덜 기울이기 때문이다. 그러나 복잡한 학습 과제의 경우 개별학습은 집단학습에 비해 덜 효율적인데, 이는 개별학습자들이 보다 정신적 노력을 쏟아야 하기 때문이다.

Kirschner(2009b, 출판 중)가 수행한 두 개의 연구에서 나온 결과들은 일치하였다. 개별학습과 협력학습 환경은 서로 다르게 인지부하 수준을 나타내었고, 학습 효율성도 다르게 나타내었다. 이러한 결과들은 또한 협력이 보다 복잡한 학습 과제에 가장 잘 맞는다는 다른 연구 결과들과도 일치한다.

최근 다른 두 개의 연구 역시 협력학습에서 인지부하 접근을 취하였다. Retnowati, Ayres, Sweller(2010)는 집단이 문제해결 학습보다 해결된 예제로 학습하는 것에서 보다 효과적일 수 있음을 밝혀내었다(8장 참고). Zhang, Ayres, Chan(2011)은 웹페이지 설계에 있어 복잡한 과제를 제공하여 협력학습 집단과 개발학습 방법을 비교하였다. 연구 결과, 웹페이지 내용에서 어떤 선택을 하도록 하였을 때 협력학습 방법이 개별학습보다 유의미하게 좋게 나왔다. 게다가 인지부하 측정치도 협력학습한 학생들이 개별학습한 학생들보다 정신적 노력을 덜 기울인 경험을 하였다고 제시되었는데, 이는 Kirschner 등의 연구와 일치한다.

적용 조건

집합적 작동기억 효과는 높은 수준의 요소 상호작용성을 가진 학습 과제의 경우 협력이 보다 효과적일 가능성이 있다고 하고 있다. 요소 상호작용성이 낮은 과제의 경우, 개별학습은 보다 높은 학습 결과를 가져올 가능성이 있다. 교류비용은 협력학습 효과를 설명하는 데 중요한 요소이다. 협력과 연관된 인지부하 감소가 교류비용을 초과한다면, 협력학습은 개별학습보다 효과적이다. 교류비용이 협력으로 인해 인지부하가 감소한 것보다 많이 든다면 개별학습이 협력학습보다 낫다.

교수활동 시사점

이번 장에서 살펴본 연구들은 인지부하에 있어 고려할 사항으로, 협력학습이 어떻게 작동하는지에 대해 이해하는 것이 중요함을 제시하고 있다. 집합적 작동기억 효과는 협력이 복잡한 학습 과제에 대한 작동기억 인지부하를 공유하는 데 사용될 수 있음을 보여준다. 적절한 조건하에서 협력은 학습 결과를 높여줄 수 있다. 그럼에도 불구하고 다른 조건하에서 개별학습이 협력학습보다 뛰어날 수 있음을 인식할 필요가 있다. 인지부하이론은 그러한 조건들을 예측하여 설명하는 데 활용될 수 있다.

결론

집합적 작동기억 효과는 연구 중에서 아직까지 많은 데이터를 가지고 있지 않지만 잠재적으로 새로운 인지부하 효과이다. 지금까지 설명이 어려웠던 연구 영역에 크게 도움이 되는 흥미로운 효과라 할 수 있다. 인지부하이론은 협력학습 영역에 새로운 지평을 열어주고 있으며, 추가 데이터들이 수집되어 보다 굳건한 토대 위에 올려놓을 것이다.

제5부
결론

인지부하이론의 전망

인지부하이론은 몇 가지 측면에서 많은 교수이론들과 다르다. 첫째, 인지부하이론은 생물학적 진화론의 인지적 시사점에 크게 의존한다. 1부에서 제시되었듯이, 지식은 생물학적 일차 지식과 생물학적 이차 지식으로 나뉜다. 생물학적 이차 지식은 우리가 그것을 습득하도록 특별히 진화되지 않은 문화적으로 중요한, 새로운 지식을 말한다. 인지부하이론은 학교, 기타 교육기관 및 훈련기관 등에서 가르쳐지는 생물학적 이차 지식과 관련이 있다. 인지부하이론은 이차 지식의 습득에 필요하고 거기에 영향을 주는 일차 지식에 한해서만 관련이 있다.

인지부하이론이 많은 다른 교수이론과 차별화되는 두 번째 방식은 2부에서 논의된 바와 같이 역시 진화론적 관점에서 다루어진 인간의 인지구조에 대한 강조를 들 수 있다. 우리는 인간의 인지와 자연 선택에 의한 진화가 모두 자연적인 정보처리 체계와 매우 유사함을 제안한다. 인지부하이론은 교수설계를 위하여 인간 인지구조에 관해 우리가 알고 있는 지식을 매우 중요하게 고려한다. 작동기억과 장기기억 간의 특징을 토대로 하는 인간의 인지구조는 인지부하이론과 그냥 관련되는 것이 아니라 통합되는 것이다. 인간의 인지구조에서 작동기억과 장기기억의 역할에 대한 이해로, 우리는 3부에서 논의된 바와 같이 인지부하의 유형을 분류할 수 있게 된다. 그러한 분류는 인지부하이론이 대부분의 다른 이론들과 차별화되는 세 번째 방식을 제공한다. 작동기억과 장기기억은 교수-학습의 대상인 생물학적 이차 정보를 다룰 때 인간의 인지구조에서 중대한 기관이다. 작동기억은 요소 상호작용성에 의해 결정되고, 요소 상호작용성은 장기기억과 교수자료의 내용 간 상호작용에 의해 결정된다. 많은 수의 상호작용하는 요소들은 그것이 장기기억 안에 있는 스키마에 통합되지 않는 한 작동기억에 많은 부담을 내포할 것이다. 그런 상호작용하는 요소들은 교수 – 학습의 목적과 특성에 따라 내재적 인지부하 혹은 외재적 인지부하를 구성할 수 있다. 만약 그것이 학습에 필수적인 것이라면 내재적 인지부하를 내포하는 것으로 분류된다. 그것이 학습에 불필요하고 단지 어떤 특정 교수절차의 기능이라면 외재적 인지부하를 내포하는 것으로 분류된다. 어떤 경우이든, 그것들은 인지 시스템에 의해 동일한 방식으로 처리될 것이다. 본유적 인지부하 역시 요소 상호작용성에 의해 결정된다. 작동기억이 과제의 내재적 요소를 광범위하게 직접 다루고 있을 경우 본유적 인지부하는 높아지고, 작동기억이 과제의 외재적 요소를 직접 다루는 경우에는 본유적 인지부하가 낮아진다.

이 책의 4부에 소개된 인지부하 효과들은 이러한 관계에서 나왔고 앞에서 제시된 내용들에 대한 궁극적인 목적과 정당화 논리를 제공하고 있다. 인지부하이론은 우리가 4부에서 논의된 교수방법의 효과들을 생성할 수 있도록 고안되었고 그러한 효과들은 인지부하이론의 가장 중요한 요소를 제공한다. 인지부하이론 효과들은 또한 인지부하이론이 다른 이론들과 차별화되는 네 번째와 다섯 번째 방식을 제시한다.

인지부하이론이 대부분의 교수이론들과 차별화되는 네 번째 방식은 교수/학습이 가능한 지식의 특성에 관한 가정들과 관련된다. 지금의 교수이론들은, 메타인지 전략과 문제해결 전략을 포함한 일반적인 인지전략에 중점을 두는 경향이 있다. 그런 전략들은 교육내용(curriculum) 영역과 독립적이어서 가르쳐지고 있는 내용과 밀접한 관련이 없는 기능을 기대할 수밖에 없다. 인지부하이론은 그런 전략들이 있긴 한데, 비록 모두는 아니지만 대부분 생물학적 일차 정보여서 어린 나이에 쉽고 자동적이고 무의식적으로 습득된다고 가정한다. 그런 전략들은 보통 쉽사리 가르쳐지지 않는데, 왜냐하면 배우기 어려워서가 아니라 그것들이 배우기 쉽고 명시적인 가르침이나 도움 없이 그러한 전략을 습득하도록 진화된 정상적인 인류에 의해 습득할 준비가 되기 때문이다.

반면, 인지부하이론은 학습자들이 새롭고 복잡한 교육내용 영역을 대할 때 그 학습자들이 새로운 환경에서 겪는 어려움은 학습된 일반적인 인지적 전략들이 없어서

라기보다 대체로 새로운 자료의 복잡성으로 인한 것이라고 가정한다. 대부분의 일반적 전략들이 학습자들에 의해 이미 습득되었다는 증거는 사람들이 익숙한 환경에서 작업할 때 일반적 전략을 자동적으로 사용하는 데 실패하는 경우를 거의 찾아볼 수 없다는 사실로부터 나온다. 만약 일반적 전략들이 익숙한 환경에서 사용되지만 익숙하지 않은 복잡한 영역에서 사용되지 않는다면, 학습자들이 부딪히는 주요 어려움은 일반적인 인지적 전략들을 배우는 것보다는 새롭고 복잡한 정보를 소화하는 데서 나오는 것으로 볼 수 있다. 이러한 이유로, 인지부하이론은 매우 일반적인 인지적 전략들을 배우는 데 주안점을 두는 것이 아니라 복잡한 영역에서 해당 영역에 속하는 지식을 습득하도록 학습자를 돕는 데 우선 강조점을 둔다. 큰 규모의 장기기억, 제한된 단기기억, 다른 사람들로부터 정보를 얻는 특별한 능력을 포함하는 우리의 인지구조는 이러한 과정을 위하여 진화되어 왔다. 이러한 인지구조로부터 생성되고 4부에서 논의된 인지부하 효과들은 그와 관련된 기법들을 보여주었다.

인지부하이론이 많은 교수이론들과 차별화되는 다섯 번째 방식은 4부의 인지부하이론에서 제시된 가정들을 검증하기 위해 사용된 방법과 연관이 있다. 중요한 것은 인지부하이론이 가설을 검증한다(does test)는 점이다. 많은 교수이론들은 그렇지 않다. 4부에서 논의된 모든 교수적 효과들은, 인지부하이론에 의해 제안된 새로운 기법을 실험 집단으로 하고 통상적으로 사용되는 교수적 기법을 통제 집단으로 하는 무작위 통제 실험을 통해 가설을 검증하였다.

결정적으로, 그런 실험들은 교육 연구에서 자주 위반되는 요건인, 한 번에 한 가지 변인만 변경하는 모든 과학적 실험의 표준 요건을 지켜왔다. 예를 들어, '전통적인' 교실을 '탐구 기반' 교실과 비교하는 것은 적절하지 못한 조치이다. 명시적인 가르침을 토대로 한 흥미로운 수업이, 학습자들이 자신이 왜 교실에 있어야 하는지 혹은 자신이 무엇을 하기를 기대되는지 알지 못하는 혼돈스럽게 잘못 설계된 탐구 기반 수업보다 학습자 성취에서 거의 항상 더 나은 결과를 낳고 있다는 것을 우리는 전부터 알고 있다. 마찬가지로, 잘못 조직되고 매우 지루하고 노골적으로 제시된 교수자료는 학습자의 조사를 위한 의도적으로 설계된 질문들, 즉 필요할 때 제공되는 많은 조력을 포함하여 주의 깊게 조직된 탐구 기반 교수자료보다 매우 낮은 성과를 나을 것이다. 그런 비교들은 모두 예측이 가능하며, 과학적으로 의미 없는 일이다. 반면, 예를 들어, '해결된 예제 학습'과 '문제해결을 통한 학습'을 비교하는 것은 학습 도중에 안내의 중요성을 타당하게 검증하기 위한 하나의 절차를 제공할 것이다. 한 조건에서는 학습자들이 해결해야 할 문제들을 대하는 반면 다른 조건에서는 학습자들이 동일한 문제의 해결된 예제들을 공부한다는 것을 제외하면, 위 두 조건은 동일하다. 두 조건 간의 모든 차이는 광범위한 다른 요인들보다는 문제해결 방식과 해결된 예제 방식 간의 차이에서 비롯된다고 할 수 있다. 우리는 인지적 처리과정 및 교수설계와 관련된 영역에서 적절하게 구조화된 무작위 통제 실험을 운영할 수 있는 절차들이 항상 존재한다고 믿는다. 다양한 변수들이 동시에 변경되었기 때문에 인과 요인을 구별할 수 없는 실험들을 운영하는 것은 결코 정당화될 수 없다.

타당하게 운영된 무작위 통제 실험으로부터 얻은 데이터를 토대로 하지 않는 주장은 그릇된 판단을 할 수 있다. 우리는 새로운 교수적 절차들을 제공받은 학습자들이 오래된 더 전통적인 절차들을 사용할 때보다 과연 효과적인 성과를 거두는지 알 필요가 있다. 한 번에 한 가지 변수만 바꾸는 무작위 통제 실험은 그러한 것을 증명할 수 있다. 4부에서 논의된 인지부하이론 효과들은 모두 그런 실험들을 토대로 한다.

생물학적 일차 지식과 생물학적 이차 지식으로의 지식의 구분, 인간의 인지구조에 대한 강조, 인지부하를 범주들로 구분한 것, 내용 독립적인 인지적 전략보다 내용 의존적인 인지적 전략이 우위에 있다는 전제, 무작위 통제 실험의 사용을 통해 수집하는 자료에 대한 강조 등의 다섯 가지 특징 중 어떤 것도 반드시 인지부하이론에서만 유일한 것은 아니다. 위의 다섯 가지 특징들을 개별적으로는 다른 이론들에서도 찾아볼 수 있다. 그러나, 다섯 가지의 특징 모두를 가지고 있는 이론은 인지부하이론이 유일하다. 인지부하이론의 가정들은 이 책의 4부에서 논의된 인지부하 효과를 구성하는 무작위 통제 실험으로부터 직접 그 데이터를 제시하였다. 결론적으로, 교수활동의 지도시에 나타난 인지부하 효과의 유용성은 인지부하이론의 유용성을 나타낸다.

연구된 첫 번째 인지부하 효과는 무목표 효과이다. 이 효과의 이론적 근거는 목표-수단 분석방법을 사용해서 전통적인 문제를 해결할 때, 문제해결자가 반드시 처리해야 하는 많은 수의 상호작용하는 요소들은 작동기억을 초과한다는 가정에 의거한다. 전통적인 문제해결과 관련하여 요소 상호작용성을 줄이는 가장 간단한 방법 중 하나는 무목표 문제들을 사용해서 문제의 특성을 변화시키는 것이다. 문제목표의 특수성을 줄임으로써 목표-수단 분석이 가능해지고 이 전략과 연관된 많은 상호작용하는 요소들의 수가 감소된다. 무목표 문제를 대하는 학습자들은 현재 상태와 목표 상태를 비교하고 그것들 간에 차이점을 줄일 문재해결 연산자를 찾기 위한 시도보다는 각 문제 상황으로부터 만들 수 있는 모든 조치와 함께 각 문제 상태만을 고려하면 된다.

해결된 예제 효과와 문제 완성 효과에 대한 연구는, 모두 전통적인 문제해결은 수단－목표 전략과 연관된 많은 수의 상호작용하는 요소들 때문에 과도한 인지부하를 내포한다는 가정에 의해 생겨났다. 상호작용하는 요소의 수를 줄이기 위해 '문제해결' 전략을 바꾸기보다, 문제해결을 위해서 비슷한 이유(요소 상호작용성 증가)로 비슷한 효과(요소 상호작용성 감소)를 가지고 있는 완성형 문제를 수반한 해결된 예제가 대체물로 사용되었다.

4부에서 개관된 인지부하 효과들 중 해결된 예제 효과가 가장 주목을 받았다. 해결된 예제 효과는 수년간에 걸쳐 많은 연구자들에 의해 치밀하게 연구되어 왔다. 해결된 예제가 주의를 모았던 것은 이해할 만하다. 한편으로는 교수－학습에 대한 구성주의 관점과 탐구 중심 관점에서 갈등을 빚기도 하고, 다른 한편으로는 주요한 인지부하 효과로 논쟁의 여지도 있다. 해결된 예제 효과는 인지부하이론에 의해 사용된 인지구조의 통합체이자 구심점을 나타내며, 인지구조와 교수설계를 연결하고 있다. 해결된 예제의 학습은 '정보 저장 원리'에 따라 장기기억 안에 해당 영역에 해당되는 지식구조가 습득되는 것을 지원해야 한다. 해결된 예제는 '차용과 재조직 원리'에 따라 다른 사람으로부터 정보를 제공한다. 반면, '무작위 생성 원리'에 의해 정의되었듯이 '문제해결 전략'은 장기기억 안에 조직된 지식구조를 구성하기보다는 문제해결 방안을 제공하기 위하여 요구되는 높은 요소 상호작용성, 무작위 생성과 검증 절차를 포함한다. '변화의 제한성 원리'에 의해 제시되었듯이, '문제해결 전략'에 의해 내포된 높은 외재적 인지부하를 만드는 무작위 생성과 검증에 필요한 새로운 정보를 다룰 때 작동기억은 필수적으로 제한된다. 외재적 인지부하는 전통적인 문제해결 절차에 의해 처리되어야만 하는 많은 수의 상호작용하는 요소로 인한 것이다. 마지막으로, '환경의 재조직과 연결 원리'에 따라, 일단 해결된 예제로부터 얻은 정보가 장기기억에 성공적으로 저장되고 나면 작동기억의 특성이 변하고, 문제해결과 관련하여 해결된 예제의 장점을 알려주면서, 향후 문제해결과 학습에 사용될 수 있는 준비가 된다. 예상되는 바와 같이, 인간의 인지구조를 토대로 한 원리들은 해결된 예제와 관련이 깊다.

다른 인지부하이론 효과들도 마찬가지로 인지부하이론에 의해 사용된 인지구조를 토대로 한다. 문제 완성(problem completion) 효과는 해결된 예제와 완전히 같은 방식으로 인지구조에 의해 설명될 수 있다. 주의분산 효과, 감각양식 효과, 중복효과도 모두 정보가 명시적인 교수활동를 통해 다른 것들로부터 획득될 필요가 있다고 가정한다. 그러한 교수활동은 작동기억이 최적화된 기능을 수행하고 장기기억으로의 전이가 이루어질 수 있도록, 분산된 원천 혹은 중복된 정보로 인해 발생하는 높은 요소 상호작용성이 감소될 수 있도록 구조화되어야 한다. 주의분산의 경우, 정보의 다양한 원천을 단일 원천으로 통합함으로써 요소 상호작용성을 줄일 수 있다. 시각 정보에 대한 다양한 원천을 통합하기 위한 대안으로, 이중 감각양식 제시 방법은 이중 감각양식 조건하에서 작동기억의 기능성을 증가시킨다. 중복의 경우, 중복되는 정보를 제거함으로써 정보의 다양한 원천들을 줄일 수 있다.

전문성 역효과는 위의 모든 효과들에서 일어나는 반면, 안내의 점진적 소거 효과는 해결된 예제 효과에서 일어난다. 두 가지 효과 모두 '환경의 재조직과 연결 원리'에 크게 영향을 받는다. 일단 관련 정보가 장기기억에 저장되고 나면, 그 정보는 활동을 안내하고 따라서 교수활동 안내가 중복되게 된다. 동일한 정보가 장기기억 안에 있는 상태에서 교수활동 안내를 제공하면, 단지 작동기억의 비효율성이란 결과를 낳으면서 학습자가 처리해야만 하는 상호작용하는 외재적인 요소의 수를 증가시키기만 한다. 장기기억에 충분한 정보가 저장되었다면, 자료 제시 교수활동을 통해 정보를 처리하는 것보다는 그 정보를 상상하는 연습을 하는 것이 상상 효과를 발휘하기에 더 좋을 것이다. 마찬가지로, 일단 학습자들이 작동기억을 초과하지 않고 자기설명에 개입할 수 있도록 충분한 지식이 습득되었다면, 자기설명이 더욱 효과적일 것이라고 예측할 수 있을 것이다.

요소 상호작용성은 내재적 인지부하와 쉽게 연합되고, 실제로 요소 상호작용성은 내재적 인지부하 프레임워크 안에서 처음 설명되었다. 높은 내재적 인지부하와 관련된 높은 요소 상호작용성이 없다면, 외재적 인지부하와 관련된 어떤 요소 상호작용성도 작동기억 한계를 초과하지 않을 것이다. 작동기억 한계가 초과되지 않는다면, 인지부하 효과는 획득될 수 없다. 요소 상호작용성 효과는, 외재적 인지부하와 연관된 효과들이 낮은 인지부하와 연계하여 실패하는 경우가 발생한다.

내재적 인지부하와 연관된 요소 상호작용성이 너무 낮은 경우 다른 결과가 있을 수 있다. 만약 내재적 인지부하가 낮다면, 학생들이 반드시 학습해야 하는 것을 감소시키는 것이 아니라 증가시킴으로써 과제에 변화를 주어야 한다. 학생들이 학습하는 것을 증가시키는 것은 상호작용하는, 내재적인 요소의 수를 증가시킴으로써 달성된다. 해결된 예제의 다양성을 늘리는 것은 학생들이 반드시 학습해야 하는 것을 변화시킬 것이다. 그냥 특정 부류의 문제를 해결하는 법을 학습하는 대신, 학생들은 몇 가지 부류의 문제를 해결하는 법을 학습하고 그것들 간의 차이를 구별하는 법을 학습해야만 한다. 이런 방식으로 학습자들이 학습하는 것을 증가시킴으로써 내재적 인지부하와 관련된 요소 상호작용성이 증가된다. 물론, 처리 용량에 여유가 있을 때에 한해서 이런 절차가 효과를 발휘할 수 있다.

정반대의 경우로, 만약 요소 상호작용성이 그 자체로 작동기억 한계를 초과하는 매우 높은 내재적 인지부하와 연관된다면, 외재적 인지부하와 연관된 요소 상호작용성을 줄이는 것이 도움이 될 수 없을 것이다. 내재적 인지부하 그 자체는 분리된 요소 효과를 유도하는 것, 즉 학습의 초기에 학습자들이 배우기를 기대하는 것에 변화를 줌으로써 감소시킬 필요가 있을 것이다. 이 효과는, 학습자들에게 높은 요소 상호작용성 정보를 제시하지만 마치 그것의 요소 상호작용성이 낮은 것처럼 취급하는 것에서 좌우된다. 그런 절차(방식)는 학생들이 자료를 학습하지만 향후 학습이 일어날 때까지는 그것을 완전히 이해하지는 못하는 결과를 낳는다.

외재적 인지부하와 내재적 인지부하를 함께 토대로 하는 이러한 효과들은 잘 정립되었다. 인지부하이론에 의해 사용된 인지구조는, 이 글이 쓰이고 있는 이 시점에도, 아직 정립이 안 된 새로운 교수적 효과들을 계속 생성해내고 있다. 일시적 정보 효과(transient information effect)는, 정보가 설명이나 애니메이션이 사용될 때 일어나는 것과 같은 일시적인 형태로 제시되고 그 제시된 정보가 내재적 인지부하로 인해 요소 상호작용성이 높다면, 감각양식 효과나 애니메이션 효과로 인한 어떤 장점도 작동기억 한계의 초과로 인해 무효가 되거나 역효과를 일으킬 것임을 제시한다. 새로운 데이터와 함께 이전 데이터를 미리 분석한 결과는 일시적인 정보 효과에 대한 지지를 제공한다.

집합적 작동기억 효과(collective working memory effect)는 또 다른 새로운 인지부하 효과를 제공한다. 만약 어떤 과제의 내재적 인지부하와 연관된 요소 상호작용성이 작동기억의 한계를 초과한다면 그 과제를 다른 사람들과 공유하는 것은, 공유에 대한 교류비용이 다른 사람들과 정보를 분담하는 것의 장점을 초과하지 않으면서, 그 과제를 보다 다루기 쉽게 해줄 것이다.

인지부하이론은, 인간의 인지구조, 학습 내용 중심의 지식, 그리고 무작위 통제 실험을 토대로 한 교수적 효과 등을 강조하면서, 의미 있는 영역의 교수활동 과정들을 생성해왔다. 이러한 일면들을 하나의 전체로 통합시키는 작업은 생산적인 것이었다. 우리는 인지부하이론이 교수활동 절차에 대한 우리의 이해를 개선시킬 가능성이 있음을 믿는다.

참고문헌

Ainsworth, S., & Van Labeke, N. (2004). Multiple forms of dynamic representation. *Learning and Instruction, 14*, 241–255.

Amadieu, F., Tricot, A., & Mariné, C. (2009). Prior knowledge in learning from a non-linear electronic document: Disorientation and coherence of the reading sequences. *Computers in Human Behavior, 25*, 381–388.

Amadieu, F., van Gog, T., Paas, F., Tricot, A., & Mariné, C. (2009). Effects of prior knowledge and concept-map structure on disorientation, cognitive load, and learning. *Learning and Instruction, 19*, 376–386.

Anderson, J. R. (1996). ACT: A simple theory of complex cognition. *The American Psychologist, 51*, 355–365.

Anderson, J. R., Corbett, A. T., Koedinger, K. R., & Pelletier, R. (1995). Cognitive tutors: Lessons learned. *Journal of the Learning Sciences, 4*, 167–207.

Andersson, J., & Rönnberg, J. (1995). Recall suffers from collaboration: Joint recall effects of friendship and task complexity. *Applied Cognitive Psychology, 9*, 199–211.

Antonenko, P. D., & Niederhauser, D. S. (2010). The influence of leads on cognitive load and learning in a hypertext environment. *Computers in Human Behavior, 26*, 140–150.

Antonenko, P., Paas, F., Grabner, R., & van Gog, T. (2010). Using electronencephalography to measure cognitive load. *Educational Psychology Review, 22*, 425–438.

Arguel, A., & Jamet, E. (2009). Using video and static pictures to improve learning of procedural contents. *Computers in Human Behavior, 25*, 354–359.

Atkinson, R. K. (2002). Optimizing learning from examples using animated pedagogical agents. *Journal of Educational Psychology, 94*, 416–427.

Atkinson, R. K., Derry, S. J., Renkl, A., & Wortham, D. (2000). Learning from examples: Instructional principles from the worked examples research. *Review of Educational Research, 70*, 181–214.

Atkinson, R. K., Mayer, R. E., & Merrill, M. M. (2005). Fostering social agency in multimedia learning: Examining the impact of an animated agent's voice. *Contemporary Educational Psychology, 30*, 117–139.

Atkinson, R. K., Renkl, A., & Merrill, M. M. (2003). Transitioning from studying examples to solving problems: Effects of self-explanation prompts and fading worked-out steps. *Journal of Educational Psychology, 95*, 774–783.

Atkinson, R. K., & Renkl, A. (2007). Interactive example-based learning environments: Using interactive elements to encourage effective processing of worked examples. *Educational Psychology Review, 19*, 375–386.

Atkinson, R. C., & Shiffrin, R. M. (1968). Human memory: A proposed system and its control processes. In J. T. Spence & K. W. Spence (Eds.), *The psychology of learning and motivation* (Vol. 2, pp. 89–195). Oxford/England: Academic.

Austin, K. A. (2009). Multimedia learning: Cognitive individual differences and display design techniques predict transfer learning with multimedia learning modules. *Computers and Education, 53*, 1339–1354.

Ayres, P. L. (1993). Why goal-free problems can facilitate learning. *Contemporary Educational Psychology, 18*, 376–381.

Ayres, P. (1998). The effectiveness of a no-goal approach in solving Pythagorean problems. In C. Kanes, M. Goos, & E. Warren (Eds.), *Published Proceedings of the Mathematical Education Research Group of Australasia (MERGA 21)* (pp. 68–73). Gold Coast, Australia.

Ayres, P. L. (2001). Systematic mathematical errors and cognitive load. *Contemporary Educational Psychology, 26*, 227–248.

Ayres, P. (2006a). Impact of reducing intrinsic cognitive load on learning in a mathematical domain. *Applied Cognitive Psychology, 20*, 287–298.

Ayres, P. (2006b). Using subjective measures to detect variations of intrinsic cognitive load within problems. *Learning and Instruction, 16*, 389–400.

Ayres, P., Kalyuga, S., Marcus, N., & Sweller, J. (2005, August). *The conditions under which instructional animation may be effective*. Unpublished paper presented at the International workshop Extending Cognitive Load Theory and Instructional Design to the Development of Expert Performance, Open University of the Netherlands, Heerlen, The Netherlands.

Ayres, P., Marcus, N., Chan, C., & Qian, N. (2009). Learning hand manipulative tasks: When instructional animations are superior to equivalent static representations. *Computers in Human Behavior, 25*, 348–353.

Ayres, P., & Paas, F. (2007a). Can the cognitive load approach make instructional animations more effective? *Applied Cognitive Psychology, 21*, 811–820.

Ayres, P., & Paas, F. (2007b). Making instructional animations more effective: A cognitive load approach. *Applied Cognitive Psychology, 21*, 695–700.

Ayres, P., & Paas, F. (2009). Interdisciplinary perspectives inspiring a new generation of cognitive load research. *Educational Psychology Review, 21*, 1–9.

Ayres, P., & Sweller, J. (1990). Locus of difficulty in multistage mathematics problems. *The American Journal of Psychology, 103*, 167–193.

Ayres, P., & Sweller, J. (2005). The split-attention principle in multimedia learning. In R. E. Mayer (Ed.), *The Cambridge handbook of multimedia learning* (pp. 135–146). New York: Cambridge University Press.

Ayres, P., & Youssef, A. (2008). Investigating the influence of transitory information and motivation during instructional animations. In P. A. Kirschner, F. Prins, V. Jonker, & G. Kanselaar (Eds.), *Published Proceedings of the Eighth International Conference for the Learning Sciences* (Vol. 1, pp. 68–75). Utrecht, The Netherlands.

Baddeley, A. (1986). *Working memory*. New York: Oxford University Press.

Baddeley, A. (1992). Working memory. *Science, 255*, 556–559.

Baggett, P. (1984). Role of temporal overlap of visual and auditory material in forming dual media associations. *Journal of Educational Psychology, 76*, 408–417.

Bandura, A. (1986). *Social foundations of thought and action: A social cognitive theory.* Englewood Cliffs: Prentice-Hall.

Bartlett, F. C. (1932). *Remembering: A study in experimental and social psychology*. Oxford/England: Macmillan.

Berthold, K., Eysink, T. H. S., & Renkl, A. (2009). Assisting self-explanation prompts are more effective than open prompts when learning with multiple representations. *Instructional Science, 37*, 345–363.

Berry, D. C., & Broadbent, D. E. (1984). On the relationship between task performance and associated verbalizable knowledge. *The Quarterly Journal of Experimental Psychology: Human Experimental Psychology, 36A*, 209–231.

Bétrancourt, M. (2005). The animation and interactivity principles in multimedia learning. In R. E. Mayer (Ed.), *The Cambridge handbook of multimedia learning* (pp. 287–296). New York: Cambridge University Press.

Bétrancourt, M., & Bisseret, A. (1998). Integrating textual and pictorial information via pop-up windows: An experimental study. *Behaviour and Information Technology, 17*, 263–273.

Bielaczyk, K., Pirolli, P. L., & Brown, A. L. (1995). Training in self-explanation and self-regulation strategies: Investigating the effects of knowledge acquisition activities on problem solving. *Cognition and Instruction, 13*, 221–252.
Blandin, Y., Lhuisset, L., & Proteau, L. (1999). Cognitive processes underlying observational learning of motor skills. *The Quarterly Journal of Experimental Psychology: Human Experimental Psychology, 52A*, 957–979.
Blayney, P., Kalyuga, S., & Sweller, J. (2010). Interactions between the isolated–interactive elements effect and levels of learner expertise: Experimental evidence from an accountancy class. *Instructional Science, 38*, 277–287.
Bobis, J., Sweller, J., & Cooper, M. (1993). Cognitive load effects in a primary-school geometry task. *Learning and Instruction, 3*, 1–21.
Bobis, J., Sweller, J., & Cooper, M. (1994). Demands imposed on primary-school students by geometric models. *Contemporary Educational Psychology, 19*, 108–117.
Bodemer, D., Ploetzner, R., Feuerlein, I., & Spada, H. (2004). The active integration of information during learning with dynamic and interactive visualisations. *Learning and Instruction, 14*, 325–341.
Borrás, I., & Lafayette, R. C. (1994). Effects of multimedia courseware subtitling on the speaking performance of college students of French. *Modern Language Journal, 78*, 61–75.
Boucheix, J.-M., & Guignard, H. (2005). What animated illustrations conditions can improve technical document comprehension in young students? Format, signaling and control of the presentation. *European Journal of Psychology of Education, 20*, 369–388.
Bratfisch, O., Borg, G., & Dornic, S. (1972). *Perceived item-difficulty in three tests of intellectual performance capacity (Tech. Rep. No. 29)*. Stockholm: Institute of Applied Psychology.
Britton, B. K., & Tesser, A. (1982). Effects of prior knowledge on use of cognitive capacity in three complex cognitive tasks. *Journal of Verbal Learning and Verbal Behavior, 21*, 421–436.
Bruner, J. (1961). The art of discovery. *Harvard Educational Review, 31*, 21–32.
Brünken, R., Plass, J. L., & Leutner, D. (2004). Assessment of cognitive load in multimedia learning with dual-task methodology: Auditory load and modality effects. *Instructional Science, 32*, 115–132.
Brünken, R., Steinbacher, S., Plass, J. L., & Leutner, D. (2002). Assessment of cognitive load in multimedia learning using dual-task methodology. *Experimental Psychology, 49*, 109–119.
Brunstein, A., Betts, S., & Anderson, J. R. (2009). Practice enables successful learning under minimal guidance. *Journal of Educational Psychology, 101*, 790–802.
Burns, B. D., & Vollmeyer, R. (2002). Goal specificity effects on hypothesis testing in problem solving. *The Quarterly Journal of Experimental Psychology: Human Experimental Psychology, 55A*, 241–261.
Camp, G., Paas, F., Rikers, R., & van Merriënboer, J. (2001). Dynamic problem selection in air traffic control training: A comparison between performance, mental effort and mental efficacy. *Computers in Human Behavior, 17*, 575–595.
Carlson, R., Chandler, P., & Sweller, J. (2003). Learning and understanding science instructional material. *Journal of Educational Psychology, 95*, 629–640.
Carroll, W. M. (1994). Using worked examples as an instructional support in the algebra classroom. *Journal of Educational Psychology, 86*, 360–367.
Catrambone, R. (1998). The subgoal learning model: Creating better examples so that students can solve novel problems. *Journal of Experimental Psychology: General, 127*, 355–376.
Cerpa, N., Chandler, P., & Sweller, J. (1996). Some conditions under which integrated computer-based training software can facilitate learning. *Journal of Educational Computing Research, 15*, 345–367.
Chandler, P. (2004). The crucial role of cognitive processes in the design of dynamic visualizations. *Learning and Instruction, 14*, 353–357.
Chandler, P., & Sweller, J. (1991). Cognitive load theory and the format of instruction. *Cognition and Instruction, 8*, 293–332.
Chandler, P., & Sweller, J. (1992). The split-attention effect as a factor in the design of instruction. *The British Journal of Educational Psychology, 62*, 233–246.
Chandler, P., & Sweller, J. (1996). Cognitive load while learning to use a computer program. *Applied Cognitive Psychology, 10*, 151–170.

Chase, W. G., & Simon, H. A. (1973). Perception in chess. *Cognitive Psychology, 4*, 55–81.
Chi, M. T. H. (2000). Self-explaining expository texts: The dual process of generating inferences and repairing mental models. In R. Glaser (Ed.), *Advances in instructional psychology: Educational design and cognitive science* (pp. 161–238). Mahwah, NJ: Erlbaum.
Chi, M. T., Bassok, M., Lewis, M. W., Reimann, P., & Glaser, R. (1989). Self-explanations: How students study and use examples in learning to solve problems. *Cognitive Science, 13*, 145–182.
Chi, M. T. H., de Leeuw, N., Chiu, M.-H., & LaVancher, C. (1994). Eliciting self-explanations improves understanding. *Cognitive Science, 18*, 439–477.
Chi, M., Glaser, R., & Rees, E. (1982). Expertise in problem solving. In R. Sternberg (Ed.), *Advances in the psychology of human intelligence* (pp. 7–75). Hillsdale: Lawrence Erlbaum.
Chiesi, H. L., Spilich, G. J., & Voss, J. F. (1979). Acquisition of domain-related information in relation to high and low domain knowledge. *Journal of Verbal Learning and Verbal Behavior, 18*, 257–273.
Chung, K. K. H. (2007). Presentation factors in the learning of Chinese characters: The order and position of Hanyu pinyin and English translations. *Educational Psychology, 27*, 1–20.
Chung, J., & Reigeluth, C. M. (1992). Instructional prescriptions for learner control. *Educational Technology Research and Development, 32*, 14–20.
Cierniak, G., Scheiter, K., & Gerjets, P. (2009a). Expertise reversal in multimedia learning: Subjective load ratings and viewing behavior as cognitive process indicators. In N. A. Taatgen & H. van Rijn (Eds.), *Proceedings of the 31st Annual Conference of the Cognitive Science Society* (pp. 1906–1911). Austin: Cognitive Science Society.
Cierniak, G., Scheiter, K., & Gerjets, P. (2009b). Explaining the split-attention effect: Is the reduction of extraneous cognitive load accompanied by an increase in germane cognitive load? *Computers in Human Behavior, 25*, 315–324.
Clark, L. V. (1960). Effect of mental practice on the development of a certain motor skill. *Research Quarterly of the American Association for Health, Physical Education, and Recreation, 31*, 560–569.
Clark, R. C., & Mayer, R. E. (2003). *E-learning and the science of instruction*. San Francisco: Jossey-Bass/Pfeiffer.
Clark, R., Nguyen, F., & Sweller, J. (2006). *Efficiency in learning: Evidence-based guidelines to manage cognitive load*. San Francisco: Pfeiffer.
Clarke, T., Ayres, P., & Sweller, J. (2005). The impact of sequencing and prior knowledge on learning mathematics through spreadsheet applications. *Educational Technology Research and Development, 53*, 15–24.
Cohen, J. (1988). *Statistical power analysis for the behavioural sciences*. New York: Academic.
Cooper, G., & Sweller, J. (1987). Effects of schema acquisition and rule automation on mathematical problem-solving transfer. *Journal of Educational Psychology, 79*, 347–362.
Cooper, G., Tindall-Ford, S., Chandler, P., & Sweller, J. (2001). Learning by imagining. *Journal of Experimental Psychology: Applied, 7*, 68–82.
Corbalan, G., Kester, L., & van Merriënboer, J. J. G. (2008). Selecting learning tasks: Effects of adaptation and shared control on learning efficiency and task involvement. *Contemporary Educational Psychology, 33*, 733–756.
Corbin, C. B. (1967). The effects of covert rehearsal on the development of a complex motor skill. *The Journal of General Psychology, 76*, 143–150.
Cowan, N. (2001). The magical number 4 in short-term memory: A reconsideration of mental storage capacity. *The Behavioral and Brain Sciences, 24*, 87–185.
Craig, S. D., Gholson, B., & Driscoll, D. M. (2002). Animated pedagogical agents in multimedia educational environments: Effects of agent properties, picture features and redundancy. *Journal of Educational Psychology, 94*, 428–434.
Cronbach, L. (1967). How can instruction be adapted to individual differences. In R. Gagne (Ed.), *Learning and individual differences* (pp. 23–39). Columbus: Merrill.
Cronbach, L. J., & Snow, R. E. (1977). *Aptitudes and instructional methods: A handbook for research on interactions*. New York: Irvington.
Crooks, S., White, D., Srinivasan, S., & Wang, Q. (2008). Temporal, but not spatial, contiguity effects while studying an interactive geographic map. *Journal of Educational Multimedia and Hypermedia, 17*, 145–169.

Cuevas, H. M., Fiore, S. M., & Oser, R. L. (2002). Scaffolding cognitive and metacognitive processes in low verbal ability learners: Use of diagrams in computer-based training environments. *Instructional Science, 30*, 433–464.
De Croock, M. B. M., van Merriënboer, J. J. G., & Paas, F. G. W. C. (1998). High versus low contextual interference in simulation-based training of troubleshooting skills: Effects on transfer performance and invested mental effort. *Computers in Human Behavior, 14*, 249–267.
De Groot, A. (1965). *Thought and choice in chess*. The Hague: Mouton. Original work published 1946.
De Groot, A., & Gobet, F. (1996). *Perception and memory in chess: Studies in the heuristics of the professional eye*. Assen, The Netherlands: Van Gorcum.
De Koning, B. B., Tabbers, H. K., Rikers, R. M. J. P., & Paas, F. (2007). Attention cueing as a means to enhance learning from an animation. *Applied Cognitive Psychology, 21*, 731–746.
De Westelinck, K., Valcke, M., De Craene, B., & Kirschner, P. (2005). Multimedia learning in social sciences: Limitations of external graphical representations. *Computers in Human Behavior, 21*, 555–573.
DeLeeuw, K. E., & Mayer, R. E. (2008). A comparison of three measures of cognitive load: Evidence for separable measures of intrinsic, extraneous, and germane load. *Journal of Educational Psychology, 100*, 223–234.
Diao, Y., Chandler, P., & Sweller, J. (2007). The effect of written text on comprehension of spoken English as a foreign language. *The American Journal of Psychology, 120*, 237–261.
Diao, Y., & Sweller, J. (2007). Redundancy in foreign language reading comprehension instruction: Concurrent written and spoken presentations. *Learning and Instruction, 17*, 78–88.
Dillon, A., & Jobst, J. (2005). Multimedia learning with hypermedia. In R. E. Mayer (Ed.), *The Cambridge handbook of multimedia learning* (pp. 569–588). New York: Cambridge University Press.
Driskell, J. E., Copper, C., & Moran, A. (1994). Does mental practice enhance performance? *The Journal of Applied Psychology, 79*, 481–492.
Dunbar, R. I. M. (2000). Causal reasoning, mental rehearsal, and the evolution of primate cognition. In C. Heyes & L. Luber (Eds.), *The evolution of cognition: Vienna series in theoretical biology* (pp. 205–219). Cambridge, MA: MIT Press.
Dunsworth, Q., & Atkinson, R. K. (2007). Fostering multimedia learning of science: Exploring the role of an animated agent's image. *Computers and Education, 49*, 677–690.
Dutke, S., & Rinck, M. (2006). Multimedia learning: Working memory and the learning of word and picture diagrams. *Learning and Instruction, 16*, 526–537.
Egan, D. E., & Schwartz, B. J. (1979). Chunking in recall of symbolic drawings. *Memory and Cognition, 7*, 149–158.
Egstrom, G. H. (1964). Effects of an emphasis on conceptualizing techniques during early learning of a gross motor skill. *Research Quarterly, 35*, 472–481.
Erhel, S., & Jamet, E. (2006). Using pop-up windows to improve multimedia learning. *Journal of Computer Assisted Learning, 22*, 137–147.
Ericsson, K. A., & Charness, N. (1994). Expert performance: Its structure and acquisition. *The American Psychologist, 49*, 725–747.
Ericsson, K. A., & Kintsch, W. (1995). Long-term working memory. *Psychological Review, 102*, 211–245.
Ericsson, K. A., Krampe, R. T., & Tesch-Römer, C. (1993). The role of deliberate practice in the acquisition of expert performance. *Psychological Review, 100*, 363–406.
Etnier, J. L., & Landers, D. M. (1996). The influence of procedural variables on the efficacy of mental practice. *The Sport Psychologist, 10*, 48–57.
Federico, P.-A. (1980). Adaptive instruction: Trends and issues. In R. Snow, P.-A. Federico, & W. Montague (Eds.), *Aptitude, learning, and instruction* (Cognitive process analyses of aptitude, Vol. 1, pp. 1–26). Hillsdale: Lawrence Erlbaum.
Federico, P.-A. (1999). Hypermedia environments and adaptive instruction. *Computers in Human Behavior, 15*, 653–692.
Florax, M., & Ploetzner, R. (2010). What contributes to the split-attention effect? The role of text segmentation, picture labelling, and spatial proximity. *Learning and Instruction, 20*, 216–224.
Garza, T. J. (1991). Evaluating the use of captioned video materials in advanced foreign language learning. *Foreign Language Annals, 24*, 239–258.

Gazzola, V., Rizzolatti, G., Wicker, B., & Keysers, C. (2007). The anthropomorphic brain: The mirror neuron system responds to human and robotic actions. *Neuroimage, 35*, 1674–1684.
Geary, D. C. (2007). Educating the evolved mind: Conceptual foundations for an evolutionary educational psychology. In J. S. Carlson & J. R. Levin (Eds.), *Psychological perspectives on contemporary educational issues* (pp. 1–99). Greenwich: Information Age Publishing.
Geary, D. C. (2008). An evolutionarily informed education science. *Educational Psychologist, 43*, 179–195.
Geddes, B. W., & Stevenson, R. J. (1997). Explicit learning of a dynamic system with a non-salient pattern. *The Quarterly Journal of Experimental Psychology: Human Experimental Psychology, 50A*, 742–765.
Gerjets, P., Scheiter, K., & Catrambone, R. (2004). Designing instructional examples to reduce intrinsic cognitive load: Molar versus modular presentation of solution procedures. *Instructional Science, 32*, 33–58.
Gerjets, P., Scheiter, K., & Catrambone, R. (2006). Can learning from molar and modular worked examples be enhanced by providing instructional explanations and prompting self-explanations? *Learning and Instruction, 16*, 104–121.
Gerjets, P., Scheiter, K., Opfermann, M., Hesse, F. W., & Eysink, T. H. S. (2009). Learning with hypermedia: The influence of representational formats and different levels of learner control on performance and learning behavior. *Computers in Human Behavior, 25*, 360–370.
Gerjets, P., Scheiter, K., & Schuh, J. (2008). Information comparisons in example-based hypermedia environments: Supporting learners with processing prompts and an interactive comparison tool. *Educational Technology Research and Development, 56*, 73–92.
Ginns, P. (2005a). Imagining instructions: Mental practice in highly cognitive domains. *Australian Journal of Education, 49*, 128–140.
Ginns, P. (2005b). Meta-analysis of the modality effect. *Learning and Instruction, 15*, 313–331.
Ginns, P. (2006). Integrating information: A meta-analysis of the spatial contiguity and temporal contiguity effects. *Learning and Instruction, 16*, 511–525.
Ginns, P., Chandler, P., & Sweller, J. (2003). When imagining information is effective. *Contemporary Educational Psychology, 28*, 229–251.
Goldsmith, T. E., Johnson, P. J., & Acton, W. H. (1991). Assessing structural knowledge. *Journal of Educational Psychology, 83*, 88–96.
Goolkasian, P. (2000). Pictures, words, and sounds: From which format are we best able to reason? *The Journal of General Psychology, 127*, 439–459.
Grafton, S., Arbib, M., Fadiga, L., & Rizzolatti, G. (1996). Localization of grasp representations in humans by positron emission tomography: 2. Observation compared with imagination. *Experimental Brain Research, 112*, 103–111.
Greeno, J. G. (1976). Indefinite goals in well-structured problems. *Psychological Review, 83*, 479–491.
Greeno, J. G. (1978). Natures of problem-solving abilities. In W. K. Estes (Ed.), *Handbook of learning and cognitive processes* (Vol. 5, pp. 239–270). Oxford/England: Lawrence Erlbaum.
Grouios, G. (1992). The effect of mental practice on diving performance. *International Journal of Sport Psychology, 23*, 60–69.
Halford, G. S., Maybery, M. T., & Bain, J. D. (1986). Capacity limitations in children's reasoning: A dual-task approach. *Child Development, 57*, 616–627.
Harskamp, E. G., Mayer, R. E., & Suhre, C. (2007). Does the modality principle for multimedia learning apply to science classrooms? *Learning and Instruction, 17*, 465–477.
Hart, S. G. (2006). NASA-Task Load Index (NASA-TLX); 20 years later. *Proceedings of the Human Factors and Ergonomics Society 50th Annual Meeting* (pp. 904–908). Santa Monica: Human Factors and Ergonomics Society.
Hart, S. G., & Staveland, L. E. (1988). Development of NASA-TLX (Task Load Index): Results of empirical and theoretical research. In P. A. Hancock & N. Meshkati (Eds.), *Human mental workload* (Advances in psychology, Vol. 52, pp. 139–183). Amsterdam: North-Holland.
Hasler, B. S., Kersten, B., & Sweller, J. (2007). Learner control, cognitive load and instructional animation. *Applied Cognitive Psychology, 21*, 713–729.
Hazler, R. J., & Hipple, T. E. (1981). The effects of mental practice on counselling behaviours. *Counselor Education and Supervision, 20*, 211–218.
Hegarty, M. (2004). Dynamic visualizations and learning: Getting to the difficult questions. *Learning and Instruction, 14*, 343–351.

Hegarty, M., Kriz, S., & Cate, C. (2003). The roles of mental animations and external animations in understanding mechanical systems. *Cognition and Instruction, 21*, 325–360.
Hilbert, T. S., & Renkl, A. (2009). Learning how to use a computer-based concept-mapping tool: Self-explaining examples helps. *Computers in Human Behavior, 25*, 267–274.
Hilbert, T. S., Renkl, A., Kessler, S., & Reiss, K. (2008). Learning to prove in geometry: Learning from heuristic examples and how it can be supported. *Learning and Instruction, 18*, 54–65.
Hirai, A. (1999). The relationship between listening and reading rates of Japanese EFL learners. *Modern Language Journal, 83*, 367–384.
Höffler, T. N., & Leutner, D. (2007). Instructional animation versus static pictures: A meta-analysis. *Learning and Instruction, 17*, 722–738.
Hoffman, B., & Schraw, G. (2010). Conceptions of efficiency: Applications in learning and problem solving. *Educational Psychologist, 45*, 1–14.
Holliday, W. G. (1976). Teaching verbal chains using flow diagrams and texts. *AV Communication Review, 24*, 63–78.
Homer, B. D., & Plass, J. L. (2010). Expertise reversal for iconic representations in science visualizations. *Instructional Science, 38*, 259–276.
Homer, B. D., Plass, J. L., & Blake, L. (2008). The effects of video on cognitive load and social presence in multimedia-learning. *Computers in Human Behavior, 24*, 786–797.
Hummel, H. G. K., Paas, F., & Koper, E. J. R. (2004). Cueing for transfer in multimedia programmes: Process worksheets vs. worked-out examples. *Journal of Computer Assisted Learning, 20*, 387–397.
Iacoboni, M., Woods, R. P., Brass, M., Bekkering, H., Mazziotta, J. C., & Rizzolatti, G. (1999). Cortical mechanisms of human imitation. *Science, 286*, 2526–2528.
Jablonka, E., & Lamb, M. J. (1995). *Epigenetic inheritance and evolution*. New York: Oxford University Press.
Jablonka, E., & Lamb, M. J. (2005). *Evolution in four dimensions: Genetic, epigenetic, behavioral, and symbolic variation in the history of life*. Cambridge, MA: MIT Press.
Jamet, E., & Le Bohec, O. (2007). The effect of redundant text in multimedia instruction. *Contemporary Educational Psychology, 32*, 588–598.
Jeffries, R., Turner, A., Polson, P., & Atwood, M. (1981). Processes involved in designing software. In J. R. Anderson (Ed.), *Cognitive skills and their acquisition* (pp. 255–283). Hillsdale: Lawrence Erlbaum.
Jeung, H.-J., Chandler, P., & Sweller, J. (1997). The role of visual indicators in dual sensory mode instruction. *Educational Psychology, 17*, 329–343.
Kahneman, D., & Beatty, J. (1966). Pupil diameter and load on memory. *Science, 154*, 1583–1585.
Kalyuga, S. (2006a). Assessment of learners' organised knowledge structures in adaptive learning environments. *Applied Cognitive Psychology, 20*, 333–342.
Kalyuga, S. (2006b). Rapid assessment of learners' proficiency: A cognitive load approach. *Educational Psychology, 26*, 735–749.
Kalyuga, S. (2006c). Rapid cognitive assessment of learners' knowledge structures. *Learning and Instruction, 16*, 1–11.
Kalyuga, S. (2007). Expertise reversal effect and its implications for learner-tailored instruction. *Educational Psychology Review, 19*, 509–539.
Kalyuga, S. (2008a). Relative effectiveness of animated and static diagrams: An effect of learner prior knowledge. *Computers in Human Behavior, 24*, 852–861.
Kalyuga, S. (2008b). When less is more in cognitive diagnosis: A rapid online method for diagnosing learner task-specific expertise. *Journal of Educational Psychology, 100*, 603–612.
Kalyuga, S., Ayres, P., Chandler, P., & Sweller, J. (2003). The expertise reversal effect. *Educational Psychologist, 38*, 23–31.
Kalyuga, S., Chandler, P., & Sweller, J. (1998). Levels of expertise and instructional design. *Human Factors, 40*, 1–17.
Kalyuga, S., Chandler, P., & Sweller, J. (1999). Managing split-attention and redundancy in multimedia instruction. *Applied Cognitive Psychology, 13*, 351–371.
Kalyuga, S., Chandler, P., & Sweller, J. (2000). Incorporating learner experience into the design of multimedia instruction. *Journal of Educational Psychology, 92*, 126–136.
Kalyuga, S., Chandler, P., & Sweller, J. (2001). Learner experience and efficiency of instructional guidance. *Educational Psychology, 21*, 5–23.

Kalyuga, S., Chandler, P., & Sweller, J. (2004). When redundant on-screen text in multimedia technical instruction can interfere with learning. *Human Factors, 46*, 567–581.

Kalyuga, S., Chandler, P., Tuovinen, J., & Sweller, J. (2001). When problem solving is superior to studying worked examples. *Journal of Educational Psychology, 93*, 579–588.

Kalyuga, S., & Renkl, A. (2010). Expertise reversal effect and its instructional implications: Introduction to the special issue. *Instructional Science, 38*, 209–215.

Kalyuga, S., & Sweller, J. (2004). Measuring knowledge to optimize cognitive load factors during instruction. *Journal of Educational Psychology, 96*, 558–568.

Kalyuga, S., & Sweller, J. (2005). Rapid dynamic assessment of expertise to improve the efficiency of adaptive e-learning. *Educational Technology Research and Development, 53*, 83–93.

Kelsey, I. B. (1961). Effects of mental practice and physical practice upon muscular endurance. *Research Quarterly of the American Association for Health, Physical Education, and Recreation, 32*, 47–54.

Kerr, B. (1973). Processing demands during mental operations. *Memory and Cognition, 1*, 401–412.

Kester, L., & Kirschner, P. A. (2009). Effects of fading support on hypertext navigation and performance in student-centered e-learning environments. *Interactive Learning Environments, 17*, 165–179.

Kester, L., Kirschner, P. A., & van Merriënboer, J. J. G. (2005). The management of cognitive load during complex cognitive skill acquisition by means of computer-simulated problem solving. *The British Journal of Educational Psychology, 75*, 71–85.

Kester, L., Kirschner, P. A., & van Merriënboer, J. J. G. (2006). Just-in-time information presentation: Improving learning a troubleshooting skill. *Contemporary Educational Psychology, 31*, 167–185.

Kester, L., Kirschner, P. A., van Merriënboer, J. J. G., & Baumer, A. (2001). Just-in-time information presentation and the acquisition of complex cognitive skills. *Computers in Human Behavior, 17*, 373–391.

Khawaja, M. A., Chen, F., & Marcus, N. (2010). Using language complexity to measure cognitive load for adaptive interaction design. *Proceedings of the 14th International Conference on Intelligent User Interfaces (IUI10)* (pp. 333–336). *Hong Kong, China*.

Kirschner, P., Ayres, P., & Chandler, P. (2011). Contemporary cognitive load theory: the good, bad and the ugly. *Computers in Human Behavior, 27*, 99–105.

Kirschner, F., Paas, F., & Kirschner, P. (in press). Task complexity as a driver for collaborative learning efficiency: The collective working-memory effect. *Applied Cognitive Psychology*.

Kirschner, F., Paas, F., & Kirschner, P. A. (2009a). A cognitive load approach to collaborative learning: United brains for complex tasks. *Educational Psychology Review, 21*, 31–42.

Kirschner, F., Paas, F., & Kirschner, P. A. (2009b). Individual and group-based learning from complex cognitive tasks: Effects on retention and transfer efficiency. *Computers in Human Behavior, 25*, 306–314.

Kirschner, P. A., Sweller, J., & Clark, R. E. (2006). Why minimal guidance during instruction does not work: An analysis of the failure of constructivist, discovery, problem-based, experiential, and inquiry-based teaching. *Educational Psychologist, 41*, 75–86.

Klahr, D., & Nigam, M. (2004). The equivalence of learning paths in early science instruction: Effects of direct instruction and discovery learning. *Psychological Science, 15*, 661–667.

Koedinger, K. R., & Aleven, V. (2007). Exploring the assistance dilemma in experiments with cognitive tutors. *Educational Psychology Review, 19*, 239–264.

Koroghlanian, C., & Klein, J. D. (2004). The effect of audio and animation in multimedia instruction. *Journal of Educational Multimedia and Hypermedia, 13*, 23–46.

Kotovsky, K., Hayes, J. R., & Simon, H. A. (1985). Why are some problems hard? Evidence from Tower of Hanoi. *Cognitive Psychology, 17*, 248–294.

Kyun, S. A., Kalyuga, S., & Sweller, J. (in preparation). The effect of worked examples when learning English literature.

Larkin, J., McDermott, J., Simon, D. P., & Simon, H. A. (1980a). Expert and novice performance in solving physics problems. *Science, 208*, 1335–1342.

Larkin, J. H., McDermott, J., Simon, D. P., & Simon, H. A. (1980b). Models of competence in solving physics problems. *Cognitive Science, 4*, 317–345.

Laughlin, P. R., Bonner, B. L., & Miner, A. G. (2002). Groups perform better than the best individuals on letters-to-numbers problems. *Organizational Behavior and Human Decision Processes, 88*, 605–620.

Laughlin, P. R., Hatch, E. C., Silver, J. S., & Boh, L. (2006). Groups perform better than the best individuals on letters-to-numbers problems: Effects of group size. *Journal of Personality and Social Psychology, 90*, 644–651.
Leahy, W. & Sweller, J. (in press). Cognitive Load Theory, Modality of Presentation and the Transient Information Effect. *Applied Cognitive Psychology*.
Leahy, W., & Sweller, J. (2004). Cognitive load and the imagination effect. *Applied Cognitive Psychology, 18*, 857–875.
Leahy, W., & Sweller, J. (2005). Interactions among the imagination, expertise reversal, and element interactivity effects. *Journal of Experimental Psychology: Applied, 11*, 266–276.
Leahy, W., & Sweller, J. (2008). The imagination effect increases with an increased intrinsic cognitive load. *Applied Cognitive Psychology, 22*, 273–283.
Lee, C. H., & Kalyuga, S. (in press). Effectiveness of different pinyin presentation formats in learning Chinese characters: A cognitive load perspective. *Language Learning*.
Lee, C. H., & Kalyuga, S. (2011). Effectiveness of on-screen pinyin in learning Chinese: An expertise reversal for multimedia redundancy effect. *Computers in Human Behavior, 27*, 11–15.
Lee, H., Plass, J. L., & Homer, B. D. (2006). Optimizing cognitive load for learning from computer-based science simulations. *Journal of Educational Psychology, 98*, 902–913.
Lesh, R., Behr, M., & Post, T. (1987). Rational number relations and proportions. In C. Janvier (Ed.), *Problems of representation in the teaching and learning of mathematics*. Hillsdale: Lawrence Erlbaum.
Leutner, D., Leopold, C., & Sumfleth, E. (2009). Cognitive load and science text comprehension: Effects of drawing and mentally imagining text content. *Computers in Human Behavior, 25*, 284–289.
Lohman, D. F. (1986). Predicting mathemathanic effects in the teaching of higher-order thinking skills. *Educational Psychologist, 21*, 191–208.
Lowe, R. K. (1999). Extracting information from an animation during complex visual learning. *European Journal of Psychology of Education, 14*, 225–244.
Lowe, R. K. (2003). Animation and learning: Selective processing of information in dynamic graphics. *Learning and Instruction, 13*, 157–176.
Luchins, A. S. (1942). Mechanization in problem solving – The effect of Einstellung. *Psychological Monographs, 54*, 95.
Marcus, N., Cooper, M., & Sweller, J. (1996). Understanding instructions. *Journal of Educational Psychology, 88*, 49–63.
Markham, P. L. (1999). Captioned videotape and second-language listening word recognition. *Foreign Language Annals, 32*, 321–328.
Mautone, P. D., & Mayer, R. E. (2001). Signaling as a cognitive guide in multimedia learning. *Journal of Educational Psychology, 93*, 377–389.
Mawer, R. F., & Sweller, J. (1982). Effects of subgoal density and location on learning during problem solving. *Journal of Experimental Psychology. Learning, Memory, and Cognition, 8*, 252–259.
Mayer, R. E. (1989). Systematic thinking fostered by illustrations in scientific text. *Journal of Educational Psychology, 81*, 240–246.
Mayer, R. E. (1997). Multimedia learning: Are we asking the right questions? *Educational Psychologist, 32*, 1–19.
Mayer, R. E. (2004). Should there be a three-strikes rule against pure discovery learning? The case for guided methods of instruction. *The American Psychologist, 59*, 14–19.
Mayer, R. E. (Ed.). (2005). *Cambridge handbook of multimedia learning*. New York: Cambridge University Press.
Mayer, R. E. (2009). *Multimedia learning* (2nd ed.). New York: Cambridge University Press.
Mayer, R. E., & Anderson, R. B. (1991). Animations need narrations: An experimental test of a dual-coding hypothesis. *Journal of Educational Psychology, 83*, 484–490.
Mayer, R. E., & Anderson, R. B. (1992). The instructive animation: Helping students build connections between words and pictures in multimedia learning. *Journal of Educational Psychology, 84*, 444–452.
Mayer, R. E., & Chandler, P. (2001). When learning is just a click away: Does simple user interaction foster deeper understanding of multimedia messages? *Journal of Educational Psychology, 93*, 390–397.

Mayer, R. E., DeLeeuw, K. E., & Ayres, P. (2007). Creating retroactive and proactive interference in multimedia learning. *Applied Cognitive Psychology, 21*, 795–809.
Mayer, R. E., Dow, G. T., & Mayer, S. (2003). Multimedia learning in an interactive self-explaining environment: What works in the design of agent-based microworlds? *Journal of Educational Psychology, 95*, 806–812.
Mayer, R. E., & Gallini, J. K. (1990). When is an illustration worth ten thousand words? *Journal of Educational Psychology, 82*, 715–726.
Mayer, R. E., Hegarty, M., Mayer, S., & Campbell, J. (2005). When static media promote active learning: Annotated illustrations versus narrated animations in multimedia instruction. *Journal of Experimental Psychology: Applied, 11*, 256–265.
Mayer, R. E., Heiser, J., & Lonn, S. (2001). Cognitive constraints on multimedia learning: When presenting more material results in less understanding. *Journal of Educational Psychology, 93*, 187–198.
Mayer, R. E., & Johnson, C. I. (2008). Revising the redundancy principle in multimedia learning. *Journal of Educational Psychology, 100*, 380–386.
Mayer, R. E., Mathias, A., & Wetzell, K. (2002). Fostering understanding of multimedia messages through pre-training: Evidence for a two-stage theory of mental model construction. *Journal of Experimental Psychology: Applied, 8*, 147–154.
Mayer, R. E., Mautone, P., & Prothero, W. (2002). Pictorial aids for learning by doing in a multimedia geology simulation game. *Journal of Educational Psychology, 94*, 171–185.
Mayer, R. E., & Moreno, R. (1998). A split-attention effect in multimedia learning: Evidence for dual processing systems in working memory. *Journal of Educational Psychology, 90*, 312–320.
Mayer, R. E., & Moreno, R. (2002). Aids to computer-based multimedia learning. *Learning and Instruction, 12*, 107–119.
Mayer, R. E., & Moreno, R. (2003). Nine ways to reduce cognitive load in multimedia learning. *Educational Psychologist, 38*, 43–52.
Mayer, R. E., Moreno, R., Boire, M., & Vagge, S. (1999). Maximizing constructivist learning from multimedia communications by minimizing cognitive load. *Journal of Educational Psychology, 91*, 638–643.
Mayer, R. E., & Sims, V. K. (1994). For whom is a picture worth a thousand words? Extensions of a dual-coding theory of multimedia learning. *Journal of Educational Psychology, 86*, 389–401.
Mayer, R. E., Sobko, K., & Mautone, P. D. (2003). Social cues in multimedia learning: Role of speaker's voice. *Journal of Educational Psychology, 95*, 419–425.
Mayer, R. E., Steinhoff, K., Bower, G., & Mars, R. (1995). A generative theory of textbook design: Using annotated illustrations to foster meaningful learning of science text. *Educational Technology Research and Development, 43*, 31–43.
Mayer, R. E., Stiehl, C. C., & Greeno, J. G. (1975). Acquisition of understanding and skill in relation to subjects' preparation and meaningfulness of instruction. *Journal of Educational Psychology, 67*, 331–350.
McNamara, D. S., Kintsch, E., Songer, N. B., & Kintsch, W. (1996). Are good texts always better? Interactions of text coherence, background knowledge, and levels of understanding in learning from text. *Cognition and Instruction, 14*, 1–43.
Meadow, A., Parnes, S. J., & Reese, H. (1959). Influence of brainstorming instructions and problem sequence on a creative problem solving test. *The Journal of Applied Psychology, 43*, 413–416.
Mendoza, D., & Wichman, H. (1978). 'Inner' darts: Effects of mental practice on performance of dart throwing. *Perceptual and Motor Skills, 47*, 1195–1199.
Merrill, M. D. (1975). Learner control: Beyond aptitude-treatment interactions. *AV Communication Review, 23*, 217–226.
Meudell, P. R., Hitch, G. J., & Kirby, P. (1992). Are two heads better than one? Experimental investigations of the social facilitation of memory. *Applied Cognitive Psychology, 6*, 525–543.
Miller, W. (1937). The picture crutch in reading. *Elementary English Review, 14*, 263–264.
Miller, G. A. (1956). The magical number seven, plus or minus two: Some limits on our capacity for processing information. *Psychological Review, 63*, 81–97.
Miller, C. S., Lehman, J. F., & Koedinger, K. R. (1999). Goals and learning in microworlds. *Cognitive Science, 23*, 305–336.

Moreno, R. (2004). Decreasing cognitive load for novice students: Effects of explanatory versus corrective feedback in discovery-based multimedia. *Instructional Science, 32*, 99–113.
Moreno, R. (2007). Optimising learning from animations by minimising cognitive load: Cognitive and affective consequences of signalling and segmentation methods. *Applied Cognitive Psychology, 21*, 765–781.
Moreno, R., & Durán, R. (2004). Do multiple representations need explanations? The role of verbal guidance and individual differences in multimedia mathematics learning. *Journal of Educational Psychology, 96*, 492–503.
Moreno, R., & Mayer, R. E. (1999). Cognitive principles of multimedia learning: The role of modality and contiguity. *Journal of Educational Psychology, 91*, 358–368.
Moreno, R., & Mayer, R. E. (2002). Verbal redundancy in multimedia learning: When reading helps listening. *Journal of Educational Psychology, 94*, 156–163.
Moreno, R., Mayer, R. E., Spires, H. A., & Lester, J. C. (2001). The case for social agency in computer-based teaching: Do students learn more deeply when they interact with animated pedagogical agents? *Cognition and Instruction, 19*, 177–213.
Mousavi, S. Y., Low, R., & Sweller, J. (1995). Reducing cognitive load by mixing auditory and visual presentation modes. *Journal of Educational Psychology, 87*, 319–334.
Moussa, J., Ayres, P., & Sweller, J. (2007). *Cognitive load and the impact of spoken English on learning English as a foreign language*. Paper presented at the International Conference on Cognitive Load Theory, Sydney, UNSW.
Mwangi, W., & Sweller, J. (1998). Learning to solve compare word problems: The effect of example format and generating self-explanations. *Cognition and Instruction, 16*, 173–199.
Nadolski, R. J., Kirschner, P. A., & van Merriënboer, J. J. G. (2005). Optimizing the number of steps in learning tasks for complex skills. *The British Journal of Educational Psychology, 75*, 223–237.
Newell, A., & Simon, H. A. (1972). *Human problem solving*. Englewood Cliffs: Prentice Hall.
Niemiec, R. P., Sikorski, C., & Walberg, H. J. (1996). Learner-control effects: A review of reviews and a meta-analysis. *Journal of Educational Computing Research, 15*, 157–174.
Nückles, M., Hübner, S., Dümer, S., & Renkl, A. (2010). Expertise reversal effects in writing-to-learn. *Instructional Science, 38*, 237–258.
O'Neil, H. F., & Chuang, S. S. (2007). *An audio/text after-action review in a computer-based collaborative problem solving task*. Los Angeles: National Center for Research on Evaluation, Standards, and Student Testing (CRESST). University of California.
Oksa, A., Kalyuga, S., & Chandler, P. (2010). Expertise reversal effect in using explanatory notes for readers of Shakespearean text. *Instructional Science, 38*, 217–236.
Osborn, A. F. (1953). *Applied imagination*. New York: Scribners.
Osman, M. (2008). Observation can be as effective as action in problem solving. *Cognitive Science, 32*, 162–183.
Owen, E., & Sweller, J. (1985). What do students learn while solving mathematics problems? *Journal of Educational Psychology, 77*, 272–284.
Owens, P., & Sweller, J. (2008). Cognitive load theory and music instruction. *Educational Psychology, 28*, 29–45.
Paas, F. G. (1992). Training strategies for attaining transfer of problem-solving skill in statistics: A cognitive-load approach. *Journal of Educational Psychology, 84*, 429–434.
Paas, F., Ayres, P., & Pachman, M. (2008). Assessment of cognitive load in multimedia learning: Theory, methods and applications. In D. H. Robinson & G. Schraw (Eds.), *Recent innovations in educational technology that facilitate student learning* (pp. 11–35). Charlotte: Information Age Publishing.
Paas, F., Camp, G., & Rikers, R. (2001). Instructional compensation for age-related cognitive declines: Effects of goal specificity in maze learning. *Journal of Educational Psychology, 93*, 181–186.
Paas, F., Renkl, A., & Sweller, J. (2003). Cognitive load theory and instructional design: Recent developments. *Educational Psychologist, 38*, 1–4.
Paas, F., Renkl, A., & Sweller, J. (2004). Cognitive load theory: Instructional implications of the interaction between information structures and cognitive architecture. *Instructional Science, 32*, 1–8.
Paas, F., Tuovinen, J. E., Tabbers, H., & van Gerven, P. W. M. (2003). Cognitive load measurement as a means to advance cognitive load theory. *Educational Psychologist, 38*, 63–71.
Paas, F. G. W. C., & van Merriënboer, J. J. G. (1993). The efficiency of instructional conditions: An approach to combine mental effort and performance measures. *Human Factors, 35*, 737–743.

Paas, F. G. W. C., & van Merriënboer, J. J. G. (1994). Variability of worked examples and transfer of geometrical problem-solving skills: A cognitive-load approach. *Journal of Educational Psychology, 86*, 122–133.
Paas, F. G. W. C., van Merriënboer, J. J. G., & Adam, J. J. (1994). Measurement of cognitive load in instructional research. *Perceptual and Motor Skills, 79*, 419–430.
Pashler, H., Bain, P. M., Bottqe, B. A., Graesser, A., Koedinger, K., McDaniel, M., et al. (2007). *Organizing instruction and study to improve student learning. IES practice guide. NCER 2007–2004.*
Pawley, D., Ayres, P., Cooper, M., & Sweller, J. (2005). Translating words into equations: A cognitive load theory approach. *Educational Psychology, 25*, 75–97.
Penney, C. G. (1989). Modality effects and the structure of short-term verbal memory. *Memory and Cognition, 17*, 398–422.
Perry, H. M. (1939). The relative efficiency of actual and 'imaginary' practice in five selected tasks. *Archives of Psychology, 243*, 76.
Peterson, L., & Peterson, M. J. (1959). Short-term retention of individual verbal items. *Journal of Experimental Psychology, 58*, 193–198.
Phipps, S. J., & Morehouse, C. A. (1969). Effects of mental practice on the acquisition of motor skills of varied difficulty. *Research Quarterly, 40*, 773–778.
Piaget, J. (1928). *Judgement and reasoning in the child.* New York: Harcourt.
Pillay, H. K. (1994). Cognitive load and mental rotation: Structuring orthographic projection for learning and problem solving. *Instructional Science, 22*, 91–113.
Plass, J. L., Chun, D. M., Mayer, R. E., & Leutner, D. (2003). Cognitive load in reading a foreign language text with multimedia aids and the influence of verbal and spatial abilities. *Computers in Human Behavior, 19*, 221–243.
Ploetzner, R., & Lowe, R. (2004). Dynamic visualisations and learning. *Learning and Instruction, 14*, 235–240.
Pociask, F. D., & Morrison, G. R. (2008). Controlling split attention and redundancy in physical therapy instruction. *Educational Technology Research and Development, 56*, 379–399.
Pollock, E., Chandler, P., & Sweller, J. (2002). Assimilating complex information. *Learning and Instruction, 12*, 61–86.
Polya, G. (1957). *How to solve it: A new aspect of mathematical method.* Garden City: Doubleday.
Portin, P. (2002). Historical development of the concept of the gene. *The Journal of Medicine and Philosophy, 27*, 257–286.
Purnell, K. N., Solman, R. T., & Sweller, J. (1991). The effects of technical illustrations on cognitive load. *Instructional Science, 20*, 443–462.
Quilici, J. L., & Mayer, R. E. (1996). Role of examples in how students learn to categorize statistics word problems. *Journal of Educational Psychology, 88*, 144–161.
Rakestraw, P. G., Irby, D. M., & Vontver, L. A. (1983). The use of mental practice in pelvic examination instruction. *Journal of Medical Education, 58*, 335–340.
Rawlings, E. I., & Rawlings, I. L. (1974). Rotary pursuit tracking following mental rehearsal as a function of voluntary control of visual imagery. *Perceptual and Motor Skills, 38*, 302.
Reder, L. M., & Anderson, J. R. (1980). A comparison of texts and their summaries: Memorial consequences. *Journal of Verbal Learning and Verbal Behavior, 19*, 121–134.
Reder, L. M., & Anderson, J. R. (1982). Effects of spacing and embellishment on memory for the main points of a text. *Memory and Cognition, 10*(2), 97–102.
Reigeluth, C. M. (2007). Order, first step to mastery: An introduction to sequencing in instructional design. In order to learn: How the sequence of topics influences learning. In F. E. Ritter, J. Nerb, E. Lehtinen, & T. M. O'Shea (Eds.), *In order to learn: How the sequence of topics influences learning* (Oxford series on cognitive models and architectures, pp. 19–40). New York: Oxford University Press.
Reisslein, J. (2005). *Learner achievement and attitudes under varying paces of transitioning to independent problem solving.* Unpublished dissertation presented in partial fulfillment of the requirements for the degree Doctor of Philosophy, Arizona State University, Tempe, Arizona.
Reisslein, J., Atkinson, R. K., Seeling, P., & Reisslein, M. (2006). Encountering the expertise reversal effect with a computer-based environment on electrical circuit analysis. *Learning and Instruction, 16*, 92–103.

Renkl, A. (1997). Learning from worked-out examples: A study on individual differences. *Cognitive Science, 21*, 1–29.
Renkl, A. (1999). Learning mathematics from worked-out examples: Analyzing and fostering self-explanations. *European Journal of Psychology of Education, 14*, 477–488.
Renkl, A. (2005). The worked-out examples principle in multimedia learning. In R. E. Mayer (Ed.), *The Cambridge handbook of multimedia learning* (pp. 229–245). New York: Cambridge University Press.
Renkl, A., & Atkinson, R. K. (2001, August). *The effects of gradually increasing problem-solving demands in cognitive skill acquisition*. Paper presented at the 9th European Conference for Research on Learning and Instruction, Fribourg, Switzerland.
Renkl, A., & Atkinson, R. K. (2003). Structuring the transition from example study to problem solving in cognitive skill acquisition: A cognitive load perspective. *Educational Psychologist, 38*, 15–22.
Renkl, A., Atkinson, R. K., & Grobe, C. S. (2004). How fading worked solution steps works – A cognitive load perspective. *Instructional Science, 32*, 59–82.
Renkl, A., Atkinson, R. K., & Maier, U. H. (2000). From studying examples to solving problems: Fading worked-out solution steps helps learning. In L. Gleitman & A. K. Joshi (Eds.), *Proceedings of the 22nd Annual conference of the Cognitive Science Society* (pp. 393–398). Mahwa: Lawrence Erlbaum.
Renkl, A., Atkinson, R. K., Maier, U. H., & Staley, R. (2002). From example study to problem solving: Smooth transitions help learning. *Journal of Experimental Education, 70*, 293–315.
Renkl, A., Schwonke, R., Wittwer, J., Krieg, C., Aleven, V., & Salden, R. (2007, March). *Worked-out examples in an intelligent tutoring system: Do they further improve learning?* Paper presented at the International Cognitive Load Theory Conference, Sydney, Australia.
Renkl, A., Stark, R., Gruber, H., & Mandl, H. (1998). Learning from worked-out examples: The effects of example variability and elicited self-explanations. *Contemporary Educational Psychology, 23*, 90–108.
Retnowati, E., Ayres, P., & Sweller, J. (2010). Worked example effects in individual and group work settings. *Educational Psychology, 30*, 349–367.
Ritter, F. E., Nerb, J., Lehtinen, E., & O'Shea, T. M. (Eds.). (2007). *In order to learn: How the sequence of topics influences learning* (Oxford series on cognitive models and architectures). New York: Oxford University Press.
Rizzolatti, G. (2005). The mirror neuron system and imitation. In S. Hurley & N. Chater (Eds.), *Perspectives on imitation: From neuroscience to social science* (Mechanisms of imitation and imitation in animals, Vol. 1, pp. 55–76). Cambridge, MA: MIT Press.
Rizzolatti, G., & Craighero, L. (2004). The mirror-neuron system. *Annual Review of Neuroscience, 27*, 169–192.
Romero, K., & Silvestri, L. (1990). The role of mental practice in the acquisition and performance of motor skills. *Journal of Instructional Psychology, 17*, 218–221.
Rose, J. M. (2002). The effects of cognitive load on decision aid users. *Advances in Accounting Behavioral Research, 5*, 115–140.
Rose, J. M., & Wolfe, C. J. (2000). The effects of system design alternatives on the acquisition of tax knowledge from a computerized tax decision aid. *Accounting, Organizations and Society, 25*, 285–306.
Rourke, A., & Sweller, J. (2009). The worked-example effect using ill-defined problems: Learning to recognise designers' styles. *Learning and Instruction, 19*, 185–199.
Roy, M., & Chi, M. T. H. (2005). The self-explanation principle in multimedia learning. In R. E. Mayer (Ed.), *The Cambridge handbook of multimedia learning* (pp. 271–286). New York, NY: Cambridge University Press.
Sackett, R. S. (1934). The influence of symbolic rehearsal upon the retention of a maze habit. *The Journal of General Psychology, 10*, 376–398.
Sackett, R. S. (1935). The relationship between amount of symbolic rehearsal and retention of a maze habit. *The Journal of General Psychology, 13*, 113–130.
Salden, R. J. C. M., Aleven, V., Schwonke, R., & Renkl, A. (2010). The expertise reversal effect and worked examples in tutored problem solving. *Instructional Science, 38*, 289–307.
Salden, R. J. C. M., Paas, F., Broers, N. J., & van Merriënboer, J. J. G. (2004). Mental effort and performance as determinants for the dynamic selection of learning tasks in air traffic control training. *Instructional Science, 32*, 153–172.

Salden, R. J. C. M., Paas, F., & van Merriënboer, J. J. G. (2006a). A comparison of approaches to learning task selection in the training of complex cognitive skills. *Computers in Human Behavior, 22*, 321–333.
Salden, R. J. C. M., Paas, F., & van Merriënboer, J. J. G. (2006b). Personalised adaptive task selection in air traffic control: Effects on training efficiency and transfer. *Learning and Instruction, 16*, 350–362.
Saunders, R. J., & Solman, R. T. (1984). The effect of pictures on the acquisition of a small vocabulary of similar sight-words. *The British Journal of Educational Psychology, 54*, 265–275.
Scheiter, M., & Gerjets, P. (2007). Making your own order: Order effects in system- and user-controlled settings for learning and problem solving. In F. Ritter, J. Nerb, E. Lehtinen, & T. O'Shea (Eds.), *In order to learn: How the sequence of topics influences learning* (pp. 195–212). New York: Oxford University Press.
Schirmer, B. R. (2003). Using verbal protocols to identify the reading strategies of students who are deaf. *Journal of Deaf Studies and Deaf Education, 8*, 157–170.
Schmidt-Weigand, F., Kohnert, A., & Glowalla, U. (2010). A closer look at split visual attention in system- and self-paced instruction in multimedia learning. *Learning and Instruction, 20*, 100–110.
Schneider, W., & Detweiler, M. (1987). A connectionist/control architecture for working memory. In G. H. Bower (Ed.), *The psychology of learning and motivation: Advances in research and theory* (Vol. 21, pp. 53–119). New York: Academic.
Schneider, W., & Shiffrin, R. M. (1977). Controlled and automatic human information processing: I. Detection, search, and attention. *Psychological Review, 84*, 1–66.
Schnotz, W. (2005). An integrated model of text and picture comprehension. In R. E. Mayer (Ed.), *The Cambridge handbook of multimedia learning* (pp. 49–69). Cambridge, UK: Cambridge University Press.
Schnotz, W., & Bannert, M. (2003). Construction and interference in learning from multiple representation. *Learning and Instruction, 13*, 141–156.
Schnotz, W., Böckheler, J., & Grzondziel, H. (1999). Individual and co-operative learning with interactive animated pictures. *European Journal of Psychology of Education, 14*, 245–265.
Schnotz, W., & Rasch, T. (2005). Enabling, facilitating, and inhibiting effects of animations in multimedia learning: Why reduction of cognitive load can have negative results on learning. *Educational Technology Research and Development, 53*, 47–58.
Schooler, J. W., & Engstler-Schooler, T. Y. (1990). Verbal overshadowing of visual memories: Some things are better left unsaid. *Cognitive Psychology, 22*, 36–71.
Schwan, S., & Riempp, R. (2004). The cognitive benefits of interactive videos: Learning to tie nautical knots. *Learning and Instruction, 14*, 293–305.
Schwonke, R., Renkl, A., Krieg, C., Wittwer, J., Aleven, V., & Salden, R. (2009). The worked-example effect: Not an artefact of lousy control conditions. *Computers in Human Behavior, 25*, 258–266.
Schworm, S., & Renkl, A. (2006). Computer-supported example-based learning: When instructional explanations reduce self-explanations. *Computers & Education, 46*, 426–445.
Schworm, S., & Renkl, A. (2007). Learning argumentation skills through the use of prompts for self-explaining examples. *Journal of Educational Psychology, 99*, 285–296.
Seufert, T. (2003). Supporting coherence formation in learning from multiple representations. *Learning and Instruction, 13*, 227–237.
Seufert, T., Schütze, M., & Brünken, R. (2009). Memory characteristics and modality in multimedia learning: An aptitude-treatment-interaction study. *Learning and Instruction, 19*, 28–42.
Shapiro, A. M. (1999). The relationship between prior knowledge and interactive overviews during hypermedia-aided learning. *Journal of Educational Computing Research, 20*, 143–167.
Shick, M. (1970). Effects of mental practice on selected volleyball skills for college women. *Research Quarterly, 41*, 88–94.
Shiffrin, R. M., & Schneider, W. (1977). Controlled and automatic human information processing: II. Perceptual learning, automatic attending and a general theory. *Psychological Review, 84*, 127–190.
Shin, E. C., Schallert, D. L., & Savenye, W. C. (1994). Effects of learner control, advisement, and prior knowledge on young students' learning in a hypertext environment. *Educational Technology Research and Development, 42*, 33–46.
Shute, V. J., & Gluck, K. A. (1996). Individual differences in patterns of spontaneous online tool use. *Journal of the Learning Sciences, 5*, 329–355.

Simon, H. A., & Gilmartin, K. (1973). A simulation of memory for chess positions. *Cognitive Psychology, 5*, 29–46.
Simon, H. A., & Lea, G. (1974). Problem solving and rule induction: A unified view. Knowledge and cognition. In L. W. Gregg (Ed.), *Knowledge and cognition*. Oxford/England: Lawrence Erlbaum.
Simon, D. P., & Simon, H. A. (1978). Individual differences in solving physics problems. In R. S. Siegler (Ed.), *Children's thinking: What develops?* (pp. 325–348). Hillsdale: Lawrence Erlbaum.
Snow, R. E. (1989). Aptitude-treatment interaction as a framework for research on individual differences in learning. In P. L. Ackerman, R. J. Sternberg, & R. Glaser (Eds.), *Learning and individual differences: Advances in theory and research* (pp. 13–59). New York: W. H. Freeman.
Snow, R. E. (1994). Abilities in academic tasks. In R. J. Sternberg & R. K. Wagner (Eds.), *Mind in context: Interactionist perspectives on human intelligence* (pp. 3–37). Cambridge, MA: Cambridge University Press.
Snow, R. E., & Lohman, D. F. (1984). Toward a theory of cognitive aptitude for learning from instruction. *Journal of Educational Psychology, 76*, 347–376.
Spangenberg, R. W. (1973). The motion variable in procedural learning. *AV Communication Review, 21*, 419–436.
Spanjers, I. A. E., Van Gog, T., & van Merriënboer, J. J. G. (2010). A theoretical analysis of how segmentation of dynamic visualizations optimizes students' learning. *Educational Psychology Review, 22*, 411–423.
Spiro, R. J., & DeSchryver, M. (2009). Constructivism: When it's the wrong idea and when it's the only idea. In S. Tobias & M. Thomas (Eds.), *Constructivist instruction: Success or failure?* (pp. 106–123). New York: Routledge/Taylor & Francis.
Steinberg, E. R. (1977). Review of student control in computer-assisted instruction. *Journal of Computer-Based Instruction, 3*, 84–90.
Steinberg, E. R. (1989). Cognition and learner control: A literature review, 1977–1988. *Journal of Computer-Based Instruction, 16*, 117–121.
Stenning, K. (1998). Distinguishing semantic from processing explanations of usability of representations: Applying expressiveness analysis to animation. In J. Lee (Ed.), *Intelligence and multimodality in multimedia interfaces: Research and applications*. Cambridge, MA: AAAI Press.
Stotz, K., & Griffiths, P. (2004). Genes: Philosophical analyses put to the test. *History and Philosophy of the Life Sciences, 26*, 5–28.
Surburg, P. R. (1968). Audio, visual and audio-visual instruction with mental practice in developing the forehand tennis drive. *Research Quarterly, 39*, 728–734.
Sweller, J. (1980). Transfer effects in a problem solving context. *The Quarterly Journal of Experimental Psychology, 32*, 233–239.
Sweller, J. (1983). Control mechanisms in problem solving. *Memory and Cognition, 11*, 32–40.
Sweller, J. (1988). Cognitive load during problem solving: Effects on learning. *Cognitive Science, 12*, 257–285.
Sweller, J. (1994). Cognitive load theory, learning difficulty, and instructional design. *Learning and Instruction, 4*, 295–312.
Sweller, J. (1999). *Instructional design in technical areas*. Camberwell: ACER Press.
Sweller, J. (2003). Evolution of human cognitive architecture. In B. Ross (Ed.), *The psychology of learning and motivation* (Vol. 43, pp. 215–266). San Diego: Academic.
Sweller, J. (2004). Instructional design consequences of an analogy between evolution by natural selection and human cognitive architecture. *Instructional Science, 32*, 9–31.
Sweller, J. (2008). Instructional implications of David C. Geary's evolutionary educational psychology. *Educational Psychologist, 43*, 214–216.
Sweller, J. (2009a). *What human cognitive architecture tells us about constructivism Constructivist instruction: Success or failure?* (pp. 127–143). New York: Routledge.
Sweller, J. (2009b). Cognitive bases of human creativity. *Educational Psychology Review, 21*, 11–19.
Sweller, J. (2010). Element interactivity and intrinsic, extraneous, and germane cognitive load. *Educational Psychology Review, 22*, 123–138.
Sweller, J., & Chandler, P. (1994). Why some material is difficult to learn. *Cognition and Instruction, 12*, 185–233.
Sweller, J., Chandler, P., Tierney, P., & Cooper, M. (1990). Cognitive load as a factor in the structuring of technical material. *Journal of Experimental Psychology: General, 119*, 176–192.
Sweller, J., & Cooper, G. A. (1985). The use of worked examples as a substitute for problem solving in learning algebra. *Cognition and Instruction, 1*, 59–89.

Sweller, J., & Gee, W. (1978). Einstellung, the sequence effect, and hypothesis theory. *Journal of Experimental Psychology: Human Learning and Memory, 4*, 513–526.

Sweller, J., & Levine, M. (1982). Effects of goal specificity on means–ends analysis and learning. *Journal of Experimental Psychology. Learning, Memory, and Cognition, 8*, 463–474.

Sweller, J., Mawer, R. F., & Howe, W. (1982). Consequences of history-cued and means–end strategies in problem solving. *The American Journal of Psychology, 95*, 455–483.

Sweller, J., Mawer, R. F., & Ward, M. R. (1983). Development of expertise in mathematical problem solving. *Journal of Experimental Psychology: General, 112*, 639–661.

Sweller, J., & Sweller, S. (2006). Natural information processing systems. *Evolutionary Psychology, 4*, 434–458.

Sweller, J., van Merriënboer, J. J. G., & Paas, F. G. W. C. (1998). Cognitive architecture and instructional design. *Educational Psychology Review, 10*, 251–296.

Tabbers, H. K., Martens, R. L., & van Merriënboer, J. J. G. (2000). *Multimedia instructions and cognitive load theory: Split-attention and modality effects*. Unpublished paper presented at the Onderwijs Research Dagen, at Leiden, The Netherlands.

Tabbers, H. K., Martens, R. L., & van Merriënboer, J. J. G. (2004). Multimedia instructions and cognitive load theory: Effects of modality and cueing. *The British Journal of Educational Psychology, 74*, 71–81.

Tarmizi, R. A., & Sweller, J. (1988). Guidance during mathematical problem solving. *Journal of Educational Psychology, 80*, 424–436.

Tennyson, R. D. (1975). Adaptive instructional models for concept acquisition. *Educational Technology, 15*, 7–15.

Tettamanti, M., Buccino, G., Saccuman, M. C., Gallese, V., Danna, M., Scifo, P., et al. (2005). Listening to action-related sentences activates fronto-parietal motor circuits. *Journal of Cognitive Neuroscience, 17*, 273–281.

Tindall-Ford, S., Chandler, P., & Sweller, J. (1997). When two sensory modes are better than one. *Journal of Experimental Psychology: Applied, 3*, 257–287.

Tindall-Ford, S., & Sweller, J. (2006). Altering the modality of instructions to facilitate imagination: Interactions between the modality and imagination effects. *Instructional Science, 34*, 343–365.

Tobias, S. (1976). Achievement treatment interactions. *Review of Educational Research, 46*, 61–74.

Tobias, S. (1987). Mandatory text review and interaction with student characteristics. *Journal of Educational Psychology, 79*, 154–161.

Tobias, S. (1988). Teaching strategic text review by computer and interaction with student characteristics. *Computers in Human Behavior, 4*, 299–310.

Tobias, S. (1989). Another look at research on the adaptation of instruction to student characteristics. *Educational Psychologist, 24*, 213–227.

Torcasio, S., & Sweller, J. (2010). The use of illustrations when learning to read: A cognitive load theory approach. *Applied Cognitive Psychology, 24*, 659–672.

Trafton, J. G., & Reiser, R. J. (1993). The contribution of studying examples and solving problems to skill acquisition. In M. Polson (Ed.), *Proceedings of the 15th Annual Conference of the Cognitive Science Society* (pp. 1017–1022). Hillsdale: Lawrence Erlbaum.

Trumpower, D. L., Goldsmith, T. E., & Guynn, M. J. (2004). Goal specificity and knowledge acquisition in statistics problem solving: Evidence for attentional focus. *Memory and Cognition, 32*, 1379–1388.

Tuovinen, J. E., & Sweller, J. (1999). A comparison of cognitive load associated with discovery learning and worked examples. *Journal of Educational Psychology, 91*, 334–341.

Tversky, B., Morrison, J. B., & Betrancourt, M. (2002). Animation: Can it facilitate? *International Journal of Human Computer Studies, 57*, 247–262.

Underwood, G., Jebbett, L., & Roberts, K. (2004). Inspecting pictures for information to verify a sentence: Eye movements in general encoding and in focused search. *The Quarterly Journal of Experimental Psychology: Human Experimental Psychology, 57A*, 165–182.

Ungerleider, S., & Golding, J. M. (1991). Mental practice among Olympic athletes. *Perceptual and Motor Skills, 72*, 1007–1017.

VanLehn, K., Jones, R., & Chi, M. (1992). A model of the self-explanation effect. *Journal of the Learning Sciences, 2*, 1–60.

Van Gerven, P. W. M., Paas, F., van Merriënboer, J. J. G., Hendriks, M., & Schmidt, H. G. (2003). The efficiency of multimedia learning into old age. *The British Journal of Educational Psychology, 73*, 489–505.

Van Gerven, P. W. M., Paas, F., van Merriënboer, J. J. G., & Schmidt, H. G. (2004). Memory load and the cognitive pupillary response in aging. *Psychophysiology, 41*, 167–174.
Van Gerven, P. W. M., Paas, F., van Merriënboer, J. J. G., & Schmidt, H. G. (2006). Modality and variability as factors in training the elderly. *Applied Cognitive Psychology, 20*, 311–320.
Van Gog, T., & Paas, F. (2008). Instructional efficiency: Revisiting the original construct in educational research. *Educational Psychologist, 43*, 16–26.
Van Gog, T., Paas, F., Marcus, N., Ayres, P., & Sweller, J. (2009). The mirror neuron system and observational learning: Implications for the effectiveness of dynamic visualizations. *Educational Psychology Review, 21*, 21–30.
Van Gog, T., Paas, F., & van Merriënboer, J. J. G. (2004). Process-oriented worked examples: Improving transfer performance through enhanced understanding. *Instructional Science, 32*, 83–98.
Van Gog, T., Paas, F., & van Merriënboer, J. J. G. (2008). Effects of studying sequences of process-oriented and product-oriented worked examples on troubleshooting transfer efficiency. *Learning and Instruction, 18*, 211–222.
Van Gog, T., Rikers, R. M. J. P., & Ayres, P. (2008). Data collection and analysis: Assessment of complex performance. In J. M. Spector, M. D. Merrill, J. J. G. van Merriënboer, & M. P. Driscoll (Eds.), *Handbook of research on educational communications and technology* (3 revth ed., pp. 783–789). London/England: Routledge.
Van Gog, T., & Scheiter, K. (2010). Eye tracking as a tool to study and enhance multimedia learning. *Learning and Instruction, 20*, 95–99.
Van Meer, J. P., & Theunissen, N. C. M. (2009). Prospective educational applications of mental simulation: A meta-review. *Educational Psychology Review, 21*, 93–112.
Van Merriënboer, J. J. G. (1990). Strategies for programming instruction in high school: Program completion vs. program generation. *Journal of Educational Computing Research, 6*, 65–285.
Van Merriënboer, J. J. G. (1997). *Training complex cognitive skills: A four-component instructional design model for technical training*. Englewood Cliffs: Educational Technology Publications.
Van Merriënboer, J. J. G., Clark, R. E., & de Croock, M. B. M. (2002). Blueprints for complex learning: The 4C/ID-Model. *Educational Technology Research and Development, 50*, 39–64.
Van Merriënboer, J. J. G., & de Croock, M. B. (1992). Strategies for computer-based programming instruction: Program completion vs. program generation. *Journal of Educational Computing Research, 8*, 365–394.
Van Merriënboer, J. J. G., & Kester, L. (2008). Whole-task models in education. In J. M. Spector, M. D. Merrill, J. J. G. van Merriënboer, & M. P. Driscoll (Eds.), *Handbook of research on educational communications and technology* (3rd ed., pp. 441–456). New York: Lawrence Erlbaum.
Van Merriënboer, J. J. G., Kester, L., & Paas, F. (2006). Teaching complex rather than simple tasks: Balancing intrinsic and germane load to enhance transfer of learning. *Applied Cognitive Psychology, 20*, 343–352.
Van Merriënboer, J. J. G., & Kirschner, P. A. (2007). *Ten steps to complex learning: A systematic approach to four-component instructional design:*. Mahwah: Lawrence Erlbaum.
Van Merriënboer, J. J. G., Kirschner, P. A., & Kester, L. (2003). Taking the load off a learner's mind: Instructional design for complex learning. *Educational Psychologist, 38*, 5–13.
Van Merriënboer, J. J. G., & Krammer, H. P. (1987). Instructional strategies and tactics for the design of introductory computer programming courses in high school. *Instructional Science, 16*, 251–285.
Van Merriënboer, J. J. G., & Paas, F. G. W. C. (1990). Automation and schema acquisition in learning elementary computer programming: Implications for the design of practice. *Computers in Human Behavior, 6*, 273–289.
Van Merriënboer, J. J. G., Schuurman, J. G., de Croock, M. B. M., & Paas, F. G. W. C. (2002). Redirecting learners' attention during training: Effects on cognitive load, transfer test performance and training efficiency. *Learning and Instruction, 12*, 11–37.
Van Merriënboer, J. J. G., & Sluijsmans, D. M. A. (2009). Toward a synthesis of cognitive load theory, four-component instructional design, and self-directed learning. *Educational Psychology Review, 21*, 55–66.
Van Merriënboer, J. J. G., & Sweller, J. (2005). Cognitive load theory and complex learning: Recent developments and future directions. *Educational Psychology Review, 17*, 147–177.
Vollmeyer, R., & Burns, B. D. (2002). Goal specificity and learning with a hypermedia program. *Experimental Psychology, 49*, 98–108.

Vollmeyer, R., Burns, B. D., & Holyoak, K. J. (1996). The impact of goal specificity on strategy use and the acquisition of problem structure. *Cognitive Science, 20*, 75–100.

Ward, M., & Sweller, J. (1990). Structuring effective worked examples. *Cognition and Instruction, 7*, 1–39.

West-Eberhard, M. (2003). *Developmental plasticity and evolution*. New York: Oxford University Press.

Whelan, R. R. (2007). Neuroimaging of cognitive load in instructional multimedia. *Educational Research Review, 2*(1), 1–12.

Wirth, J., Künsting, J., & Leutner, D. (2009). The impact of goal specificity and goal type on learning outcome and cognitive load. *Computers in Human Behavior, 25*, 299–305.

Wong, A., Marcus, N., Ayres, P., Smith, L., Cooper, G. A., Paas, F., et al. (2009). Instructional animations can be superior to statics when learning human motor skills. *Computers in Human Behavior, 25*, 339–347.

Wouters, P., Paas, F., & van Merriënboer, J. J. G. (2009). Observational learning from animated models: Effects of modality and reflection on transfer. *Contemporary Educational Psychology, 34*, 1–8.

Xie, B., & Salvendy, G. (2000). Prediction of mental workload in single and multiple tasks environments. *International Journal of Cognitive Ergonomics, 4*, 213–242.

Yeung, A. S., Jin, P., & Sweller, J. (1998). Cognitive load and learner expertise: Split-attention and redundancy effects in reading with explanatory notes. *Contemporary Educational Psychology, 23*, 1–21.

Zhang, L., Ayres, P., & Chan, K. (2011). Examining different types of collaborative learning in a complex computer-based environment: A cognitive load approach. *Computers in Human Behavior, 27*, 94–98.

Zhu, X., & Simon, H. A. (1987). Learning mathematics from examples and by doing. *Cognition and Instruction, 4*, 137–166.

찾아보기

ㄱ

가산성 86, 87
감각양식 역효과(reverse modality effect) 190, 191, 210
감각양식 효과 181, 271, 301
거울 신경 시스템(mirror neuron system) 49, 311
계산 모형(computational model) 127
계산을 통한 추정(computational model) 104
고립된 요소 효과(isolated element effect) 286
과제 난이도 90, 117, 273
관찰을 통한 학습 133
교대 전략 145
교류비용(transaction costs) 314
국지적 링크(local links) 135
규칙 공간(rule space) 131
기계적 암기에 의한 학습 93
기능적 자기공명영상(functional magnetic resonance inmaging) 115

ㄴ

내재적 인지부하 85, 96, 98, 279, 283, 294
뇌파(eletroencephalography) 115
능동적(active) 학습 145

ㄷ

다양성 효과(variability effect) 225, 291
다양한 맥락 사례(varied context examples) 291
다채널 작동기억 이론 69
단일 양식 표상 114
도움의 점진적 소거 효과 237
동시 제시 효과 201

ㅁ

맥락적 간섭(contextual interference) 293
멀티미디어 227
멀티미디어에 관한 인지이론 185
멀티미디어 중복 효과 202
메타분석 177, 256
모듈(modular) 해결책 283
모방 49
목표 구체성 130, 133
목표 구체성 효과(goal-specificity effect) 125
목표 링크(goal links) 135
목표 부재 문제(no-goal problem) 125
몰러(molar) 283
무목표 문제(goal-free problem) 125
무목표 효과(goal-free effect) 125
무작위적 변이 54

무작위적 생성 원리 33, 47
무작위적 생성과 검증 절차 55, 56
문제 완성 효과 145
문제완성 과제 236
문제해결 목표(problem solving goals) 135
문제해결 전략 56

ㅂ

변화의 제한성 원리 33
본유적 인지부하 86
본유적 자원 86
부분 과제 연습(part-task practice) 290
분절 요소 효과 224
분절화 307
비구조화된 문제 143, 203
비구조화된 학습 영역 143

ㅅ

사례 공간(instance space) 131
사전훈련(pre-training) 226, 280
상상 효과 253, 274
생물학적 이차 정보 36
생물학적 이차 지식 321
생물학적 일차 정보 36
생물학적 일차 지식 310, 321
생물학적 진화 65, 72, 75
선언적(declarative) 283
수단 - 목적 분석 127, 131
수단 - 목적 전략 99, 126
수동적(passive) 학습 145
순행 작업 전략(forward-working strategy) 128
스키마 42, 87, 97
스키마 획득을 통한 학습 97
시각적 검색 노력의 감소 효과 192
시간적 주의분산 168
시공간적 스케치패드 69, 183
실천을 통한 학습 133

ㅇ

애니메이션 303, 304, 306
역행 작업(working backwards) 126
오개념(misconception) 50
외재적 인지부하 85, 99, 198
외재적 자원 86
요소 상호작용성 87, 98, 167, 189, 208, 267, 268, 271, 279
유추적 문제해결 56
음운 고리 69, 183
이중 감각양식 184
이중 양식 표상 114
이차 과제 111, 114, 122
이해력을 겸비한 학습 93
인지부하 지표 104, 106
인지적 동공 반응(cognitive papillary response) 115
일시적 정보 301, 303
일시적 정보 효과(transient information effect) 299, 300
일차 과제 111, 112

ㅈ

자기설명 253
자기설명 효과 253, 259
자동화 44
작동기억 67, 69, 85
장기기억 36
장기 작동기억 74

재조직(reorganising) 51, 52, 78
적성- 처치 상호작용 230
적시(just-in-time) 전략 283
적응적 소거 절차 244
전문성 역효과(expertise reversal effect) 167, 211, 214, 253, 273
절차적(procedural) 283
절차적 정보(procedural information) 290
정보 양식 69
정보 저장소 48, 63, 78
정보 저장 원리 33
정보 제시 효과 202
정신적 노력 106, 107
정신적 통합 305
주의분산 효과 153, 173, 175, 181, 268
중복 효과 196, 203, 268
중앙집행장치 57, 69
중앙처리장치 183
지원 정보(supportive information) 290
집합적 작동기억 효과(collective working memory effect) 299, 313

ㅊ

차용(borrowing) 51, 52
차용과 재조직 원리 33, 47, 51
총 인지부하 86, 101

ㅋ

컴퓨터 기반의 학습지원 튜터링 242
컴퓨터를 이용한 학습 166

ㅎ

하이퍼미디어 203, 227
하이퍼텍스트 안내 115
학습과제(learning task) 289
학습목표(learning goals) 135
학습숙련도 244
학습자 통제 306
해결된 예제(worked example) 100, 120, 139, 156, 157, 220, 283
해결된 예제 효과 141, 149
환경의 조직과 연결 원리 33
효율성(efficiency) 108
효율성 측정 108
후생 시스템 65, 66, 72

기타

4C / ID 모형 289
NASA 과제 부하 지표 (NASA Task Load Index) 119

역자 소개

이현정(hyunjlee@uos.ac.kr)
고려대학교 영어영문학과(문학사)
고려대학교 교육학과(교육학석사)
New York University 교육공학과(교육공학박사)
현, 서울시립대학교 교육대학원 교수

장상필(spjang@sangji.ac.kr)
서울교육대학교 초등교육과(교육학사)
한양대학교 교육대학원 교육공학과(교육학석사)
한양대학교 교육공학과(교육학박사)
현, 상지대학교 교직과 교수

심현애(simhyonae@hotmail.net)
인하대학교 국어국문학과(문학사)
University of Sydney 대학원(교육학석사)
한양대학교 교육공학과(교육학박사)
현, 단국대학교 공학교육혁신센터 책임연구원

권숙진(sjkwon@howon.ac.kr)
한양대학교 교육공학과(이학사)
한양대학교 교육공학과(교육학석사)
한양대학교 교육공학과(교육학박사)
현, 호원대학교 유아교육과 교수

권선아(skyun@yuhs.ac)
숙명여자대학교 교육심리학과(문학사)
숙명여자대학교 교육공학과(교육학석사)
University of New South Wales 교육학과(교육학박사)
현, 연세대학교 의과대학 의학교육학과 박사후 연구원

Sweller의 인지부하이론
Cognitive Load Theory

발 행 일 | 2013년 11월 20일 초판 발행
저 자 | John Sweller, Paul Ayres, Slava Kalyuga
역 자 | 이현정, 장상필, 심현애, 권숙진, 권선아
발 행 인 | 홍진기
발 행 처 | 아카데미프레스
주 소 | 413-756 경기도 파주시 문발동 출판정보산업단지 507-9
전 화 | 031-947-7389
팩 스 | 031-947-7698
웹사이트 | www.academypress.co.kr
이 메 일 | info@academypress.co.kr
등 록 일 | 2003. 6. 18 제406-2011-000131호
ISBN | 978-89-97544-39-7 93370

값 20,000원